수 능 국 어

독서 DNA

깨 우 기

❶ 기출 배경지식

이 책의 차례

I. 인문

1 윤리 사상

2 논리학

II. 사회

1 경제

2 법

3 사회·문화

Ⅲ. 과학

1 물리학

2 화학

3 생명 과학

4 지구 과학

Ⅳ. 기술

Ⅴ. 예술

이 책의 구성과 활용

STEP 1 배경지식 DNA 점검

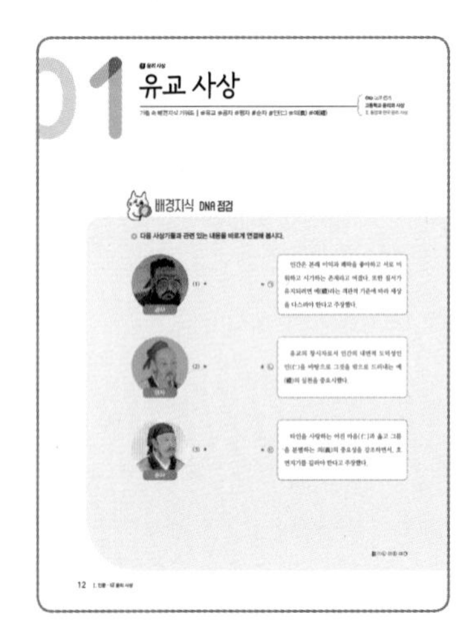

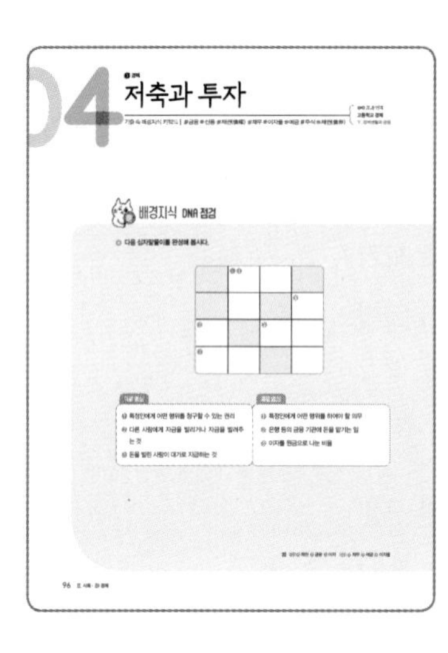

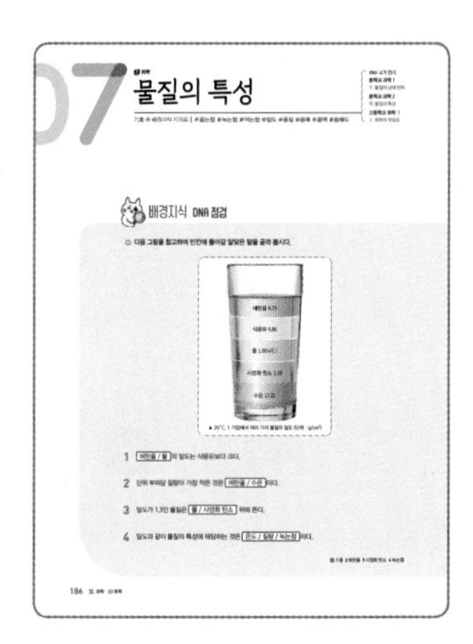

배경지식을 학습하기에 앞서 선 긋기, 십자말풀이 등과 같은 간단한 활동을 해 보면서 공부할 내용과 관련된 자신의 배경지식을 점검해 봅니다.

STEP 2 수능 필수 배경지식

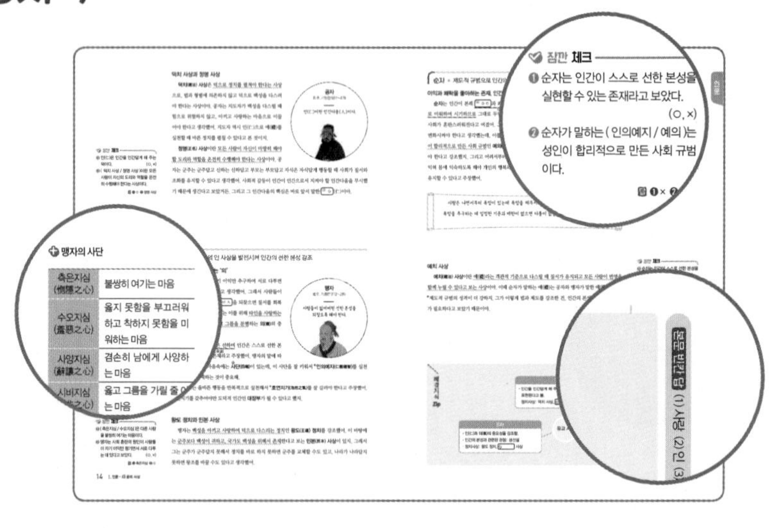

- 재미있는 도입 만화를 살펴보며 앞으로 학습할 배경지식을 확인합니다.
- 배경지식 표제어를 확인하고, 그와 관련된 설명을 읽으며 수능 필수 배경지식을 쌓아 봅니다. 본문 빈칸의 답은 배경지식 ZIP 옆에서 바로 확인할 수 있습니다.
- 배경지식 플러스에서 본문의 설명 내용과 관련된 추가 배경지식을 살펴봅니다.
- 본문의 빈칸을 채우고 잠깐 체크를 풀어 보면서 배경지식 설명을 정확히 이해했는지 확인합니다.
- 핵심 내용을 도식으로 정리한 배경지식 ZIP의 빈칸을 채우면서 배경지식 학습을 마무리합니다.

STEP 3 배경지식을 활용하여 기출문제 풀어 보기

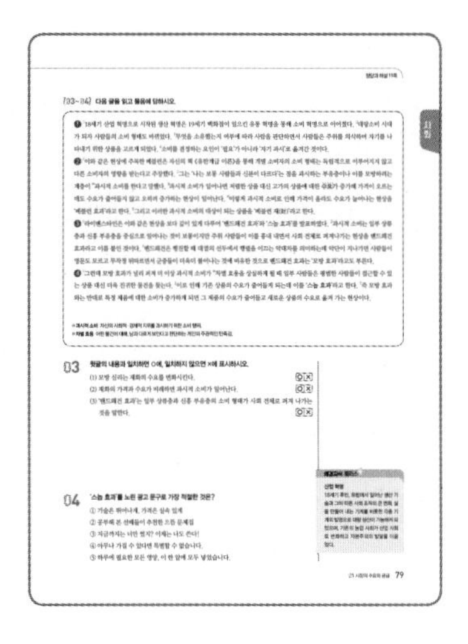

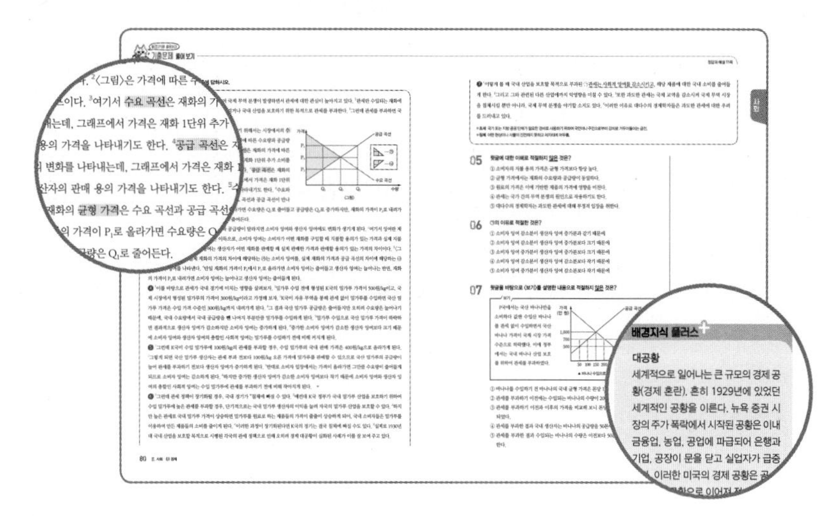

- 앞에서 학습한 배경지식을 제재로 다룬 수능·모의평가·학력평가 국어 영역의 독서 기출문제를 풀어 봅니다.
- 배경지식 플러스에서 기출 지문과 관련된 추가 배경지식을 쌓아 봅니다.
- 짧은 지문에서는 내용 확인 ○× 문제와 비교적 쉬운 객관식 문제를, 긴 지문에서는 완결된 기출문제를 풀어 보며 단계적으로 학습할 수 있도록 했습니다.
- 앞에서 다룬 배경지식과 관련된 용어에 표시하여 배경지식과 기출 지문의 연관성을 한눈에 확인할 수 있도록 했습니다.

정답과 해설

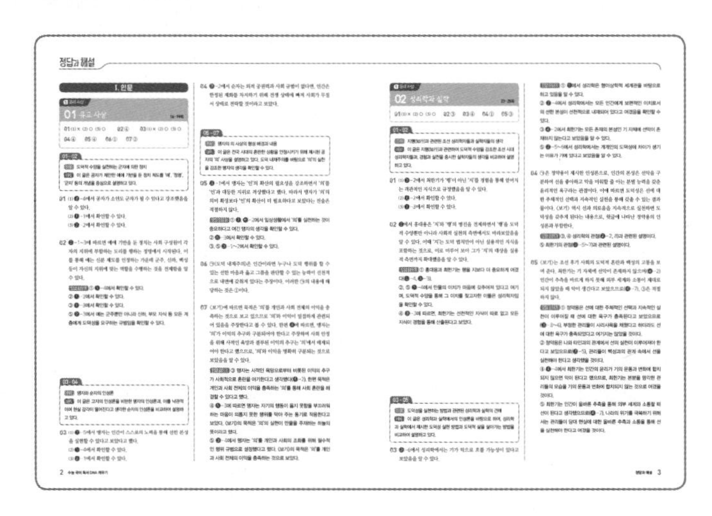

- '배경지식을 활용하여 기출문제 풀어 보기'에 제시된 기출문제의 정답과 해설을 확인합니다.
- 기출 지문의 주제와 해제, 문제의 정답과 오답의 이유를 친절하게 설명했습니다.

배경지식 찾아보기

ㅅ

ㅇ

ㅈ

배경지식 찾아보기

학습 계획표

이 책을 매일 꾸준히 공부하면
5주 안에 끝낼 수 있어!

차례			5주 완성	학습 날짜	점검
Ⅰ. 인문	1 윤리 사상	01 유교 사상	1일	월 일	
		02 성리학과 실학	2일	월 일	
		03 고대 그리스 사상	3일	월 일	
		04 이성주의와 경험주의	4일	월 일	
		05 의무론과 결과론	5일	월 일	
		06 실존주의와 실용주의	6일	월 일	
	2 논리학	07 논증의 개념	7일	월 일	
		08 연역 논증	8일	월 일	
		09 귀납 논증	9일	월 일	
Ⅱ. 사회	1 경제	01 시장의 수요와 공급	10일	월 일	
		02 합리적 선택과 시장의 한계	11일	월 일	
		03 경기 변동과 안정화 정책	12일	월 일	
		04 저축과 투자	13일	월 일	
		05 외환 시장과 환율	14일	월 일	
	2 법	06 법과 계약	15일	월 일	
		07 소송과 재판	16일	월 일	
	3 사회·문화	08 계층과 불평등	17일	월 일	
Ⅲ. 과학	1 물리학	01 힘과 운동	18일	월 일	
		02 열과 에너지	19일	월 일	
		03 특수 상대성 이론	20일	월 일	
		04 전기와 자기	21일	월 일	
		05 파동과 물질의 성질	22일	월 일	
	2 화학	06 물질의 구성	23일	월 일	
		07 물질의 특성	24일	월 일	
		08 물리 변화와 화학 변화	25일	월 일	
	3 생명 과학	09 에너지와 물질대사	26일	월 일	
		10 생장과 생식	27일	월 일	
		11 항상성과 몸의 조절	28일	월 일	
	4 지구 과학	12 태양계	29일	월 일	
		13 복사 에너지와 온실 효과	30일	월 일	
Ⅳ. 기술	01 컴퓨팅 시스템		31일	월 일	
	02 정보 통신 기술		32일	월 일	
	03 반도체 기술		33일	월 일	
Ⅴ. 예술	01 미학과 비평		34일	월 일	
	02 미술				
	03 음악		35일	월 일	
	04 사진과 영화				

나는 생각한다.

그러므로 너는 존재한다.
맞지?

I 인문

1 윤리 사상

2 논리학

01

❶ 윤리 사상

유교 사상

기출 속 배경지식 키워드 | #유교 #공자 #맹자 #순자 #인(仁) #의(義) #예(禮)

∞ 교과 연계
고등학교 윤리와 사상
Ⅱ. 동양과 한국 윤리 사상

배경지식 DNA 점검

◎ 다음 사상가들과 관련 있는 내용을 바르게 연결해 봅시다.

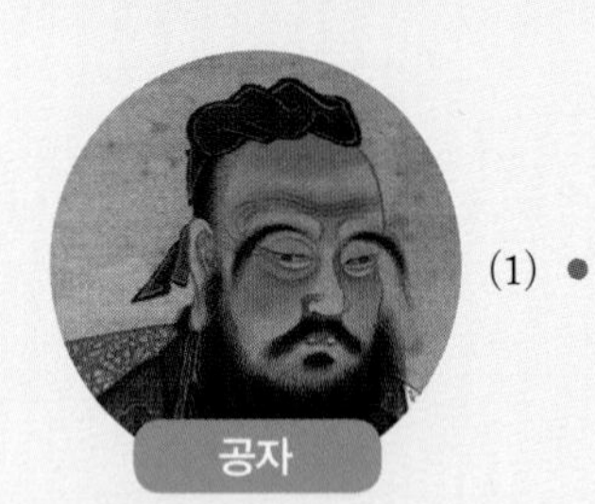
공자

(1) • 　　　　• ㉠

인간은 본래 이익과 쾌락을 좋아하고 서로 미워하고 시기하는 존재라고 여겼다. 또한 질서가 유지되려면 예(禮)라는 객관적 기준에 따라 세상을 다스려야 한다고 주장했다.

맹자

(2) • 　　　　• ㉡

유교의 창시자로서 인간의 내면적 도덕성인 인(仁)을 바탕으로 그것을 밖으로 드러내는 예(禮)의 실천을 중요시했다.

순자

(3) • 　　　　• ㉢

타인을 사랑하는 어진 마음[仁]과 옳고 그름을 분별하는 의(義)의 중요성을 강조하면서, 호연지기를 길러야 한다고 주장했다.

답 (1)㉡ (2)㉢ (3)㉠

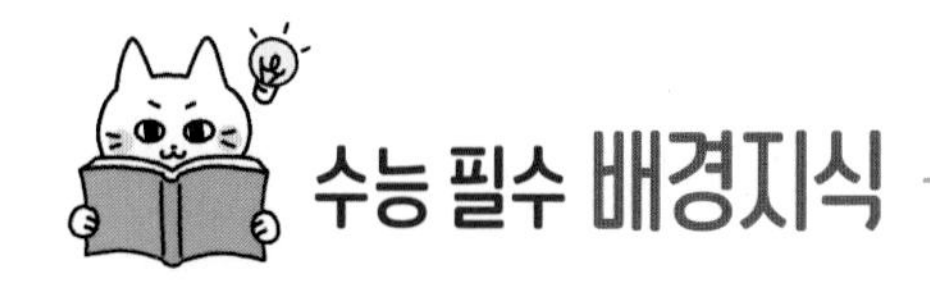

중국의 **춘추 전국 시대**에는 당시의 갈등과 혼란을 극복하고 새로운 질서를 이루려는 다양한 사상이 나타났어. 우리나라에도 큰 영향을 미친 **유교**는 이러한 시기에 **공자**가 창시한 윤리 사상으로, 인(仁)과 예(禮)를 바탕으로 하지. 공자에 따르면 **인(仁)**은 인간이 지닌 본질적인 사랑이자 인간다움, **예(禮)**는 사회 질서를 유지하기 위한 규범을 의미해. 그리고 이러한 공자의 사상을 더욱 발전시킨 인물이 **맹자**와 **순자**야. 그럼 이제부터 유교의 대표적인 사상가인 공자와 맹자, 순자가 어떤 주장을 했는지 알아볼까?

춘추 전국 시대
중국의 춘추 시대와 그다음의 전국 시대를 아울러 이르는 말. 춘추 시대는 중국 주나라가 동쪽으로 도읍을 옮긴 기원전 770년부터 기원전 403년까지 약 360년간의 전란 시대로, 공자가 역사책 ≪춘추≫에서 이 시대의 일을 서술한 데서 붙여진 이름이다. 전국 시대는 춘추 시대 다음의 기원전 403년부터 진나라가 중국을 통일한 기원전 221년까지 약 200년간의 과도기이다. 여러 제후국이 패권을 다투었던 시기로 '전국 칠웅'이라는 일곱 개의 제후국이 세력을 다투었으며, 춘추 전국 시대의 여러 학파인 제자백가를 중심으로 학문의 중흥기를 이루었고, 토지의 사유제와 함께 농사 기술의 발달 등으로 화폐가 유통되기도 했다.

공자 • 인과 예를 바탕으로 하는 유교 사상 창시

인간을 인간답게 해 주는 덕 '인', 이를 표현하는 '예'

공자는 인간은 인간답게 살아야 한다고 생각하고, 인간을 인간답게 해 주는 덕을 **인(仁)**이라고 했어. 인(仁)의 핵심은 타인을 향한 배려와 (1) ㅅㄹ 이야. 공자는 사회적 갈등의 원인이 인(仁)과 예(禮)를 무시하는 데 있다고 보고, 인(仁)이 사회 전체로 확대되면 사회가 안정될 것이라고 생각했지.

공자는 인(仁)이 부모에 대한 **효**와 형제에 대한 **우애**에서 시작해서 타인에게 점차 확대된다고 보았어. 따라서 효와 우애는 인(仁)의 근본이야. 그리고 인(仁)을 올바르게 알기 위해 덕을 닦아 인(仁)을 실천하는 이상적인 인격을 지닌 사람을 **군자**라고 불렀지. 공자는 인(仁)은 **예(禮)**의 형식으로 표현된다고 보고, 타인을 아끼고 배려하는 사람은 자기의 욕심을 극복하고 예를 실천해야 한다고 주장했어.

> 예가 아니면 보지 말고, 예가 아니면 듣지 말며, 예가 아니면 말하지 말고, 예가 아니면 움직이지 말아야 한다.
>
> – 《논어》

덕치 사상과 정명 사상

덕치(德治) 사상은 덕으로 정치를 펼쳐야 한다는 사상으로, 법과 형벌에 의존하지 않고 덕으로 백성을 다스려야 한다는 사상이야. 공자는 지도자가 백성을 다스릴 때 힘으로 위협하지 않고, 아끼고 사랑하는 마음으로 이끌어야 한다고 생각했어. 지도자 역시 인(仁)으로 예(禮)를 실천할 때 바른 정치를 펼칠 수 있다고 본 것이지.

공자
孔子, 기원전 551~479

인(仁)이란 인간다움(人)이다.

정명(正名) 사상이란 모든 사람이 자신이 마땅히 해야 할 도리와 역할을 온전히 수행해야 한다는 사상이야. 공자는 군주는 군주답고 신하는 신하답고 부모는 부모답고 자식은 자식답게 행동할 때 사회가 질서와 조화를 유지할 수 있다고 생각했어. 사회적 갈등이 인간이 인간으로서 지켜야 할 인간다움을 무시했기 때문에 생긴다고 보았거든. 그리고 그 인간다움의 핵심은 바로 앞서 말한 (2) ㅇ (仁)이야.

✔ 잠깐 **체크**

❶ 인(仁)은 인간을 인간답게 해 주는 덕이다. (○, ×)

❷ (덕치 사상 / 정명 사상)이란 모든 사람이 자신의 도리와 역할을 온전히 수행해야 한다는 사상이다.

답 ❶ ○ ❷ 정명 사상

맹자 ● 공자의 인 사상을 발전시켜 인간의 선한 본성 강조

옳고 그름을 분별하는 '의'

맹자는 사람들이 자기 이익만 추구하여 서로 다투면서 세상이 어지러워진다고 생각했어. 그래서 사람들이 잃어버린 참되고 선한 (3) ㅂㅅ 을 되찾으면 질서를 회복할 수 있다고 생각했지. 그는 이를 위해 타인을 사랑하는 어진 마음인 **인(仁)**과 옳고 그름을 분별하는 **의(義)**의 중요성을 강조했어.

맹자
孟子, 기원전 372~289

사람들이 잃어버린 선한 본성을 되찾도록 해야 한다.

맹자는 인간의 본성은 선하며 인간은 스스로 선한 본성을 실현할 수 있는 존재라고 주장했어(성선설(性善說)). 맹자의 말에 따르면 모든 사람의 마음속에는 **사단(四端)**이 있는데, 이 사단을 잘 키워서 **인의예지(仁義禮智)**를 실천하고 욕망을 절제하는 것이 중요해.

또 맹자는 올바른 행동을 반복적으로 실천해서 **호연지기(浩然之氣)**를 잘 길러야 한다고 주장했어. 호연지기를 갖추어야만 도덕적 인간인 **대장부**가 될 수 있다고 했지.

맹자의 사단

측은지심(惻隱之心)	불쌍히 여기는 마음
수오지심(羞惡之心)	옳지 못함을 부끄러워하고 착하지 못함을 미워하는 마음
사양지심(辭讓之心)	겸손히 남에게 사양하는 마음
시비지심(是非之心)	옳고 그름을 가릴 줄 아는 마음

- **인의예지** 유학에서, 사람이 마땅히 갖추어야 할 네 가지 성품. 곧 어질고, 의롭고, 예의 바르고, 지혜로움을 이른다.
- **호연지기** 하늘과 땅 사이에 가득 찬 넓고 큰 원기. 맹자와 그 제자들의 대화 등을 엮은 유교 경전인 ≪맹자≫ 〈공손추〉의 상편에 나오는 말이다.

왕도 정치와 민본 사상

맹자는 백성을 아끼고 사랑하며 덕으로 다스리는 정치인 **왕도(王道) 정치**를 강조했어. 이 바탕에는 군주보다 백성이 귀하고, 국가도 백성을 위해서 존재한다고 보는 **민본(民本) 사상**이 있지. 그래서 그는 군주가 군주답지 못해서 정치를 바로 하지 못하면 군주를 교체할 수도 있고, 나라가 나라답지 못하면 왕조를 바꿀 수도 있다고 생각했어.

✔ 잠깐 **체크**

❶ (측은지심 / 수오지심)은 다른 사람을 불쌍히 여기는 마음이다.

❷ 맹자는 사회 혼란의 원인이 사람들이 자기 이익만 챙기면서 서로 다투는 데 있다고 보았다. (○, ×)

답 ❶ 측은지심 ❷ ○

순자 ● 제도적 규범으로 인간의 이기적 본성을 변화시킬 것 주장

이익과 쾌락을 좋아하는 존재, 인간

순자는 인간이 본래 (4) ㅇㅇ과 쾌락을 좋아하고 서로 미워하며 시기하므로(성악설(性惡說)) 그대로 두면 갈등과 투쟁으로 사회가 혼란스러워진다고 여겼어. 그래서 나쁜 본성을 변화시켜야 한다고 생각했는데, 이를 위해 •성인(聖人)이 합리적으로 만든 사회 규범인 **예의(禮義)**를 믿고 따라야 한다고 강조했지. 그리고 어려서부터 예의를 배우고 익혀 몸에 익숙하도록 해야 개인의 행복과 사회 질서를 유지할 수 있다고 주장했어.

- **성인** 지혜와 덕이 매우 뛰어나 길이 우러러 본받을 만한 사람.
- **제도적** 사회생활에 필요한 일정한 방식이나 기준 등을 법률이나 제도로 규정하는.
- **교화** 가르치고 이끌어서 좋은 방향으로 나아가게 함.

> 사람은 나면서부터 욕망이 있는데 욕망을 채우지 못하면 이를 추구하지 않을 수 없다. 욕망을 추구하는 데 일정한 기준과 제한이 없으면 다툼이 없을 수 없다.
>
> – 순자, 《순자》

예치 사상

예치(禮治) 사상이란 예(禮)라는 객관적 기준으로 다스릴 때 질서가 유지되고 모든 사람이 번영을 함께 누릴 수 있다고 보는 사상이야. 이때 순자가 말하는 예(禮)는 공자와 맹자가 말한 예(禮)에 비해 •제도적 규범의 성격이 더 강하지. 그가 이렇게 법과 제도를 강조한 건, 인간의 본성이 나빠서 •교화가 필요하다고 보았기 때문이야.

잠깐 체크

❶ 순자는 인간이 스스로 선한 본성을 실현할 수 있는 존재라고 보았다. (○, ×)

❷ 순자가 말하는 (인의예지 / 예의)는 성인이 합리적으로 만든 사회 규범이다.

답 ❶ × ❷ 예의

배경지식 Zip

유교 사상

공자
- 인간을 인간답게 해 주는 덕인 인(仁)은 예(禮)의 형식으로 표현된다고 봄.
- 정치사상: 덕치 사상, ❶ ______ 사상

맹자
- 인(仁)과 의(義)의 중요성을 강조함.
- 인간의 본성과 관련된 관점: 성선설
- 정치사상: 왕도 정치, ❷ ______ 사상

순자
- 제도적 규범으로서의 예(禮)를 강조함.
- 인간의 본성과 관련된 관점: ❸ ______
- 정치사상: 예치 사상

답 ❶ 정명 ❷ 민본 ❸ 성악설

본문 빈칸 답 (1) 사랑 (2) 인 (3) 본성 (4) 이익

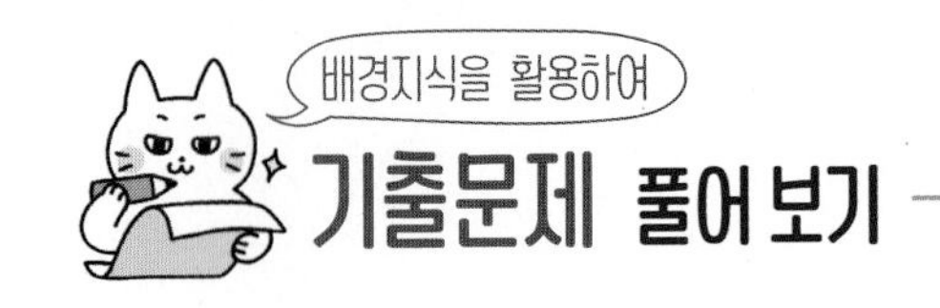

[01~02] 다음 글을 읽고 물음에 답하시오.

❶ [1]공자가 살았던 춘추 시대는 주나라 •봉건제가 무너지고 •제후국들이 주도권을 놓고 치열하게 전쟁을 일삼던 시기였다. [2]이러한 사회적 혼란을 극복하기 위한 방법으로 공자는 예(禮)를 제안하였다. [3]예란 인간의 도덕적 본성을 그 사회에 맞게 규범화한 것으로 단순히 신분적 차이를 드러내거나 행동을 타율적으로 규제하는 억압 장치는 아니었다. [4]예는 개인의 윤리 규범이면서 사회와 국가의 질서를 바로잡는 제도였으며, 인간관계를 올바르게 형성하는 사회적 장치였다.

❷ [1]공자는 예에 기반을 둔 정치는 정명(正名)에서 시작한다고 하며, 정명을 실현할 주체로서 군자를 제시하였다. [2]정명이란 '이름을 바로잡는다'는 뜻으로, 다양한 사회적 관계 속에서 자신이 마땅히 해야 할 도리를 행하는 것을 의미한다. [3]군주는 군주다운 덕성을 갖추고 그에 맞는 예를 실천해야 하며, 군주뿐만 아니라 신하, 부모 자식도 그러해야 한다. [4]만일 군주가 예에 의하지 아니하고 법과 형벌에 기대어 정치를 한다면, 백성들은 형벌을 면하기 위해 법을 지킬 뿐, 무엇이 옳고 그른지 스스로 판단하려 하지 않는 문제가 생길 것이라고 공자는 보았다.

❸ [1]공자가 제시한 군자는 도덕적 인격을 완성하기 위해 애쓰는 사람이기도 하면서 자신의 도덕적 수양을 통해 예를 실현하는 사람이다. [2]원래 군자는 정치적 지배 계층을 가리키는 말로 일반 서민을 가리키는 소인과 대비되는 개념이었다. [3]공자는 이러한 개념을 확장하여 군자와 소인을 도덕적으로도 구별하였다. [4]사리사욕에 사로잡혀 자신의 이익과 욕심을 채우는 데만 몰두하는 소인과 도덕적 수양을 최우선으로 삼는 군자를 도덕적으로 차별화한 것이다. [5]군자는 이익을 따지기보다는 무엇이 옳고 그른지를 먼저 판단해야 한다고 하였다.

❹ [1]공자는 군주는 군자다운 성품을 지녀야 한다고 함으로써 정치적 지도자가 가져야 할 덕목으로 도덕적 수양과 실천을 강조하였다. [2]이는 공자가 당시 지배 계층에게 도덕적 본성을 요구했다는 점에서 큰 의미가 있다. [3]인간의 도덕적 본성에 근거한 정치를 시행해야 한다는 유학적 정치 이념을 제시한 것이기 때문이다. [4]또한 공자는 소인도 군자가 될 수 있다고 강조하여 사회 전반에 걸쳐 정명을 통한 예의 실천을 구현하고자 하였다.

• **봉건제** 임금이 신하에게 땅을 나누어 주고 그 지역을 통치하게 만드는 방식.
• **제후국** 제후(일정한 영토를 가지고 그곳을 다스리던 사람)가 다스리는 나라.

01

윗글의 내용과 일치하면 ○에, 일치하지 않으면 ×에 표시하시오.

(1) 공자는 소인은 군자가 될 수 없다고 생각했다. ○ ×
(2) 춘추 시대는 제후국 사이의 경쟁과 다툼으로 매우 혼란한 시기였다. ○ ×
(3) 정명은 다양한 사회적 관계 속에서 자신이 마땅히 해야 할 도리를 행하는 것을 말한다. ○ ×

02

윗글에 나타난 '예(禮)'에 대한 설명으로 적절하지 않은 것은?

① 인간관계를 올바르게 형성하는 사회적 장치이다.
② 당시 사회의 혼란을 극복할 방법으로 제안되었다.
③ 인간의 도덕적 본성을 사회적으로 규범화한 것이다.
④ 사회 구성원의 신분적 평등 관계를 추구하는 규범이다.
⑤ 모든 계층에게 도덕성을 요구하는 규범으로 강조되었다.

[03~04] 다음 글을 읽고 물음에 답하시오.

❶ [1]맹자는, 인간의 본성을 •역동적인 것으로 간주한 고자의 인성론을 비판하였다. [2]맹자는 살아 있는 버드나무와 그것으로 만들어진 나무 술잔의 비유를 통해, 나무 술잔으로 쓰일 수 있는 본성이 이미 버드나무 안에 있다고 보았다. [3]맹자는 인간이 선천적으로 지닌 이러한 본성을 인의예지 네 가지로 규정하였다. [4]고통에 빠진 타인을 측은히 여기는 동정심, 즉 측은지심은 인간이라면 누구나 갖고 있다고 보고, 측은한 마음은 인간의 의식적 노력에서 나온 것이 아니라 불쌍한 타인을 목격할 때 저절로 내면 깊은 곳에서 흘러나온다고 본 것이 맹자의 관점이었다. [5]다시 말해 인간은 스스로의 노력으로 본성을 실현할 수 있는 존재, 즉 타인의 힘이 아닌 자력으로 수양할 수 있는 존재라고 보았다. [6]이것이 바로 맹자 수양론의 기본 전제이다.

❷ [1]모든 인간은 선한 본성을 지니고 있고, 이 선한 본성의 실현은 주체 자신의 노력에 의해서만 가능하다는 맹자의 성선설을 순자는 •사변적이고 낙관적이며 현실 감각이 결여된 주장으로 보았다. [2]선한 인간이 되기 위해서 인간은 국가 질서, 학문, 관습 등과 같은 외적인 것에 의존할 필요가 없다고 본 맹자의 논리는 현실 사회에서 국가 공권력과 사회 규범의 역할을 전적으로 부정하는 논거로도 사용될 수 있었기 때문이다. [3]순자의 견해처럼 인간의 본성이 악하다고 전제할 때 그것을 교정하고 •순치할 수 있는 외적인 강제력, 다시 말해 국가 권력이나 전통적인 제도들이 부각될 수 있다. [4]국가 질서와 사회 규범을 정당화하기 위한 순자의 견해는 성악설뿐만 아니라 현실주의적 인간관에서 비롯되었다.

❸ [1]순자는 인간의 욕망이 무한하지만 그것을 충족시켜 줄 •재화는 매우 한정되어 있다고 보고 이런 모순을 해결하기 위해서 국가에 의해 예(禮)가 만들어졌다는 입장을 견지하였다. [2]만약 인간에게 외적인 공권력과 사회 규범이 없는 경우를 가정한다면 인간들은 자신들의 욕망 충족에 있어 턱없이 부족한 재화를 놓고 일종의 전쟁 상태에 빠지게 될 것이고, 그 결과 사회는 걷잡을 수 없는 무질서 상태로 전락하게 될 것이다.

- **역동적** 힘차고 활발하게 움직이는 것.
- **사변적** 경험에 의하지 않고 순수한 이성에 의하여 인식하고 설명하는 것.
- **순치하다** 목적한 상태로 차차 이르게 하다.
- **재화** 사람이 바라는 바를 충족시켜 주는 모든 물건.

03 윗글의 내용과 일치하면 ○에, 일치하지 않으면 ×에 표시하시오.

(1) 맹자는 아무런 노력 없이도 인간의 본성을 실현할 수 있다고 주장했다. ○ ×

(2) 맹자는 인간이라면 누구나 고통에 빠진 타인을 측은히 여기는 동정심을 지니고 있다고 보았다. ○ ×

(3) 순자는 인간의 본성과 관련된 맹자의 관점을 낙관적이며 비현실적인 주장이라고 비판했다. ○ ×

04 윗글에 나타난 '순자'의 관점으로 적절한 것은?

① 인간의 본성은 역동적으로 끊임없이 변화한다.
② 통치자는 한정된 재화의 균등한 분배에 힘써야 한다.
③ 인간은 스스로의 노력으로 선한 본성을 실현할 수 있는 존재이다.
④ 외적 공권력과 사회 규범이 없다면 사회는 무질서 상태에 빠질 것이다.
⑤ 사회 갈등을 해결하기 위하여 인간의 본성이 발현되는 자연 상태로 돌아가야 한다.

배경지식 플러스

고자의 성무선악설
성무선악설(性無善惡說)은 선악이 인간의 본성이 아니라 인간 자신의 선택이나 판단, 환경에 달려 있다고 여기는 관점이다. 고자는 인간이 타고나는 것은 식욕과 성욕뿐이며, 이는 선하지도 악하지도 않다고 본다. 그는 인간이 선하고 악한 것은 후천적 요인에 따라 정해진다고 주장한다.

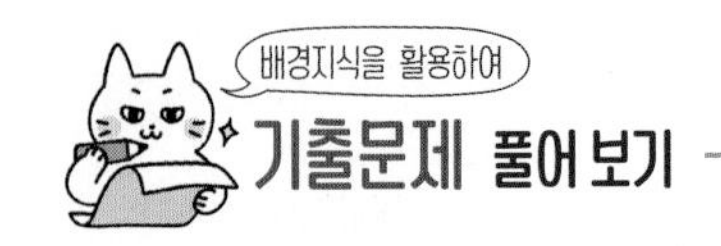

[05~07] 다음 글을 읽고 물음에 답하시오.

❶ [1]전국 시대의 사상계가 •양주와 •묵적의 사상에 •경도되어 유학의 영향력이 약화되고 있다고 판단한 맹자는 유학의 수호자를 자임하면서 공자의 사상을 계승하는 한편, 다른 학파의 사상적 도전에 맞서 유학 사상의 이론화 작업을 전개하였다. [2]그는 공자의 춘추 시대에 비해 사회 혼란이 가중되는 시대적 환경 속에서 사회 안정을 위해 특히 '의(義)'의 중요성을 강조하였다.

❷ [1]맹자가 강조한 '의'는 공자가 제시한 '의'에 대한 견해를 강화한 것이었다. [2]공자는 사회 혼란을 치유하는 방법을 '인(仁)'의 실천에서 찾고, '인'의 실현에 필요한 객관 규범으로서 '의'를 제시하였다. [3]공자가 '인'을 강조한 이유는 자연스러운 도덕 감정인 '인'을 사회 전체로 확산했을 때 비로소 사회가 안정될 것이라고 보았기 때문이다. [4]이때 공자는 '의'를 '인'의 실천에 필요한 합리적 기준으로서 '정당함'을 의미한다고 보았다.

❸ [1]맹자는 공자와 마찬가지로 혈연관계에서 자연스럽게 드러나는 도덕 감정인 '인'의 확산이 필요함을 강조하면서도, '의'의 의미를 확장하여 '의'를 '인'과 대등한 지위로 •격상하였다. [2]그는 부모에게 효도하는 것은 '인'이고, 형을 공경하는 것은 '의'라고 하여 '의'를 가족 성원 간에도 지켜야 할 규범이라고 규정하였다. [3]그리고 나의 형을 공경하는 것에서 시작하여 남의 어른을 공경하는 것으로 나아가는 •유비적 확장을 통해 '의'를 사회 일반의 행위 규범으로 정립하였다. [4]나아가 그는 '의'를 개인의 완성 및 개인과 사회의 조화를 위해 필수적인 행위 규범으로 설정하였고, 사회 구성원으로서 개인은 '의'를 실천하여 사회 질서 수립과 안정에 기여해야 한다고 주장하였다.

❹ [1]또한 맹자는 '의'가 이익의 추구와 구분되어야 한다고 주장하였다. [2]이러한 입장에서 그는 사적인 욕망으로부터 비롯된 이익의 추구는 개인적으로는 '의'의 실천을 가로막고, 사회적으로는 혼란을 야기한다고 보았다. [3]특히 작은 이익이건 천하의 큰 이익이건 '의'에 앞서 이익을 내세우면 천하는 필연적으로 상하 질서의 문란이 초래될 것이라고 역설하였다. [4]그래서 그는 사회 안정을 위해 사적인 욕망과 결부된 이익의 추구는 '의'에서 배제되어야 한다고 주장하였다.

❺ [1]맹자는 '의'의 실현을 위해 인간에게 도덕적 행위를 할 수 있는 근거와 능력이 있음을 밝히는 데에도 관심을 기울였다. [2]그는 인간이라면 누구나 도덕 행위를 할 수 있는 선한 마음이 선천적으로 내면에 갖춰져 있다는 일종의 ㉠도덕 내재주의를 주장하였다. [3]그는, 인간은 자기의 행동이 옳지 못함을 부끄러워하고 남이 착하지 못함을 미워하는 마음을 본래 가지고 있는데, 이러한 마음이 의롭지 못한 행위를 하지 않도록 막아 주는 동기로 작용한다고 보았다. [4]아울러 그는 어떤 것이 옳고 그른 것인지 판단할 수 있는 능력도 모든 인간의 마음에 갖춰져 있다고 하여 '의'를 실천할 수 있는 도덕적 역량이 내재화되어 있음을 제시하였다.

❻ [1]맹자는 '의'의 실천을 위한 근거와 능력이 인간에게 갖추어져 있음을 제시한 바탕 위에서, 이 도덕적 마음을 현실에서 실천하는 노력이 필요하다고 역설하였다. [2]그는 본래 갖추고 있는 선한 마음의 확충과 더불어 욕망의 절제가 필요하다고 보았으며, 특히 생활에서 마주하는 사소한 일에서도 '의'를 실천해야 함을 강조하였다. [3]나아가 그는 목숨과 '의'를 함께 얻을 수 없다면 "목숨을 버리고 의를 취한다."라고 주장하여 '의'를 목숨을 버리더라도 실천해야 할 가치로 부각하였다.

- **양주** 중국 전국 시대의 학자(B.C.440?~B.C.360?). 세상을 부정적으로 보는 염세적 인생관을 보였으며 자기중심적인 쾌락주의를 주장했다.
- **묵적** 묵자의 본명. 중국 춘추 전국 시대 노나라의 사상가이자 철학자(B.C.480~B.C.390). 모든 사람을 가리지 않고 똑같이 사랑하는 겸애를 강조했다.
- **경도되다** 온 마음을 기울여 사모하거나 열중하게 되다.
- **격상하다** 자격이나 등급, 지위 등의 격이 높아지다. 또는 격을 높이다.
- **유비** 두 개의 사물이 여러 면에서 비슷하다는 것을 근거로 다른 속성도 유사할 것이라고 미루어 생각하는 일.

05

윗글의 '맹자'에 대한 이해로 적절하지 않은 것은?

① 일상생활에서 '의'를 실천하는 것이 중요하다고 보았다.
② '의'의 실천은 목숨을 바칠 만큼 가치가 있다고 보았다.
③ 가정 내에서 '인'과 더불어 '의'도 실천해야 한다고 보았다.
④ '의'의 의미 확장보다는 '인'의 확산이 더 필요하다고 보았다.
⑤ 사회 규범으로서 '의'는 '인'과 대등한 지위를 지닌다고 보았다.

06

㉠에 해당하는 것으로 가장 적절한 것은?

① 세상의 올바른 이치가 모두 나의 마음속에 갖추어져 있으니, 수양을 통해 이것을 깨달으면 이보다 큰 즐거움은 없다.
② 인간이 지켜야 할 도덕은 지혜와 덕이 매우 뛰어난 성인들이 만든 것이지 인간의 성품으로부터 생겨난 것이 아니다.
③ 바른 도리를 행하려면 분별이 있어야 하니, 분별에는 •직분이 중요하고, 직분에는 사회에서 •통용되는 예의가 중요하다.
④ 군자에게 용기만 있고 의로움이 없으면 어지러움을 일으키게 되고, 소인에게 용기만 있고 의로움이 없으면 남의 것을 훔치게 된다.
⑤ 저 사람이 어른이기 때문에 내가 그를 어른으로 대우하는 것이지, 나에게 어른으로 대우하고자 하는 마음이 원래부터 있어서 그런 것이 아니다.

● **직분** 마땅히 하여야 할 본분.
● **통용되다** 일반적으로 두루 쓰이다.

07

윗글의 '맹자'와 〈보기〉의 '묵적'을 이해한 내용으로 적절하지 않은 것은?

보기

'묵적'은 인간이 이기적인 존재이기 때문에 자기 자신과 자기 집단만의 이익을 추구하여 개인 간의 갈등과 사회의 혼란이 생긴다고 보았다. 그는 '의'를 개인과 사회 전체의 이익을 충족하는 것으로 보아, '의'를 통해 이러한 개인과 사회의 혼란을 해결할 수 있다고 하였다. 모든 사람을 차별 없이 똑같이 서로 사랑하면 '의'가 실현되어 사회의 혼란이 해소될 것이라고 본 것이다. 아울러 그는 이러한 '의'의 실현이 만물을 •주재하는 하늘의 뜻이라고 하여 '의'를 실천해야 할 •당위성을 강조하였다.

① '맹자'와 '묵적'은 모두 '의'라는 개념을 사용하지만, 그 의미를 다르게 보았다.
② '맹자'는 '의'와 이익이 밀접하게 관련된다고 보았고, '묵적'은 '의'와 이익을 명확히 구분되는 것으로 보았다.
③ '맹자'는 이익의 추구를 사회 혼란의 원인이라고 보았고, '묵적'은 이익의 충족을 통해 사회 혼란을 해결할 수 있다고 보았다.
④ '맹자'는 인간의 잘못에 대한 수치심을 '의'를 실천하게 하는 동기로 보았고, '묵적'은 '의'의 실천을 하늘의 뜻에 따르는 것으로 보았다.
⑤ '맹자'는 '의'의 실천이 개인과 사회의 조화를 위해 필요하다고 보았고, '묵적'은 '의'의 실천이 개인과 사회의 이익을 충족하는 데 필요하다고 보았다.

● **주재하다** 어떤 일을 중심이 되어 맡아 처리하다.
● **당위성** 마땅히 그렇게 하거나 되어야 할 성질.

02

❶ 윤리 사상

성리학과 실학

기출 속 배경지식 키워드 | #성리학 #이(理) #기(氣) #사단 #칠정 #실학

교과 연계
고등학교 윤리와 사상
Ⅱ. 동양과 한국 윤리 사상

배경지식 DNA 점검

◎ 다음 십자말풀이를 완성해 봅시다.

❶❶			
	■	■	■
■	■	■	❷
■	❷		

가로 열쇠

❶ 실학자들이 주장한 □□□□은 기구를 편리하게 쓰고 먹을 것과 입을 것을 넉넉하게 하여, 백성의 생활을 나아지게 하자는 뜻이다.

❷ 주희는 □□□을 완성한 사람이다.

세로 열쇠

❶ □□은 사단이 순수하게 선한 이(理)가 발현된 마음이라고 했다.

❷ 17세기 후반에 등장한 □□은 사회와 삶의 실제 문제를 해결하고자 했다.

답 가로 ❶ 이용후생 ❷ 성리학 세로 ❶ 이황 ❷ 실학

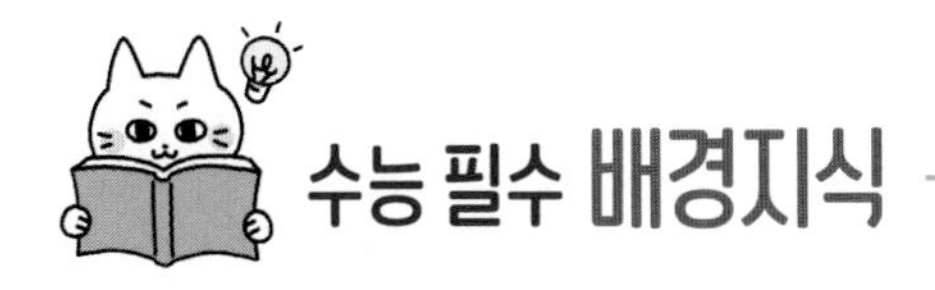

성리학은 유교를 새롭게 체계화한 학문으로, 송나라 유학자인 **주희**(1130~1200)가 완성했어. 우리나라에는 고려 말기에 들어왔는데, 이황과 이이에 이르러 **조선 성리학**으로 체계화되어 조선의 윤리 사상과 통치 이념에 큰 영향을 미쳤지. 하지만 성리학은 점차 사회적 변화와 요구를 따라가지 못했고, 조선 후기에 나라 안팎으로 백성의 삶이 어려워지자 백성의 실생활에 도움을 주는 학문을 해야 한다는 개혁적인 움직임이 나타났어. 이때 등장한 학문이 바로 •실사구시(實事求是)와 •이용후생(利用厚生)을 강조한 학문인 **실학**이야. 그럼 이제 성리학과 실학에서 인간의 도덕적 심성을 어떻게 설명했는지 알아볼까?

- **실사구시** 사실에 바탕을 두어 진리를 탐구하는 일. 과학적이고 객관적인 학문 태도를 가리킴.
- **이용후생** 기구를 편리하게 쓰고 먹을 것과 입을 것을 넉넉하게 하여, 백성의 생활을 나아지게 함.

성리학 • 세계 만물을 이(理)와 기(氣)로 설명

세계와 만물을 구성하는 이(理)와 기(氣)

주희는 세계와 만물을 이(理)와 기(氣)로 설명하는 이기론을 주장했어. 이때 **이(理)**는 세계와 만물의 자연법칙 또는 원리이면서 인간 사회에서 마땅히 지켜야 할 규범이고, **기(氣)**는 세계와 만물을 형성하는 재료이자 사물을 생성하는 도구야. 주희는 사람의 본성은 이(理)와 일치하며, 이러한 본성이 하늘로부터 받은 순수하고 선한 본성이라고 했지. 하지만 현실적으로 이(理)는 재료인 기(氣)를 떠나서는 존재할 수가 없는데, 기(氣)에는 선과 악이 섞여 있다고 했어. 또 도덕적으로 살아가려면 선한 본성인 이(理)를 보존하고 기(氣)를 다스리면서, 학문적 탐구를 통해 인간을 포함한 사물의 본성과 인간 사회의 이치를 연구해야 한다고 했지.

조선 성리학의 쌍벽, 이황과 이이

조선의 성리학자들은 주희의 (1) ㅇㄱㄹ 을 계승하고, **사단(四端)**과 •**칠정(七情)**을 깊이 있게 탐구했어. 이(理)와 기(氣)의 관계를 사단과 칠정의 관계와 관련지어 설명하려 한 것이지. 그중 대표적인 두 학자는 우리가 천 원권과 오천 원권에서 볼 수 있는 **이황**(1501~1570)과 **이이**(1536~1584)야.

- **칠정** 사람의 일곱 가지 감정. 기쁨, 성냄, 슬픔, 두려움, 좋아함, 미워함, 욕망을 말한다.

이황은 사단은 순수하게 선한 이(理)가 발현된 마음이므로 선한 감정이고 칠정은 선악의 가능성이 있는 기(氣)에 근원하여 드러나므로 선악의 가능성이 모두 있는 감정이라고 했어. 그래서 [(2) ㅇ](理)와 기(氣)를 엄격하게 구분해야 한다고 했지. 또 악행을 피하기 위해 기(氣)를 제어해서 사단을 제대로 발휘해야 한다고 주장하면서 마음의 수양을 강조했어.

이황이 이(理)의 능동적 운동성을 강조한 것과 달리 **이이**는 이(理)는 형체도 운동성도 없다고 보았어. 또 사단이든 칠정이든 모두 형체와 운동성이 있는 기(氣)가 발하고 그것에 이(理)가 탄 것이라고 했지. 이이는 기(氣)의 흐름 때문에 악행을 저지르게 된다고 하면서 수양을 통해 기질을 변화시킬 것을 강조했어.

실학 ● 선의 주체적 선택과 실천 강조

선택과 실천을 통한 도덕성의 실현

실학자 **정약용**(1762~1836)은 만물의 근원인 이(理)가 인간에게 성(性)으로 부여된다는 성리학의 주장을 비판하면서 성(性)은(성즉리(性卽理)) •기호(嗜好)라는 **성기호설(性嗜好說)**을 주장했어. 그는 인간에게 생존을 위한 육체적 욕망과 선을 좋아하고 악을 미워하려는 마음이 있는데, 후자인 선악에 대한 마음은 인간만이 지닌다고 보았어. 그리고 인간은 선하고자 하면 선할 수 있고, 악하고자 하면 악할 수 있다고 했지. 다시 말해 인의예지는 성(性)으로 주어지는 것이 아니라 선택과 [(3) ㅅㅊ]을 통해 이루어 가는 것이라고 본 거야. 정약용은 인간이 자율적이면서 실천적인 존재이며, 자신의 선택과 행위에 책임져야 하는 존재라고 생각했어.

● **기호** 즐기고 좋아함.

잠깐 체크

1. 주희는 이(理)와 기(氣)가 세계 만물을 구성한다고 보았다. (○, ×)
2. 이황은 악행을 피하기 위해 이(理)를 제어해야 한다고 했다. (○, ×)
3. 이이는 불의한 일이 일어나는 원인이(이/기)에 있다고 보았다.
4. 정약용은 인간을 실천적인 존재로 여겼다. (○, ×)

답 ❶○ ❷× ❸기 ❹○

배경지식 Zip

성리학(주희, 이황, 이이)		실학(정약용)
인간은 ❶[ ]와 일치하는 순수하고 선한 본성을 타고남.	윤리 사상	인간에게는 생존을 위한 육체적 욕망과 선을 좋아하고 ❸[ ]을 미워하려는 마음이 있음.
• 주희: 이(理)를 보존하고 기(氣)를 다스려야 함. • 이황: 이(理)를 보존하고 기(氣)를 제어해야 함. • ❷[ ]: 수양으로 기(氣)가 맑아지도록 해야 함.	도덕성 실현	사람은 자율적 존재이므로 주체적인 선택과 실천을 통해 인의예지를 이루어야 하며, 자신의 행위에 책임을 져야 함.

답 ❶이(理) ❷이이 ❸악

본문 빈칸 답 (1) 이기론 (2) 이 (3) 실천

기출문제 풀어 보기

정답과 해설 3쪽

[01~02] 다음 글을 읽고 물음에 답하시오.

❶ [1]조선 성리학자들은 '세계를 어떻게 바라보고, 자신이 추구하는 삶을 어떻게 실현할 것인가' 하는 문제와 관련하여 지(知)와 행(行)에 깊은 관심을 기울였다. [2]그들은 특히 도덕적 실천과 결부하여 지와 행의 문제를 다루었는데, 그 기본적인 입장은 '지행●병진(知行竝進)'이었다. [3]그들은 지와 행이 서로 선후(先後)가 되어 돕고 의지하면서 번갈아 앞으로 나아가는 '상자호진(相資互進)' 관계에 있다고 생각했다. [4]또한 만물의 이치가 마음에 본래 갖추어져 있다고 여기고 도덕적 수양을 통해 그 이치를 찾고자 하였다.

❷ [1]18세기에 들어 일부 실학자들은 지행론에 대해 새롭게 접근하였다. [2]홍대용은 지와 행의 병진을 전제하면서도, 도덕적 수양 외에 사회적 실천의 측면에서 행을 바라보았다. [3]그는 이용후생의 중요성을 강조하여 민생을 풍요롭게 하는 데 관심을 기울였다. [4]그에게 지는 도덕 법칙만이 아닌 실용적인 지식을 포함하는 것이었으며, 행이 지보다 더욱 중요한 것이었다.

❸ [1]19세기 학자 최한기는 본격적으로 지행론을 변화시켰다. [2]그는 행을 생리 반응, 감각 활동, 윤리 행동을 포함하는 일체의 경험으로 이해하고, 지를 경험을 통해 얻어지는 객관적인 지식으로 규정하였다. [3]그는 선천적인 지식이 따로 없고 모든 지식이 경험을 통해 산출된다고 보아 '선행후지(先行後知)'를 제시하고, 행이 지보다 우선적인 것임을 강조하였다.

❹ [1]이러한 서로 다른 지행론은 그들의 학문 목표와 관련이 있다. [2]도덕적 수양을 무엇보다 중시했던 성리학자들과 달리, 실학자들은 피폐한 사회 현실을 개혁하고자 하는 학문적 문제의식을 가지고 있었다. [3]특히 최한기가 행을 앞세운 것은 변화하는 세계의 본질을 경험적으로 파악하여 ●격변하는 시대에 대처하려는 것이었다.

● **병진** 둘 이상이 함께 나란히 나아감.
● **격변하다** 상황 등이 갑자기 심하게 변하다.

01

윗글의 내용과 일치하면 ○에, 일치하지 않으면 ×에 표시하시오.

(1) 최한기는 행을 경험을 통해 얻는 객관적 지식으로 규정했다. ○ ×

(2) 실학자들은 피폐한 사회 현실을 개혁하는 데 학문의 목표를 두었다. ○ ×

(3) 조선 성리학자들은 지와 행이 서로 선후가 되어 번갈아 앞으로 나아가는 관계에 있다고 보았다. ○ ×

02

윗글을 통해 이끌어 낸 내용으로 가장 적절한 것은?

① 홍대용과 최한기는 행보다 지를 우선시했다.
② 최한기는 학문의 목적을 도덕적 수양에서 찾았다.
③ 홍대용은 지의 대상을 실용적 측면까지 확대했다.
④ 최한기는 선천적 지식과 경험적 지식이 있다고 보았다.
⑤ 성리학자들은 만물의 이치가 외부 세계로부터 온다고 생각했다.

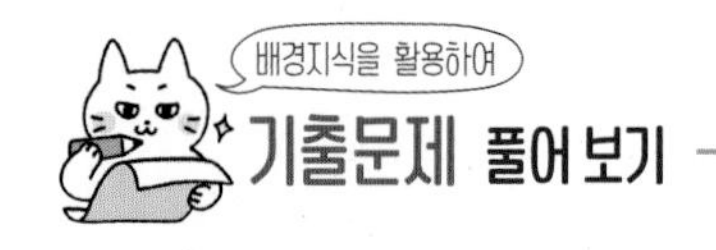

[03~05] 다음 글을 읽고 물음에 답하시오.

❶ [1]세계관이란 인간과 세계를 이해하는 일관된 견해로 세계관의 차이에 따라 도덕적인 삶을 살아가는 방법을 달리 제시하는 경우가 많다.

❷ [1]성리학은 이(理)와 기(氣)의 개념에 바탕을 둔 세계관을 통해 도덕적 삶의 방향을 제시한다. [2]이(理)는 인간을 포함한 만물에 내재된 •보편적인 이치나 원리를 말한다. [3]이러한 이(理)는 모든 사물에 본성으로 내재한다. [4]특히 성리학에서는 모든 인간에게 보편적인 이치로서의 선한 본성이 선천적으로 내재되어 있다고 본다. [5]한편 성리학은 개개인의 도덕성을 현실에서 실현하는 데에 차이가 생겨나는 이유를 기(氣)에서 찾는다. [6]기는 개인마다 차이가 있는 것으로, 악으로 흐를 가능성이 있다고 보았다. [7]따라서 개인의 도덕성을 완성하기 위해서는 자칫 악으로 흐를 수 있는 기를 다스리기 위한 •부단한 수양을 통해 순수한 본성이 오롯이 발현되는 경지에 이르는 것을 강조하였다. [8]이것을 위해 성리학에서는 내면에 대한 •관조를 통해 경건한 마음의 상태를 유지하여 악으로 흐를 수 있는 기를 통제하고자 하였다.

❸ [1]실학자 정약용은 성선설에 바탕을 둔 기존의 성리학적 세계관을 비판하고, 인간의 본성을 선과 악을 구분하여 선을 좋아하고 악을 미워할 줄 아는 분별 능력을 갖춘 윤리적 욕구라고 말하며 ㉠새로운 인성론을 •주창하였다. [2]인간에게는 선을 좋아하는 윤리적인 욕구만이 주어졌을 뿐이므로 선을 선택하고 지속적으로 선을 실천해야만 비로소 도덕성이 갖추어진다는 것이다. [3]즉 도덕성이란 선천적인 것이 아니라 구체적인 행위 속에서 이루어지는 것이며, 선에 대한 주체적인 선택과 지속적인 실천의 결과물이라는 것이다. [4]또한 이런 실천이 이루어질 때 선에 대한 욕구가 충족된다고 보았다. [5]그리고 정약용은 선의 실천이 나와 타인뿐만 아니라 외부 세계와의 관계에서도 이루어져야 한다고 생각했다.

❹ [1]실학자 최한기는 세계의 모든 존재는 기(氣)라는 보편적인 요소에 의해 형성되어 있다고 보았다. [2]모든 존재의 본성인 기는 시간과 공간을 초월하여 영원불변하는 것이 아니고, 그 자체에 선악이 존재하지도 않는다. [3]기는 끊임없이 활동하고 변화하는 것으로 외부 세계와 소통하면서 선악이 나타난다. [4]인간의 윤리도 기의 운동과 변화에 합치되면 선하고 도덕적인 것이고, 그렇지 않으면 악이 된다. [5]인간은 감각 기관을 통해 외부 세계를 경험하여 이것을 바탕으로 지각을 형성하며 이런 지각은 추측에 의해 확장된다. [6]'추측'은 논리적인 추론뿐만 아니라 사회적 관계에서 이루어지는 다양한 윤리적 공부나 실천과 같은 경험적인 부분을 포괄하는 개념이다. [7]인간이 올바른 추측을 통해 외부 세계와 소통하게 될 때 그것이 선이 되고 그렇지 않으면 악이 된다. [8]추측을 바르게 하지 못해 외부 세계와 소통이 제대로 되지 않았을 때는 자기 내면이 아니라 외부 세계의 운동과 변화를 제대로 파악해야 한다. [9]이처럼 최한기는 외부의 사물이나 사태에 대한 올바른 추측과 부단한 소통으로 도덕성이 실현되는 공동체의 세계를 지향했다고 볼 수 있다.

❺ [1]결국 성리학은 •형이상학적인 세계관을 바탕으로 내면적 수양을 강조하였으며, 정약용과 최한기는 실천과 소통을 중시하는 경험주의적 세계관을 토대로 후천적인 노력을 통해 도덕성을 실현하고자 하였다.

- **보편적** 모든 것에 두루 미치거나 통하는 것.
- **부단하다** 꾸준하게 잇대어 끊임이 없다.
- **관조** 고요한 마음으로 사물이나 현상을 관찰하거나 비추어 봄.
- **주창하다** 주의나 사상을 앞장서서 주장하다.
- **형이상학적** 초경험적인 것을 대상으로 하는 학문과 관련되거나 이에 바탕을 둔 것.

03 윗글을 통해 알 수 있는 것은?

① 성리학은 경험주의적 세계관을 바탕으로 하여 형성되었다.
② 성리학에서는 본성은 후천적으로 형성되는 것이라고 보았다.
③ 성리학에서와 달리 최한기는 본성을 절대 선한 것으로 보았다.
④ 성리학에서는 기는 악으로 흐를 수 있는 가능성이 있다고 보았다.
⑤ 성리학에서는 개개인의 도덕성의 차이가 이(理)의 개별적 속성 때문에 생긴다고 보았다.

04 ㉠의 관점에서 〈보기〉를 이해한 내용으로 가장 적절한 것은?

보기

선과 의로움을 지속적으로 실천한 사람은 하늘을 우러러보아도 부끄럽지 않고, 나아가 호연지기가 천지에 가득 차게 되어 모든 덕을 갖추게 된다. 반대로 날마다 양심을 저버리고 사는 사람은 이익으로 유혹하면 개나 돼지처럼 이리저리 끌려다니게 된다.

① 사람은 주체적인 선택과 지속적인 실천을 통해 도덕성을 갖추게 된다.
② 사람은 남으로부터 이익을 얻기 바라는 이기적인 본성을 지니고 있다.
③ 사람에게는 시간과 공간을 초월하는 선한 도덕성이 선천적으로 부여되어 있다.
④ 사람은 내면에 대한 관조를 통해 경건한 마음의 상태를 유지하면 선이 실현된다.
⑤ 사람은 감각을 통해 경험을 쌓고 추측을 통해 주변 사물과 소통하며 도덕성을 갖추게 된다.

05 윗글을 바탕으로 〈보기〉에 대해 반응한 내용으로 적절하지 않은 것은?

보기

조선 후기에 외부와 전쟁을 치르면서 나라는 어려움에 처했다. 이런 상황에서도 여러 관리는 자신들의 본분을 망각하고 *사리사욕에 집착해 백성은 어려움을 겪었고, 나라는 더욱 위기에 빠졌다. 이런 어려운 상황을 극복하기 위해 실학자들은 대안을 모색하려 했다.

* **사리사욕** 사사로운 이익과 욕심.

① 정약용은 부정한 관리들이 사리사욕을 채웠다 하더라도 선에 대한 욕구가 충족된 것은 아니라고 생각했겠군.
② 정약용은 백성들을 어려움으로부터 구하기 위해서는 관리들이 백성과의 관계 속에서 선을 실천해야 한다고 생각했겠군.
③ 최한기는 여러 관리가 타고난 악한 기로 인해 부정한 행동을 했다고 생각했겠군.
④ 최한기는 본분을 망각한 관리들의 모습은 기의 운동과 변화에 합치되지 않는 것이라고 생각했겠군.
⑤ 최한기는 나라의 위기를 극복하기 위해서는 관리들이 당대 현실에 대한 올바른 추측과 소통을 해야 한다고 생각했겠군.

03

1 윤리 사상

고대 그리스 사상

기출 속 배경지식 키워드 | #소크라테스 #플라톤 #이데아 #아리스토텔레스 #덕 #행복

교과 연계
고등학교 윤리와 사상
Ⅲ. 서양 윤리 사상

배경지식 DNA 점검

◎ 라파엘로의 그림 〈아테네 학당〉을 참고하여 빈칸에 들어갈 알맞은 말을 골라 봅시다.

1 소크라테스, 플라톤, 아리스토텔레스는 고대 [그리스 / 로마]의 철학자이다.

2 소크라테스는 [윤리적 상대주의 / 윤리적 보편주의]의 관점을 취한 철학자이다.

3 플라톤에게 [이데아 / 철인 정치]는 모든 사물에 공통되는 보편적이고 절대적인 본질이다.

4 아리스토텔레스는 행복에 이르기 위해서는 [덕 / 쾌락]을 따라야 한다고 생각했다.

답 1 그리스 2 윤리적 보편주의 3 이데아 4 덕

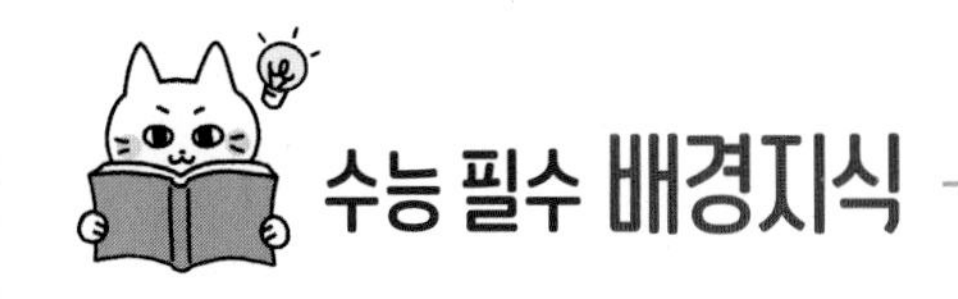

수능 필수 배경지식

소크라테스, 플라톤, 아리스토텔레스. 누구나 한 번쯤 들어 본 이름들이지? 이들은 서양 철학사에서 매우 중요한 위치에 있는 고대 그리스의 철학자들이야. 소크라테스의 제자가 플라톤이고, 플라톤의 제자가 아리스토텔레스지. 토론하기를 즐겼던 소크라테스는 책을 남기지 않아서 제자들을 통해 그의 이야기가 알려져 있는데, '보편적 도덕'과 관련된 그의 사상은 플라톤과 아리스토텔레스를 거쳐 지금까지도 서양 윤리 사상에 매우 큰 영향을 미치고 있어.

소크라테스 ● 윤리적 보편주의를 향한 노력

언제 어디에서나 적용할 수 있는 윤리 원칙이 있을까? 이에 관한 논쟁은 고대 그리스의 소크라테스와 소피스트 이후로 끊임없이 이어지며 서양의 사상사를 발전시켰어.

소피스트는 바람직한 삶의 태도에 관해 사람마다 의견이 다르기 때문에 윤리가 개인·사회·시대마다 다를 수 있으며 절대적이고 보편적인 것은 없다고 주장했어. 이러한 **윤리적 상대주의** 관점에서는 어떤 법이나 윤리 원칙도 보편성과 절대성을 지니지 않으므로 강자의 주장이 법이 되고 정의가 되는 문제가 생기지.

소크라테스(B.C.470? ~ B.C.399)는 윤리적 상대주의가 일으킬 수 있는 혼란을 비판하고, 보편적인 윤리와 참된 지식이 있다는 **윤리적 보편주의** 관점을 취했어. 소크라테스는 행복에 이르려면 **덕**을 발휘해야 하고, 덕은 상황이나 시대에 따라 달라지지 않으며, 덕을 실천하려면 (1) ㄷ 이 무엇인지 알아야 한다고 생각했어. 그래서 보편적이고 참된 지식을 추구하는 **철학적 탐구**를 중시했지. 소크라테스의 윤리적 보편주의를 추구하려는 노력은 서양 윤리 사상의 중요한 과제였어. 하지만 특정 가치를 절대적인 것으로 내세운다는 측면을 고려할 때 개성과 자율성을 억압할 위험이 늘 존재한다는 한계가 있지.

소피스트
고대 그리스에서 변론(말로 옳고 그름을 따지는 일)을 가르치던 사람들을 가리키는 말. '지혜로운 것을 아는 사람'을 뜻하나, 자기 이익을 위해 변론술을 악용하는 사람도 있어 '궤변가'를 뜻하는 말로도 쓰였다.

덕
특정 기능이나 역할에서 나타나는 탁월성을 덕, 즉 아레테(aretē)라고 한다.

잠깐 체크
❶ 윤리적 상대주의에 따르면, 윤리적 원칙은 지역과 시대에 따라 달라질 수 있다. (○, ×)
❷ (소피스트 / 소크라테스)는 행복에 이르려면 덕을 발휘해야 한다고 생각했다.

답 ❶ ○ ❷ 소크라테스

플라톤 ● 이성을 바탕으로 한, 이데아에 대한 참된 앎

정의로운 사람이 되기 위한 영혼의 조화

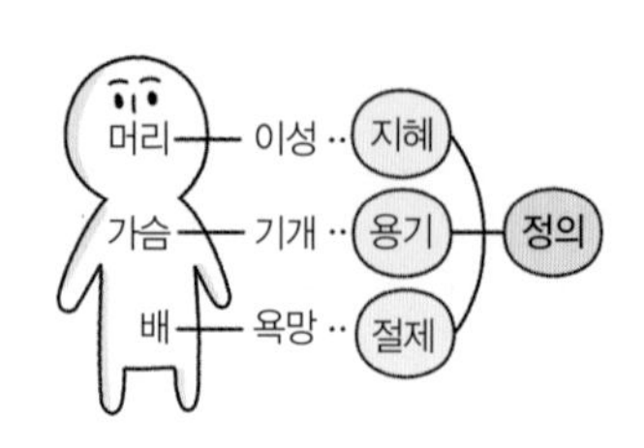

플라톤(B.C.428? ~ B.C.347?)은 몸의 세 부분에 빗대어 영혼을 **이성**, **기개**, **욕망**으로 나누었어. 이성은 **지혜**의 덕을, 기개는 **용기**의 덕을, 욕망은 **절제**의 덕을 갖추어야 하는데 이 세 덕이 어우러져서 영혼이 조화를 이루면 **정의**의 덕이 실현된다고 보았지. 즉 플라톤은 영혼이 조화를 이룰 때 인간이 정의로운 사람이 된다고 생각했고, 이때 행복한 삶을 살아갈 수 있다고 여겼어.

정의로운 국가를 위한 이데아의 추구와 철인 정치

더 나아가 플라톤은 한 사람이 정의로운 사람이 되려면 영혼이 (2) ㅈㅎ 를 이루어야 하듯이, 정의로운 국가를 이루려면 국가를 구성하는 사람들이 조화롭게 발전해야 한다고 보았어. 이를 위해서는 지혜로운 철학자가 통치자가 되거나 통치자가 철학자가 되어 국가를 다스리는 **철인(哲人) 정치**가 실현되어야 한다고 보았지.

이때 '지혜로운 철학자'란 어떤 사람일까? 철학자는 모든 개별 사물에 공통되는 보편적이고 절대적인 본질인 **이데아**를 추구해야 해. 플라톤은 이데아의 세계와 현상의 세계를 구분해서 설명했어. **이데아의 세계**는 영원불변하고 감각이 아닌 이성으로만 파악할 수 있어. 반면 감각적인 **현상의 세계**는 끊임없이 생성하고, 소멸하고, 변화하지. 다음 동굴의 비유를 볼까?

이데아와 현상의 관계

현상의 세계는 마치 동굴과 같다. 사람은 동굴 안쪽 벽만 바라볼 수 있게 사슬에 묶여 있고 사람 뒤에 있는 높은 벽 위에는 사물의 모형이 있다. 모형 뒤에는 불이 타오르고 있어서 사람은 그 불빛에 의해 벽면에 생긴 그림자만을 바라보며, 그림자가 실재라고 생각한다.

그러나 진실을 알고 싶은 사람은 사슬을 풀고 일어서서 뒤를 바라본 다음, 벽면에 비친 그림자의 실상을 깨닫고 동굴 밖으로 나가 태양 아래에 있는 모든 사물의 실재를 보아야만 한다.

잠깐 체크

❶ 플라톤은 감각을 통해 이데아를 파악할 수 있다고 보았다. (○, ×)

❷ 플라톤은 지혜로운 철학자가 국가를 다스리는 철인 정치를 긍정적으로 보았다. (○, ×)

답 ❶ × ❷ ○

동굴의 비유에서 태양과 그 아래 있는 모든 사물의 실재는 (3) ㅇㄷㅇ 에 해당해. 그리고 동굴 밖으로 나가 태양이 비추는 세상을 본 사람이 바로 지혜로운 철학자야.

아리스토텔레스 • '좋음' 그 자체를 추구하여 얻는 참된 행복

윤리적 지식과 이데아

아리스토텔레스(B.C.384~B.C.322)는 플라톤이 현상의 세계와 이데아의 세계를 구분한 것에 의문을 제기했어. 또한 대표적인 연역 추론인 삼단 논법을 정립하였으며, 감각적 경험에서 출발하는 •귀납법도 참된 지식을 추구하는 방법이라고 생각했지. 그리고 윤리적 문제를 구체적인 삶의 현실과 관련짓는 **현실적인 윤리학**을 추구했어.

그는 플라톤과 달리 보편적인 **좋음(善)**의 이데아가 초월적인 영역에 있다는 사실을 받아들이지 않았어. 그는 좋음(善)이 상황과 사람에 따라 다양하게 해석될 수 있다고 생각했어. 앞에서 본 라파엘로의 그림 〈아테네 학당〉의 중앙에 있는 플라톤과 아리스토텔레스를 다시 한번 볼까? 플라톤은 손가락으로 하늘(절대적 진리)을 가리키고 있고, 아리스토텔레스는 손바닥을 땅(현실)을 향해 펼치고 있지. 라파엘로는 손이 향하는 방향으로 두 철학자의 생각을 나타낸 거야.

•**귀납법** 개별적인 특수한 사실이나 원리를 전제로 하여 일반적인 사실이나 원리로서의 결론을 이끌어 내는 연구 방법.

플라톤 아리스토텔레스

덕과 행복의 윤리학

아리스토텔레스는 모든 행동이나 기술에는 **목적**이 있는데, 인간은 궁극적으로 좋은 것(善)을 목적으로 하고, 이때 가장 높고 가장 좋은 목적(최고선)은 **행복**이며, 행복에 이르기 위해서는 **고유한 덕**을 따라야 한다고 했어. 또 그는 인간의 덕을 품성적 덕과 지성적 덕 두 가지로 나누고 이 두 가지 덕을 이성에 따라 조화롭게 발휘해야 한다고 주장했지.

품성적 덕에는 절제와 용기 등이 있는데 이는 반복적인 훈련과 습관을 통해 생겨나. 그리고 행위와 감정에서 지나침과 모자람을 피하고 마땅히 가져야 할 중간을 겨냥하는 **중용**으로 나타나지.

한편 **지성적 덕**에는 철학적 지혜, 실천적 지혜, 이해력 등이 있는데 교육과 탐구를 통해 생겨. 그중 **실천적 지혜**는 (4) ㅈㅇ 의 상태를 아는 현명함이야. 구체적인 상황 속에서 어떻게 하는 것이 좋은지 나쁜지를 판단하지.

이처럼 아리스토텔레스는 인간의 덕과 행복을 강조하는 윤리학을 주장했어. 이러한 현실적인 윤리 사상은 오늘날까지도 서양 윤리 사상에 지속적인 영향을 미치고 있어.

잠깐 체크

❶ 품성적 덕은 훈련과 습관을 통해 생긴다. (○, ×)

❷ 아리스토텔레스가 생각하는 인간의 가장 궁극적인 목적은?

답 ❶ ○ ❷ 행복

배경지식 Zip

소크라테스
- 윤리적 보편주의
- 행복에 이르려면 상황이나 시대에 관계없이 달라지지 않는 덕을 발휘해야 한다고 봄.
- 보편적이고 참된 지식을 추구하는 ❶ ____ 탐구를 중시함.

플라톤
- ❷ ____의 조화 중시
- 지혜로운 철학자가 통치자가 되거나 통치자가 철학자가 되어 나라를 다스리는 철인 정치를 주장함.
- 보편적이고 절대적인 본질인 이데아를 추구해야 한다고 봄.

아리스토텔레스
- 윤리적 문제를 구체적인 삶의 현실과 관련짓는 현실적인 윤리학 추구
- 품성적 덕과 ❸ ____ 덕 강조
- 인간의 덕과 이를 통해 이룰 수 있는 행복을 강조함.

답 ❶ 철학적 ❷ 영혼 ❸ 지성적

본문 빈칸 답 (1) 덕 (2) 조화 (3) 이데아 (4) 중용

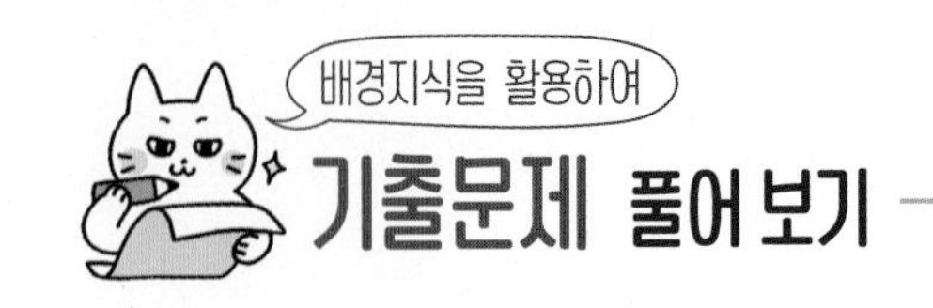

[01~02] 다음 글을 읽고 물음에 답하시오.

❶ [1]플라톤은 가장 실재하는 것, 가장 완전한 것을 '이데아'라고 규정하는데 이는 현실 세계를 초월한 차원에 존재한다. [2]반대로 세계에 존재하는 만물인 '현상'은, 이데아에 비해 덜 존재하는 것으로 규정한다.

❷ [1]플라톤은 현상을 만드는 창조자로 '데미우르고스'를 설정하고, 그 창조자가 외부의 이데아를 •본으로 삼아 현상을 만든 것으로 보았는데, 플라톤은 이 과정을 '모방'이라고 한다. [2]모방을 통해 현상은 이데아의 본질을 나누어 갖게 된다. [3]그런데 현상은, 영원불변한 존재인 이데아의 본질을 모방했음에도 불구하고 끊임없이 변화하는 존재이다. [4]이데아와 현상의 관계에 대해 플라톤은 '관여' 또는 '임재'라는 개념을 활용하여 설명했다. [5]이때 '관여'와 '임재'는 사실상 동일한 의미를 나타내는 개념으로서, 현상이 이데아의 본질과 유사한 정도를 '관여'의 정도라고 하고, 현상이 이데아의 본질을 가지고 있는 정도를 '임재'의 정도라고 한다. [6]플라톤에게 중요한 것은 개개의 현상들이 이데아에 얼마나 '관여'하는가 또는 이데아가 개개의 현상들에 얼마나 '임재'하는가의 문제이다. [7]즉 '관여' 혹은 '임재'의 정도가 그 사물의 존재론적이자 동시에 가치론적 위상이라고 할 수 있다. [8]왜냐하면 '관여'나 '임재'의 정도가 높다는 것은 그 현상이 이데아의 본질에 더 가깝다는 것을 의미하므로 완전성의 정도가 높다고 할 수 있기 때문이다. [9]예를 들어 '말'의 이데아가 지닌 본질 중의 하나가 빠르게 달리는 능력이라면 경주에서 빨리 달리는 말일수록 그렇지 못한 말들보다 이데아에 대한 '관여'나 '임재'의 정도가 높은 것이다. [10]이처럼 현상들에는 관여나 임재가 다양한 정도로 나타난다.

❸ [1]•존재론적 판단과 •가치론적 판단을 하나로 여기는 플라톤의 •사유 방식은 당시 그리스 사람들의 보편적인 사유 방식을 반영하고 있었고, 더 나아가 서구의 고대와 중세의 사유 방식에 막대한 영향을 주었다.

- **본** 모범으로 삼을 만한 대상.
- **존재론** 존재 또는 존재의 근본적 · 보편적인 모든 규정을 연구하는 학문.
- **가치론** 가치의 본질, 가치 판단의 기준, 가치와 사실의 관계 등을 다루는 이론.
- **사유** 개념, 구성, 판단, 추리 등을 행하는 인간의 이성 작용.

01

윗글의 내용과 일치하면 ○에, 일치하지 않으면 ×에 표시하시오.

(1) 현상은 이데아의 본질을 나누어 갖는다. ○ ×

(2) 현상은 이데아와 마찬가지로 영원불변한 존재이다. ○ ×

(3) 관여나 임재의 정도가 높을수록 그 현상은 이데아의 본질에 가깝다. ○ ×

02

윗글의 '이데아'에 관한 설명으로 적절하지 않은 것은?

① 현상이 모방하는 대상이다.
② 관여에 의해서 생겨난 결과물이다.
③ 현실 세계를 초월한 차원에 존재한다.
④ 가장 실재하는 것이자 가장 완전한 것이다.
⑤ 현실 세계에 존재하는 현상을 만들어 낼 때 창조자가 취하는 본이다.

[03~04] 다음 글을 읽고 물음에 답하시오.

❶ [1]자연에서 발생하는 모든 일은 목적 지향적인가? [2]자기 몸통보다 더 큰 나뭇가지나 잎사귀를 허둥대며 운반하는 개미들은 분명히 목적을 가진 듯이 보인다. [3]그런데 가을에 지는 낙엽이나 한밤중에 쏟아지는 우박도 목적을 가질까? [4]아리스토텔레스는 모든 •자연물이 목적을 추구하는 본성을 타고나며, 외적 원인이 아니라 •내재적 본성에 따른 운동을 한다는 목적론을 제시한다. [5]그는 자연물이 단순히 목적을 갖는 데 그치는 것이 아니라 목적을 실현할 능력도 타고나며, 그 목적은 방해받지 않는 한 반드시 실현될 것이고, 그 본성적 목적의 실현은 운동 주체에 항상 바람직한 결과를 가져온다고 믿는다. [6]아리스토텔레스는 이러한 자신의 견해를 "자연은 헛된 일을 하지 않는다!"라는 말로 요약한다.

❷ [1]근대에 접어들어 모든 사물이 생명력을 갖지 않는 일종의 기계라는 견해가 강조되면서, 아리스토텔레스의 목적론은 비과학적이라는 이유로 많은 비판에 직면한다. [2]갈릴레이는 목적론적 설명이 과학적 설명으로 사용될 수 없다고 주장하며, 베이컨은 목적에 대한 탐구가 과학에 무익하다고 평가하고, 스피노자는 목적론이 자연에 대한 이해를 왜곡한다고 비판한다. [3]이들의 비판은 목적론이 인간 이외의 자연물도 이성을 갖는 것으로 의인화한다는 것이다. [4]그러나 이런 비판과는 달리 아리스토텔레스는 자연물을 생물과 무생물로, 생물을 식물·동물·인간으로 나누고, 인간만이 이성을 지닌다고 생각했다.

❸ [1]17세기의 과학은 실험을 통해 과학적 설명의 참·거짓을 확인할 것을 요구했고, 그런 경향은 생명체를 비롯한 세상의 모든 것이 물질로만 구성된다는 물질론으로 이어졌으며, 물질론 가운데 일부는 모든 생물학적 과정이 물리·화학 법칙으로 설명된다는 환원론으로 이어졌다. [2]이런 환원론은 살아 있는 생명체가 죽은 물질과 다르지 않음을 함축한다. [3]하지만 아리스토텔레스는 자연물의 물질적 구성 요소를 알면 그것의 본성을 모두 설명할 수 있다는 엠페도클레스의 견해를 반박했다. [4]이 반박은 자연물이 단순히 물질로만 이루어진 것이 아니며, 또한 그것의 본성이 단순히 물리·화학적으로 환원되지도 않는다는 주장을 내포한다.

• **자연물** 자연계에 있는, 저절로 생긴 물체.
• **내재적** 어떤 현상이 안에 존재하는.

03 윗글에 나타난 아리스토텔레스의 견해에 대한 이해로 가장 적절한 것은?

① 무생물은 목적을 지니고 있지 않다.
② 자연물의 목적 실현은 때로는 그 자연물에 해가 된다.
③ 본성적 운동의 주체는 본성을 실현할 능력을 갖고 있다.
④ 낙엽의 운동은 본성적 목적 개념으로는 설명되지 않는다.
⑤ 자연물의 본성적 운동은 외적 원인에 의해 야기되기도 한다.

04 윗글에 나타난 목적론에 대한 논의를 적절하게 진술한 것은?

① 갈릴레이는 목적론이 생명력을 경시했다고 비판한다.
② 갈릴레이는 목적론적 설명이 과학적 설명이 아니라는 데 동의한다.
③ 베이컨은 목적론적 설명이 과학의 발전을 가져왔다고 주장한다.
④ 스피노자는 목적론이 자연에 대한 이해를 확장한다고 주장한다.
⑤ 스피노자는 목적론이 사물을 의인화하기 때문에 믿음직스럽다고 주장한다.

04

1 윤리 사상

이성주의와 경험주의

기출 속 배경지식 키워드 | #이성주의 #합리주의 #데카르트 #스피노자 #경험주의 #흄

교과 연계
고등학교 윤리와 사상
Ⅲ. 서양 윤리 사상

배경지식 DNA 점검

○ 다음 빈칸에 들어갈 알맞은 말을 보기에서 찾아 적어 봅시다.

보기
경험　데카르트　흄　이성　스피노자　공감

1 "나는 생각한다. 그러므로 나는 존재한다."는 [　　　]가 남긴 말이다.

2 [　　　]은 대표적인 경험주의자이다.

3 [　　　]는 자연에서 일어나는 모든 일이 원인과 결과의 관계로 연결되어 있다고 생각했다.

4 흄은 인간이 서로의 감정을 공유할 수 있는 [　　　] 능력을 타고난다고 보았다.

답 1 데카르트 2 흄 3 스피노자 4 공감

수능 필수 배경지식

중세 서양에서는 세계를 신이 다스리는 천상계와 인간이 사는 지상계로 구분하고 신을 모든 것의 중심에 두었어. 하지만 르네상스와 종교 개혁, 자연 과학의 발달로 이러한 세계관이 서서히 흔들리게 되었고, 근대에는 인간의 합리적 사고와 경험을 중시하는 분위기가 형성되었지. 이러한 흐름 속에서 지식과 사유의 근원을 이성으로 본 **이성주의(합리주의)**와 지식과 사유의 근원이 감각 경험에 있다는 **경험주의**가 등장했어. 이 두 가지 사상을 한번 자세히 알아볼까?

르네상스
14세기~16세기에, 이탈리아를 중심으로 하여 유럽 여러 나라에서 일어난 문화 혁신 운동. 인간성 해방과 개성·합리성·현세적 욕구를 추구했다. 문학·미술·건축·자연 과학 등 여러 방면에 걸쳐 유럽 문화 근대화의 발판이 되었다.

이성주의 • 진정한 인식은 이성으로 얻어진다고 보는 태도

데카르트, 절대적이고 확실한 지식을 찾아서

지금 네가 보는 이 책이 정말 존재하는 것일까? 우리는 감각을 통해 사물과 세계를 인식하고 그 존재를 확신하지. 그런데 **데카르트**(1596~1650)는 감각으로 알게 된 지식은 물론, '1+2=3'과 같이 감각에 의존하지 않는 수학적 지식조차도 더는 의심할 수 없을 때까지 의심해야 한다고 생각했어. 그가 의심을 거듭해서 얻고자 한 것은 무엇일까? 바로 **절대적이고 확실한 진리**야. 이렇게 의심할 수 없는 진리를 찾기 위해 의심해 보는 것을 **방법적 회의**라고 해.

데카르트가 끊임없는 의심을 거쳐 얻은 가장 확실한 (1) ㅈㄹ 는 바로 끝없이 의심하는 존재인 '나'야. 생각하는 존재인 '나'가 없다면 의심 자체가 불가능하지 않겠어? 이 결론을 나타내는 유명한 말이 바로 "나는 생각한다. 그러므로 나는 존재한다."야.

방법적 회의
확실한 진리에 이르기 위한 수단이나 방법으로써 행하는 의심. 철학적 이론이나 감각적 인식, 또는 일상적 의식 모두가 확실한 것으로 인정될 수 없다고 여기고, 조금이라도 의심스러운 것은 거짓으로 본 후에야 더 이상 의심할 수 없는 확실한 판단에 이를 수 있다고 한다.

스피노자, 이성을 통해 누리는 최고의 행복

스피노자(1632~1677)는 데카르트의 뒤를 이어 이성주의를 발전시켰어. 스피노자는 인간도 자연의 일부이고, 자연의 사물들은 다른 사물로부터 끊임없이 영향을 받는다고 보았어. 그에 따르면 자연에서 일어나는 모든 일은 원인과 결과의 관계로 연결되어 있는데, 그 궁극적 원인이 바로 신이야. 그리고 신은 자연 그 자체이지. 그는 인간이 (2) ㅇㅅ 을 통해 자연의 필연적 •인과 관계를 인식할 때 최고의 행복을 누릴 수 있다고 보고, **이성을 통한 지식의 추구와 이성적인 삶**을 중시했어.

• **인과** 원인과 결과를 아울러 이르는 말.

잠깐 체크
❶ 이성주의에 따르면 인간 인식의 근원은 (이성 / 경험)에 있다.
❷ 데카르트는 자연의 모든 일이 인과 관계로 연결되어 있다고 보았다. (○, ×)

답 ❶ 이성 ❷ ×

경험주의 • 경험의 내용이 곧 인식의 내용이 된다고 보는 태도

모든 지식의 근원, 경험

흄(1711~1776)은 **베이컨**(1561~1626)의 뒤를 이어 **경험주의**를 발전시켰어. 그는 "모든 지식은 경험에서 나온다."라고 주장하며, 이성으로 진리를 탐구하고자 한 데카르트를 비판했지. 경험주의에서 보고, 듣고, 느끼고, 맛보고, 냄새 맡는 **감각 경험**은 지식을 얻는 가장 확실한 근원이야. 그래서 흄은 인간의 (3) ㄱㄱ ㄱㅎ으로 확인할 수 없는 '신'이나 '정신' 등에 대해서는 의미 있는 주장을 할 수 없다고 생각했지. 그리고 자연의 인과 관계 역시 관찰을 통해 파악한 것일 뿐, 정확한 원인과 결과는 알 수 없다고 보았어.

베이컨
영국의 철학자. 근대 경험주의의 선구자로 관찰과 실험을 통해 새로운 지식을 발견하는 귀납법을 제시했다.

공감과 도덕적 감정의 보편성

경험주의자인 흄은 도덕 영역에도 경험과 관찰을 적용했어. 그리고 경험적 탐구의 결과, 도덕적 행위의 선악을 분별하는 근거는 이성이 아니라 감정이라는 결론을 내렸어. 그는 **도덕적 감정**은 개인의 주관적 감정이 아니라 인간의 보편적인 감정이라고 보았지. 그런데 한 개인의 감정이 개별성을 넘어 보편성을 지닐 수 있는 이유는 무엇일까? 즉 우리가 다른 사람과 같은 감정을 공유할 수 있는 이유는 무엇일까?

흄은 우리의 마음속에 본성적으로 **공감 능력**, 다른 말로 **동정심**(sympathy)이 있다고 보았어. 그에 따르면 (4) ㄱㄱ은 우리가 감정을 공유하고 서로를 이해하며, 편협하고 개인적인 관점을 극복하도록 해 주는 자연적 성향이야. 이것은 우리의 경험과 상상력을 바탕으로 일어나는데, 예를 들어 고통을 느끼는 타인을 볼 때 우리 마음속에 고통에 관한 •관념이 형성되고, 상상을 통해 강하게든 약하게든 타인과 비슷한 고통을 느낄 수 있다는 거야.

흄은 인간이라면 누구나 지닌 공감 능력이 도덕의 기초가 된다고 보았어. 우리가 다른 사람과 감정을 공유할 수 있기 때문에 모든 사람에게 유용한 것에 기쁨을 느끼게 되고, 그것이 바로 도덕적 선이 되는 거야.

•**관념** 어떤 일에 대한 견해나 생각.

잠깐 체크

❶ 흄은 지식의 원천이 경험에 있다고 생각했다. (○, ×)
❷ 흄에 따르면, 공감은 우리의 경험과 (의심 / 상상력)을 바탕으로 하여 일어난다.

답 ❶ ○ ❷ 상상력

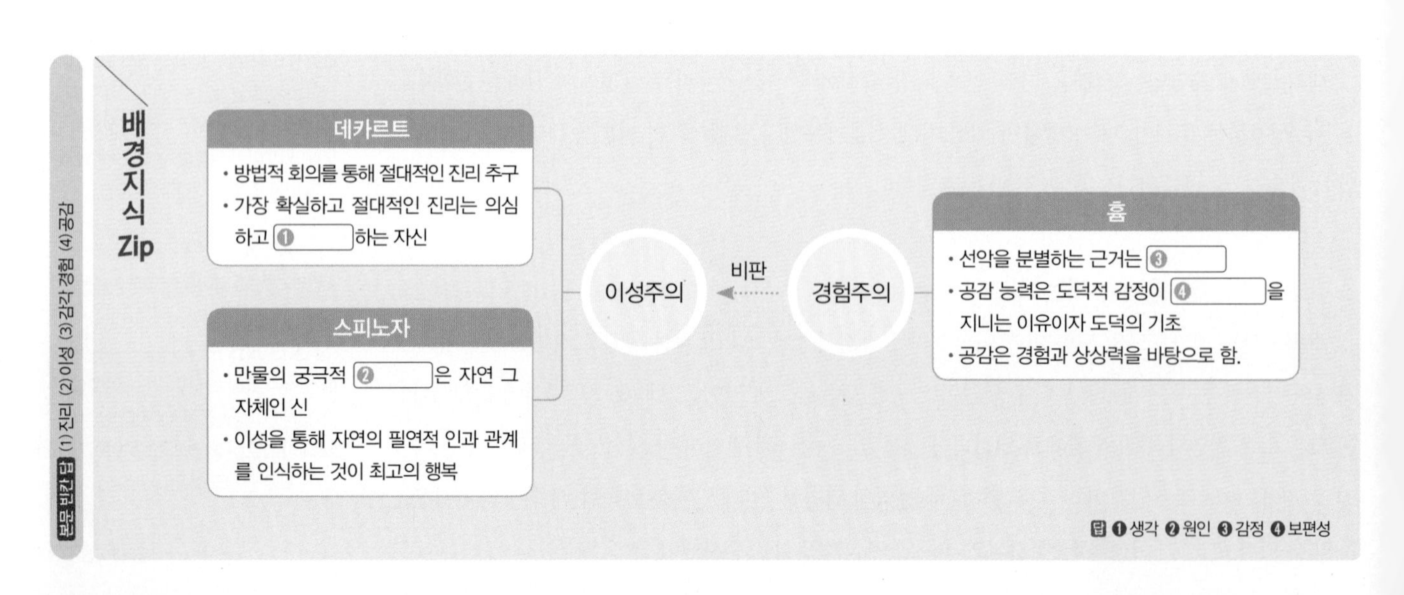

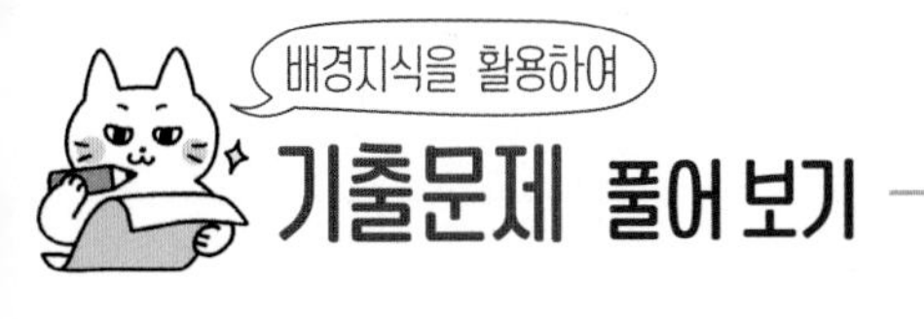

정답과 해설 4쪽

[01~02] 다음 글을 읽고 물음에 답하시오.

❶ [1]상식적으로는 자신에게 보이고 들리고 느껴지는 그대로 세계가 존재할 것이라고 생각하지만, 회의론에서는 그 보고 듣고 느끼는 세계가 모두 환상일지도 모른다는 가정을 옹호한다. [2]가장 널리 알려진 회의론은 근세 철학의 창시자인 데카르트에 의해 제시되었는데, 그는 의심이 전혀 불가능한 확실한 지식을 찾기 위해 체계적으로 의심하는 방법을 만들었다. [3]즉 의심할 수 있는 이유를 더 이상 찾을 수 없을 때까지 의심할 수 있는 것은 모두 의심해 보는 것이다.

❷ [1]그가 의심한 첫 번째 범주의 지식은 감각에 의해 생긴 지식이다. [2]휴대 전화가 없는데도 벨소리가 들릴 때가 있는 것처럼, 감각은 우리를 종종 속이므로 감각적인 증거를 토대로 생긴 지식은 믿을 수 없다. [3]그렇지만 내가 지금 의자에 앉아 있다는 사실까지 의심하는 사람은 없다. [4]이에 대해서도 데카르트는 꿈에서 똑같은 종류의 감각을 한다는 점을 지적한다. [5]나는 의자에 앉아 있다고 느낄지도 모르지만 사실 나는 침대에서 깊은 잠에 빠져 있을 수 있다. [6]따라서 감각적인 증거를 토대로 생긴 지식은 믿을 수 없다.

❸ [1]감각적 지식만이 지식의 전부는 아니다. [2]예컨대 우리의 지식 중 수학의 지식은 감각에 의존하지 않으므로 데카르트의 의심에서 무사히 벗어날지 모른다. [3]내가 깨어 있을 때나 꿈속에서나 2 더하기 3은 5이기 때문이다. [4]그런데 데카르트는 수학의 지식마저도 의심이 가능하다고 말한다. [5]악마가 존재하여 사실은 2 더하기 3은 4인데 우리가 2에 3을 더할 때마다 5인 것처럼 속일 수 있기 때문이다. [6]그런 악마가 실제로 존재하지 않더라도 자체적으로 모순이 되지 않는다면 상상하는 데는 아무런 제약이 없다.

❹ [1]그러나 데카르트는 아무리 의심을 해도 의심하는 사람의 존재에 관한 의심은 가능하지 않다고 말한다. [2]왜냐하면 만약 그 자신이 존재하지 않는다면 어떠한 악마도 그를 속일 수 없기 때문이다. [3]그러므로 그가 의심하고 있다면 그는 존재함에 틀림없다. [4]그래서 데카르트는 다음과 같이 말한다. [5]"나는 생각한다. 그러므로 나는 존재한다." [6]그 자신의 존재는 그 자신에게 절대적으로 확실한 것이다.

01

윗글의 내용과 일치하면 ○에, 일치하지 않으면 ×에 표시하시오.

(1) 데카르트는 감각에 의존하지 않은 지식은 의심하지 않아도 된다고 생각했다. ○ ×

(2) 회의론에서는 감각을 통해 인식한 세계가 모두 환상일지도 모른다는 가정을 옹호한다. ○ ×

(3) 데카르트가 체계적으로 의심하는 방법을 만든 목적은 더는 의심할 수 없는 확실한 지식을 찾기 위해서였다. ○ ×

02

다음 중 데카르트가 동의할 수 있는 진술에 해당하는 것은?

① 감각을 통해 얻은 지식은 믿을 만하다.
② 수학적 지식은 더는 의심할 필요가 없다.
③ 의심하는 사람의 존재 자체도 의심의 대상이다.
④ 어떤 지식을 상상만으로 의심할 수 있다면 그 지식은 확실하지 않다.
⑤ 깨어 있을 때 경험하는 감각과 꿈속에서 경험하는 감각은 같을 수 없다.

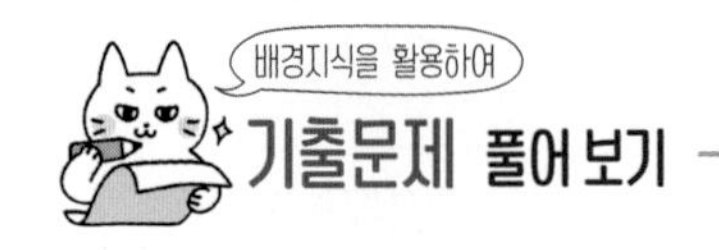

[03~05] 다음 글을 읽고 물음에 답하시오.

❶ [1]엄밀하게 말하자면, 어떤 경우에도 내가 느끼는 감각은 타인과 공유할 수 없다. [2]왜냐하면 감각은 육체를 통해 발생하기 때문이다. [3]나의 육체는 오직 나만의 것이다. [4]따라서 ㉠ 나의 육체에서 발생하는 감각은 나의 육체를 넘어 타인의 육체로 이전될 수 없다. [5]그런 까닭에 우리는 원칙적으로 어떤 감각을 다른 사람과 공유할 수 없다. [6]감각은 개별적이고 일회적이다. [7]그리하여 만약 자신의 고통이나 쾌락이라는 감각에 대하여 지나치게 예민한 감수성을 가진다면, 우리는 자기 자신의 개별성에 •함몰되기 쉽다. [8]다시 말해 쾌락과 고통에 대한 지나친 감수성은 사람을 자기 중심적이고 이기적으로 만들 수 있다. [9]자기가 고통받지 않기 위해 타인을 고통 속에 빠뜨릴 수 있는 것이다.

❷ [1]그렇다면 무엇이 우리로 하여금 고통과 쾌락의 감각 속에서도 오로지 자기 자신에게 함몰되지 않고 보편적 고통과 보편적 쾌락의 감수성을 갖도록 할 수 있겠는가? [2]흄에 따르면, 그것은 우리의 마음속에 본성적으로 주어져 있는 근원적 능력인 동정심이다. [3]동정심을 뜻하는 영어 'sympathy'는 그리스어 '심파테이아(sympatheia)'에서 온 것인데, 이는 '같이'를 뜻하는 'syn'이란 전치사와 '감각'이나 '정념'을 뜻하는 '파토스(pathos)'라는 말이 합쳐져서 이루어진 낱말이다. [4]그러니까 심파테이아란 파토스를 공유하는 것, 특히 슬픔이나 고통의 •정념을 같이 느끼는 것을 뜻한다.

❸ [1]인간의 감각 능력이란 보편적인 것이기 때문에, 다른 사람의 고통은 표정이나 몸짓 혹은 소리 같은 외적 징표를 통해 우리 마음에 유사한 작용을 불러일으킨다. [2]비록 다른 사람의 고통을 똑같이 느끼지는 못하지만, 간접적인 상상과 짐작을 통하여 비슷하게 고통을 느낄 수 있는 것이다.

❹ [1]타인의 고통을 연상할 때 우리의 마음속에는 그 고통에 대한 관념적 영상이 형성된다. [2]만약 우리가 예민한 감수성의 소유자이거나 또는 고통의 광경이 특별히 끔찍할 때에는, 마음속에 만들어진 고통의 관념적 그림자가 마치 고통 그 자체인 듯 생생하고 강렬하게 느껴지기도 한다. [3]이처럼 타인의 고통을 강하게든 약하게든 같이 느끼는 것이 동정심이다. [4]요컨대 타인의 고통이 내 마음에 불러일으키는 고통의 감수성이 곧 동정심이다.

❺ [1]인간이라면 누구나 본성적으로 마음 깊은 곳에 갖추고 있는 이러한 동정심은 도덕성의 참된 근거가 된다. [2]도덕은 타인에 대한 관심을 전제한다. [3]그런데 인간이 오직 자기의 쾌락과 고통에 대해서만 예민할 뿐 타인의 기쁨과 슬픔에 대해 무관심하다면 도덕은 처음부터 불가능하다. [4]자기에게 일어나는 고통을 피하듯 타인이 고통받는 것을 꺼리고, 자기의 기쁨을 추구하듯 타인의 기쁨을 추구하는 사람만이 도덕적인 사람일 수 있는 것이다.

• **함몰되다** (사람이 감정이나 상태에) 푹 빠져들어 헤어나지 못하게 되다.
• **정념** 감정에 따라 일어나는, 억누르기 어려운 생각.

03

윗글의 내용과 일치하지 않는 것은?

① 상상을 통해서도 강렬한 고통을 느낄 수 있다.
② 인간은 보편적 감수성을 가질 수 없는 개별적 존재이다.
③ 지나치게 예민한 감수성은 자기 중심적 행동을 낳을 수 있다.
④ 표정이나 소리 같은 외적 징표는 동정심의 발현에 작용한다.
⑤ 동정심은 고통과 슬픔뿐 아니라 쾌감이나 기쁨과도 관련된다.

04

㉠의 사례로 가장 적절한 것은?

① 불면증에 따른 피로감
② 회초리 맞던 기억이 일으키는 고통
③ 어머니의 주름살이 전해 주는 안타까움
④ 언젠가 죽게 된다는 사실에 대한 두려움
⑤ 수술을 받는 친구를 보면서 느끼는 안쓰러움

05

윗글의 글쓴이가 〈보기〉의 화자에게 대답할 말로 가장 적절한 것은?

보기

솔직히 말해서, 나에게 소중한 사람은 나 자신뿐이야. 다른 사람의 아픔은 나에게 어떤 고통도 주지 않아. 오히려 그건 즐거움을 주는 쪽이지. 내가 그보다 더 행복하다는 것을 확인할 수 있으니까. 본래 남의 집 불 구경하면서 쾌감을 느끼는 게 인간 아닌가?

① 감각이 시키는 대로 행동하는 건 위험한 일이야. 감각이란 실체가 없는 허상(虛像)에 불과해.
② 실제로 고통과 쾌감의 감각은 사람마다 차이가 있어. 그 차이가 바로 동정심의 바탕이 되는 것이지.
③ 남의 집이 불타는 걸 볼 때는 쾌감이 아닌 고통을 느껴야 해. 쾌감을 절제해야 도덕적 삶을 살 수 있어.
④ 돌아보면 너도 남의 고통에 아픔을 느끼고 남의 기쁨에 즐거워한 적이 있을걸. 그게 인간의 본모습이야.
⑤ 너는 육체적 가치를 말하고 있는데, 정신적인 면이 더 중요해. 사랑과 희생 같은 도덕적 가치에 눈을 떠야 해.

05

1 윤리 사상

의무론과 결과론

기출 속 배경지식 키워드 | #의무론 # 칸트 #정언 명령 #결과론 #공리주의 #벤담 #밀

교과 연계
고등학교 윤리와 사상
III. 서양 윤리 사상

배경지식 DNA 점검

○ 다음 내용이 맞으면 '예', 틀리면 '아니요'에 표시해 봅시다.

칸트는 도덕 법칙을 따르려는 선의지를 강조했다.	□ 예	□ 아니요
공리주의는 대표적인 의무론이다.	□ 예	□ 아니요
벤담은 최대 다수의 최대 행복을 강조했다.	□ 예	□ 아니요
결과론은 행위의 결과보다 행위의 동기에 주목하는 사상이다.	□ 예	□ 아니요
밀은 정신적 쾌락보다 감각적 쾌락의 질이 더 높다고 생각했다.	□ 예	□ 아니요

답 예, 아니요, 예, 아니요, 아니요

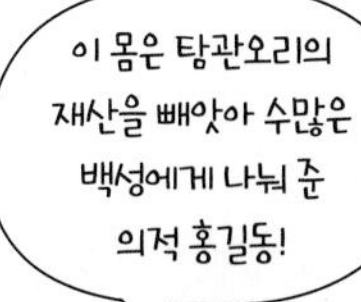

〈홍길동전〉의 주인공 홍길동의 행동은 도덕적으로 옳을까, 그를까? 행위의 옳고 그름은 어떤 기준으로 판단할 수 있을까? **의무론**과 **결과론**은 이와 관련하여 각각 다른 주장을 제시해. 의무론에 따르면 행위의 옳고 그름은 행위의 결과가 아니라 우리가 지켜야 할 도덕 법칙이나 의무에 따라 결정돼. 반면 결과론은 의도나 동기보다는 행위의 결과가 도덕적 옳고 그름의 기준이 된다고 봐.

의무론 • 언제 어디서나 지켜야 하는 도덕 법칙과 의무에 주목하는 윤리 이론

칸트의 선의지와 도덕 법칙

의무론은 언제 어디서나 지켜야 하는 도덕 법칙과 의무에 주목하는 윤리 이론으로, 대표적인 사상가로는 **칸트**(1724~1804)가 있어. 칸트는 행위의 결과는 예측할 수 없으므로, 옳고 그름은 결과와 상관없이 행위자의 의지로 결정된다고 보았어. 그는 행위를 오로지 그것이 옳다는 이유에서 실천하려는 의지인 **선의지**를 강조했지. 선의지는 도덕 법칙을 따르려는 의지이기도 해. 칸트는 감정이나 욕구가 아니라 도덕 법칙을 존중하려는 의무에서 비롯된(의무의 근거) 행위만이 도덕적 가치를 지닌다고 보았어.

칸트는 도덕 법칙은 오로지 이성적 존재에게만 적용되며, 도덕 법칙이 타당성을 지니기 위해서는 모든 이성적 존재에게 보편화 가능해야 한다고 생각했어. 그리고 (1) ㄷㄷ ㅂㅊ 은 무조건적 명령, 즉 **정언 명령**의 형태를 띠어야 한다고 말했지. 예를 들어 "약속을 지켜야 한다."는 도덕 법칙이 될 수 있지만, "다른 사람과 좋은 관계를 유지하고 싶다면 약속을 지켜야 한다."처럼 조건이 붙은 **가언 명령**은 도덕 법칙이 될 수 없다는 거야. 도덕 법칙은 상황이나 결과에 상관없이 항상 지켜야만 하는 (2) ㅇㅁ 이자 명령이기 때문이지.

칸트는 모든 사람은 존엄성을 지닌 인격체이기 때문에 우리는 모든 사람을 목적을 위한 수단으로만 대우해서는 안 되고 목적 그 자체로서 동등하게 대우해야 한다고 생각했어. 이런 점에서 칸트의 의무론은 모든 사람의 자유와 권리를 강조하는 자유주의의 기초를 다졌다고 평가받지만, 한편으로는 행위의 결과와 행복을 외면한다고 비판받기도 해.

➕ 정언 명령과 가언 명령

정언 명령은 마땅히 해야 할 행위를 지시하는 명령으로, 명령 그 자체가 목적이 된다. 이와 달리 가언 명령은 조건부 명령으로 "만약 당신이 A를 원한다면 B를 행위하라."의 형식으로 제시된다.

잠깐 체크

❶ 칸트는 도덕 법칙이 가언 명령의 형태를 띠어야 한다고 본다. (○, ×)

❷ 의무론에 따르면 우리는 모든 사람을 (목적 / 수단) 그 자체로서 동등하게 대우해야 한다.

답 ❶ × ❷ 목적

결과론 • 행위의 동기보다는 행위의 결과에 주목하는 윤리 이론

고전적 공리주의

결과론은 행위의 동기보다는 행위의 결과에 주목하는 윤리 이론이야. 대표적인 결과론에는 공리(공공의 이익)주의가 있지. **공리주의**는 행위의 목적이나 선악 판단의 기준을 인간의 이익과 행복을 증진하는 데에 두는 사상인데, **고전적 공리주의**에는 크게 **벤담(1748~1832)의 양적 공리주의**와 **밀(1773~1836)의 질적 공리주의**가 있어.

벤담은 행복을 바라는 개인이 모인 사회 전체의 행복(쾌락)을 증진하는 것, 즉 최대 다수의 최대 행복(더 많은 사람이 더 많은 행복을 누리는 것)을 강조했어. 그에 따르면 모든 행복은 질적으로 동일하고 단지 (3) ㅇ 에서만 차이가 나.

이와 달리 **밀**은 쾌락의 양뿐 아니라 질적 차이도 고려해야 한다고 주장했어. 그는 인간이라면 누구나 질 낮은 다량의 감각적 쾌락보다는 정신적 쾌락을 추구할 것이라고 보았지.

한편 고전적 공리주의는 '최대 다수의 최대 행복'을 위해 개인의 권리를 침해하거나, 죄 없는 사람의 희생을 정당화할 가능성이 있다는 점에서 비판을 받았어.

현대 공리주의

오늘날 공리주의는 행위 공리주의와 규칙 공리주의로 나뉘어.

행위 공리주의는 "어떤 행위가 최대의 유용성을 가져오느냐?"에 주목하여 더 많은 공리를 가져오는 행위를 옳은 행위로 보는데, 행위의 결과를 매번 정확하게 예측하기가 힘들고 도덕적 상식에 어긋난 행위를 정당화할 수 있다는 점에서 비판을 받았어.

이를 극복하기 위해 등장한 **규칙 공리주의**는 "어떤 규칙이 최대의 유용성을 가져오느냐?"에 주목하여 최대의 행복을 가져오는 행위의 규칙을 따라야 한다고 봐. 가령 "거짓말을 하면 안 된다."라는 규칙을 따를 때 그렇지 않을 때보다 더 나은 (4) ㄱㄱ 를 가져온다면, 그 규칙을 따라야 해. 하지만 규칙이 서로 충돌할 때 분명한 기준을 제시하지 못한다는 한계가 있어.

잠깐 체크

❶ 벤담은 행위가 도덕적인지 판단할 때 쾌락의 질적 차이를 고려해야 한다고 주장했다. (○, ×)

❷ 행위 공리주의는 정의나 도덕적 상식과 어긋나는 행위를 정당화할 가능성이 있다. (○, ×)

답 ❶ × ❷ ○

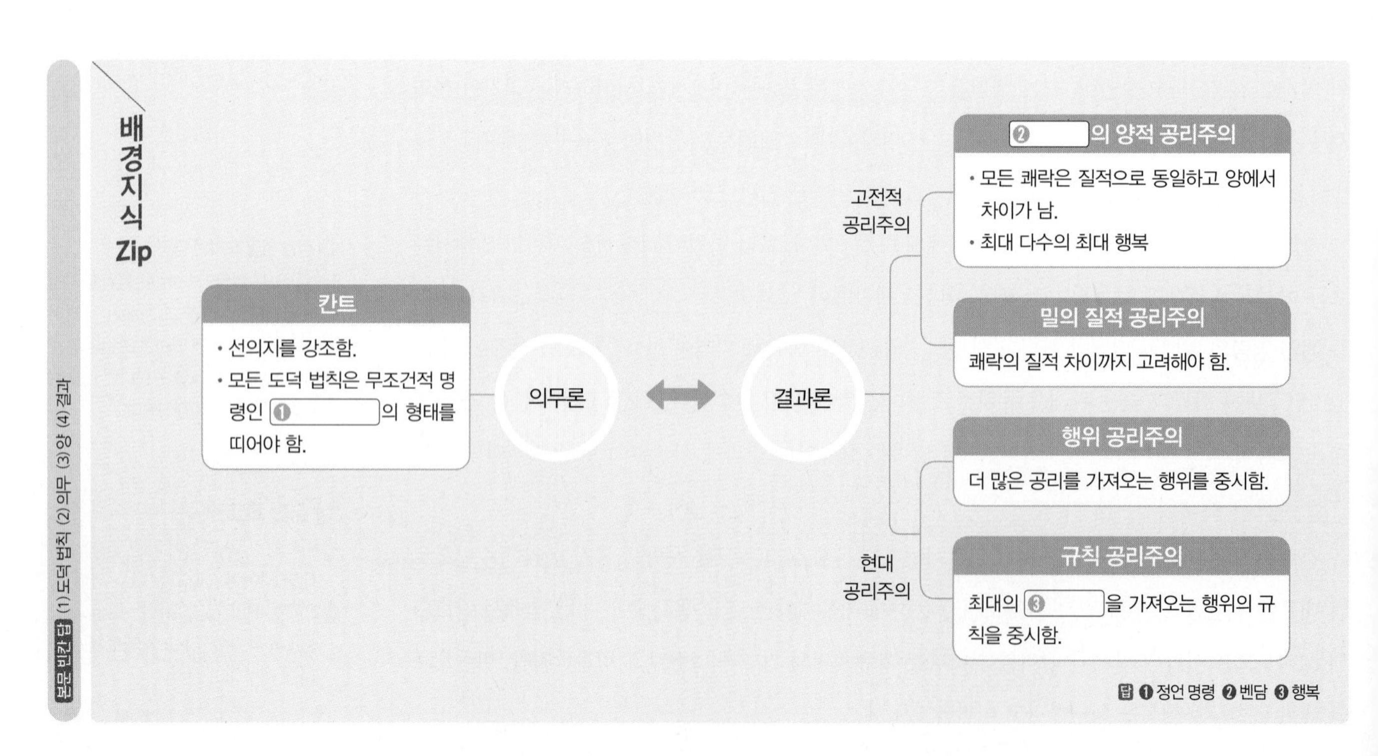

기출문제 풀어 보기

정답과 해설 5쪽

[01~02] 다음 글을 읽고 물음에 답하시오.

❶ [1]공리주의는 최선의 결과를 무엇으로 보느냐에 따라 크게 쾌락주의적 공리주의, 선호 공리주의, 이상 공리주의 등으로 나누어 볼 수 있다.

❷ [1]쾌락주의적 공리주의는 최선의 결과를 쾌락의 증진으로 보는 이론이다. [2]다시 말해 인간의 심리적 경험인 쾌락을 본래적 가치로 여기고 있는 것이다. [3]이 이론에 따르면 도덕적으로 옳은 행위는 자신뿐 아니라, 그 행위가 영향을 미치는 모든 인간의 쾌락을 가장 많이 증진하는 행위이다. [4]그러나 쾌락주의적 공리주의는 인간이 어떤 행위를 선택할 때 쾌락만을 추구하는 것이 아니라 다른 것을 추구하기도 한다는 것을 설명하기 어렵다는 한계를 지닌다.

❸ [1]쾌락주의적 공리주의의 이런 한계를 극복하기 위해 등장한 이론이 선호 공리주의이다. [2]이 이론은 최선의 결과를 선호의 실현으로 본다. [3]여기에서 선호란 사람마다 원하는 것 혹은 실현하고자 하는 것을 말한다. [4]선호 공리주의에 따르면 도덕적으로 옳은 행위는 자신뿐 아니라, 그 행위가 영향을 미치는 모든 사람 각자가 지닌 선호를 가장 많이 실현시키는 행위이다. [5]선호 공리주의는 쾌락뿐만 아니라 쾌락이 아닌 다른 것을 추구하기도 하는 인간의 행위가 개인의 선호를 반영한 것이고, 이런 선호의 실현이 곧 최선의 결과라고 설명함으로써 쾌락주의적 공리주의의 한계를 극복했다. [6]그러나 선호 공리주의는 보편적인 관점에서 볼 때 비정상적인 욕구에 기반을 둔 선호의 실현과 정상적인 욕구에 기반을 둔 선호의 실현이 동일한 비중을 갖지 않는다는 점을 설명하기 어렵다는 한계를 지닌다.

❹ [1]쾌락주의적 공리주의와 선호 공리주의에 대한 대안으로 등장한 것이 ㉠이상 공리주의이다. [2]이 이론은 앞의 두 이론과 마찬가지로 인간의 최대 이익과 행복을 가져오는 인간의 행위를 옳은 행위로 여긴다. [3]그러나 이상 공리주의는 쾌락주의적 공리주의와 달리 쾌락을 유일한 본래적 가치라고 생각하지 않는다. [4]이 이론은 진실, 아름다움, 정의, 평등, 자유, 생명, 배려 등의 이상들도 본래적 가치에 해당한다고 본다. [5]또 선호 공리주의와 달리 이상 공리주의는 이런 이상들이 인간의 선호와 무관하게 실현되어야 할 본래적 가치라고 주장한다. [6]결국 이 이론은 이상의 실현을 최선의 결과로 본다. [7]이상 공리주의에 따르면 본래적 가치에 해당하는 이상들은 인간의 이익과 행복을 구성한다. [8]그렇기 때문에 이상 공리주의는 인간들의 서로 다른 관심과는 무관하게 실현되어야 할 이상들을 인간이 더 많이 실현하는 것이 곧 최대의 이익과 행복이라고 본다. [9]그러나 이상 공리주의는 본래적 가치에 해당하는 이상들이 갈등하는 경우 어떤 이상의 실현이 최선의 결과일지에 대해 설명하기 어렵다는 한계를 지니고 있다.

01

윗글의 내용과 일치하면 ○에, 일치하지 않으면 ×에 표시하시오.

(1) 쾌락주의적 공리주의는 행위의 주체인 개인의 행복만을 고려한다. ○ ×

(2) 선호 공리주의는 쾌락을 추구하는 인간의 행위에 개인의 선호가 반영되어 있다고 본다. ○ ×

(3) 쾌락주의적 공리주의는 인간이 쾌락이 아닌 다른 것을 추구하기도 한다는 점을 설명하기 어렵다. ○ ×

02

㉠에 대한 설명으로 적절하지 않은 것은?

① 인간의 이상도 본래적 가치에 해당한다고 여긴다.
② 최대 이익과 행복을 가져오는 행위를 옳은 행위로 본다.
③ 쾌락주의적 공리주의와 선호 공리주의의 대안으로 등장했다.
④ 이상은 인간의 선호를 반영하여 실현되어야 한다고 주장한다.
⑤ 이상이 갈등할 때 어떤 이상을 실현해야 하는지 설명하지 못한다.

배경지식 플러스

선호 공리주의

공리주의는 우리가 선택할 수 있는 행위 중 관련 당사자에게 가장 좋은 결과를 가져오는 행위를 도덕적으로 옳은 행위라고 주장한다. 이때 가장 좋은 결과를 선호의 실현으로 보는 선호 공리주의는 행위의 옳고 그름을 행위나 그 결과에 영향을 받는 당사자의 선호와 일치하는 정도에 따라 평가한다. 왜냐하면 직접적인 쾌락의 증가가 아니라, 자신이 진정으로 바라는 선호를 실현하는 것이 더 좋은 결과를 산출한다고 보기 때문이다.

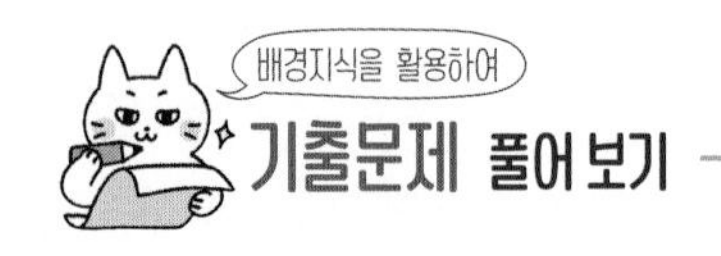

[03~06] 다음 글을 읽고 물음에 답하시오.

❶ [1]전통적 공리주의는 세 가지 요소에 기초하여 성립하는 대표적 윤리 이론이다. [2]첫째, 공리주의는 행동의 윤리적 가치가 행동의 결과에 의존한다는 결과주의이다. [3]행동은 전적으로 예상되는 결과에 의해서 선하거나 악한 것으로 판단된다. [4]둘째, 행동의 결과를 평가할 때의 유일한 기준은 바로 행동의 결과가 산출할, 계산 가능한 '행복의 양'이다. [5]이에 ⓐ따르면 불행과 대비하여 행복의 양을 많이 산출할수록 선한 행동이 되며, 가장 선한 행동은 최대 다수의 최대 행복을 산출하는 것이다. [6]셋째, 행동을 하기 전 발생할 행복의 양을 계산할 때 개개인의 행복을 모두 동일하게 중요한 것으로 간주하므로 어느 누구의 행복도 다른 누구의 행복보다 더 중요하지는 않다. [7]그래서 두 사람의 행복을 비교할 때 오로지 그 둘에게 산출될 행복의 양들만을 고려한다. [8]이는 공리주의가 전형적인 공평주의라는 사실을 보여 준다.

❷ [1]이러한 공리주의에 대하여 반공리주의자가 제기하는 가장 심각한 문제는 공리주의가 때때로 정의의 개념을 •배제하는 결과를 초래한다는 것이다. [2]그는 위의 세 요소를 실천하는 공리주의자인 민우가 집단 A와 집단 B 간의 갈등이 심각하게 진행되고 있는 나라를 방문했다고 가정한다. [3]민우는 집단 A의 한 사람이 집단 B의 한 사람을 심하게 폭행하는 장면을 우연히 목격하게 되었다. [4]민우가 만약 진실을 증언하면 두 집단의 갈등을 더 악화시켜 •유혈 사태를 야기할 수 있지만, 집단 B의 •무고한 한 사람을 지목하여 거짓 증언을 하면 집단 간의 충돌을 막을 수 있다. [5]증언하지 않을 때 생기는 불확실성은 더 위험하다. [6]㉠이 상황에서 전통적 공리주의자인 민우는 어떤 행동을 할 것인가?

❸ [1]이와 같은 정의 배제 상황에 대한 공리주의자들의 몇 가지 대응 중 가장 주목할 만한 하나는 공리주의 또한 정의의 개념을 포함할 수 있다는 것이다. [2]이것은 진실을 증언하는 사회와 그렇지 않은 사회를 먼저 가정하고 과연 어느 사회가 결과적으로 더 많은 행복을 산출하는 사회인가를 검토하는 것이다. [3]장기적인 관점에서 전자의 사회가 더 많은 행복을 산출하기 때문에 좋은 사회라는 결론이 도출된다. [4]그래서 행복을 더 많이 산출하는 진실을 증언함으로써 정의를 바로 세우는 규칙을 만들고 그에 따라 행동하도록 개인의 행동을 제약한다. [5]이와 같은 대응을 하는 공리주의자들을 규칙 공리주의자라고 한다.

• **배제하다** 받아들이지 아니하고 물리쳐 제외하다.
• **유혈 사태** 무력에 의해 사람이 죽거나 다치는 등의 인명 피해가 일어난 상황.
• **무고하다** 아무런 잘못이나 허물이 없다.

03 〈보기〉의 '갑'의 행동을 전통적 공리주의의 관점에서 선하다고 평가할 때, 그 이유로 적절하지 않은 것은?

보기

'갑'은 몸살로 집에 누워 있는 친구를 간호하러 가던 중, 교통사고로 심각하게 다친 운전자를 목격했다. '갑'은 도와야 한다는 생각에 그를 급히 응급실로 옮겨서 다행히도 목숨을 구할 수 있었다. 그러나 '갑'은 친구를 간호할 수는 없었다.

① '갑'은 전체의 행복의 양을 증가시키는 쪽으로 행동했군.
② '갑'은 다친 사람을 도우면 자신만이 행복해진다고 판단했겠군.
③ '갑'은 친한 사람이라고 해서 그 사람의 행복이 더 가치 있다고 판단하지 않았겠군.
④ '갑'은 몸살 환자보다 다친 사람을 돕는 것이 더 많은 행복을 산출한다고 판단했겠군.
⑤ '갑'은 자신의 행동이 결과적으로 선할 것이라는 판단에 따라 누구를 도울지를 결정했겠군.

04 ㉠에 대해 반공리주의자가 예상하는 답으로 가장 적절한 것은?

① 피해자를 적극적으로 설득하여 가해자를 용서하도록 할 것이다.
② 증언의 결과가 미칠 파장을 우려하여 *묵비권을 행사할 것이다.
③ B 집단의 무고한 한 사람을 범인으로 지목할 것이다.
④ 가해자와 피해자를 적극적으로 화해시킬 것이다.
⑤ 가해자에 관한 진실을 증언할 것이다.

* **묵비권** 피고인이나 피의자가 수사 기관의 조사나 공판의 심문에 대하여 자기에게 불리한 진술을 거부할 수 있는 권리.

05 ❸의 규칙 공리주의자와 〈보기〉의 의무론자에 대한 설명으로 가장 적절한 것은?

보기

의무론자는 어떤 경우에도 항상 거짓말을 하지 않아야 한다고 주장한다. 거짓말을 하지 않아야 하는 이유는 거짓말을 하지 않을 때 좋은 결과가 산출되어서가 아니라, 거짓말을 하지 않는 것이 조건 없이 따라야 하는 절대적인 규칙이기 때문이다.

① 규칙 공리주의자는 규칙을 무조건 따라야 한다고 했어.
② 의무론자는 예상되는 결과에 따라 진실을 말해야 한다고 했어.
③ 의무론자와 규칙 공리주의자는 모두 결과의 중요성을 강조했어.
④ 의무론자는 규칙의 절대성을, 규칙 공리주의자는 정의의 배제를 강조했어.
⑤ 의무론자는 결과와 무관하게, 규칙 공리주의자는 결과에 의존하여 정의를 강조했어.

06 밑줄 친 부분이 ⓐ와 가장 가까운 뜻으로 쓰인 것은?

① 어머니 말씀을 따르면 항상 좋은 일이 생긴다.
② 누구라도 나를 잘 따르면 귀여워할 수밖에 없다.
③ 누구나 남들이 하는 대로 따르면 비슷한 결과가 나온다.
④ 네가 어머니의 음식 솜씨를 따르면 좋은 요리사가 될 거다.
⑤ 이러한 원칙에 따르면 그 사람에게는 상을 주는 것이 맞다.

1 윤리 사상

실존주의와 실용주의

기출 속 배경지식 키워드 | #실존주의 #키르케고르 #하이데거 #사르트르 #실용주의 #듀이

교과 연계
고등학교 윤리와 사상
Ⅲ. 서양 윤리 사상

배경지식 DNA 점검

다음 사상가들과 관련 있는 내용을 바르게 연결해 봅시다.

(1) ● ● ㉠ 인간은 신 앞에 선 단독자로서 주체적 결단을 내린다.

(2) ● ● ㉡ 지금, 여기에 있는 현존재로서의 인간은 스스로 자신의 삶을 기획하고 창조한다.

(3) ● ● ㉢ 인간에게는 미리 결정된 본질이 없다. 인간은 결정된 목적 없이 이 세계에 내던져진 존재이다.

(4) ● ● ㉣ 지식이나 이론은 문제 상황을 해결하기 위한 수단이자 도구일 뿐이다.

답 (1)㉢ (2)㉣ (3)㉠ (4)㉡

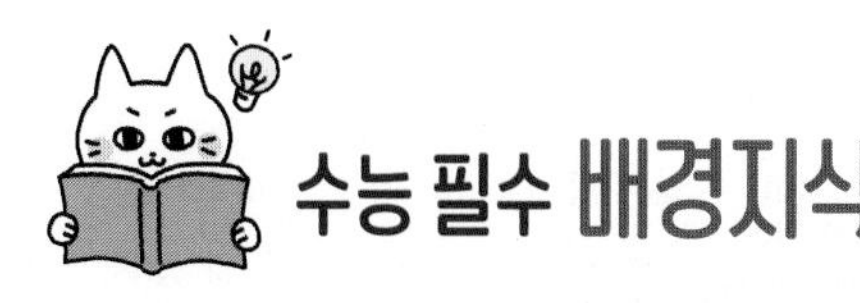

수능 필수 배경지식

근대 과학 기술의 발전은 인간의 삶에 많은 변화를 가져왔는데, 장점만 있는 것은 아니었어. 과학 기술 발전의 이면에는 비인간화와 •인간 소외, 빈부 격차와 계급 갈등, 물질 만능주의, 전쟁과 같은 문제 역시 존재했지. 그런데 근대에 그토록 강조되어 온 이성과 보편적인 도덕 원리는 구체적인 해결책을 내놓지 못했어. 이러한 근대 윤리 사상의 한계를 극복하고자 하는 움직임 속에서 등장한 사상이 **실존주의**와 **실용주의**야.

• **인간 소외** 인간성이 상실되어 인간다운 삶을 잃어버리는 일.

실존주의 • 개인의 자유와 책임, 주체적 결단과 주체적 삶 강조

실존주의는 인간의 본질을 이성에서 찾던 기존의 사상과 달리 개인의 자유와 책임, 주체성을 강조하는 사상이야. **실존**은 본질과 대비되는 개념으로, 구체적이고 개별적인 상황에서 항상 스스로 결단해야만 하는 개인을 의미하지. 실존주의에 따르면, 인간은 보편적인 도덕 원리가 아니라 주체적 결단으로 스스로를 규정하고 주체적 삶을 살아가야 해.

+ 실존
'지금, 여기에' 있는 그대로의 인간의 모습을 강조하는 개념이다. 고정된 본질을 지니지 않은 '인간'에 대해서만 쓸 수 있다.

실존주의의 선구자인 **키르케고르**(1813~1855)는 실존적 상황에서는 오직 주체성만이 답을 줄 수 있으므로 주체성이 진리이며 진리는 주관적이라고 주장했어. 그는 인간이 자기 자신을 **신 앞에 선 단독자**로 여기면서 주체적으로 결단할 때 비로소 참된 (1) ㅅㅈ 에 이를 수 있다고 말했어.

하이데거(1889~1976)는 지금, 여기에 있는 현실적인 인간 존재를 **현존재**라고 불렀어. 현존재는 자신이 죽음을 향해 나아가고 있다는 사실을 받아들이고 삶의 •유한성과 일회성을 깨달음으로써 일상적이고 획일화된 삶의 방식에서 벗어나고자 한다고 했지. 그에 따르면 인간은 자신의 가능성을 파악하고, 스스로 자신의 삶을 기획하고 창조함으로써 주체적인 삶을 살아갈 수 있어.

• **유한성** 시간과 공간 등에 일정하게 정해진 범위나 한계가 있는 성질.

한편 **사르트르**(1905~1980)는 실존은 본질에 앞서며, 인간은 사물과 달리 본질이 미리 결정되어 있지 않다고 보았어. 예를 들어 지우개는 처음부터 무엇인가를 지우기 위한 목적으로 만들어지므로 본질이 이미 결정되어 있지만, 인간에게는 미리 결정된 (2) ㅂㅈ 이 없다는 거야. 그는 인간이 결정된 목적 없이 이 세계에 **내던져진 존재**이므로, 자신의 결단을 통해 스스로 모습을 만들어 가고 그 결과 역시 책임져야 한다고 생각했지.

잠깐 체크
❶ 구체적이고 개별적인 상황에서 항상 스스로 결단을 해야만 하는 개인을 의미하는 말은?
❷ 사르트르는 사물과 인간 모두 결정된 본질을 지니고 있다고 주장했다. (○, ×)

답 ❶ 실존 ❷ ×

실존주의는 인간의 주체성을 지나치게 강조한다는 점에서 보편적인 도덕규범을 부정할 우려가 있어. 하지만 획일화된 삶을 반성하게 하고, 주체적이고 개별적인 삶을 강조한다는 점에서 현대 사회를 살아가는 우리에게 시사하는 바가 크지.

실용주의 ● 실제적 유용성에 따른 지식이나 규범의 가치 판단

실용주의는 지식이나 규범이 그 자체로서 가치를 지니는 것이 아니라, 문제를 해결하거나 삶을 개선하고 향상하는 데 이바지할 때 가치를 지닌다고 보았어. 그래서 어떤 지식이나 규범이 참인지, 또는 옳은지는 실제적 (3) ㅇㅇㅅ 에 따라 판단해야 한다고 강조했지. 실용주의는 지식과 규범을 일종의 도구로 보고, 절대적인 진리와 보편적인 도덕 원리는 존재하지 않는다고 주장했어. 윤리 이론도 현실 문제를 해결하고 삶을 개선하는 데 도움이 되어야 한다고 보았지.

대표적인 실용주의자 **듀이**(1859~1952)는 인간은 문제를 해결하고 유익한 결과를 이끌어 내기 위해 능동적이고 실천적이어야 한다고 주장했어. 그는 지식이나 이론은 문제 상황을 해결하기 위한 수단이자 도구이며, 실천에 유용하다고 판단될 때 비로소 가치를 지닌다고 보았지.

듀이는 과거의 관습을 그대로 따르지 않고, 상황에 맞게 지식이나 이론을 수정하고 발전시키는 **지성적 탐구**의 중요성을 강조했어. 이는 도덕 문제에서도 마찬가지였는데, 보편적이고 절대적인 도덕 법칙은 존재하지 않기 때문에 우리의 지성을 최대한 발휘하여 각 상황에서 자신의 삶을 (4) ㄱㅅ 하거나 사회를 진보시킬 수 있는 도덕 판단과 행위를 실천하는 것을 중요하게 여겼지.

이러한 실용주의는 도구적 가치를 지나치게 강조하여 본래적 가치를 인정하지 않는다는 비판을 받기도 하지만, 변화하는 상황에 대처하는 것을 강조한다는 점에서 현대 사회의 다양한 사회적 문제와 갈등을 해결하는 데 도움이 될 수 있어.

잠깐 체크

❶ 실용주의는 절대적인 진리나 도덕 원리는 존재하지 않는다고 본다. (○, ×)

❷ 듀이는 지식이나 이론은 문제를 해결하기 위한 (수단 / 목적)이라고 생각했다.

답 ❶ ○ ❷ 수단

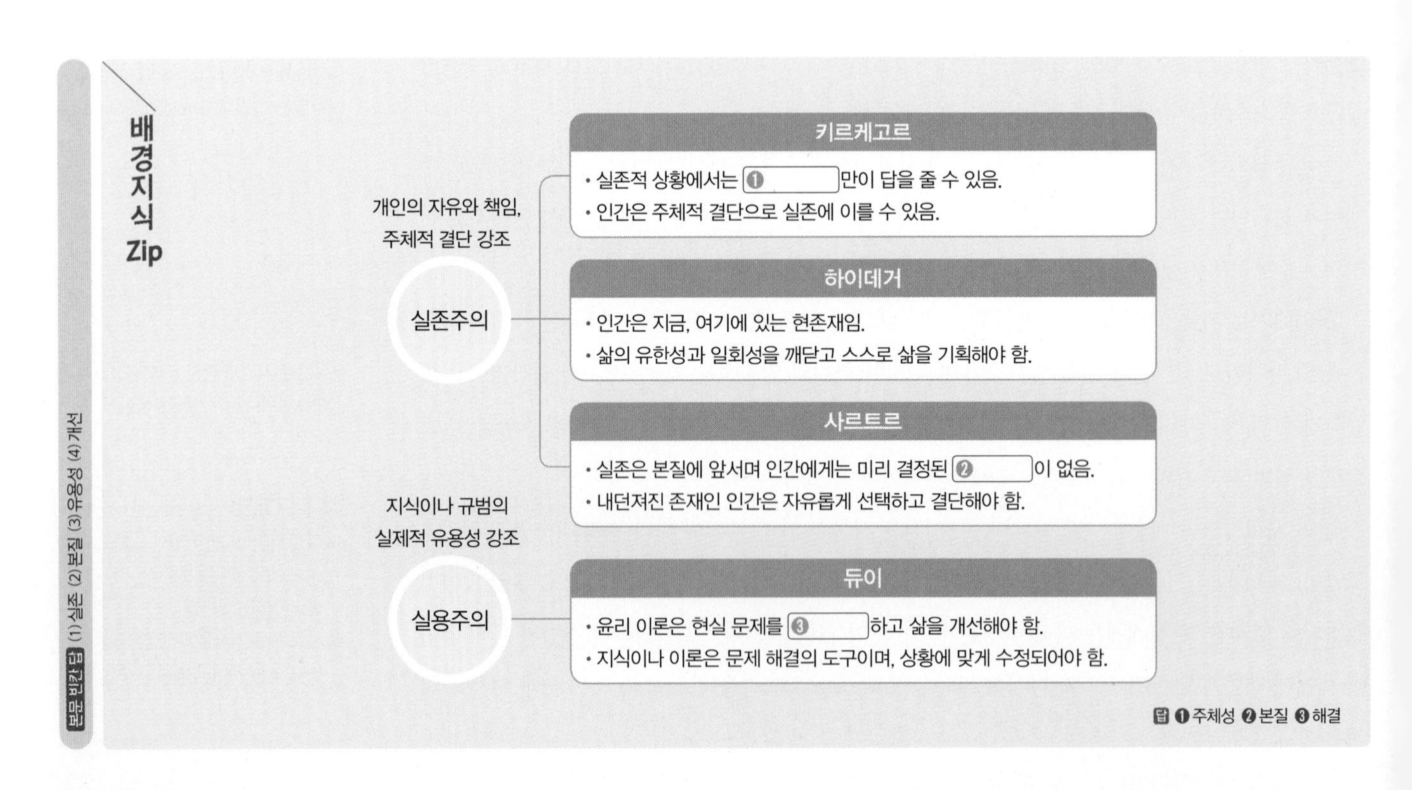

기출문제 풀어 보기

정답과 해설 6쪽

[01~02] 다음 글을 읽고 물음에 답하시오.

❶ [1]근대 철학의 포문을 연 데카르트와 그 후예들의 문제 설정의 중심에는 '주체'라는 개념이 자리 잡고 있었다. [2]그러나 근대 철학은 •헤겔 이후 도전에 직면하였으며, 특히 인간을 모든 것의 중심에 놓는 근대 철학의 지배적 이념이 그 비판의 대상이 되었다.

❷ [1]근대 철학에 대한 대표적인 비판으로 환경론자들의 주장을 들 수 있다. [2]환경론자들에 의하면 근대 철학은 •이분법적 사고방식에 근거하여 인간을 주체로, 자연을 인간에 의해 인식되고 지배되는 대상으로 파악하였다. [3]그 결과 인간이 자연의 지배자라는 부당한 이념을 유포시켰다고 주장한다.

❸ [1]환경론자들은 근대를 주도하고 지배하던, 그리고 오늘날에도 여전히 그 위세를 떨치고 있는 과학기술주의에 주목하였다. [2] 과학기술주의는 근대 철학의 영향으로 자연을 수량화와 계산을 통해 언제나 이용할 수 있는 자원의 창고로 바라보았다. [3]그 결과 자연 파괴는 물론 그 속에 존재하는 인간의 삶에 전반적인 위기를 초래하였다는 것이 환경론자들의 주장이다.

❹ [1]이러한 환경론자의 비판에 철학적 기초를 제공한 현대 철학자로 하이데거를 들 수 있다. [2]그에 의하면 근대 철학의 근본적 특징은 인간 중심주의이자 이성 중심주의이다. [3]이는 존재하는 모든 것을 인간에 의해 인식되고 파악되고 지배될 수 있는 대상으로 만드는 계산적 사유에 근거한다. [4]즉 ㉠ 계산적 사유로서의 이성은 모든 ㉡'존재하는 것(존재자)'을 '주체'인 인간의 지배 대상으로 전락시켰으며, 이로 인해 존재자의 본원적인 존재 의미는 사라져 버렸다는 것이다.

❺ [1]하이데거는 존재자 본연의 존재 의미를 성찰하면서 새로운 사유의 지평을 열었다. [2]그는 존재자들이 전체 속에서 의미 있게 결합되어 있는 관계로 존재한다고 하면서, 존재자는 그러한 관계로부터 분리될 수 없으며 또한 그 전체 연관성 속에서 그 어떤 것으로도 대체될 수 없는 유일성을 갖는다고 주장하였다.

• **헤겔** 독일의 철학자(1770~1831). 독일 관념론의 완성자로서 자연, 역사, 정신의 모든 세계는 끊임없이 변화하고 발전해 가는 과정이며 이들은 변증법적 전개 원리로 설명될 수 있다고 주장했다.
• **이분법** 논리적 구분의 방법. 그 범위에 있어서 서로 배척되는 두 개의 구분지로 나누는 경우. 예를 들어 만물을 생물과 무생물로 나누는 것이나 동물을 척추동물과 무척추동물로 나누는 것 등.

01

윗글의 내용과 일치하면 ○에, 일치하지 않으면 ×에 표시하시오.

(1) 근대 철학은 자연을 모든 것의 중심에 두었다. ○ ×
(2) 하이데거는 환경론자들의 주장에 철학적 기초를 제공했다. ○ ×
(3) 환경론자들은 인간과 자연과 관련한 근대 철학의 이분법적 사고를 비판했다. ○ ×

02

㉠과 ㉡을 중심으로 하이데거의 주장을 정리한 내용으로 적절하지 않은 것은?

① 근대 철학의 이성 중심주의는 ㉠에 근거하고 있다.
② 근대 철학에서 ㉠은 인간을 대상화하면서 생성되었다.
③ ㉠으로 인해 ㉡의 본원적 존재 의미가 상실되었다.
④ ㉡의 본원적 의미를 회복하기 위해서는 ㉠을 극복해야 한다.
⑤ ㉡은 전체와의 관계 속에서 연관성과 유일성을 갖는다.

배경지식 플러스

헤겔의 변증법
헤겔 철학의 변증법은 모순 또는 대립을 근본 원리로 하여 사물의 운동을 설명하려는 논리를 말한다. 헤겔은 인식이나 사물은 정(正)·반(反)·합(合) 삼 단계를 거쳐 전개된다고 한다. 이때 정(正)·반(反)·합(合)이란 하나의 주장인 정(正)에 모순되는 다른 주장인 반(反)이, 더 높은 종합적인 주장인 합(合)에 통합되는 과정을 이른다.

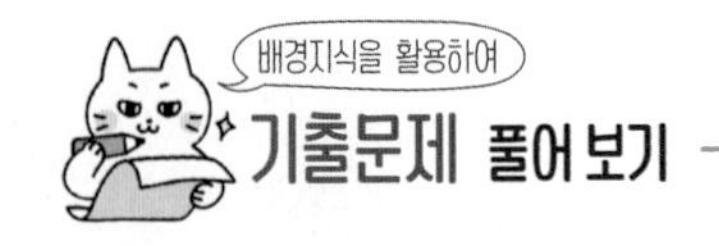

[03~05] 다음 글을 읽고 물음에 답하시오.

❶ [1]실존주의는 현대 과학 기술 문명과 전쟁 속에서 비인간화되어 가는 현실을 고발하는 과정에서 등장한 철학 사조로, 개인으로서의 인간의 주체적 존재성을 강조한다. [2]사르트르는 실존주의를 대표하는 철학자로, 이전의 철학자들이 인간의 본질이 무엇이냐는 근원적 물음을 탐구했다면, 사르트르는 개개인의 실존을 문제 삼았다. [3]그의 사상은 '실존은 본질에 선행한다.'로 집약할 수 있는데, 여기서 '본질'은 어떤 존재에 관해 '그 무엇'이라고 정의될 수 있는 성질을 뜻하고, '실존'은 자기의 존재를 자각하면서 존재하는 주체적인 상태를 뜻한다.

❷ [1]무신론자였던 사르트르는 인간은 사물과 달리 그 본질이나 목적을 가지고 판단할 수 없다고 보았다. [2]예를 들어, 연필은 처음부터 '쓴다'는 목적으로 만들어진다. [3]무엇인가를 쓴다는 것은 연필의 본질이므로, 연필의 존재는 그 본질로부터 나온다. [4]즉 사물은 본질이 그 존재에 선행하는 것이다. [5]그러나 인간은 사물과 다르다. [6]사르트르는 인간이 신의 뜻에 따라 만들어진 존재라는 기존의 통념을 거부하면서, 인간은 우연히 이 세계에 내던져진 채 스스로를 만들어 가는 존재라고 보았다.

❸ [1]사르트르는 이 세계의 모든 존재를 '의식'의 유무를 기준으로 의식이 없는 '사물 존재'와 의식이 있는 '인간 존재'로 구분하였다. [2]그리고 사물 존재를 '즉자존재(Being in itself)'로, 인간 존재를 '대자존재(Being for itself)'로 각각 명명하였다. [3]여기서 즉자존재는 일상의 사물들처럼 •자기의식이 없기 때문에, 그 자리에 계속 그것인 상태로 남아 있다. [4]반면에 대자존재는 자기의식을 가진 존재이다. [5]따라서 자기 자신을 •대상화하여 스스로를 바라볼 수도 있고, 매 순간 자유로운 선택을 통해 자신을 만들어 갈 수도 있다. [6]그런데 모든 것이 인간의 선택으로 결정이 된다면, 그 선택에 따른 책임도 자기 스스로 져야 한다. [7]그래서 사르트르는 진실한 인간이라면 책임감이라는 부담 때문에 •번민하고, 그 번민의 원인이 되는 자유로부터 도피하고 싶은 욕망이 생길 수 있다고 보았다.

❹ [1]또한 사르트르는 인간의 자유로운 선택이 타자와 연관된다고 여겼다. [2]왜냐하면 내가 주체적 의식을 지니고 살아가듯이 타자도 주체적 의식을 지니고 있어서, 내가 아무리 주체성을 지닌 존재라 하더라도 나를 바라보는 다른 사람은 나를 즉자존재처럼 •객체화하여 파악할 수 있기 때문이다. [3]그래서 사르트르는 타인의 시선으로 규정되는 인간의 모습을 일컬어 '대타존재(Being for others)'라고 명명하였다. [4]예를 들어, 길을 걷다가 친구의 장난스러운 표정이 떠올라 웃었다고 가정해 보자. [5]그런데 그런 상황을 모르는 타자는 '저 사람 참 실없는 사람이네.'라는 시선을 보낼 수 있다. [6]이때 타자에 의해 '실없다'라고 규정되는 존재가 대타존재인 것이다.

❺ [1]그런데 이런 시선은 타자만 나에게 보내는 것이 아니라 나도 타자에게 보낼 수 있다. [2]왜냐하면 서로가 서로를 대상으로 삼아 객체화하려고 하기 때문이다. [3]그래서 사르트르는 나와 타자가 맺는 관계는 공존이 아니라 갈등과 투쟁으로 여겨서, '타자는 지옥이다.'라는 극단적인 표현까지 동원하기도 하였다. [4]그러나 그는 이렇게 자신이 타자의 시선에 노출되더라도 자신의 행위를 계속해 나가야 한다고 말한다. [5]자신의 선택에 따라 행동하며 그것을 타자가 받아들이도록 함으로써 타자를 자신의 선택 속에 끌어들일 수 있는 것이다. [6]그러니까 인간은 참된 자아를 찾기 위해 타자의 시선을 두려워하거나 피할 것이 아니라 이를 극복하고 계속 자신의 행위를 선택하며 살아가야 한다.

❻ [1]사르트르의 실존주의는 개인이 사회적 관습에 의해 제약을 받는다는 사실을 간과하였다는 점, 나와 타자가 맺어가는 인간관계를 지나치게 비관적으로 설정하였다는 점 등에서 비판을 받기도 하였다. [2]하지만 그의 실존주의는 주체성을 상실한 채 획일화되어 가는 우리의 삶을 반성하게 하고, 주체적이고 개성적인 삶을 살아가도록 도움을 준다는 점에서 오늘날까지 그 가치가 높이 평가되고 있다.

- **자기의식** 외계나 타인과 구별되는 자아로서의 자기에 대한 의식.
- **대상화하다** 어떠한 사물을 일정한 의미를 가진 인식의 대상이 되게 하다. 또는 자기의 주관 안에 있는 것을 객관적인 대상으로 구체화하여 밖에 있는 것으로 다루다.
- **번민하다** 마음이 번거롭고 답답하여 괴로워하다.
- **객체화하다** 주체로부터 독립하여 객관적인 것으로 되다. 또는 그렇게 되게 하다.

03 윗글의 표제와 부제로 가장 적절한 것은?

① 사르트르 실존주의의 장단점
 – 인간과 사물의 차이점을 중심으로
② 사르트르 실존주의의 발생 배경
 – 현대 과학 기술 문명의 발전을 중심으로
③ 사르트르 실존주의의 변천 과정
 – 본질과 실존의 우선순위 변화를 중심으로
④ 사르트르 실존주의의 특성과 의의
 – 사물, 나, 타자에 대한 이해를 중심으로
⑤ 사르트르 실존주의의 주요 개념과 한계
 – 자유와 책임의 상호 관계를 중심으로

04 윗글의 '사르트르'의 견해로 적절하지 않은 것은?

① 사물의 본질은 존재에서 나온다.
② 선택의 자유가 번민의 계기가 될 수 있다.
③ 모든 존재는 의식의 유무로 양분할 수 있다.
④ 인간은 대자존재이자 대타존재로 규정될 수 있다.
⑤ 개인과 개인은 갈등과 투쟁의 관계로 맺어져 있다.

05 윗글과 〈보기〉를 활용하여 '사르트르'와 '키르케고르'의 입장을 비교한 내용으로 적절하지 않은 것은?

보기

유신론적 실존주의자인 키르케고르는 인간은 스스로의 결단을 통해 자신의 삶을 결정할 수 있다고 보았다. 그는 참된 자아실현의 과정을 3단계로 나누었다. 쾌락을 추구하며 살아가는 '미적 실존'의 단계에서는 끝없는 쾌락의 추구로, 윤리 규범을 준수하며 살아가는 '윤리적 실존'의 단계에서는 자신의 불완전성으로, 결국 절망을 느끼게 된다고 보았다. 따라서 이를 극복하고 참된 자아를 찾기 위해서는 신의 명령에 따라 살아가는 '종교적 실존'의 단계를 스스로 선택해야 한다고 주장하였다.

① 키르케고르와 달리 사르트르는 신에 의존하지 않는 삶을 추구했겠군.
② 사르트르와 달리 키르케고르는 자아실현의 과정이 단계별로 진행된다고 생각했겠군.
③ 사르트르와 키르케고르는 모두 인간이 자신의 삶을 주체적으로 결정할 수 있다고 믿었겠군.
④ 사르트르와 키르케고르는 모두 참된 자아를 찾기 위해서 극복해야 할 대상이 있다고 여겼겠군.
⑤ 사르트르와 키르케고르는 모두 윤리 규범과 같은 사회적 관습을 지키는 것이 중요하다고 여겼겠군.

❷ 논리학

논증의 개념

기출 속 배경지식 키워드 | #명제 #논증 #결론 #전제

교과 연계
고등학교 논리학
Ⅰ. 논증

배경지식 DNA 점검

◎ 다음을 참고하여 빈칸에 들어갈 알맞은 말을 적어 봅시다.

> ㉠ 모든 강아지는 발이 4개이다.
> ㉡ 코코는 강아지이다.
> ㉢ 그러므로 코코는 발이 4개이다.

1 ㉠~㉢은 참과 거짓을 판단할 수 있는 [ㅁㅈ]이다.

2 ㉠과 ㉡은 ㉢을 뒷받침하는 [ㅈㅈ]이다.

3 ㉢은 주장을 나타내는 [ㄱㄹ]이다.

4 ㉠~㉡과 ㉢은 [ㅊㄹㅈ] 관계이다.

5 논리학은 ㉠~㉡을 통해 ㉢이 [ㄴㄹㅈ]으로 도출되는 과정에 주목한다.

답 1 명제 2 전제 3 결론 4 추론적 5 논리적

논리학은 논증을 구성하는 명제들 사이의 논리적 연결 관계를 분별하는 원칙과 절차에 관한 학문이야. 하나의 주장이 논리적으로 •도출되었는지 구별하는 방법을 찾는 학문이라고 이해하면 쉽단다. '논증', '명제', '논리적 연결 관계'……. 왠지 어려워 보인다고? 걱정 마. 앞으로 논리학의 바탕이 되는 주요 개념을 쉽게 설명해 줄게. 그럼 논리학의 기본 단위인 '명제'부터 살펴보자!

•**도출되다** 판단이나 결론 등이 이끌려 나오다.

명제 • 참인지 거짓인지 판별할 수 있는 의미 있는 •평서문

명제는 철학이나 논리학, 수학 등 여러 분야에 나오는 개념으로, 사실을 나타내는 문장이야. 이때 명제가 사실을 나타낸다는 것은 명제가 참, 거짓으로 판명 난다는 것을 말해. 즉, 명제는 어떤 사실이나 원리에 대한 참, 거짓을 구별할 수 있는 문장인 평서문으로 표현되지. 그러므로 참, 거짓을 구별할 수 없는 감탄문이나 명령문, 의문문은 명제가 될 수 없어.

•**평서문** 말하는 사람이 사건의 내용을 객관적으로 이야기하는 문장. 평서형 어미로 문장을 끝맺는다.
예 하얀 눈이 왔다.

다음 예시를 보면서 구체적으로 이해해 볼까?

> ㉠ 영원히 살 수 있는 사람은 없다.
> ㉡ 당신의 고향은 어디신가요?
> ㉢ 창문을 닫고 들어와.

위 문장들 중 평서문인 ㉠은 참으로 판명되지. 따라서 (1) ㅊ 과 거짓을 구분할 수 있는 명제에 해당해. 한편 ㉡은 의문문이고 ㉢은 명령문이야. 따라서 ㉡과 ㉢은 (2) ㅁㅈ 라고 할 수 없어.

잠깐 체크

❶ 명제는 참인지 거짓인지 판별 가능한 문장이다. (○, ×)

❷ "나랑 영화 보러 갈래?"라는 문장은 명제라고 할 수 (있다 / 없다).

답 ❶ ○ ❷ 없다

논증 ● 옳고 그름을 이유를 들어 밝힘. 또는 그 근거나 이유

결론 ● 주장을 나타내는 명제

전제 ● 결론을 뒷받침하는 명제

어떤 주장을 내세워서 사람들을 설득하고 싶은 상황을 생각해 보자. 이때 필요한 건 무엇일까? 바로 그 주장이 왜 타당한지 뒷받침하는 이유일 거야. 그리고 주장하는 내용의 설득력을 높이기 위해 여러 개의 이유를 제시할 수도 있겠지.

어떤 명제가 특정 주장을 나타내고 그 주장에 대한 이유를 제시하는 명제가 있을 때, 이 명제들을 **논증**이라고 해. 여기서 주장을 나타내는 명제는 **결론**, 결론을 뒷받침하는 명제는 **전제**라고 한다. 즉 논증은 전제와 결론으로 이루어져 있어.

논증의 구성 요소

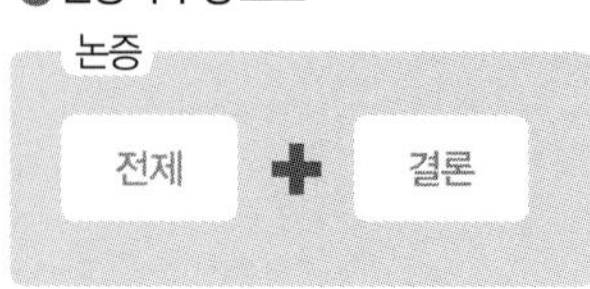

다음 논증을 살펴보자.

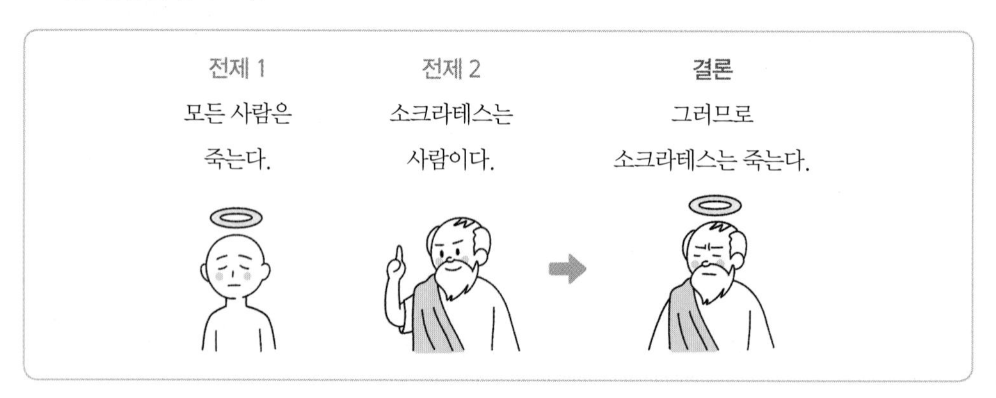

이 논증은 세 개의 명제로 구성되어 있어. "모든 사람은 죽는다.", "소크라테스는 사람이다."는 전제이고, 이 전제로부터 "그러므로 소크라테스는 죽는다."라는 결론을 도출할 수 있지. 즉, 우리는 전제로부터 결론을 •추론할 수 있는 거야. 그래서 논증에서는 전제인 명제와 결론인 명제가 **추론적 관계**라고 봐. (3) ㄴㅈ 은 여러 개의 전제를 가질 수 있지만 결론은 하나인 형식으로 나타나는 것이 특징이야. 아래를 볼까?

●**추론하다** 어떠한 판단을 근거로 삼아 다른 판단을 이끌어 내다.

추론적 관계
하나 또는 둘 이상의 명제가 다른 명제를 위한 이유를 제공하는 것.

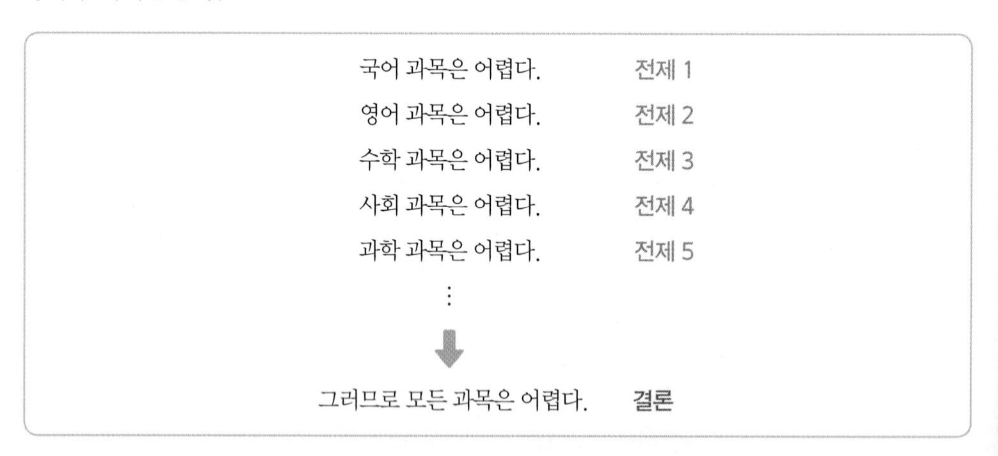

위의 예시는 여러 개의 전제가 모여서 하나의 (4) ㄱㄹ 을 뒷받침하고 있어. 그런데 여러 개의 명제가 모여 있다고 해서 꼭 논증을 구성하는 건 아니야. 두 개 이상의 명제가 모여 논증을 구성하기 위해서는 적어도 하나의 명제가 어떤 특정한 내용을 주장하고, 다른 명제가 그 전제를 뒷받침하는 근거를 제공하고, 이 명제들 간의 상관관계를 나타내 주는 논리적 접속사가 있어야 하거든.

접속사
단어와 단어, 구절과 구절, 문장과 문장을 이어 주는 구실을 하는 문장 성분.

일반적으로 전제와 결론은 '그러므로'라는 접속사로 구별할 수 있어. '그러므로'는 앞의 내용이 뒤의 내용의 이유나 원인, 근거가 될 때 쓰는 접속 부사인데, 전제가 결론을 뒷받침하고 있음을 뚜렷하게 표시해 줘.

A	그러므로	B
전제		결론

하지만 '그러므로'가 쓰였다고 해서 반드시 논리적인 것은 아니야.

> ㉠ 산에 사는 사람들은 모두 착하다.
> ㉡ 수아는 착하다.
> ㉢ 그러므로 수아는 산에 사는 사람이다.

위의 예시에서 ㉢은 결론이고 ㉠과 ㉡은 이를 뒷받침해 주지만, 수아가 산이 아닌 곳에 살면서도 착할 수 있기 때문에 ㉢의 결론이 ㉠, ㉡으로부터 도출되지 않아. 그래서 위 예시는 (5) ㄴㄹㅈ 이라고 할 수 없지.

논리학은 결론이 전제로부터 논리적으로 도출되는지, 즉 전제가 결론을 위한 근거·이유를 구성하는지를 중시해. 이제 감이 오지? 논리학은 전제와 결론의 관계에 주목하는 학문이야.

잠깐 체크

❶ 논증의 구성 요소 두 가지는?
❷ 논리학에서는 전제와 결론의 추론적 관계를 중시한다. (○, ×)

답 ❶ 전제, 결론 ❷ ○

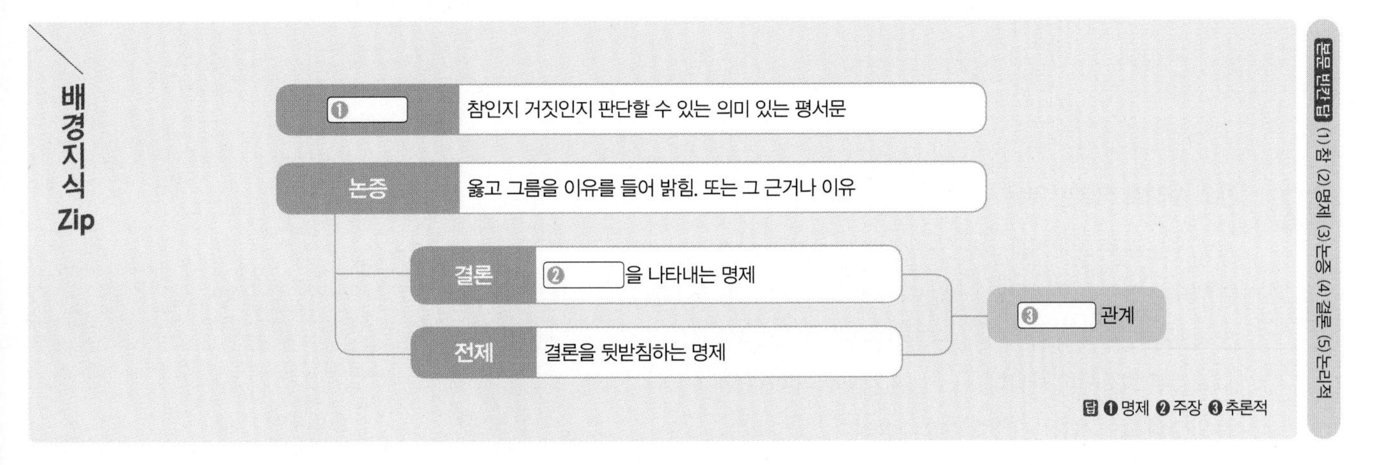

본문 빈칸 답 (1) 참 (2) 명제 (3) 논증 (4) 결론 (5) 논리적

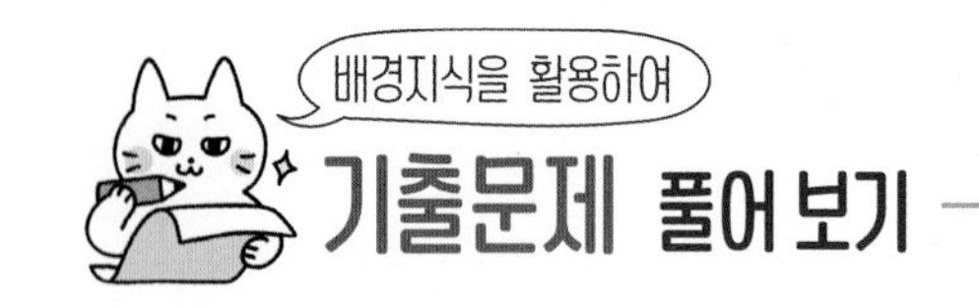

[01~02] 다음 글을 읽고 물음에 답하시오.

❶ [1]어떤 명제가 참이라는 것은 무슨 뜻인가? [2]이 질문에 대한 답변 중 하나가 정합설이다. [3]정합설에 따르면, 어떤 명제가 참인 것은 그 명제가 다른 명제와 정합적이기 때문이다. [4]그러면 '정합적이다'는 무슨 의미인가? [5]정합적이라는 것은 명제들 간의 특별한 관계인데, 이 특별한 관계가 무엇인지에 대해 전통적으로는 '모순 없음'과 '함축', 그리고 최근에는 '설명적 연관' 등으로 정의해 왔다.

❷ [1]먼저 '정합적이다'를 모순 없음으로 정의하는 경우, 추가되는 명제가 이미 참이라고 인정한 명제와 모순이 없으면 정합적이고, 모순이 있으면 정합적이지 않다. [2]여기서 모순이란 "은주는 민수의 누나이다."와 "은주는 민수의 누나가 아니다."처럼 ㉠동시에 참이 될 수도 없고 또 동시에 거짓이 될 수도 없는 명제들 간의 관계를 말한다. [3]'정합적이다'를 모순 없음으로 정의하는 입장에 따르면, "은주는 민수의 누나이다."가 참일 때 추가되는 명제 "은주는 학생이다."는 앞의 명제와 모순이 되지 않기 때문에 정합적이고, 정합적이기 때문에 참이다. [4]그런데 '정합적이다'를 모순 없음으로 이해하면, 앞의 예에서처럼 전혀 관계가 없는 명제들도 모순이 발생하지 않는다는 이유 하나만으로 모두 정합적이고 참이 될 수 있다는 문제가 생긴다.

❸ [1]이 문제를 해결하기 위해서 '정합적이다'를 함축으로 정의하기도 한다. [2]함축은 "은주는 민수의 누나이다."가 참일 때 "은주는 여자이다."는 반드시 참이 되는 것과 같은 관계를 이른다. [3]명제 A가 명제 B를 함축한다는 것은 'A가 참일 때 B가 반드시 참'이라는 의미이다. [4]'정합적이다'를 함축으로 이해하면, 명제 "은주는 민수의 누나이다."가 참일 때 이와 무관한 명제 "은주는 학생이다."는 모순이 없다고 해도 정합적이지 않다. [5]왜냐하면 "은주는 학생이다."는 "은주는 민수의 누나이다."에 의해 함축되지 않기 때문이다.

❹ [1]그런데 '정합적이다'를 함축으로 정의할 경우에는 참이 될 수 있는 명제가 과도하게 제한된다. [2]그래서 '정합적이다'를 설명적 연관으로 정의하기도 한다. [3]명제 "민수는 운동 신경이 좋다."는 "민수는 농구를 잘한다."는 명제를 함축하지는 않지만, 민수가 농구를 잘하는 이유를 그럴듯하게 설명해 준다. [4]그 역의 관계도 마찬가지이다. [5]두 경우 각각 설명의 대상이 되는 명제와 설명해 주는 명제 사이에는 서로 설명적 연관이 있다고 말한다. [6]설명적 연관이 있는 두 명제는 서로 정합적이기 때문에 그중 하나가 참이면 추가되는 다른 하나도 참이다. [7]설명적 연관으로 '정합적이다'를 정의하게 되면 함축 관계를 이루는 명제들까지도 포괄할 수 있는 장점이 있다. [8]함축 관계를 이루는 명제들은 필연적으로 설명적 연관이 있기 때문이다. [9]'정합적이다'를 설명적 연관으로 정의하면, 함축으로 이해하는 것보다는 많은 수의 명제를 참으로 추가할 수 있다.

01 윗글의 내용으로 적절하면 ○에, 적절하지 않으면 ×에 표시하시오.

(1) 정합설에서 참 또는 거짓을 판단하는 기준은 명제들 간의 관계이다. [○ ×]

(2) '정합적이다'를 모순 없음으로 이해했을 때 참이 아닌 명제는 함축으로 이해했을 때에도 참이 아니다. [○ ×]

(3) 함축 관계에 있는 명제들은 설명적 연관이 있는 명제들일 수는 있지만 모순 없는 명제들일 수는 없다. [○ ×]

02 ㉠의 사례로 적절한 것은?

① 민수는 은주보다 키가 크다. – 민수는 은주보다 키가 크지 않다.
② 민수는 농구를 좋아한다. – 민수는 농구보다 축구를 좋아한다.
③ 그것은 민수에게 이익이다. – 그것은 민수에게 손해이다.
④ 오늘은 화요일이 아니다. – 오늘은 수요일이 아니다.
⑤ 민수의 말이 옳다. – 은주의 말이 틀리다.

[03~04] 다음 글을 읽고 물음에 답하시오.

❶ [1]㉠많은 전통적 인식론자는 임의의 명제에 대해 우리가 세 가지 믿음의 태도 중 하나만을 가질 수 있다고 본다. [2]가령 ⓐ'내일 눈이 온다.'는 명제를 참이라고 믿거나, 거짓이라고 믿거나, 참이나 믿지도 않고 거짓이라 믿지도 않을 수 있다. [3]반면 ㉡베이즈주의자는 믿음은 정도의 문제라고 본다. [4]가령 각 인식 주체는 '내일 눈이 온다.'가 참이라는 것에 대하여 가장 강한 믿음의 정도에서 가장 약한 믿음의 정도까지 가질 수 있다. [5]이처럼 베이즈주의자는 믿음의 정도를 믿음의 태도에 포함함으로써 많은 전통적 인식론자들과 달리 믿음의 태도를 풍부하게 표현한다.

❷ [1]우리는 종종 임의의 명제가 참인지 거짓인지 새롭게 알게 된다. [2]이것을 베이즈주의자의 표현으로 바꾸면 그 명제가 참인지 거짓인지에 대해 가장 강한 믿음의 정도를 새롭게 갖는다는 것이다. [3]베이즈주의는 이런 경우에 믿음의 정도가 어떤 방식으로 변해야 하는지에 대해 정교한 설명을 제공한다. [4]이에 따르면, 인식 주체가 특정 시점에 임의의 명제 A가 참이라는 것만을 또는 거짓이라는 것만을 새롭게 알게 됐을 때, 다른 임의의 명제 B에 대한 인식 주체의 기존 믿음의 정도의 변화는 조건화 원리의 적용을 받는다. [5]이는 믿음의 정도의 변화에 관한 원리로서, 만약 인식 주체가 A가 참이라는 것만을 새롭게 알게 된다면, B가 참이라는 것에 대한 그 인식 주체의 믿음의 정도는 애초의 믿음의 정도에서 A가 참이라는 조건하에 B가 참이라는 것에 대한 믿음의 정도로 되어야 함을 의미한다. [6]다만 이 원리는 믿음의 정도에 관한 것이지 행위에 관한 것은 아니다.

❸ [1]명제들 중에는 위의 예에서처럼 참인지 거짓인지 새롭게 알게 된 명제와 관련된 것도 있지만 그렇지 않은 것도 있다. [2]조건화 원리에 따르면, 어떤 명제가 참인지 거짓인지 새롭게 알게 되더라도 그 명제와 관련 없는 명제에 대한 믿음의 정도는 변하지 않아야 한다. [3]예를 들어 위에서처럼 갑이 '오늘 비가 온다.'가 참이라는 것만을 새롭게 알게 되더라도 그것과 관련 없는 명제 '다른 은하에는 외계인이 존재한다.'에 대한 그의 믿음의 정도는 변하지 않아야 한다. [4]이처럼 베이즈주의자는 특별한 이유가 없는 한 우리의 믿음의 정도는 유지되어야 한다고 본다.

❹ [1]베이즈주의자는 이렇게 상식적으로 당연하게 여겨지는 생각을 정당화하기 위해 기존의 믿음의 정도를 유지함으로써 얻을 수 있는 실용적 효율성에 호소할 수 있다. [2]이 관점에서는 실용적 효율성을 추구한다면, 특별한 이유가 없는 한 기존의 믿음의 정도를 유지하는 것이 합리적이다.

03 ㉠과 ㉡에 대한 이해로 적절하면 ○에, 적절하지 않으면 ×에 표시하시오.

(1) 만약 을이 ㉠이라면 을은 동시에 ㉡일 수 없다. [○ | ×]

(2) ㉠은 을이 ⓐ가 거짓이라 믿는 것은 그 명제가 거짓임을 강한 정도로 믿는다는 의미라고 주장한다. [○ | ×]

(3) ㉡은 을의 ⓐ가 참이라는 것에 대한 믿음의 정도와 ⓐ가 거짓이라는 것에 대한 믿음의 정도가 같을 수 있다고 본다. [○ | ×]

04 윗글에서 답을 찾을 수 있는 질문에 해당하지 않는 것은?

① 믿음의 정도와 관련하여 상식적으로 당연하게 여겨지는 생각을 어떻게 정당화할 수 있을까?
② 믿음의 정도를 어떤 경우에 바꾸고 어떤 경우에 바꾸지 말아야 할까?
③ 특별한 이유 없이 믿음의 정도를 바꾸어야 하는 이유는 무엇일까?
④ 믿음의 정도를 바꾸어야 한다면 어떤 방식으로 바꾸어야 할까?
⑤ 임의의 명제에 대해 어떤 믿음의 태도를 가질 수 있을까?

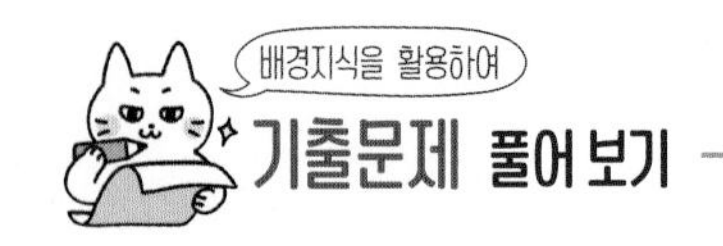

[05~07] 다음 글을 읽고 물음에 답하시오.

❶ [1]㉠논리실증주의자와 포퍼는 지식을 수학적 지식이나 논리학 지식처럼 경험과 무관한 것과 과학적 지식처럼 경험에 의존하는 것으로 구분한다. [2]그중 과학적 지식은 과학적 방법에 의해 누적된다고 주장한다. [3]가설은 과학적 지식의 후보가 되는 것인데, 그들은 가설로부터 논리적으로 도출된 예측을 관찰이나 실험 등의 경험을 통해 맞는지 틀리는지 판단함으로써 그 가설을 시험하는 과학적 방법을 제시한다. [4]논리실증주의자는 예측이 맞을 경우에, 포퍼는 예측이 틀리지 않는 한, 그 예측을 도출한 가설이 하나씩 새로운 지식으로 추가된다고 주장한다.

❷ [1]하지만 ㉡콰인은 가설만 가지고서 예측을 논리적으로 도출할 수 없다고 본다. [2]예를 들어 새로 발견된 금속 M은 열을 받으면 팽창한다는 가설만 가지고는 열을 받은 M이 팽창할 것이라는 예측을 이끌어 낼 수 없다. [3]먼저 지금까지 관찰한 모든 금속은 열을 받으면 팽창한다는 기존의 지식과 M에 열을 가했다는 조건 등이 필요하다. [4]이렇게 예측은 가설, 기존의 지식들, 여러 조건 등을 모두 합쳐야만 논리적으로 도출된다는 것이다. [5]그러므로 예측이 거짓으로 밝혀지면 정확히 무엇 때문에 예측에 실패한 것인지 알 수 없다는 것이다. [6]이로부터 콰인은 개별적인 가설뿐만 아니라 기존의 지식들과 여러 조건 등을 모두 포함하는 전체 지식이 경험을 통한 시험의 대상이 된다는 총체주의를 제안한다.

❸ [1]논리실증주의자와 포퍼는 수학적 지식이나 논리학 지식처럼 경험과 무관하게 참으로 판별되는 분석 명제와, 과학적 지식처럼 경험을 통해 참으로 판별되는 종합 명제를 서로 다른 종류라고 구분한다. [2]그러나 콰인은 총체주의를 정당화하기 위해 이 구분을 부정하는 논증을 다음과 같이 제시한다. [3]논리실증주의자와 포퍼의 구분에 따르면 "총각은 총각이다."와 같은 동어 반복 명제와, "총각은 미혼의 성인 남성이다."처럼 동어 반복 명제로 •환원할 수 있는 것은 모두 분석 명제이다. [4]그런데 후자가 분석 명제인 까닭은 전자로 환원할 수 있기 때문이다. [5]이러한 환원이 가능한 것은 '총각'과 '미혼의 성인 남성'이 동의적 표현이기 때문인데 그게 왜 동의적 표현인지 물어보면, 이 둘을 서로 대체하더라도 명제의 참 또는 거짓이 바뀌지 않기 때문이라고 할 것이다. [6]하지만 이것만으로는 두 표현의 의미가 같다는 것을 보장하지 못해서, 동의적 표현은 언제나 반드시 대체 가능해야 한다는 필연성 개념에 다시 의존하게 된다. [7]이렇게 되면 동의적 표현이 동어 반복 명제로 환원 가능하게 하는 것이 되어, 필연성 개념은 다시 분석 명제 개념에 의존하게 되는 순환론에 빠진다. [7]따라서 콰인은 종합 명제와 구분되는 분석 명제가 존재한다는 주장은 근거가 없다는 결론에 도달한다.

❹ [1]콰인은 분석 명제와 종합 명제로 지식을 엄격히 구분하는 대신, 경험과 직접 충돌하지 않는 중심부 지식과, 경험과 직접 충돌할 수 있는 주변부 지식을 •상정한다. [2]경험과 직접 충돌하여 참과 거짓이 쉽게 바뀌는 주변부 지식과 달리 주변부 지식의 토대가 되는 중심부 지식은 상대적으로 견고하다. [3]그러나 이 둘의 경계를 명확히 나눌 수 없기 때문에, 콰인은 중심부 지식과 주변부 지식을 다른 종류라고 하지 않는다. [4]수학적 지식이나 논리학 지식은 중심부 지식의 한가운데에 있어 경험에서 가장 멀리 떨어져 있지만 그렇다고 경험과 무관한 것은 아니라는 것이다. [5]그런데 주변부 지식이 경험과 충돌하여 거짓으로 밝혀지면 전체 지식의 어느 부분을 수정해야 할지 고민하게 된다. [6]주변부 지식을 수정하면 전체 지식의 변화가 크지 않지만 중심부 지식을 수정하면 관련된 다른 지식이 많기 때문에 전체 지식도 크게 변화하게 된다. [7]그래서 대부분의 경우에는 주변부 지식을 수정하는 쪽을 선택하겠지만 실용적 필요 때문에 중심부 지식을 수정하는 경우도 있다. [8]그리하여 콰인은 중심부 지식과 주변부 지식이 원칙적으로 모두 수정의 대상이 될 수 있고, 지식의 변화도 더 이상 개별적 지식이 단순히 누적되는 과정이 아니라고 주장한다.

❺ [1]총체주의는 특정 가설에 대해 제기되는 반박이 결정적인 것처럼 보이더라도 그 가설이 실용적으로 필요하다고 인정되면 언제든 그와 같은 반박을 피하는 방법을 강구하여 그 가설을 받아들일 수 있다. [2]그러나 총체주의는 "A이면서 동시에 A가 아닐 수는 없다."와 같은 논리학의 법칙처럼 아무도 의심하지 않는 지식은 분석 명제로 분류해야 하는 것이 아니냐는 비판에 답해야 하는 어려움이 있다.

• **환원하다** 잡다한 사물이나 현상이 어떤 근본적인 것으로 바뀌다. 또는 그렇게 되게 하다.
• **상정하다** 어떤 정황을 가정적으로 생각하여 단정하다.

05 윗글을 바탕으로 할 때, ㉠과 ㉡이 모두 '아니요'라고 답변할 질문은?

① 과학적 지식은 개별적으로 누적되는가?
② 경험을 통하지 않고 가설을 시험할 수 있는가?
③ 경험과 무관하게 참이 되는 지식이 존재하는가?
④ 예측은 가설로부터 논리적으로 도출될 수 있는가?
⑤ 수학적 지식과 과학적 지식은 종류가 다른 것인가?

06 윗글에 대해 이해한 내용으로 가장 적절한 것은?

① 포퍼가 제시한 과학적 방법에 따르면, 예측이 틀리지 않았을 경우보다는 맞을 경우에 그 예측을 도출한 가설이 지식으로 인정된다.
② 논리실증주의자에 따르면, "총각은 미혼의 성인 남성이다."가 분석 명제인 것은 총각을 한 명 한 명 조사해 보니 모두 미혼의 성인 남성으로 밝혀졌기 때문이다.
③ 콰인은 관찰과 실험에 의존하는 지식이 관찰과 실험에 의존하지 않는 지식과 근본적으로 다르다고 한다.
④ 콰인은 분석 명제가 무엇인지는 동의적 표현이란 무엇인지에 의존하고, 다시 이는 필연성 개념에, 필연성 개념은 다시 분석 명제 개념에 의존한다고 본다.
⑤ 콰인은 어떤 명제에, 의미가 다를 뿐만 아니라 서로 대체할 경우 그 명제의 참 또는 거짓이 바뀌는 표현을 사용할 수 있으면, 그 명제는 동어 반복 명제라고 본다.

07 윗글의 총체주의에 대한 비판으로 가장 적절한 것은?

① 가설로부터 논리적으로 도출된 예측이 경험과 충돌하더라도 그 충돌 때문에 가설이 틀렸다고 할 수 없다.
② 논리학 지식이나 수학적 지식이 중심부 지식의 한가운데에 위치한다고 해서 경험과 무관한 것은 아니다.
③ 전체 지식은 어떤 결정적인 반박일지라도 피할 수 있기 때문에 수정 대상을 주변부 지식으로 한정하는 것은 잘못이다.
④ 중심부 지식을 수정하면 주변부 지식도 수정해야 하겠지만, 주변부 지식을 수정한다고 해서 중심부 지식을 수정해야 하는 것은 아니다.
⑤ 중심부 지식과 주변부 지식 간의 경계가 불분명하다 해도 중심부 지식 중에는 주변부 지식들과 종류가 다른 지식이 존재한다.

08

❷ 논리학

연역 논증

기출 속 배경지식 키워드 | #연역 논증 #타당성 #건전성 #삼단 논법

교과 연계
고등학교 논리학
Ⅱ. 연역 논증

배경지식 DNA 점검

◎ 다음 내용이 맞으면 '예', 틀리면 '아니요'에 표시해 봅시다.

삼단 논법은 연역 논증의 기본적인 형식이다.	□ 예	□ 아니요
연역 논증의 전제들이 참이면 결론도 참이다.	□ 예	□ 아니요
연역 논증의 타당성은 전제의 실제 참/거짓 여부에 따라 달라진다.	□ 예	□ 아니요
연역 논증은 전제에 이미 포함된 결론을 다른 방식으로 확인하는 것이다.	□ 예	□ 아니요
논증의 전제가 거짓이더라도 논증의 형식이 타당하다면 그 논증은 건전하다.	□ 예	□ 아니요

답 예, 예, 아니요, 예, 아니요

연역 논증

논증의 목적은 특정한 근거를 들어 어떤 주장을 참으로 받아들이도록 하는 것인데, 이 목적을 제대로 달성했는지 확인하려면 논증의 성격을 알아야 해. 논증이 어떤 종류에 속하는지에 따라 평가 기준이 달라지거든. 논증은 일반적으로 두 가지로 구분하는데, 전제가 참이라는 가정 아래 다음과 같은 두 가지 의문을 •제기해 보자.

(1) 전제가 결론의 참을 보증하는가?	연역 논증
(2) 전제가 결론을 어느 정도 뒷받침하는가?	귀납 논증

첫 번째 질문과 관련된 논증을 연역 논증, 두 번째 질문과 관련된 논증을 귀납 논증이라고 해. 귀납 논증은 차차 다루기로 하고, 연역 논증이 무엇인지부터 알아보자.

논증의 구분

논증 ─ 연역 논증 / 귀납 논증

● **제기하다** 의견이나 문제를 내어놓다.

연역 논증 ● 전제가 참이고 결론이 거짓이 되는 것은 불가능한 방식으로 전제가 결론을 뒷받침하는 논증

만약 전제가 참이면 결론도 반드시 참

연역 논증의 핵심은 만약 전제가 참이라면 결론도 반드시 참이어야 한다는 거야. 즉, 전제가 너무 결정적이어서 이 전제를 받아들이는 사람은 결론을 반드시 받아들일 수밖에 없어. 앞에서 본 논증을 다시 한번 살펴보자.

모든 사람은 죽는다.	전제 1
소크라테스는 사람이다.	전제 2
그러므로 소크라테스는 죽는다.	결론

모든 사람은 언젠가 죽고, 소크라테스가 사람이라는 내용의 명제는 의심할 수 없는 참이야. 따라서 사람인 소크라테스가 죽는다는 결론 또한 참이 될 수밖에 없지. 이처럼 (1) ㅇㅇ 논증에서는 (2) ㅈㅈ가 참일 때 결론도 반드시 참이야.

다른 식으로 확인해 볼까? 연역 논증을 도표로 나타내면 다음과 같이 결론이 전제 안에 포함되는 것을 확인할 수 있어. 그래서 전제가 참이라면 결론이 반드시 참인 거지.

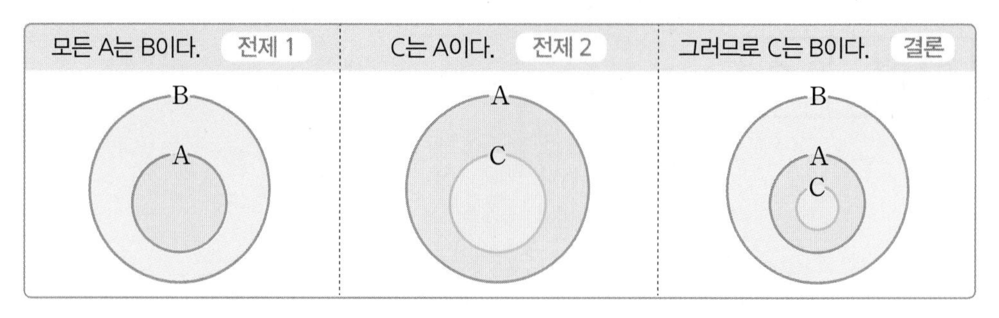

위 도표에서 알 수 있듯이 연역 논증의 결론은 이미 전제에 포함되어 있어. 이러한 사실을 논증 과정을 거쳐서 확인하는 것뿐이지. 즉, 연역 논증은 일반적인 것에서 특수한 것을 이끌어 내는 논증이기 때문에 연역 논증이 새로운 지식을 확장한다고 보기는 어려워.

타당한 논증과 건전한 논증

타당성은 연역 논증을 평가하는 기준으로, 타당한 논증은 전제가 참이면 결론도 반드시 참인 논증이야. 이때 '전제가 참이면'은 실제로 전제가 참이라는 것이 아니라 전제를 참이라고 가정한다는 뜻이야. 실제로 전제가 거짓이더라도 논리적 (3) ㅎㅅ 에 의해 타당한 논증이 될 수 있어. 즉, 논증의 타당성은 전제의 실제 참/거짓이 아닌 논리적 형식에 의해 결정돼.

(가)	모든 생물은 죽는다. 달팽이는 생물이다. 그러므로 달팽이는 죽는다.	전제 1 전제 2 결론	**타당한 논증, 건전한 논증**
(나)	어떤 사람은 왼손잡이다. 혜리는 사람이다. 그러므로 혜리는 왼손잡이다.	전제 1 전제 2 결론	**타당하지 않은 논증**
(다)	모든 고양이는 강아지이다. 모든 토끼는 고양이이다. 그러므로 모든 토끼는 강아지이다.	전제 1 전제 2 결론	**타당한 논증**

(가)는 타당한 논증이야. 모든 생물은 죽는다는 전제 1과 달팽이는 생물이라는 전제 2를 참이라고 가정하면, 달팽이는 죽는다는 결론이 반드시 참이기 때문이지.

반면 (나)는 타당하지 않은 논증이야. 어떤 사람은 왼손잡이라는 전제 1과 혜리가 사람이라는 전제 2를 참이라고 가정하더라도 혜리가 왼손잡이라는 결론이 반드시 참이라고 할 수 없잖아.

(다) 또한 타당한 논증이야. 전제와 결론이 모두 거짓이지만 논리적 형식만 따졌을 때 모든 고양이는 강아지라는 전제 1과, 모든 토끼는 고양이라는 전제 2를 참이라고 가정하면 모든 토끼는 강아지라는 결론이 반드시 참이 되니까 말이야.

이때 **건전한 논증**은 타당하면서 전제가 모두 참인 논증을 말하는데, 따라서 (가)는 타당한 논증임과 동시에 (4) ㄱㅈ 한 논증이고 (다)는 타당한 논증이지만 건전한 논증은 아니야.

건전한 논증
연역 논증이거나 귀납 논증이거나 결론을 적절히 뒷받침하고 전제가 모두 참인 논증은 건전한 논증이라고 할 수 있다. 연역 논증에서 건전성은 '타당성 + 전제의 참'을 의미하고, 귀납 논증에서 건전성은 '전제의 참 + 충분한 근거'를 의미한다.

잠깐 체크
❶ 연역 논증은 새로운 지식을 확장한다는 장점이 있다. (○, ×)
❷ 전제가 참일 때 결론이 반드시 참인 연역 논증은 타당하다. (○, ×)

답 ❶ × ❷ ○

삼단 논법

삼단 논법은 가장 기본적인 연역 논증의 형식으로, 두 개의 전제와 하나의 결론으로 되어 있고 기본적으로는 대전제, 소전제, 결론의 순서로 배치돼.

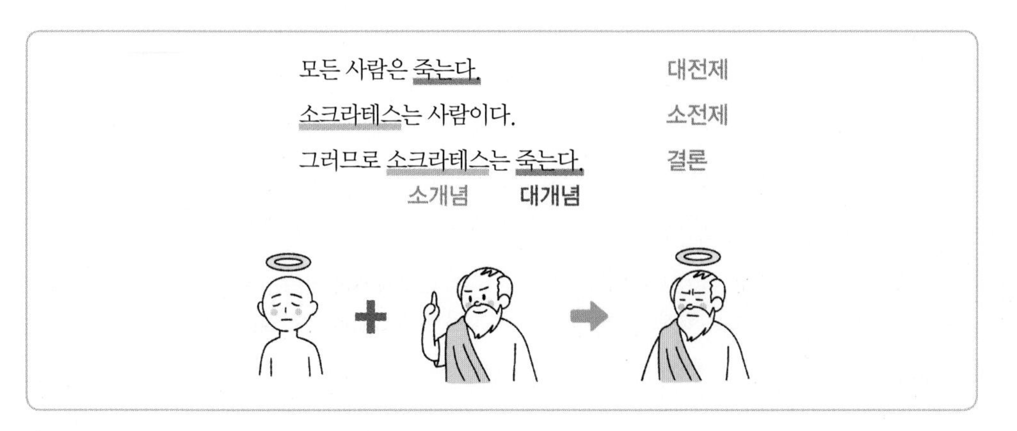

대전제, 소전제

대전제	결론의 술어 개념인 대개념이 들어 있는 전제
소전제	결론의 주어 개념인 소개념이 들어 있는 전제

위의 예시는 삼단 논법을 대표하는 논증이야. 자주 봐서 지겹겠지만 삼단 논법의 구성이 기억나지 않을 때 위의 예시를 떠올리면 도움이 될 거야.

삼단 논법은 연역 논증의 형식이므로 삼단 논법의 타당성 역시 내용이 아니라 논리적 형식에 의해서 결정돼. 또 전제와 결론을 구성하는 명사들이 대상을 어느 범위까지 언급하는지 확인하는 것이 삼단 논법의 (5) ㅌㄷㅅ 여부를 가리는 데 필수적이야. 그래서 '일부', '모든'과 같은 표현이 나오면 주의해서 봐야 해. 이때 사용되는 개념으로 **주연**이라는 것이 있는데, 주연은 하나의 명제에서 주어와 술어가 각각 전체를 지시하는지 확인하는 방법과 관련이 있어. 예를 들어 '모든 사람'처럼 명사가 전체 대상을 언급하면 그 명사는 주연되었다고 해.

잠깐 체크

❶ 삼단 논법은 가장 기본적인 (연역 논증 / 귀납 논증)의 형식이다.

❷ 삼단 논법에서 명사가 일부 대상을 언급하면 그 명사는 주연되었다고 한다. (○, ×)

답 ❶ 연역 논증 ❷ ×

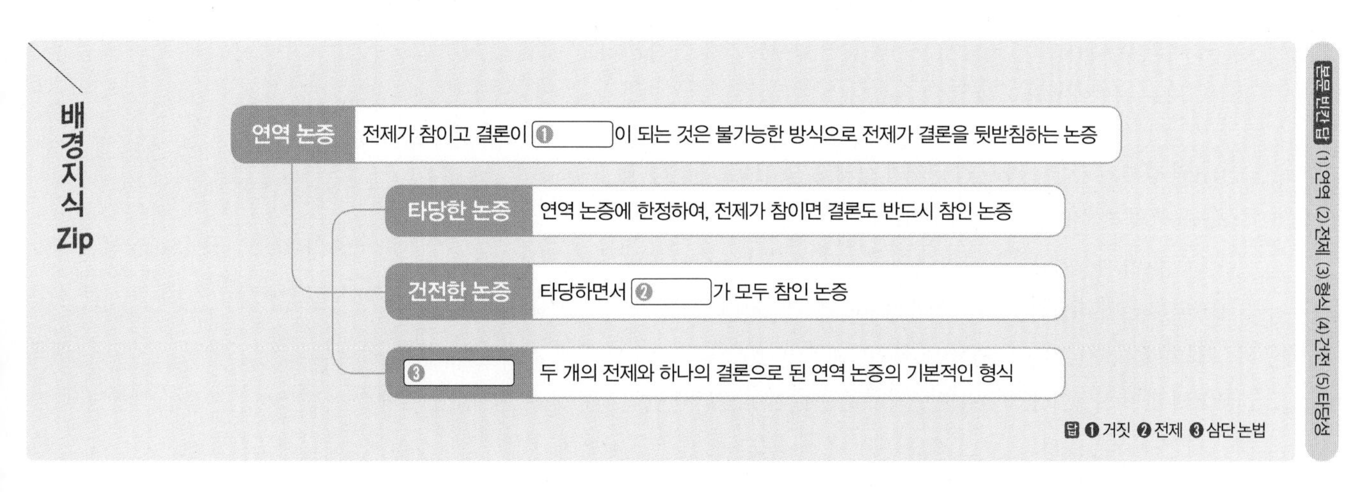

본문 빈칸 답 (1) 연역 (2) 전제 (3) 형식 (4) 건전 (5) 타당성

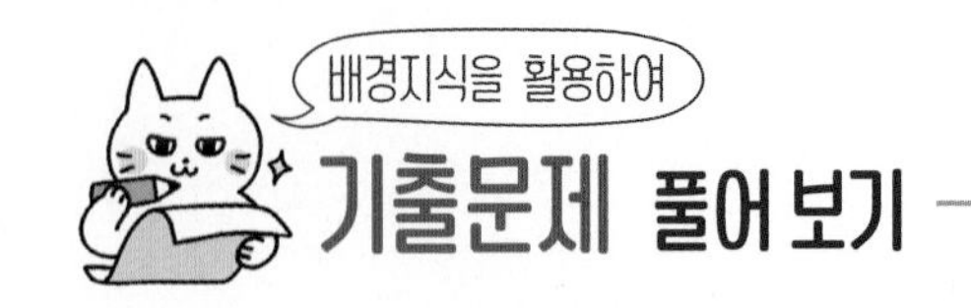

[01~02] 다음 글을 읽고 물음에 답하시오.

❶ [1]추론은 이미 제시된 명제인 전제를 토대로, 다른 새로운 명제인 결론을 도출하는 사고 과정이다. [2]논리학에서는 어떤 추론의 전제가 참일 때 결론이 거짓일 가능성이 없으면 그 추론은 '타당하다'고 말한다. [3]"서울은 강원도에 있다. 따라서 당신이 서울에 가면 강원도에 간 것이다."[추론 1]라는 추론은, 전제가 참이라고 할 때 결론이 거짓이 되는 경우는 전혀 생각할 수 없으므로 타당하다. [4]반면에 "비가 오면 길이 젖는다. 길이 젖어 있다. 따라서 비가 왔다."[추론 2]라는 추론은 전제들이 참이라고 해도 결론이 반드시 참이 되지는 않으므로 타당하지 않은 추론이다.

❷ [1]'추론 1'의 전제는 실제에서는 물론 거짓이다. [2]그러나 혹시 행정 구역이 개편되어 서울이 강원도에 속하게 되었다고 가정하면, '추론 1'의 결론은 참일 수밖에 없다. [3]반면에 '추론 2'는 결론이 실제로 참일 수는 있지만 반드시 참이 되는 것은 아니다. [4]다른 이유로 길이 젖는 경우를 얼마든지 상상할 수 있기 때문이다. [5]'추론 2'와 같은 추론은 비록 타당하지 않지만 결론이 참일 가능성이 꽤 높다. [6]그런 추론은 '개연성이 높다'고 말한다. [7]결론이 참일 가능성이 낮은 추론은 개연성이 낮을 것이다. [8]한편 추론이 타당하면서 전제가 모두 실제로 참이기까지 하면 그 추론은 '건전하다'고 정의한다.

❸ [1]그런데 '추론 1'은 건전하지 못하므로 얼핏 보기에 좋은 추론이 아닌 것처럼 보인다. [2]그런데도 논리학이 타당한 추론에 관심을 갖는 까닭은 실제 추론에서 전제가 참인지 거짓인지를 모르는 경우가 많기 때문이다. [3]아직 참임이 밝혀지지 않은 명제에서 출발해서 어떤 결론을 도출하는 추론은 과학에서 흔히 사용하는 방법이다. [4]그래서 논리학은 전제가 참이라는 가정 하에서 결론이 반드시 따라 나오는지에 관심이 있는 것이다.

01

윗글의 내용에 따른 추론의 구분으로 적절하면 ○에, 적절하지 않으면 ×에 표시하시오. (단, 추론의 전제가 참이라고 가정함.)

(1) 결론이 거짓일 가능성이 없다면 이는 건전한 추론이다. [○ | ×]

(2) 결론이 거짓일 가능성이 없고 전제가 실제로 참이라면 이는 타당한 추론이다. [○ | ×]

(3) 결론이 거짓일 가능성이 있지만 참일 가능성이 꽤 높다면 이는 개연성이 높은 추론이다. [○ | ×]

02

윗글을 바탕으로 <보기>를 판단한 내용으로 적절하지 않은 것은?

보기

A: 이 책에 우유를 많이 마시면 키가 큰다고 쓰여 있어.
B: 나도 그렇게 생각해. 그래서 나도 우유를 많이 마셔.
A: 맞아. 농구 선수들은 다들 키가 크잖아. 틀림없이 우유를 많이 마셨을 거야.
B: 너의 추론은 타당하지 않아. 우유를 많이 마셔서 키가 큰 사람보다 우유를 안 마시고도 키 큰 사람이 훨씬 더 많아.

① A의 추론은 '추론 1'과 달리 전제가 실제로 참이므로 건전하다.
② B는 A의 추론에서 결론이 실제로 참일 수 있음을 부인하지는 않는다.
③ B의 말이 사실이라고 한다면, A의 추론은 '추론 2'와 달리 개연성이 낮다.
④ A의 추론이 타당하지 않은 이유는 우유를 안 마시고도 키 큰 사람을 상상할 수 있기 때문이다.
⑤ B의 말이 사실이라고 한다면, A의 추론은 결론이 반드시 참이 되는 것은 아니라는 점에서 '추론 2'와 같다.

[03~04] 다음 글을 읽고 물음에 답하시오.

❶ [1]논증은 크게 연역과 귀납으로 나뉜다. [2]전제가 참이면 결론이 확실히 참인 연역 논증은 결론에서 지식이 확장되는 것처럼 보이지만, 실제로는 전제에 이미 포함된 결론을 다른 방식으로 확인하는 것일 뿐이다. [3]반면 귀납 논증은 전제들이 모두 참이라고 해도 결론이 확실히 참이 되는 것은 아니지만 우리의 지식을 확장해 준다는 장점이 있다. [4]여러 귀납 논증 중에서 가장 널리 쓰이는 것은 수많은 사례들을 관찰한 다음에 그것을 일반화하는 것이다. [5]우리는 수많은 까마귀를 관찰한 후에 우리가 관찰하지 않은 까마귀까지 포함하는 '모든 까마귀는 검다.'라는 새로운 지식을 얻게 되는 것이다.

❷ [1]철학자들은 과학자들이 귀납을 이용하기 때문에 과학적 지식에 신뢰를 보낼 수 있다고 생각했다. [2]그러나 모든 귀납에는 논리적인 문제가 있다. [3]수많은 까마귀를 관찰한 사례에 근거해서 '모든 까마귀는 검다.'라는 지식을 정당화하는 것은 합리적으로 보이지만, 아무리 치밀하게 관찰하여도 아직 관찰되지 않은 까마귀 중에서 검지 않은 까마귀가 있을 수 있기 때문이다.

❸ [1]포퍼는 귀납의 논리적 문제는 도저히 해결할 수 없지만, 귀납이 아닌 연역만으로 과학을 할 수 있는 방법이 있으므로 과학적 지식은 정당화될 수 있다고 주장한다. [2]어떤 지식이 •반증 사례 때문에 거짓이 된다고 추론하는 것은 순전히 연역적인데, 과학은 이 반증에 의해 발전하기 때문이다. [3]다음 논증을 보자.

> (ㄱ) 모든 까마귀가 검다면 어떤 까마귀는 검어야 한다.
> (ㄴ) 어떤 까마귀는 검지 않다.
> (ㄷ) 따라서 모든 까마귀가 다 검은 것은 아니다.

❹ [1]'모든 까마귀는 검다.'라는 지식은 귀납에 의해서 참임을 보여 줄 수는 없지만, 이 논증에서처럼 전제 (ㄴ)이 참임이 밝혀진다면 확실히 거짓임을 보여 줄 수 있다. [2]그러나 아직 (ㄴ)이 참임이 밝혀지지 않았다면 그 지식을 거짓이라고 말할 수 없다.

❺ [1]포퍼에 따르면, 지금 우리가 받아들이는 과학적 지식들은 이런 반증의 시도로부터 잘 견뎌 온 것들이다. [2]참신하고 대담한 가설을 제시하고 그것이 거짓이라는 증거를 제시하려는 노력을 진행해서, 실제로 반증이 되면 실패한 과학적 지식이 되지만 수많은 반증의 시도로부터 끝까지 살아남으면 성공적인 과학적 지식이 되는 것이다.

• **반증** 어떤 사실이나 주장이 옳지 아니함을 그에 반대되는 근거를 들어 증명함. 또는 그런 증거.

03

윗글의 내용과 일치하면 ○에, 일치하지 않으면 ×에 표시하시오.

(1) 연역 논증은 결론에서 지식의 확장이 일어난다. ○ ×

(2) 과학적 지식은 새로운 지식이라는 점에서 연역의 결과이다. ○ ×

(3) 전제에 없는 새로운 지식이 귀납의 논리적인 문제를 낳는다. ○ ×

04

윗글로 미루어 볼 때, 포퍼의 견해를 표현한 것으로 가장 적절한 것은?

① 충분한 관찰에 근거한 지식은 반증 없이 정당화할 수 있음을 인정하라.
② 과감하게 가설을 세우고 그것이 거짓임을 증명하려고 시도하라.
③ 실패한 지식이 곧 성공적인 지식임을 명심하라.
④ 수많은 반증의 시도에 일일이 대응하지 말라.
⑤ 과학적 지식을 귀납 논증으로 정당화하라.

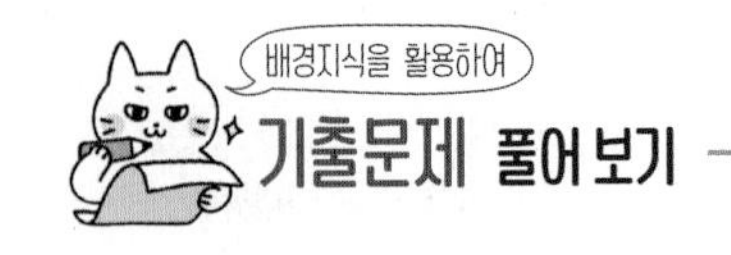

[05~08] 다음 글을 읽고 물음에 답하시오.

❶ [1]'왜?'라는 질문에 대한 답으로 제시되는 '설명'이 무엇인지를 분명히 하고자 과학철학에서는 여러 가지 설명 이론을 제시해 왔다.

❷ [1]처음으로 체계적인 설명 이론을 제시한 헴펠에 따르면 설명은 몇 가지 요건을 충족하는 논증이어야 한다. [2]기본적으로 논증은 전제로부터 결론이 논리적으로 도출되는 형식을 띤다. [3]따라서 설명을 하는 부분인 설명항은 전제에 해당하며 설명되어야 하는 부분인 피설명항은 결론에 해당한다. [4]헴펠에 따르면 설명은 세 가지 조건을 모두 충족해야 한다. [5]첫째, 설명항에는 '모든 사람은 죽는다.'처럼 보편 법칙 또는 보편 법칙의 역할을 하는 명제가 하나 이상 있어야 한다. [6]둘째, 보편 법칙이 구체적으로 적용되는 맥락을 나타내는 '소크라테스는 사람이다.'와 같은 선행 조건이 설명항에 하나 이상 있어야 한다. [7]셋째, 피설명항은 설명항으로부터 '건전한 논증'을 통해 도출되어야 한다. [8]이때 건전한 논증은 '논증의 전제가 모두 참'이라는 조건과 '논증의 전제가 모두 참이라면 결론도 반드시 참'이라는 조건을 모두 만족하는 논증이다. [9]이처럼 헴펠의 설명 이론은 피설명항이 보편 법칙의 개별 사례로서 마땅히 일어날 만한 일이었음을 보여 주기 위한 설명의 요건을 제시했다는 점에서 의의가 있다.

❸ [1]하지만 헴펠의 설명 이론은 설명에 대한 우리의 일상적 직관, 즉 경험적으로 파악할 수 없는 추상적 문제에 대해 대부분의 사람들이 공유하는 상식적 판단과 충돌하기도 하는 문제가 있다. [2]먼저 일상적 직관에 따르면 설명으로 인정되지만, 헴펠에 따르면 설명이 아니라고 판단해야 하는 경우가 있다. [3]또 일상적 직관에 따르면 설명이 되지 못하지만, 헴펠에 따르면 설명으로 분류해야 하는 경우가 있다. [4]이는 헴펠의 이론이 설명을 몇 가지 요건을 충족하는 논증으로 •국한했기 때문에 이들 요건을 충족하는 논증이기만 하면 모두 설명으로 인정해야 하는 동시에, 그렇지 않으면 모두 설명에서 배제해야 하는 데서 비롯된 것이다.

❹ [1]헴펠과 달리 샐먼은 설명이 논증은 아니라고 판단하여 인과 개념에 주목했다. [2]피설명항을 결과로 보고 이를 일으키는 원인을 밝히는 것이 설명이라는 샐먼의 인과적 설명 이론은 헴펠의 이론보다 우리의 일상적 직관에 더 부합한다는 장점이 있다. [3]하지만 어떤 설명 이론이라도 인과 개념을 도입하는 순간 ㉠ 원인과 결과 사이의 관계가 분명하지 않다는 철학적 문제를 해결해야 한다. [4]왜냐하면 결과를 일으키는 원인은 무수히 많고 연쇄적으로 서로 얽혀 있기 때문이다. [5]예를 들어 소크라테스가 죽게 된 원인은 독을 마신 것이지만, 독을 마시게 된 원인은 사형 선고를 받은 것이고, 사형 선고를 받게 된 원인도 여러 가지를 떠올릴 수 있다. [6]이에 결과를 일으킨 원인을 골라내는 문제는 결국 원인과 결과가 시공간적으로 어떻게 연결되는가에 대한 철학적 분석을 필요로 한다. [7]그것이 없다면, 설명을 인과로 이해하려는 시도는 설명이라는 •불명료한 개념을 인과라는 또 하나의 불명료한 개념으로 대체하는 것에 불과할 수 있기 때문이다. [8]이에 현대 철학자들은 현대 과학의 성과를 반영하는 철학적 탐구를 통해 새로운 설명 이론을 제시하기 위한 고민을 계속하고 있다.

• **국한하다** 범위를 일정한 부분에 한정하다.
• **불명료하다** 분명하지 않거나 확실하지 않다.

05 윗글에서 다룬 내용이 아닌 것은?

① 헴펠의 설명 이론이 지니는 의의
② 헴펠의 설명 이론이 지니는 문제점
③ 헴펠의 설명 이론에서의 설명과 논증의 관계
④ 샐먼의 설명 이론이 헴펠 이론에 비해 지니는 장점
⑤ 샐먼의 설명 이론이 현대 과학의 성과를 받아들인 결과

06

윗글에 따를 때, 헴펠의 설명 이론에 관한 이해로 적절하지 않은 것은?

① 어떤 것이 건전한 논증이면 그것은 반드시 설명이다.
② 일상적 직관에서 설명으로 인정된다고 해서 모두 설명은 아니다.
③ 어떤 것이 설명이라면 설명항에 포함되는 명제들은 반드시 참이다.
④ 피설명항은 특정한 맥락에서 보편 법칙에 따라 발생한 개별 사례이다.
⑤ 어떤 것이 설명이라면 피설명항은 반드시 설명항에서 논리적으로 도출된다.

07

윗글로 미루어 볼 때 ㉠에 대한 이해로 가장 적절한 것은?

① 설명 개념이 인과 개념보다 불명료하다는 문제
② 원인과 결과의 시공간적 연결은 불필요하다는 문제
③ 인과 개념이 설명의 형식을 제시하지 못한다는 문제
④ 결과를 야기한 정확한 원인을 확정하기 어렵다는 문제
⑤ 피설명항에 원인을 제시하는 명제가 들어갈 수 없다는 문제

● **야기하다** 일이나 사건 등을 끌어 일으키다.

08

〈보기〉의 [물음]에 대해 헴펠의 이론에 따라 [설명]을 한다고 할 때, (가)~(다)에 들어갈 [명제]를 바르게 고른 것은?

보기

[물음] 평면거울 A에 대한 광선 B의 반사각은 왜 30°일까?

[설명]

설명항
- 보편 법칙: (가)
- 선행 조건: (나)

피설명항 : (다)

[명제]

ㄱ. A는 광선을 잘 반사하는 평면거울이다.
ㄴ. 평면거울 A에 대한 광선 B의 입사각은 30°이다.
ㄷ. 평면거울 A에 대한 광선 B의 반사각은 30°이다.
ㄹ. 광선을 반사하는 평면에 대한 광선의 반사각은 입사각과 같다.

	(가)	(나)	(다)
①	ㄱ, ㄴ	ㄷ	ㄹ
②	ㄱ, ㄹ	ㄴ	ㄷ
③	ㄴ, ㄷ	ㄱ	ㄹ
④	ㄹ	ㄱ, ㄴ	ㄷ
⑤	ㄹ	ㄱ, ㄷ	ㄴ

2 논리학

귀납 논증

기출 속 배경지식 키워드 | #귀납 논증 #유비 논증

교과 연계
고등학교 논리학
Ⅲ. 귀납 논증

배경지식 DNA 점검

다음 내용이 맞으면 '예', 틀리면 '아니요'에 표시해 봅시다.

내용	예	아니요
귀납 논증의 전제가 참이면 결론도 반드시 참이다.	□ 예	□ 아니요
귀납 논증은 관련 있는 사실들을 전부 관찰한 후 결론을 내리는 논증 방식이다.	□ 예	□ 아니요
귀납 논증은 새로운 지식을 확장할 수 있다.	□ 예	□ 아니요
유비 논증은 연역 논증의 방법이다.	□ 예	□ 아니요
유비 논증에서 전제들의 참은 결론이 참일 개연성에 기여한다.	□ 예	□ 아니요

답 아니요, 아니요, 예, 아니요, 예

귀납 논증

앞에서 귀납 논증은 '전제가 결론을 어느 정도 뒷받침하는가?'와 관련한 논증이라고 했어. 연역 논증은 전제가 참이면 결론도 반드시 참이지만, 귀납 논증은 전제가 참이라고 할지라도 결론이 반드시 참은 아니야. 왜 그런지 자세하게 알아보자.

귀납 논증 • 전제가 참이고 결론이 거짓이 되는 것은 있음직하지 않은 방식으로 전제가 결론을 뒷받침하는 논증

전제의 참은 결론의 참을 •필연적으로 뒷받침하지 않는다

귀납 논증의 핵심은 귀납 논증의 전제가 참이어도 이는 결론을 결정적으로 뒷받침하지 않는다는 거야. 전제의 참은 결론이 참일 •개연성에만 기여해서 결론이 참일 가능성을 높여 준다는 거지. 왜 전제의 참이 결론의 참을 보장하지 않는 걸까? 그 이유는 귀납 논증이 관련 있는 사실들 전부를 관찰하거나 실험하는 것이 아니라 한정된 관찰에 •의거해서 일반적 결론을 도출하는, 즉 특수한 것에서 일반적인 것을 이끌어 내는 추론 방법이기 때문이야.

까마귀는 조류이고 하늘을 난다.	전제 1
비둘기는 조류이고 하늘을 난다.	전제 2
그러므로 모든 조류는 하늘을 난다.	결론

위 예시에서는 까마귀, 비둘기의 사례를 관찰한 다음 이 사례들을 통해 (1) ㅇㅂㅎ 된 결론을 이끌어 냈어. 전제 1과 전제 2가 참이라고 가정할 때, 전제 1과 전제 2는 결론이 참일 가능성을 높여 주지. 그런데 만약 날지 못하는 조류인 펭귄의 사례가 추가로 관찰되었다면 어떻게 될까? 전제 1과 전제 2가 모두 참일지라도 결론은 거짓이 돼.

이처럼 귀납 논증은 새로운 증거나 경험에 영향을 받아 결론의 참과 거짓이 바뀔 수 있는 논증이기 때문에 전제의 참이 (2) ㄱㄹ 의 참을 필연적으로 뒷받침할 수 없어. 그렇지만 개별적이고 특수한 사실을 통해 일반화된 결론을 이끌어 내는 방식으로써 새로운 지식을 확장한다는 의의가 있지.

• **필연적** 사물의 관련이나 일의 결과가 반드시 그렇게 될 수밖에 없는 것.

• **개연성** 절대적으로 확실하지 않으나 아마 그럴 것이라고 생각되는 성질.

• **의거하다** 어떤 사실이나 원리 등에 근거하다.

잠깐 체크

❶ 귀납 논증에서 전제의 참은 결론이 참일 개연성에 기여한다. (○, ×)

❷ 귀납 논증은 현재의 자료를 근거로, 관찰되지 않는 것들을 추리해 내는 과정이다. (○, ×)

답 ❶ ○ ❷ ○

유비 논증

● **유비** 맞대어 비교함.

●유비 논증은 (3) ㄱㄴ 논증의 일종으로, 두 개의 서로 다른 대상을 비교함으로써 결론을 이끌어 내는 논증이야. 두 개의 대상이 여러 면에서 유사하다는 점을 근거로 하여 다른 속성 또한 유사할 것이라고 추론하는 방법이지. 그래서 유비 논증의 신뢰성은 두 개의 대상이 유사한 정도에 따라 결정돼.

유비 논증의 과정을 볼까? 먼저 유비 논증은 두 대상인 A와 B가 많은 점에서 유사하다는 전제를 제시해. 그리고 A가 몇 가지 점에서 B와 유사하기 때문에 다른 점에서도 유사할 것이라는 결론을 이끌어 내지.

원숭이와 인간은 순환 체계가 비슷하다.	전제 1
원숭이와 인간은 면역 체계가 비슷하다.	전제 2
원숭이와 인간은 심장 구조가 비슷하다.	전제 3
약 C는 원숭이의 심장병 치료에 효과가 있었다.	전제 4
그러므로 약 C는 인간의 심장병 치료에도 효과가 있을 것이다.	결론

잠깐 체크

❶ 유비 논증의 전제는 결론을 필연적으로 뒷받침한다. (○, ×)

❷ 유비 논증의 설득력은 비교 대상 간의 유사점이 많을수록 높아진다. (○, ×)

답 ❶ × ❷ ○

위 예시는 전제들을 통해 원숭이와 인간의 유사점을 확인하고, 그렇기 때문에 원숭이의 심장병 치료에 효과가 있었던 약 C가 사람의 심장병 치료에도 효과가 있을 것이라는 결론을 이끌어 내고 있어.

그렇지만 전제들이 모두 참이라고 해서 결론이 필연적으로 참은 아니야. 약 C가 인간의 심장병 치료에는 아무런 효과가 없을 수도 있거든. 귀납 논증의 특성이 잘 드러나는 부분이지? 이러한 유비 논증의 추론 방식을 줄여서 **유추**라고도 하니까 기억해 둬.

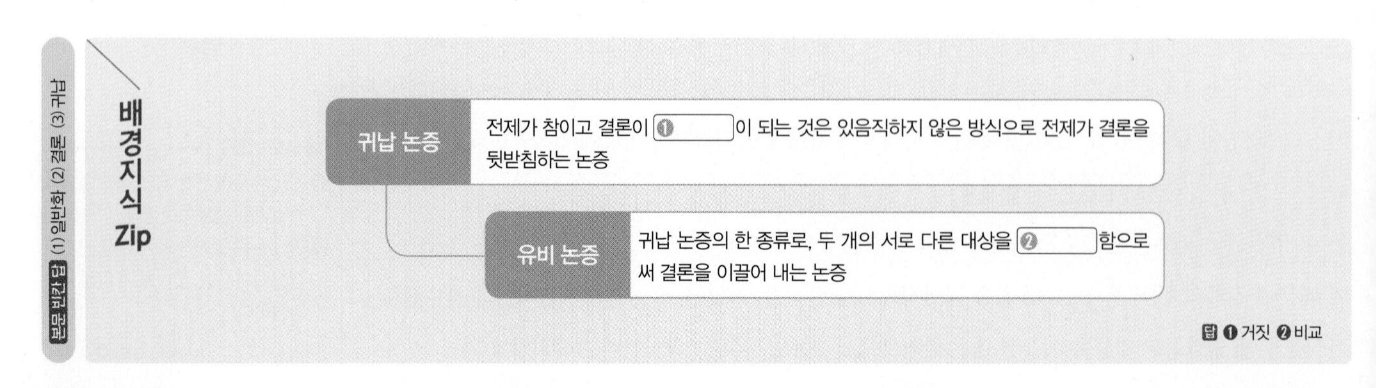

[01~02] 다음 글을 읽고 물음에 답하시오.

❶ [1]유비 논증은 두 대상이 몇 가지 점에서 유사하다는 사실이 확인된 상태에서 어떤 대상이 추가적 특성을 갖고 있음이 알려졌을 때 다른 대상도 그 추가적 특성을 가지고 있다고 추론하는 논증이다. [2]유비 논증은 이미 알고 있는 전제에서 새로운 정보를 결론으로 도출하게 된다는 점에서 유익하기 때문에 일상생활과 과학에서 흔하게 쓰인다.

❷ [1]유비 논증을 활용해 동물 실험의 유효성을 주장하는 쪽은 인간과 ㉠실험동물이 ㉡유사성을 보유하고 있기 때문에 신약이나 독성 물질에 대한 실험동물의 ㉢반응 결과를 인간에게 안전하게 적용할 수 있다고 추론한다. [2]이를 바탕으로 이들은 동물 실험이 인간에게 명백하고 중요한 이익을 준다고 주장한다.

❸ [1]도출한 새로운 정보가 참일 가능성을 유비 논증의 개연성이라 한다. [2]개연성이 높기 위해서는 비교 대상 간의 유사성이 커야 하는데 이 유사성은 단순히 비슷하다는 점에서의 유사성이 아니고 새로운 정보와 관련 있는 유사성이어야 한다. [3]예를 들어 동물 실험의 유효성을 주장하는 쪽은 실험동물로 많이 쓰이는 포유류가 인간과 공유하는 유사성, 가령 비슷한 방식으로 피가 순환하며 허파로 호흡을 한다는 유사성은 실험 결과와 관련 있는 유사성으로 보기 때문에 자신들의 유비 논증은 개연성이 높다고 주장한다.

❹ [1]그러나 동물 실험을 반대하는 쪽은 유효성을 주장하는 쪽을 유비 논증과 관련하여 두 가지 측면에서 비판한다. [2]첫째, 인간과 실험동물 사이에는 위와 같은 유사성이 있다고 말하지만 그것은 기능적 차원에서의 유사성일 뿐이라는 것이다. [3]인간과 실험동물의 기능이 유사하다고 해도 그 기능을 구현하는 인과적 메커니즘은 동물마다 차이가 있다는 과학적 근거가 있는데도 말이다. [4]둘째, 기능적 유사성에만 주목하면서도 막상 인간과 동물이 고통을 느낀다는 기능적 유사성에는 주목하지 않는다는 것이다. [5]인간은 자신의 고통과 달리 동물의 고통은 직접 느낄 수 없지만 무엇인가에 맞았을 때 신음소리를 내거나 몸을 움츠리는 동물의 행동이 인간과 기능적으로 유사하다는 것을 보고 유비 논증으로 동물이 고통을 느낀다는 것을 알 수 있는데도 말이다. [6]요컨대 첫째 비판은 동물 실험의 유효성을 주장하는 유비 논증의 개연성이 낮다고 지적하는 반면 둘째 비판은 동물도 고통을 느낀다는 점에서 동물 실험의 윤리적 문제를 제기하는 것이다.

01 윗글의 내용에 대한 이해로 적절하면 ○에, 적절하지 않으면 ×에 표시하시오.

(1) 유비 논증의 개연성은 비교 대상 간의 차이점이 클수록 커진다. ○ ×

(2) 유비 논증은 이미 알고 있는 전제에서 새로운 정보를 결론으로 도출한다. ○ ×

(3) 인간은 유비 논증을 통해 동물이 고통을 느낀다는 사실을 알 수 있다. ○ ×

02 〈보기〉는 유비 논증의 하나이다. 유비 논증에 대한 윗글의 설명을 참고할 때, ㉠~㉢에 해당하는 것을 ⓐ~ⓓ 중에서 골라 알맞게 짝지은 것은?

보기

내가 알고 있는 ⓐ어떤 개는 ⓑ몹시 사납고 물려는 버릇이 있다. 나는 공원에서 산책을 하다가 그 개와 ⓒ비슷하게 생긴 ⓓ다른 개를 만났다. 그래서 이 개도 사납고 물려는 버릇이 있을 것이라고 추측했다.

	㉠	㉡	㉢
①	ⓐ	ⓑ	ⓓ
②	ⓐ	ⓒ	ⓑ
③	ⓓ	ⓐ	ⓒ
④	ⓓ	ⓑ	ⓒ
⑤	ⓓ	ⓒ	ⓑ

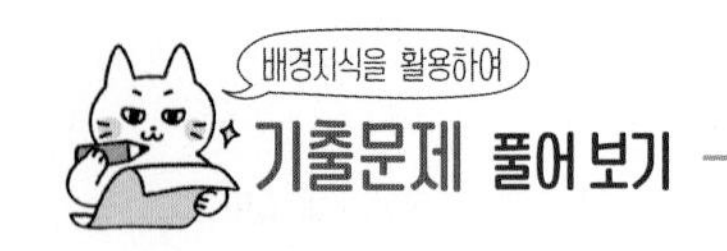

[03~06] 다음 글을 읽고 물음에 답하시오.

❶ [1]귀납은 현대 논리학에서 연역이 아닌 모든 추론, 즉 전제가 결론을 개연적으로 뒷받침하는 모든 추론을 가리킨다. [2]귀납은 기존의 정보나 관찰 증거 등을 근거로 새로운 사실을 추가하는 지식 확장적 특성을 지닌다. [3]이 특성으로 인해 귀납은 근대 과학 발전의 방법적 토대가 되었지만, 한편으로 귀납 자체의 논리적 한계를 지적하는 문제들에 부딪히기도 한다.

❷ [1]먼저 흄은 과거의 경험을 근거로 미래를 예측하는 귀납이 정당한 추론이 되려면 미래의 세계가 과거에 우리가 경험해 온 세계와 동일하다는 자연의 일양성, 곧 한결같음이 가정되어야 한다고 보았다. [2]그런데 자연의 일양성은 •선험적으로 알 수 있는 것이 아니라 경험에 기대어야 알 수 있는 것이다. [3]즉 "귀납이 정당한 추론이다."라는 주장은 "자연은 일양적이다."라는 다른 지식을 전제로 하는데 그 지식은 다시 귀납에 의해 정당화되어야 하는 경험적 지식이므로 귀납의 정당화는 순환 논리에 빠져 버린다는 것이다. [4]이것이 귀납의 정당화 문제이다.

❸ [1]귀납의 정당화 문제로부터 과학의 방법인 귀납을 옹호하기 위해 라이헨바흐는 이 문제에 대해 현실적 구제책을 제시한다. [2]라이헨바흐는 자연이 일양적일 수도 있고 그렇지 않을 수도 있음을 전제한다. [3]먼저 자연이 일양적일 경우, 그는 지금까지의 우리의 경험에 따라 귀납이 점성술이나 예언 등의 다른 방법보다 성공적인 방법이라고 판단한다. [4]자연이 일양적이지 않다면, 어떤 방법도 체계적으로 미래 예측에 계속해서 성공할 수 없다는 논리적 판단을 통해 귀납은 최소한 다른 방법보다 나쁘지 않은 추론이라고 확언한다. [5]결국 자연이 일양적인지 그렇지 않은지 알 수 없는 상황에서는 귀납을 사용하는 것이 옳은 선택이라는 라이헨바흐의 논증은 귀납의 정당화 문제를 현실적 차원에서 해소하려는 시도로 볼 수 있다.

❹ [1]귀납의 또 다른 논리적 한계로 어떤 현대 철학자는 미결정성의 문제를 지적한다. [2]이 문제는 관찰 증거만으로는 여러 가설 중에 어느 하나를 더 나은 것으로 결정할 수 없다는 것이다. [3]가령 몇 개의 점들이 발견되었을 때 그 점들을 모두 지나는 곡선은 여러 개이기 때문에 어느 하나로 결정되지 않는다. [4]예측의 경우도 마찬가지이다. [5]다음에 발견될 점을 예측할 때, 기존에 발견된 점들만으로는 다음에 찍힐 점이 어디에 나타날지 확정할 수 없다. [6]아무리 많은 점들을 관찰 증거로 추가하더라도 하나의 예측이 다른 예측보다 더 낫다고 결정하는 것은 여전히 불가능하다는 것이다.

❺ [1]그러나 미결정성의 문제가 있다고 하더라도 대부분의 현대 철학자들은 귀납을 과학의 방법으로 인정하고 있다. [2]이들은 귀납의 문제를 직접 해결하려 하기보다 확률을 도입하여 개연성이라는 귀납의 특징을 강조하려 한다. [3]이에 따르면 관찰 증거가 가설을 지지하는 정도 즉 전제와 결론 사이의 개연성은 확률로 표현될 수 있다. [4]또한 하나의 가설이 다른 가설보다, 하나의 예측이 다른 예측보다 더 낫다고 확률적 근거에 의해 판단할 수 있다는 것이다. [5]이처럼 확률 논리로 설명되는 개연성은 일상적인 직관에도 잘 들어맞는다. [6]이러한 시도는 귀납의 문제를 근본적으로 해결하는 것은 아니지만, 귀납은 여전히 과학의 방법으로서 그 지위를 지킬 만하다는 사실을 보여 준다.

• **선험적** 경험하기 이전에 인간이 본질적으로 지니고 있어, 대상을 인식하는 근거가 되는 것.

03 윗글의 내용 전개에 대한 설명으로 가장 적절한 것은?

① 귀납에 대한 흄의 평가를 병렬적으로 소개하고 있다.
② 귀납이 지닌 장단점을 연역과 비교하여 설명하고 있다.
③ 귀납의 위상이 격상되어 온 과정을 역사적으로 고찰하고 있다.
④ 귀납의 다양한 유형을 소개하고 각각의 특징을 상호 비교하고 있다.
⑤ 귀납에 내재된 논리적 한계와 그에 대한 해소 방안을 검토하고 있다.

04 윗글을 이해한 내용으로 적절하지 않은 것은?

① 많은 관찰 증거를 확보하면 귀납의 정당화에서 나타나는 순환 논리 문제는 해소된다.
② 직관에 들어맞는 확률 논리라 하더라도 귀납의 논리적 문제를 근본적으로 해결하지 못한다.
③ 관찰 증거가 가설을 지지하는 정도를 확률로 표현할 수 있다는 입장은 귀납을 옹호한다.
④ 흄에 따르면, 귀납의 정당화는 귀납에 의한 정당화를 필요로 하는 지식에 근거해야 가능하다.
⑤ 귀납의 지식 확장적 특성은 이미 알고 있는 사실을 근거로 아직 알지 못하는 사실을 추론하는 데에서 비롯된다.

05 라이헨바흐의 논증에 대한 평가로 적절하지 않은 것은?

① 귀납이 지닌 논리적 허점을 완전히 극복한 것은 아니라는 비판의 여지가 있다.
② 귀납을 과학의 방법으로 사용할 수 있음을 지지하려는 목적에서 시도하였다는 데 의미가 있다.
③ 귀납과 다른 방법을 비교하기 위해 경험적 판단과 논리적 판단을 모두 활용한 것이 특징이다.
④ 귀납과 견주어 미래 예측에 더 성공적인 방법이 없다는 판단을 근거로 귀납의 가치를 보여 주고 있다.
⑤ 귀납이 현실적으로 옳은 추론 방법임을 밝히기 위해 자연의 일양성이 선험적 지식임을 증명한 데 의의가 있다.

06 윗글을 읽고, 〈보기〉에 대한 A와 B의 입장을 추론한 것으로 적절하지 않은 것은?

보기

- 어떤 천체의 표면 온도를 매년 같은 날 관측했더니 100, 110, 120, 130, 140℃로 해마다 10℃씩 높아졌다. 이로부터 과학자들은 다음 두 가지 예측을 제시하였다.
  (ㄱ) 1년 뒤 관측한 그 천체의 표면 온도는 150℃일 것이다.
  (ㄴ) 1년 뒤 관측한 그 천체의 표면 온도는 200℃일 것이다.
- A와 B는 예측의 방법으로 귀납을 인정한다. 하지만 귀납의 미결정성의 문제에 대해 A는 확률 논리에 따라 해결할 수 있다는 입장인 반면, B는 어떤 방법으로도 해결할 수 없다는 입장이다.

① A와 B는 둘 다 과학자들이 예측한 (ㄱ)과 (ㄴ)이 모두 기존의 관찰 근거에 따른 것이라고 보겠군.
② A는 (ㄱ)과 (ㄴ) 중 하나가 더 나은 예측임을 결정할 수 있다고 하겠군.
③ A는 그 천체의 표면 온도가 100℃이기 1년 전에 90℃였다는 정보를 추가로 얻으면 (ㄱ)이 옳을 개연성이 더 높아진다고 판단하겠군.
④ B는 (ㄱ)에 대해서 가능한 예측이라고 할지언정 (ㄴ)보다 더 나은 예측이라고 결정하지는 않겠군.
⑤ B는 그 천체의 표면 온도가 100℃이기 1년 전에 60℃였다는 정보를 추가로 얻으면 (ㄴ)을 (ㄱ)보다 더 나은 예측으로 채택하겠군.

물가가 가파르게
치솟고 있어!

II 사회

1 경제

2 법

3 사회·문화

01

1 경제

시장의 수요와 공급

기출 속 배경지식 키워드 | #시장 #수요 #대체재 #보완재 #공급 #균형 가격

교과 연계
고등학교 경제
Ⅱ. 시장과 경제 활동

배경지식 DNA 점검

◎ 다음 그림을 참고하여 빈칸에 들어갈 알맞은 말을 보기 에서 찾아 적어 봅시다.

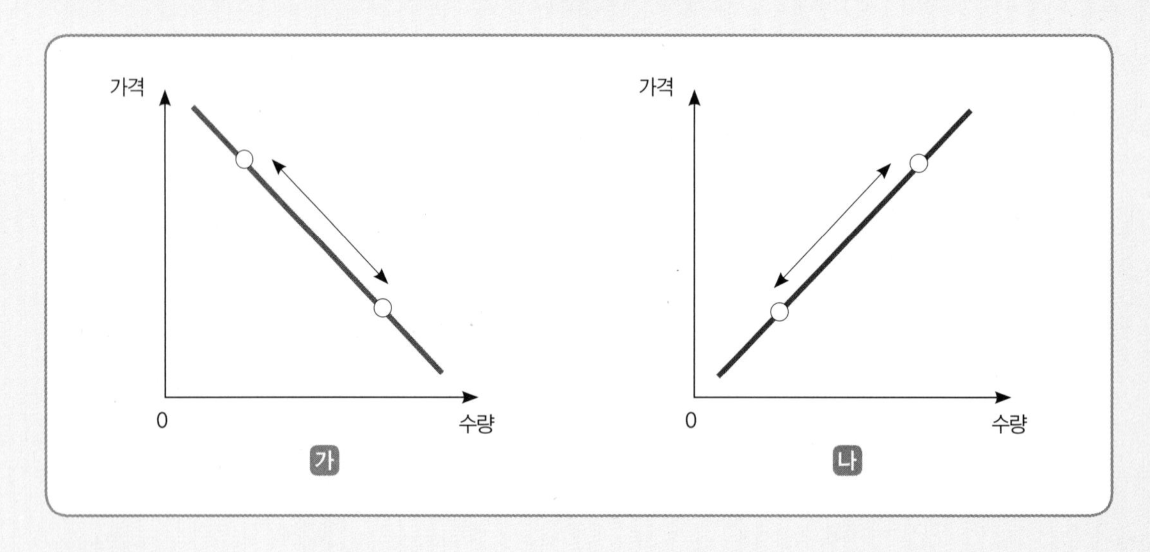

보기

가격 공급 수요 공급량 수요량

1 가 는 ______ 곡선이고, 나 는 ______ 곡선이다.

2 수요 곡선과 공급 곡선을 살펴보면 ______ 변화에 따른 수요량과 공급량의 변동을 알 수 있다.

3 일반적으로 가격과 ______ 사이에는 음(−)의 관계가 나타나고 가격과 ______ 사이에는 양(+)의 관계가 나타난다.

답 1 수요, 공급 2 가격 3 수요량, 공급량

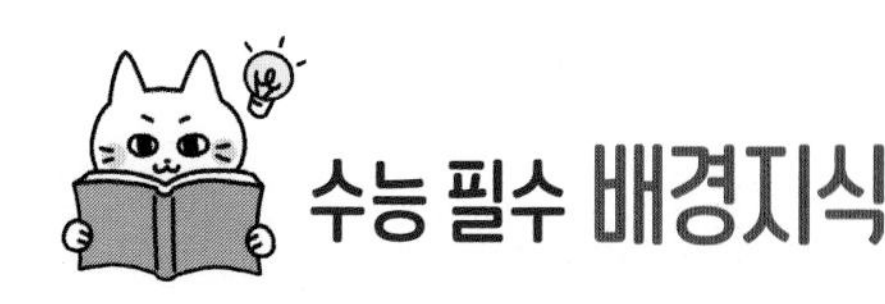

수능 필수 배경지식

수요가 있어야 공급이 있다는 말 들어 본 적 있지? 기업은 이익을 추구하는 집단이기 때문에, 아무도 사지 않을 •재화나 서비스는 판매하지 않아. 인기가 없거나 품질에 비해 가격이 지나치게 비싼 제품이 금방 시장에서 사라지는 것도 바로 이 원리와 맞닿아 있지. 여기서 **시장**은 전통 시장이나 대형 마트뿐만 아니라 노동 시장, 금융 시장, 주식 시장 등 다양한 •생산물과 •생산 요소의 거래가 이루어지는 공간을 의미하는 개념이야. 우리가 물건을 사고파는 (1) ㅅㅈ에 어떤 경제 원리가 작용하고 있는지 알아볼까?

- **재화** 사람이 바라는 바를 충족시켜 주는 모든 물건.
- **생산물** 시장에서 거래되는 재화와 서비스.
- **생산 요소** 자연 자원(토지), 자본, 노동(인적 자원)과 같이 생산에 필요한 자원.

수요 • 어떤 재화나 서비스에 대해 구매력을 갖춘 사람들이 구입하고자 하는 욕구

수요량 • 일정 기간 동안 어떤 재화나 서비스에 대해 특정 가격 수준에서 구매력을 갖춘 사람들이 구입하고자 하는 수량

간단하게 말해 **수요**는 사고 싶은 욕구, **수요량**은 사고 싶은 수량을 의미해. 이때 수요는 가격과 수요량의 관계로 나타낼 수 있는데 이를 그래프로 나타낸 것을 **수요 곡선**이라고 해.

한 달에 참치 통조림을 30개씩 사 먹는 고양이 A가 있고, 참치 통조림 가격이 1,000원일 때 참치 통조림에 대한 고양이의 수요량이 30개라고 가정해 보자. 그런데 참치 통조림 가격이 2,000원으로 오르자, 가격을 부담스럽게 느낀 고양이는 한 달에 참치 통조림을 10개만 사 먹기로 했어. 이때 참치 통조림에 대한 고양이의 (2) ㅅㅇㄹ은 10개야.

이렇게 다른 조건이 일정하고 가격만 변할 때, 가격과 수요량 사이에 음(−)의 관계가 나타나는 것을 **수요의 법칙**이라고 해.
(가격↑ → 수요량↓, 가격↓ → 수요량↑)

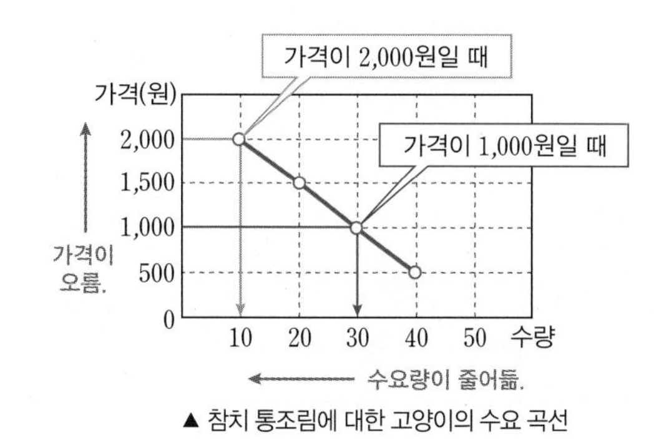

▲ 참치 통조림에 대한 고양이의 수요 곡선

⊕ 시장에서의 수요의 법칙
고양이 A와 달리 고양이 B는 참치 통조림을 하루 한 캔씩 꼭 먹어서, 가격과 상관없이 참치 통조림에 대한 수요량이 일정하다고 생각해 보자. 이때는 가격과 수요량 사이에 음(−)의 관계가 나타나지 않아서 수요의 법칙이 성립하지 않는다. 그러나 모든 고양이의 수요량이 다 합쳐진 '시장'에서는 고양이 B처럼 특이한 경우가 있어도 일반적인 특성이 나타나게 된다. 재화의 가격이 오를 때 시장에서의 수요량이 줄어드는 것이 일반적이다.

잠깐 체크
❶ 수요 곡선은 가격과 수요량의 관계를 보여 준다. (○, ×)
❷ 일반적으로 다른 조건이 일정하고 가격만 오를 때 수요량은 (증가한다 / 감소한다).

답 ❶ ○ ❷ 감소한다

대체재 • 쓰임이나 용도가 비슷해서 소비자가 선택할 때 서로 경쟁적인 위치에 있는 두 재화

보완재 • 따로 소비할 때보다 함께 소비할 때 더 큰 만족을 느껴 소비자가 선택할 때 함께 구입하는 두 재화

● **기호** 즐기고 좋아함.

수요에 영향을 미치는 요인은 가격 외에도 소득, 다른 재화의 가격, 사람들의 •기호 등 여러 가지가 있어. 그중 '다른 재화의 가격'이 수요에 영향을 미치는 경우를 알아보자. 다른 재화의 가격이 변했을 때 특정 재화의 수요는 두 재화의 관계에 따라 달라져.

대체재는 쓰임이나 용도가 비슷해서 서로 대체 관계에 있는 재화야. 일반적으로 콜라와 사이다, 커피와 녹차, 버터와 마가린 같은 것들이지. 한 재화의 가격이 오를 때 다른 재화의 수요가 증가하거나, 반대로 한 재화의 가격이 내렸을 때 다른 재화의 수요가 감소한다면 두 재화는 서로 (3) ㄷㅊ 관계라고 볼 수 있어. 콜라 가격이 오르면 콜라 대신 사이다를 사는 사람이 많아져서 사이다의 수요가 늘고, 버터 가격이 내리면 마가린 대신 버터를 사는 사람이 생겨서 마가린에 대한 수요가 줄어든단 이야기지.

▲ 콜라와 사이다는 서로 대체 관계에 있다.

보완재는 따로따로 소비할 때보다 함께 소비할 때 더 큰 만족을 얻을 수 있는 재화야. 일반적으로 샤프와 샤프심, 자동차와 휘발유 같은 재화들이지. 한 재화의 가격이 올랐을 때 다른 재화에 대한 수요가 감소하거나, 반대로 한 재화의 가격이 내렸을 때 다른 재화의 수요가 증가한다면 두 재화는 서로 보완 관계라고 볼 수 있어. 예를 들어 자동차 가격이 저렴해지면, 자동차 구매자들이 같이 구매하는 휘발유에 대한 수요가 증가하지.

▲ 자동차와 휘발유는 서로 보완 관계에 있다.

잠깐 체크

❶ 커피와 커피 시럽은 서로 대체 관계에 있다. (○, ×)

❷ 샤프의 가격이 올랐을 때 샤프심에 대한 수요가 (늘어나면 / 줄어든다면) 두 재화는 서로 보완재이다.

답 ❶ × ❷ 줄어든다면

공급 • 어떤 재화나 서비스에 대해 생산 능력을 갖춘 공급자들이 판매하고자 하는 욕구

공급량 • 일정 기간 동안 어떤 재화나 서비스에 대해 특정 가격 수준에서 생산 능력을 갖춘 공급자들이 판매하고자 하는 수량

공급과 **공급량**은 수요와 수요량의 반대 개념이야. 쉽게 말하면 각각 팔고 싶은 욕구와 팔고 싶은 수량을 의미하지. 공급은 가격과 공급량의 관계로 나타낼 수 있는데 이를 그래프로 나타낸 것을 (4) ㄱㄱ ㄱㅅ 이라고 해.

가격과 수요량의 관계와 반대로 가격이 오르면 공급량은 늘고 가격이 내리면 공급량은 줄어들어. 공급자 입장에서는 물건 가격이 비싸지면 물건을 더 많이 팔고 싶은 마음에 더 많이 생산하게 될 테니 자연스러운 현상이지. 이렇게 다른 조건이 일정하고 가격만 변할 때, 가격과 공급량 사이에 양(+)의 관계가 나타나는 것을 **공급의 법칙**이라고 해.

가격 ↑ → 공급량 ↑, 가격 ↓ → 공급량 ↓

참치 통조림 예시를 다시 가져와 보자. 참치 통조림을 만드는 기업들이 통조림 가격이 1,000원일 때는 한 달 동안 통조림 30만 개를 생산해서 시장에 공급하고 있었어. 그런데 가격이 2,000원으로 오르자, 기업들은 돈을 더 많이 벌고 싶은 마음에 공급량을 늘렸고 통조림의 한 달 공급량은 50만 개가 되었지. 이렇게 가격이 오르면 공급량은 늘어나게 돼.

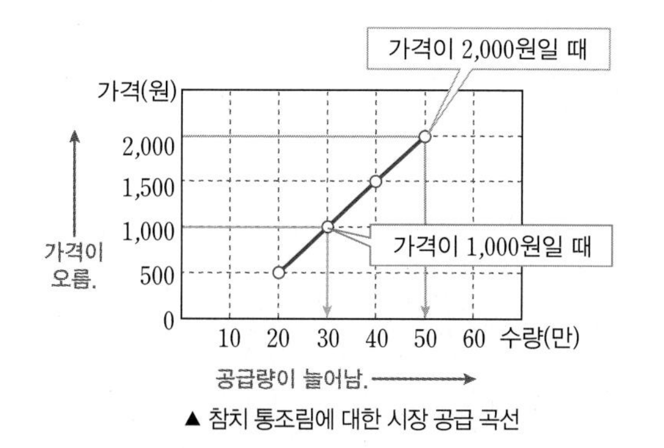

▲ 참치 통조림에 대한 시장 공급 곡선

잠깐 체크
❶ 공급은 가격과 (수요량 / 공급량)의 관계로 나타낼 수 있다.
❷ 재화의 가격이 올라가면 공급자는 공급량을 늘린다. (○, ×)

답 ❶ 공급량 ❷ ○

균형 상태 • 시장의 수요량과 공급량이 서로 일치하여 가격이 더 이상 변하지 않는 상태

균형 가격 • 시장이 균형 상태에 있을 때의 가격

지금까지 알아본 바와 같이, 시장에서는 (5) ㄱㄱ 에 따라 수요량과 공급량이 조정돼. 예를 들어 가격이 떨어지면 수요량이 늘고 공급량이 줄어들게 돼. 이렇게 수요량이 공급량에 비해 많으면 **초과 수요**가 발생하고, 초과 수요는 수요자 간 경쟁을 유발하여 가격이 다시 상승하게 돼. 반대로 가격이 올라가면 **초과 공급**이 발생하고 초과 공급은 공급자 간 경쟁을 유발하여 가격이 다시 하락하게 돼.

이렇게 엎치락뒤치락하는 과정을 거쳐 시장은 수요량과 공급량이 일치하는 **균형 상태**에 도달하게 된단다. 그리고 시장이 균형 상태에 있을 때의 가격과 거래량을 **균형 가격**과 **균형 거래량**이라고 해.

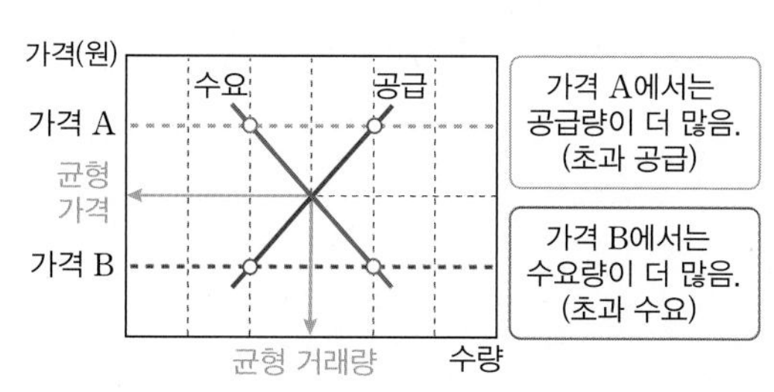

▲ 균형 가격과 균형 거래량

초과 수요와 초과 공급

초과 수요 (물량 부족)	시장 가격이 균형 가격보다 낮아 '수요량>공급량'인 경우
초과 공급 (공급 과잉)	시장 가격이 균형 가격보다 높아 '수요량<공급량'인 경우

잠깐 체크
❶ 균형 상태에서는 수요량과 공급량이 서로 일치한다. (○, ×)
❷ 참치 통조림에 대한 시장의 수요량이 20만 개일 때 공급량이 40만 개라면, 참치 통조림의 가격이 (오를 / 내릴) 것이다.

답 ❶ ○ ❷ 내릴

배경지식 Zip

수요
- 수요: 어떤 재화나 서비스를 구입하고자 하는 욕구
- 수요량: 어떤 재화나 서비스를 특정 가격 수준에서 구입하고자 하는 수량
- ❶ ______: 가격과 수요량의 관계를 그래프로 나타낸 것
- 수요의 법칙: 가격 ↑ → 수요량 ↓, 가격 ↓ → 수요량 ↑

공급
- 공급: 어떤 ❷ ______나 서비스를 판매하고자 하는 욕구
- 공급량: 어떤 재화나 서비스를 특정 가격 수준에서 판매하고자 하는 수량
- 공급 곡선: 가격과 공급량의 관계를 그래프로 나타낸 것
- 공급의 법칙: 가격 ↑ → 공급량 ↑, 가격 ↓ → 공급량 ↓

균형 상태
- 수요량 = 공급량
- ❸ ______과 균형 거래량이 형성됨.

답 ❶ 수요 곡선 ❷ 재화 ❸ 균형 가격

본문 빈칸 답 (1) 시장 (2) 수요량 (3) 대체 (4) 공급 곡선 (5) 가격

[01~02] 다음 글을 읽고 물음에 답하시오.

❶ [1]콩나물의 가격 변화에 따라 콩나물의 수요량이 변하는 것은 일반적인 현상이다. [2]그러나 콩나물 가격은 변하지 않는데도 콩나물의 수요량이 변할 수 있다. [3]시금치 가격이 상승하면 소비자들은 시금치를 콩나물로 대체한다. [4]그러면 콩나물 가격은 변하지 않는데도 시금치 가격의 상승으로 인해 콩나물의 수요량이 증가할 수 있다. [5]또는 콩나물이 몸에 좋다는 내용의 방송이 나가면 콩나물 가격은 변하지 않았음에도 불구하고 콩나물의 수요량이 급증한다. [6]이와 같이 특정한 상품의 가격은 변하지 않는데도 다른 요인으로 인하여 그 상품의 수요량이 변하는 현상을 수요의 변화라고 한다.

❷ [1]수요의 변화는 소비자의 소득 변화에 의해서도 발생한다. [2]예를 들어 스마트폰 가격에 변동이 없음에도 불구하고 소득이 증가하면 스마트폰에 대한 수요량이 증가한다. [3]반대로 소득이 감소하면 수요량이 감소한다. [4]이처럼 소득의 증가에 따라 수요량이 증가하는 재화를 '정상재'라고 한다. [5]우리 주위에 있는 대부분의 재화들은 정상재이다. [6]그러나 소득이 증가하면 오히려 수요량이 감소하는 재화가 있는데 이를 '열등재'라고 한다. [7]예를 들어 용돈을 받아 쓰던 학생 때는 버스를 이용하다 취직해서 소득이 증가하여 자가용을 타게 되면 버스에 대한 수요는 감소한다. [8]이 경우 버스는 열등재라고 할 수 있다.

❸ [1]정상재와 열등재는 수요의 소득탄력성으로도 설명할 수 있다. [2]수요의 소득탄력성이란 소득이 1% 변할 때 수요량이 변하는 정도를 말한다. [3]수요의 소득탄력성이 양수인 재화는 소득이 증가할 때 수요량도 증가하므로 정상재이다. [4]반대로 수요의 소득탄력성이 음수인 재화는 소득이 증가할 때 수요량이 감소하므로 열등재이다. [5]정상재이면서 소득탄력성이 1보다 큰, 즉 소득이 증가하는 것보다 수요량이 더 크게 증가하는 경우가 있다. [6]경제학에서는 이를 '사치재'라고 한다. [7]반면에 정상재이면서 소득탄력성이 1보다 작은 재화를 '필수재'라고 한다.

01

윗글의 내용과 일치하면 ○에, 일치하지 않으면 ×에 표시하시오.

(1) 수요의 소득탄력성이 양수이면 열등재이다. ○ ×
(2) 사치재는 소득의 증가보다 수요량의 증가가 큰 재화이다. ○ ×
(3) 소비자의 소득 변화는 수요의 변화를 발생시키는 요인 중 하나이다. ○ ×

02

윗글을 읽은 학생이 〈보기〉에 대해 보인 반응으로 적절한 것은?

보기

갑은 지하철 요금이 1,000원이고 한 달 용돈이 20,000원일 때 지하철을 20번 탔고 용돈이 40,000원일 때 40번 탔다. 그런데 이번 달에 20,000원의 용돈을 받았지만 지하철 요금이 500원으로 내려서 40번 탈 수 있게 되었다.

① 지하철은 갑의 소득이 높아지면 정상재에서 열등재가 되는군.
② 지하철에 대한 수요 변화는 지하철에 대한 갑의 선호도로 결정되었군.
③ 지하철에 대한 수요의 소득탄력성 변화로 지하철 이용 횟수가 증가했군.
④ 지하철 요금의 인하는 갑의 소득이 증가한 것과 같은 효과를 유발하는군.
⑤ 지하철 요금과 갑의 소득 수준이 변하더라도 지하철에 대한 수요량은 변화할 수 없겠군.

사회

[03~04] 다음 글을 읽고 물음에 답하시오.

❶ [1]18세기 산업 혁명으로 시작된 생산 혁명은 19세기 백화점이 일으킨 유통 혁명을 통해 소비 혁명으로 이어졌다. [2]대량소비 시대가 되자 사람들의 소비 형태도 바뀌었다. [3]무엇을 소유했는지 여부에 따라 사람을 판단하면서 사람들은 주위를 의식하며 자기를 나타내기 위한 상품을 고르게 되었다. [4]소비를 결정하는 요인이 '필요'가 아니라 '자기 과시'로 옮겨간 것이다.

❷ [1]이와 같은 현상에 주목한 베블런은 자신의 책《유한계급 이론》을 통해 개별 소비자의 소비 형태는 독립적으로 이루어지지 않고 다른 소비자의 영향을 받는다고 주장했다. [2]그는 '나는 보통 사람들과 신분이 다르다'는 점을 과시하는 부유층이나 이를 모방하려는 계층이 •과시적 소비를 한다고 말했다. [3]과시적 소비가 일어나면 저렴한 상품 대신 고가의 상품에 대한 수요가 증가해 가격이 오르는데도 수요가 줄어들지 않고 오히려 증가하는 현상이 일어난다. [4]이렇게 과시적 소비로 인해 가격이 올라도 수요가 늘어나는 현상을 '베블런 효과'라고 한다. [5]그리고 이러한 과시적 소비의 대상이 되는 상품을 '베블런 재(財)'라고 한다.

❸ [1]라이벤스타인은 이와 같은 현상을 보다 깊이 있게 다루어 '밴드왜건 효과'와 '스놉 효과'를 발표하였다. [2]과시적 소비는 일부 상류층과 신흥 부유층을 중심으로 일어나는 것이 보통이지만 주위 사람들이 이를 흉내 내면서 사회 전체로 퍼져나가는 현상을 밴드왜건 효과라고 이름 붙인 것이다. [3]밴드왜건은 행진할 때 대열의 선두에서 행렬을 이끄는 악대차를 의미하는데 악단이 지나가면 사람들이 영문도 모르고 무작정 뒤따르면서 군중들이 더욱더 불어나는 것에 비유한 것으로 밴드왜건 효과는 '모방 효과'라고도 부른다.

❹ [1]그런데 모방 효과가 널리 퍼져 더 이상 과시적 소비가 •차별 효용을 상실하게 될 때 일부 사람들은 평범한 사람들이 접근할 수 있는 상품 대신 더욱 진귀한 물건을 찾는다. [2]이로 인해 기존 상품의 수요가 줄어들게 되는데 이를 '**스놉 효과**'라고 한다. [3]즉 모방 효과와는 반대로 특정 제품에 대한 소비가 증가하게 되면 그 제품의 수요가 줄어들고 새로운 상품의 수요로 옮겨 가는 현상이다.

• **과시적 소비** 자신의 사회적·경제적 지위를 과시하기 위한 소비 행위.
• **차별 효용** 어떤 물건에 대해, 남과 다르게 보인다고 판단하는 개인의 주관적인 만족감.

03 윗글의 내용과 일치하면 ○에, 일치하지 않으면 ×에 표시하시오.

(1) 모방 심리는 재화의 수요를 변화시킨다. [○ ×]

(2) 재화의 가격과 수요가 비례하면 과시적 소비가 일어난다. [○ ×]

(3) '밴드왜건 효과'는 일부 상류층과 신흥 부유층의 소비 형태가 사회 전체로 퍼져 나가는 것을 말한다. [○ ×]

04 '스놉 효과'를 노린 광고 문구로 가장 적절한 것은?

① 기술은 뛰어나게, 가격은 실속 있게
② 공부해 본 선배들이 추천한 으뜸 문제집
③ 지금까지는 너만 썼지? 이제는 나도 쓴다!
④ 아무나 가질 수 있다면 특별할 수 없습니다.
⑤ 하루에 필요한 모든 영양, 이 한 알에 모두 넣었습니다.

배경지식 플러스

산업 혁명
18세기 후반, 유럽에서 일어난 생산 기술과 그에 따른 사회 조직의 큰 변화. 실을 만들어 내는 기계를 비롯한 각종 기계의 발명으로 대량 생산이 가능하게 되었으며, 기존의 농업 사회가 산업 사회로 변화하고 자본주의의 발달을 이끌었다.

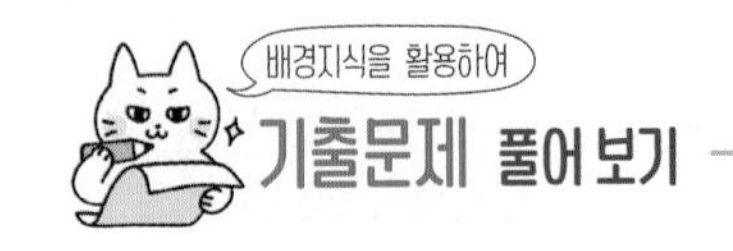

[05~07] 다음 글을 읽고 물음에 답하시오.

❶ [1]최근 수입품에 높은 관세를 부과하여 국제 무역 분쟁이 발생하면서 관세에 대한 관심이 높아지고 있다. [2]관세란 수입되는 재화에 부과되는 *조세로, 정부는 조세 수입을 늘리거나 국내 산업을 보호하기 위한 목적으로 관세를 부과한다. [3]그런데 관세를 부과하면 국내 경기 및 국제 교역에 영향을 미치게 된다.

❷ [1]관세가 국내 경기에 미치는 영향을 살펴보기 위해서는 시장에서의 수요와 공급의 원리를 알아야 한다. [2]〈그림〉은 가격에 따른 수요량과 공급량의 변화를 나타내는 그래프이다. [3]여기서 수요 곡선은 재화의 가격에 따른 수요량의 변화를 나타내는데, 그래프에서 가격은 재화 1단위 추가 소비를 위한 소비자의 지불 용의 가격을 나타내기도 한다. [4]공급 곡선은 재화의 가격에 따른 공급량의 변화를 나타내는데, 그래프에서 가격은 재화 1단위 추가 생산을 위한 생산자의 판매 용의 가격을 나타내기도 한다. [5]수요와 공급의 원리에 따르면 재화의 균형 가격은 수요 곡선과 공급 곡선이 만나는 P_0에서 형성된다. [6]재화의 가격이 P_1로 올라가면 수요량은 Q_1로 줄어들고 공급량은 Q_2로 증가하지만, 재화의 가격이 P_2로 내려가면 수요량은 Q_2로 증가하고 공급량은 Q_1로 줄어든다.

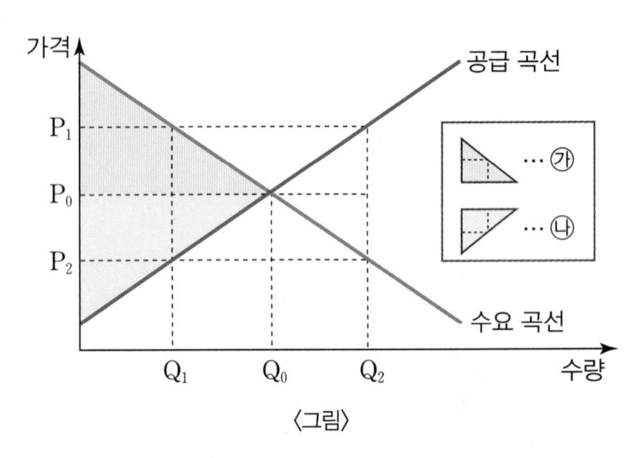

〈그림〉

❸ [1]이처럼 재화의 가격 변화로 수요량과 공급량이 달라지면 소비자 잉여와 생산자 잉여에도 변화가 생기게 된다. [2]여기서 잉여란 제품을 소비하거나 판매함으로써 얻는 이득으로, 소비자 잉여는 소비자가 어떤 재화를 구입할 때 지불할 용의가 있는 가격과 실제 지불한 가격의 차이이고, 생산자 잉여는 생산자가 어떤 재화를 판매할 때 실제 판매한 가격과 판매할 용의가 있는 가격의 차이이다. [3]〈그림〉에서 수요 곡선과 실제 재화의 가격의 차이에 해당하는 ㉮는 소비자 잉여를, 실제 재화의 가격과 공급 곡선의 차이에 해당하는 ㉯는 생산자 잉여를 나타낸다. [4]만일 재화의 가격이 P_0에서 P_1로 올라가면 소비자 잉여는 줄어들고 생산자 잉여는 늘어나는 반면, 재화의 가격이 P_2로 내려가면 소비자 잉여는 늘어나고 생산자 잉여는 줄어들게 된다.

❹ [1]이를 바탕으로 관세가 국내 경기에 미치는 영향을 살펴보자. [2]밀가루 수입 전에 형성된 K국의 밀가루 가격이 500원/kg이고, 국제 시장에서 형성된 밀가루의 가격이 300원/kg이라고 가정해 보자. [3]K국이 자유 무역을 통해 관세 없이 밀가루를 수입하면 국산 밀가루 가격은 수입 가격 수준인 300원/kg까지 내려가게 된다. [4]그 결과 국산 밀가루 공급량은 줄어들지만 오히려 수요량은 늘어나기 때문에, 국내 수요량에서 국내 공급량을 뺀 나머지 부분만큼 밀가루를 수입하게 된다. [5]밀가루 수입으로 국산 밀가루 가격이 하락하면 결과적으로 생산자 잉여가 감소하지만 소비자 잉여는 증가하게 된다. [6]증가한 소비자 잉여가 감소한 생산자 잉여보다 크기 때문에 소비자 잉여와 생산자 잉여의 총합인 사회적 잉여는 밀가루를 수입하기 전에 비해 커지게 된다.

❺ [1]그런데 K국이 수입 밀가루에 100원/kg의 관세를 부과할 경우, 수입 밀가루의 국내 판매 가격은 400원/kg으로 올라가게 된다. [2]그렇게 되면 국산 밀가루 생산자는 관세 부과 전보다 100원/kg 오른 가격에 밀가루를 판매할 수 있으므로 국산 밀가루의 공급량이 늘어 관세를 부과하기 전보다 생산자 잉여가 증가하게 된다. [3]반대로 소비자 입장에서는 가격이 올라가면 그만큼 수요량이 줄어들게 되므로 소비자 잉여는 감소하게 된다. [4]하지만 증가한 생산자 잉여가 감소한 소비자 잉여보다 작기 때문에 소비자 잉여와 생산자 잉여의 총합인 사회적 잉여는 수입 밀가루에 관세를 부과하기 전에 비해 작아지게 된다.

❻ [1]그런데 관세 정책이 장기화될 경우, 국내 경기가 *침체에 빠질 수 있다. [2]예컨대 K국 정부가 국내 밀가루 산업을 보호하기 위하여 수입 밀가루에 높은 관세를 부과할 경우, 단기적으로는 국내 밀가루 생산자의 이익을 늘려 자국의 밀가루 산업을 보호할 수 있다. [3]하지만 높은 관세로 국내 밀가루 가격이 상승하면 밀가루를 원료로 하는 제품들의 가격이 줄줄이 상승하게 되어, 국내 소비자들은 밀가루를 이용하여 만든 제품들의 소비를 줄이게 된다. [4]이러한 과정이 장기화된다면 K국의 경기는 결국 침체에 빠질 수도 있다. [5]실제로 1930년대 국내 산업을 보호할 목적으로 시행된 각국의 관세 정책으로 인해 오히려 경제 대공황이 심화된 사례가 이를 잘 보여 주고 있다.

❼ [1]이렇게 볼 때 국내 산업을 보호할 목적으로 부과된 ㉠관세는 사회적 잉여를 감소시키고, 해당 제품에 대한 국내 소비를 줄어들게 한다. [2]그리고 그와 관련된 다른 산업에까지 악영향을 미칠 수 있다. [3]또한 과도한 관세는 국제 교역을 감소시켜 국제 무역 시장을 침체시킬 뿐만 아니라, 국제 무역 분쟁을 야기할 소지도 있다. [4]이러한 이유로 대다수의 경제학자들은 과도한 관세에 대한 우려를 드러내고 있다.

- **조세** 국가 또는 지방 공공 단체가 필요한 경비로 사용하기 위하여 국민이나 주민으로부터 강제로 거두어들이는 금전.
- **침체** 어떤 현상이나 사물이 진전하지 못하고 제자리에 머무름.

05 윗글에 대한 이해로 적절하지 않은 것은?

① 소비자의 지불 용의 가격은 균형 가격보다 항상 높다.
② 균형 가격에서는 재화의 수요량과 공급량이 동일하다.
③ 원료의 가격은 이에 기반한 제품의 가격에 영향을 미친다.
④ 관세는 국가 간의 무역 분쟁의 원인으로 작용하기도 한다.
⑤ 대다수의 경제학자는 과도한 관세에 대해 부정적 입장을 취한다.

06 ㉠의 이유로 적절한 것은?

① 소비자 잉여 감소분이 생산자 잉여 증가분과 같기 때문에
② 소비자 잉여 감소분이 생산자 잉여 증가분보다 크기 때문에
③ 소비자 잉여 증가분이 생산자 잉여 증가분보다 크기 때문에
④ 소비자 잉여 감소분이 생산자 잉여 감소분보다 작기 때문에
⑤ 소비자 잉여 증가분이 생산자 잉여 감소분보다 작기 때문에

07 윗글을 바탕으로 〈보기〉를 설명한 내용으로 적절하지 않은 것은?

〈보기〉

P국에서는 국산 바나나만을 소비하다 값싼 수입산 바나나를 관세 없이 수입하면서 국산 바나나 가격이 국제 시장 가격 수준으로 하락했다. 이에 정부에서는 국내 바나나 산업 보호를 위하여 관세를 부과하였다.

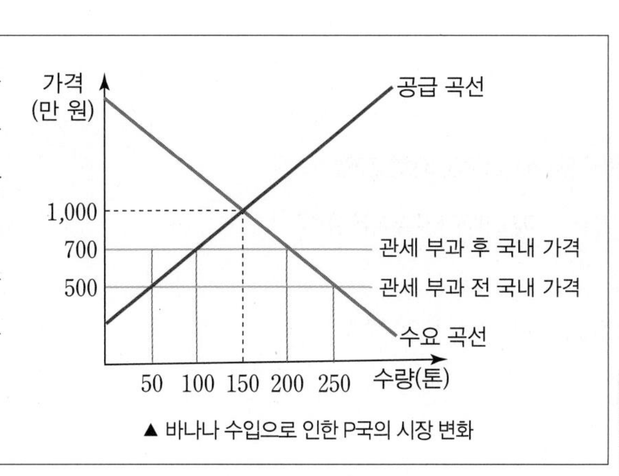

▲ 바나나 수입으로 인한 P국의 시장 변화

① 바나나를 수입하기 전 바나나의 국내 균형 가격은 톤당 1,000만 원이었다.
② 관세를 부과하기 이전에는 수입되는 바나나의 수량이 200톤이었다.
③ 관세를 부과하기 이전과 이후의 가격을 비교해 보니 톤당 200만 원만큼의 관세가 부과되었다.
④ 관세를 부과한 결과 국내 생산자는 바나나의 공급량을 50톤에서 100톤으로 늘리게 된다.
⑤ 관세를 부과한 결과 수입되는 바나나의 수량은 이전보다 50톤이 줄어드는 효과가 발생한다.

배경지식 플러스

대공황
세계적으로 일어나는 큰 규모의 경제 공황(경제 혼란). 흔히 1929년에 있었던 세계적인 공황을 이른다. 뉴욕 증권 시장의 주가 폭락에서 시작된 공황은 이내 금융업, 농업, 공업에 파급되어 은행과 기업, 공장이 문을 닫고 실업자가 급증했다. 이러한 미국의 경제 공황은 곧 전 세계적인 공황으로 이어져 전 세계가 심각한 경제적 어려움을 겪었다.

02

1 경제

합리적 선택과 시장의 한계

기출 속 배경지식 키워드 | #합리적 선택 #편익 #기회비용 #매몰 비용 #외부 효과

교과 연계
고등학교 경제
Ⅰ. 경제생활과 경제 문제
Ⅱ. 시장과 경제 활동

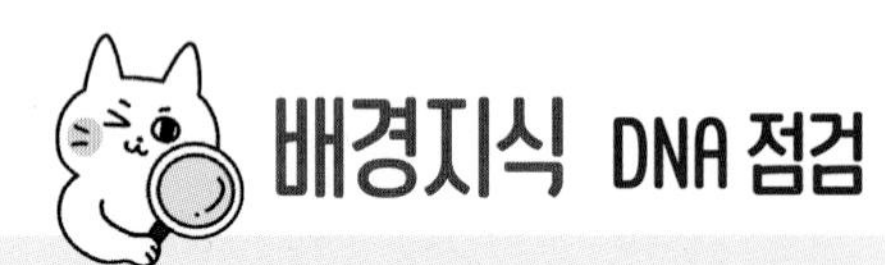

다음 내용이 맞으면 '예', 틀리면 '아니요'에 표시해 봅시다.

합리적 선택을 하기 위해서는 편익과 비용을 비교해야 한다.	□ 예	□ 아니요
기회비용은 명시적 비용에서 암묵적 비용을 뺀 값이다.	□ 예	□ 아니요
명시적 비용은 현재 선택으로 인해 그 시간 동안 자신이 하지 못하는 다른 기회의 가치를 말한다.	□ 예	□ 아니요
매몰 비용은 과거에 지불되었으나 회수가 가능한 비용이다.	□ 예	□ 아니요
외부 효과의 발생은 시장 실패에 해당한다.	□ 예	□ 아니요

답 예, 아니요, 아니요, 아니요, 예

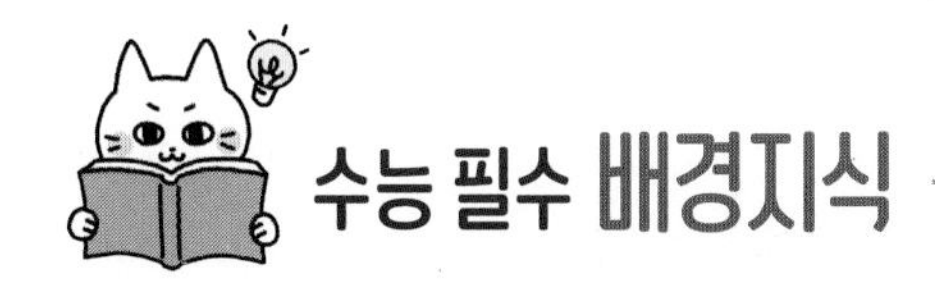

수능 필수 배경지식

마음에 드는 물건을 사기 위해 여러 인터넷 쇼핑몰을 돌면서 가격 비교를 하고, 제일 싼 곳에서 물건을 주문한 다음 뿌듯해한 경험 다들 있을 거야. 물건을 저렴하게 사면 왜 기분이 좋을까? 원하는 물건을 최대한 적은 비용으로 샀을 때 돈을 합리적으로 사용했다고 생각하기 때문이지. 이번에는 시장에서 경제 활동을 할 때 고려하는 편익과 비용을 알아보자.

편익 • 경제 행위를 통해서 얻게 되는 만족이나 이득
기회비용 • 명시적 비용과 암묵적 비용을 모두 더한 값

합리적 선택이란 의사 결정자가 제한된 자원을 가지고 이득을 최대화하는 선택을 뜻해. 비용이 일정하다면 가장 큰 (1) ㅁㅈ 을 느끼는 것을 선택하는 것을, 만족이 일정하다면 최소한의 비용을 지불하는 것을 선택하는 것을 말하지. 따라서 합리적 선택을 하기 위해서는 편익과 비용을 비교해야 하는데, **편익**은 경제 행위를 통해서 얻게 되는 만족이나 이득을 말하고 **비용**은 기회비용을 의미해.

기회비용은 명시적 비용과 암묵적 비용을 더한 값이야. 한 학생이 피자를 시켜 먹을지, 운동을 할지 고민하다가 결국 2만 원을 내고 피자를 사 먹은 상황을 떠올려 보자. 이때 피자를 먹어서 얻는 만족감을 4만 원, 운동을 해서 얻는 만족감을 3만 원으로 가정해 볼게. 이 상황에서의 편익은 피자를 먹어서 얻는 만족감인 4만 원이야.

명시적 비용은 현재 선택을 위해 투입된 명시적인 현금 비용으로, 피자 값 2만 원이 바로 명시적 비용이야. **암묵적 비용**은 현재 선택으로 인해 그 시간 동안 자신이 하지 못하는 다른 기회의 가치로, 피자를 시켜 먹는 대신 누릴 수 있었던 운동의 만족감을 돈으로 환산한 값인 3만 원이 암묵적 비용이지. 따라서 기회비용은 피자 값 2만 원(명시적 비용)과 운동의 만족감 3만 원(암묵적 비용)을 더한 5만 원이야.

합리적 선택에서는 선택을 통해 얻는 편익이 기회비용보다 더 커야 해. 피자를 통해 얻은 만족감이 4만 원이고, 기회비용은 5만 원이기 때문에 피자와 운동 중 피자를 선택한(편익(4만 원) < 기회비용(5만 원)) 이 학생의 결정은 비합리적이야.

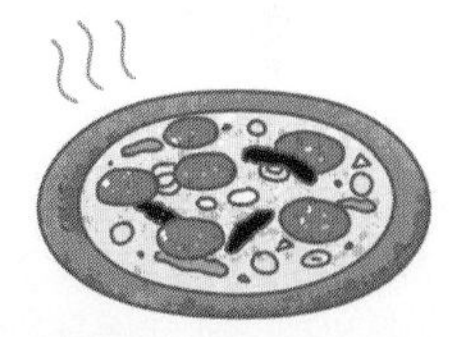

▲ 편익(피자의 만족감) = 40,000

명시적 비용	
피자 값	20,000
암묵적 비용	
운동의 만족감	30,000
기회비용	50,000

▲ 기회비용

잠깐 체크

❶ 합리적 선택을 하기 위해서는 기회비용을 고려해야 한다. (○, ×)

❷ 편익이 기회비용보다 크다면 그 선택은 (합리적 / 비합리적)이다.

답 ❶ ○ ❷ 합리적

매몰 비용 ● 이미 지불되어 회수할 수 없는 비용

- **회수** 도로 거두어들임.
- **시장성** 물건이 잘 팔릴 가능성이나 정도.

매몰 비용은 과거의 선택에서 지불한 비용으로, •회수가 불가능한 비용이야. 과거의 선택으로 이미 발생한 비용은 새로운 선택과 무관하기 때문에 새로운 선택을 할 때는 매몰 비용을 고려하지 않아야 해. 매몰 비용 때문에 (2) ㅂㅎㄹㅈ 선택을 할 때가 많거든.

어떤 사람이 1억 원을 들여서 떡볶이 가게를 시작했는데, 장사가 잘 안 되어서 1달에 200만 원씩 손해를 보는 상황이 계속된다고 치자. 앞으로도 이런 상황이 지속될 것 같으면 빨리 가게를 정리하는 게 좋겠지? 하지만 이미 지불한 1억 원이 아깝다는 생각에 가게를 정리하지 못한다면, 매몰 비용을 고려하느라 비합리적 선택을 하는 셈이야. 이렇게 매몰 비용의 함정에 빠진 사례는 일상뿐만 아니라 기업이나 국가 차원에서도 흔히 볼 수 있단다. 예를 들어 기업에서 개발하던 제품이 •시장성이 없다는 것을 알았지만, 투자한 개발 비용이 아깝다는 생각에 개발을 중단하지 않아 결국 손실을 보는 사례 같은 것이지.

잠깐 체크

❶ 매몰 비용은 (이미 발생한 / 새롭게 발생하는) 비용이다.

❷ 새로운 선택을 할 때는 매몰 비용을 계산에 넣어야 한다. (○, ×)

답 ❶ 이미 발생한 ❷ ×

외부 효과 ● 금전적 거래 없이 어떤 경제 주체의 행위가 다른 경제 주체에게 영향을 미치는 효과 혹은 현상

사회 구성원 모두가 편익과 비용을 따져서 각자 최대의 이익을 얻는 경제 행위를 한다면, 사회 전체에서 볼 때 시장은 효율적이야. 그런데 그렇게 되지 않고 자원 배분이 효율적이지 못한 상태를 **시장 실패**라고 해.

시장 실패가 나타나는 다양한 요인 중 하나로 외부 효과가 있어. **외부 효과(외부성)**는 다른 사람에게 의도하지 않은 혜택을 주면서 대가를 받지 못하거나, 손해를 끼치면서 비용을 지불하지 않는 경우를 가리켜. 전자를 **외부 경제**, 후자를 **외부 불경제**라고 하지. 이익이나 손해를 주면서도 대가나 비용을 주고받지 않기 때문에 자원 (3) ㅂㅂ 이 효율적으로 이루어지지 않는 문제가 생기는 거야.

예를 들어 여수시로부터 아무 대가도 받지 않고 만든 노래 〈여수 밤바다〉가 여수시의 관광 경제를 활성화한 것은 외부 경제의 사례야. 한편, 집 근처 공장에서 배출되는 대기 오염 물질 때문에 호흡기가 안 좋아졌지만 이에 대한 배상은 받지 못한 주민의 사례는 외부 불경제에 해당해.

잠깐 체크

❶ 경제 활동에서 다른 사람에게 의도하지 않은 혜택이나 손해를 주면서 대가를 받지 않거나 비용을 지불하지 않는 현상은?

❷ 외부 효과가 발생했다는 것은 자원이 효율적으로 배분되지 않았다는 것을 뜻한다. (○, ×)

답 ❶ 외부 효과(외부성) ❷ ○

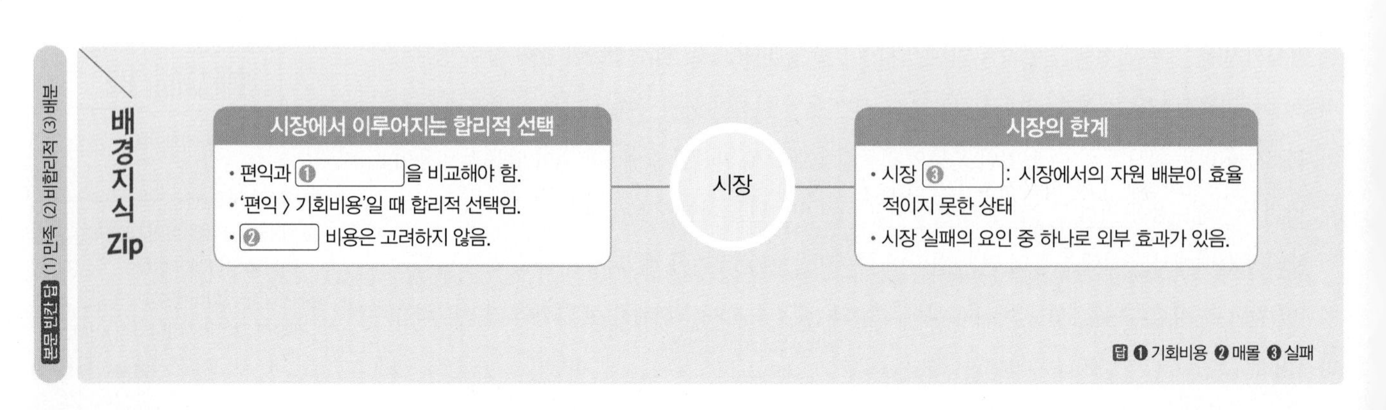

배경지식 Zip

시장에서 이루어지는 합리적 선택		시장의 한계
• 편익과 ❶ ______ 을 비교해야 함. • '편익 〉 기회비용'일 때 합리적 선택임. • ❷ ______ 비용은 고려하지 않음.	시장	• 시장 ❸ ______ : 시장에서의 자원 배분이 효율적이지 못한 상태 • 시장 실패의 요인 중 하나로 외부 효과가 있음.

본문 빈칸 답 (1) 만족 (2) 비합리적 (3) 배분

답 ❶ 기회비용 ❷ 매몰 ❸ 실패

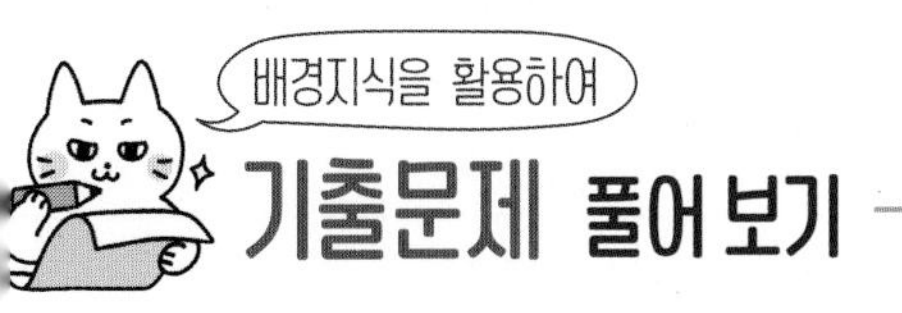

배경지식을 활용하여 기출문제 풀어 보기

정답과 해설 12쪽

[01~02] 다음 글을 읽고 물음에 답하시오.

❶ [1]직장인들이 퇴사를 결심하고 창업을 하는 큰 이유 중 하나는 더 많은 이윤을 얻기 위함일 것이다. [2]그렇다면 창업을 고려할 때, 회사를 다닐 때와 창업 후의 이윤을 비교해 볼 필요가 있는데, 연봉 3,600만 원의 직장인 철수가 제과점을 개업한 사례를 들어 이를 알아보자.

총수입		1억 원
명시적 비용	재료비	1,000만 원
	직원 인건비	3,500만 원
	대출 이자	500만 원
	세금	400만 원
회계학적 이윤		4,600만 원

〈표〉

❷ [1]2014년, 철수는 여유 자금 2억 원에 1억 원의 은행 대출을 받아 본인이 소유하고 있던 매장에 제과점을 개업했다. [2]1년 동안, 철수의 총수입과 제과점 운영을 위해 직접 소비한 명시적 비용은 〈표〉와 같다. [3]총수입에서 명시적 비용을 뺀 회계학적 이윤은 4,600만 원이다. [4]그렇다면 철수는 회사를 다닐 때보다 이윤이 늘어난 것일까?

❸ [1]창업 후의 정확한 이윤을 알기 위해서는, 총수입에서 명시적 비용을 뺀 ㉠'회계학적 이윤'보다는 ㉡'경제학적 이윤'을 따져 보아야 한다. [2]경제학적 이윤은 총수입에서 명시적 비용과 암묵적 비용을 뺀 금액이다. [3]암묵적 비용은 어떤 선택 때문에 포기한 활동을 통해 얻을 수 있는 가치로, 철수의 경우 직장을 계속 다녔다면 1년 동안 벌 수 있었던 3,600만 원과 본인 소유의 매장을 다른 사람에게 임대하여 받을 수 있는 임대료 1,000만 원, 또 제과점을 열기 위해 사용한 자본금을 은행에 예금하여 받을 수 있는 이자 수익 600만 원(예금 금리 3% 가정)을 합한 금액인 5,200만 원이 암묵적 비용에 해당할 것이다. [4]철수네 제과점은 회계학적 이윤으로는 이익이 발생했지만, 철수가 간과한 암묵적 비용까지 고려한다면 경제학적 이윤으로는 600만 원의 손실을 본 셈이다.

❹ [1]또한 '손익 분기점'을 사용하여 이윤을 파악할 수도 있다. [2]손익 분기점이란 일정 기간에 발생하는 총수입과 투입된 총비용이 같아 손실도 이익도 발생하지 않는 지점이다. [3]손익 분기점은 고정비와 매출액에 대한 변동비의 비율을 활용하여 계산하는데, 고정비는 직원 인건비와 가게 임대료, 대출 이자, 세금과 같이 매출과 관련 없이 고정적으로 발생하는 비용이며, 변동비는 재료비처럼 매출에 따라 변하는 비용이다. [4]총수입이 늘거나, 투입된 총비용이 줄면 손익 분기점은 낮아진다. [5]이처럼 손익 분기점은 총수입과 총비용과의 관계에서 손실이 발생하지 않는 매출 수준을 알 수 있다는 장점이 있지만, 손익 분기점 역시 암묵적인 비용이 반영되지 않기 때문에 창업을 고려할 때는 경제학적 이윤과 함께 따져보는 것이 필요하다.

01

윗글의 내용과 일치하면 ○에, 일치하지 않으면 ×에 표시하시오.

(1) 손익 분기점에는 암묵적 비용이 반영되지 않는다. ○ ×

(2) 철수의 제과점 개업은 경제학적 이윤을 보는 선택이다. ○ ×

(3) 철수의 제과점에서 직원 인건비는 명시적 비용이자 고정비이다. ○ ×

02

㉠과 ㉡에 대한 이해로 적절하지 않은 것은?

① ㉠과 달리 ㉡은 암묵적 비용을 고려한 개념이다.

② ㉡에 이익이 발생할 경우 ㉠에도 항상 이익이 발생한다.

③ 정확한 이윤을 알기 위해서는 ㉡보다는 ㉠을 확인해야 한다.

④ 총수입의 변화가 없을 때, 명시적 비용이 줄면 ㉠은 늘어난다.

⑤ ㉡에는 제과점 운영을 위해 직접 소비한 비용이 반영되어 있다.

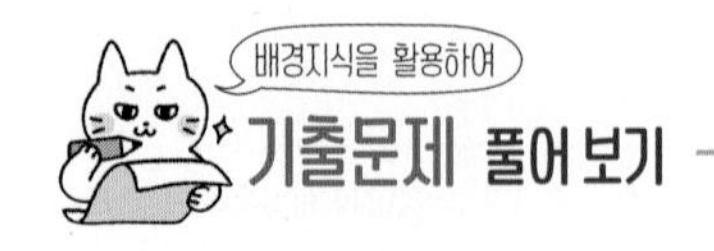

[03~06] 다음 글을 읽고 물음에 답하시오.

❶ [1]테니스 선수 그라프는 1992년에 우승을 통해 거액을 벌었지만, 유독 숙적인 셀레스에게는 계속해서 패하였다. [2]그러나 이듬해 셀레스가 사고를 당해 더 이상 경기에 참여할 수 없게 되자, 그라프는 경기 능력에 큰 변화가 없었음에도 불구하고 이후 승률이 거의 두 배 이상 상승했다. [3]이에 따라 우승 상금은 물론 광고 출연 등의 부수적 이익 또한 전보다 크게 증가했다. [4]이런 현상은 '위치적 외부성'의 개념으로 설명된다. [5]한 사람의 보상이 다른 사람의 행동에 영향을 받음에도, 그에 대한 대가를 받지도 지불하지도 않는 현상을 외부성이라고 한다. [6]특히 자신의 상대적 위치에 따른 보상이 다른 경쟁자의 상대적 성과에 부분적으로 의존하는 것을 ㉠ 위치적 외부성이라고 한다. [7]위치적 외부성이 작용할 경우에 자신의 상대적 위치를 향상시키는 모든 수단은 반드시 다른 경쟁자의 상대적 위치를 하락시킨다. [8]그라프의 사례는 경쟁자의 성과에 의해 자신의 위치적 보상이 크게 상승했음을 보여 주는 좋은 예이다.

❷ [1]위치적 외부성이 개입되어 있는 상황에서 사람들은 자신의 위치를 높이는 행동을 하려고 한다. [2]예컨대 한 경쟁자가 성과를 향상시키기 위해 지출을 늘리면, 이는 다른 경쟁자들의 위치에 영향을 미치게 되므로 다른 경쟁자들 또한 지출을 늘리게 된다. [3]그러나 모든 경쟁자가 동시에 자신의 위치를 향상시키기 위해 지출을 반복적으로 늘린다면, ⓐ 경쟁자 간의 실질적인 위치는 변하지 않을 가능성이 크다. [4]그리고 다른 경쟁자의 상대적인 성과에 따른 각 경쟁자의 위치적 보상 정도가 클수록 이와 같은 투자의 유인은 커진다.

❸ [1]위치적 외부성이 존재하면 사람들은 성과를 향상시키기 위하여 경쟁적으로 투자를 늘린다. [2]그러나 경쟁자의 위치에 따른 이익이 한정되어 있고 투자의 결과 각자의 위치에 별 효과가 없다면 소모적인 지출일 가능성이 크다. [3]이와 같은 투자 행태를 •군비 경쟁에 비유하여 ㉡ '위치적 군비 경쟁'이라고 부른다. [4]위치적 군비 경쟁은 사회 전체의 입장에서 볼 때 경제적 비효율성을 가져오는데, 이는 개인의 유인과 사회 전체의 유인이 다른 데서 비롯된 것이다.

❹ [1]개인의 입장에서는 모든 의사 결정에 있어 자신의 이익을 사회 전체의 이익보다 우선시한다. [2]자본주의 사회에서 경쟁의 결과가 사회 전체에 ⓑ •다소간 기여할 수 있다면 모든 구성원이 개인의 이익을 위해 경쟁하는 것은 바람직한 현상이다. [3]하지만 경쟁이 과열되고 더 이상 사회 전체의 이익에 기여하지 못한다면, 개인의 이익만을 위한 과도한 투자는 자원 배분의 왜곡을 가져오는 비효율성을 •야기한다. [4]더구나 개인 간에 위치적 외부성이 강하게 작용하면, 사회적 관점에서는 불필요한 경쟁으로 인해 초래되는 비효율성의 문제가 더욱 심각해진다. [5]사회가 이러한 심각성을 인식하는 단계에 이르면 경쟁을 자제시키는 사회적 규범이 생겨나거나 경쟁을 제약하기 위한 구속력 있는 사회적 협약이 마련되기도 한다.

• **군비 경쟁** 군사 시설이나 장비를 늘리거나 새로운 무기를 만들어 앞서고자 하는 나라들 간의 경쟁.
• **다소간** 많든 적든 얼마간에.
• **야기하다** 일이나 사건 등을 끌어 일으키다.

03 윗글의 내용으로 알 수 없는 것은?

① 위치적 외부성은 비슷한 수준의 경쟁자 사이에서 크게 작용한다.
② 위치적 외부성이 나타나면 경쟁자의 비용 지출이 •수반될 수 있다.
③ 위치적 보상은 개인의 유인과 사회 전체의 유인의 차이가 클수록 증가한다.
④ 위치적 군비 경쟁의 비효율성을 인식하면 사회적 해결 방안을 모색하게 된다.
⑤ 위치적 외부성으로 인한 경쟁의 결과가 경쟁자들 모두에게 이익이 되는 것은 아니다.

• **수반되다** 어떤 일과 더불어 생기다.

04 ㉠이 나타난 사례로 볼 수 없는 것은?

① 국회의원 선거에서 특정 후보의 사퇴가 나머지 후보들의 당선 여부에 지대한 영향을 미치기도 한다.
② 프로 경기 식전 행사에서 유명 가수가 공연하면 관중이 크게 늘어 참가 선수들이 출전 수당을 더욱 많이 받게 된다.
③ 도서관을 이용하려는 사람이 많을 경우에는 좋은 좌석을 차지하기 위해서 도서관을 열기 전에 줄을 길게 서기도 한다.
④ 초등학교 취학 대상 아동이 다른 학생들보다 한두 해 늦게 입학하면 학업 성취도가 상대적으로 높을 것이라고 생각하기 때문에, 부모들이 자녀의 취학을 미루려고 한다.
⑤ 밀폐된 공간에서 여러 사람이 동시에 이야기하면 상대방이 잘 알아듣지 못하므로, 모두가 남보다 더 크게 이야기하려고 하기 때문에 결국 알아듣기가 더욱 힘들게 된다.

05 ㉡이 나타날 수 있는 조건을 〈보기〉에서 고른 것은?

보기

ㄱ. 다른 경쟁자에 대한 정보를 얻기 힘들다.
ㄴ. 집단 내 경쟁자들의 이익의 합은 변하지 않는다.
ㄷ. 경쟁을 예방하기 위한 사회적 협약의 효력이 강하다.
ㄹ. 경쟁자들은 위치적 보상이 성과 향상을 위한 지출보다 클 것이라고 판단한다.

① ㄱ, ㄴ　② ㄱ, ㄷ　③ ㄱ, ㄹ
④ ㄴ, ㄹ　⑤ ㄷ, ㄹ

06 ⓐ와 ⓑ의 '간'이 지닌 의미와 용례를 〈보기〉에서 골라 바르게 묶은 것은?

보기

[의미] ㄱ. 선택의 무차별성
ㄴ. 대상들 사이의 관계
ㄷ. 대상들 사이의 거리나 공간

[용례] a. 그는 연단의 *우중간에 앉아 있었다.
b. 내외간에 숨기고 말고 할 일이 있겠습니까?
c. 그 일에 대해서는 *가부간 결정을 내려야 한다.

	ⓐ	ⓑ
①	ㄱ－a	ㄷ－c
②	ㄱ－b	ㄷ－a
③	ㄴ－b	ㄱ－c
④	ㄴ－c	ㄱ－b
⑤	ㄷ－a	ㄴ－b

- **우중간** 중앙과 오른쪽의 사이.
- **가부간** 옳거나 그르거나, 찬성하거나 반대하거나 어쨌든.

03

❶ 경제

경기 변동과 안정화 정책

기출 속 배경지식 키워드 | #물가 #인플레이션 #경기 #통화 정책 #재정 정책

교과 연계
고등학교 경제
Ⅲ. 국가와 경제 활동

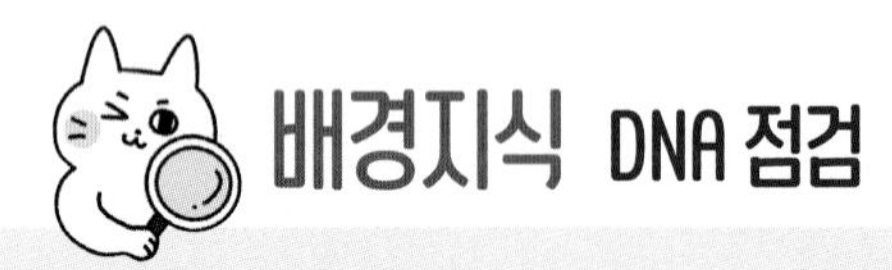

◎ 다음 빈칸에 들어갈 알맞은 말을 보기 에서 찾아 적어 봅시다.

보기

물가 호황 안정화 인플레이션

1 [ ]는 여러 가지 상품·서비스의 가치를 종합적으로 본 개념이다.

2 [ ]이 일어나면 화폐의 가치는 하락한다.

3 경기가 [ ]일 때는 생산, 소비, 수출 등이 활발하게 이루어진다.

4 통화 정책이나 재정 정책은 경기를 [ ]하기 위한 목적으로 시행된다.

답 1 물가 2 인플레이션 3 호황 4 안정화

수능 필수 배경지식

뉴스 기사에서 물가가 올랐다거나, 경기가 좋지 않다거나 하는 말 들어 본 적 있지? 아마 어른들이 가장 관심 있는 주제 중 하나일 거야. 우리의 경제생활에 지대한 영향을 미치는 '물가'와 '경기'를 자세히 알아보자.

물가 ● 여러 가지 상품·서비스의 가치를 종합적으로 본 개념

인플레이션 ● 물가 수준이 지속적으로 상승하는 현상

물가(物價)는 여러 상품의 가격을 •총체적으로 묶어 표현한 개념이야. 천 원을 들고 슈퍼에 과자를 사러 간다고 생각해 보자. 아마 과자 하나 사기에도 빠듯할 거야. 하지만 예전에는 천 원으로 과자는 물론 아이스크림까지 살 수 있었어. 똑같은 금액으로 살 수 있는 물건의 양이 줄어든 이유는 무엇일까? 과거에 비해 (1) ㅁㄱ 가 상승했기 때문이야. **물가 변동**은 한두 개의 상품이 아니라 여러 상품의 가격이 전반적으로 변화하는 것을 말해. 상품의 전반적인 가격이 오르면 **물가 상승**, 내리면 **물가 하락**이라고 하지.

₩500 ₩500
물가 상승
₩1,500 ₩1,000

인플레이션은 물가가 지속적으로 상승하는 현상을 말해. 물가는 장기적으로 상승하는 경향을 보이는데, 경기 활성화로 인한 인플레이션은 기업의 생산 활동을 촉진하기 때문에 큰 문제는 아니야. 하지만 지나치게 높은 인플레이션이 발생하면 화폐의 가치가 하락하고 경제가 불안정해져.

예를 들어 10만 원으로 일주일 치 장을 볼 수 있다고 하면, 지나친 인플레이션이 발생한 다음에는 100만 원으로 한 끼 식사밖에 못하는 경우가 생겨. 실제로 제1차 세계 대전 후 **초(超)인플레이션**이 발생한 독일에서는 돈의 가치가 너무 떨어져서 장작 대신 지폐를 태워 난방을 할 정도였어.

이렇게 돈의 가치가 떨어지고 경제가 (2) ㅂㅇㅈ 해지면 사람들은 귀금속, 부동산 같은 자산을 선호하게 되고 저축을 줄이게 돼. 또 기업들은 투자를 꺼리게 되어 경제 성장이 더뎌지기도 한단다.

●**총체적** 있는 것들을 모두 하나로 합치거나 묶은 것.

인플레이션의 반대, 디플레이션
디플레이션은 물가 수준이 지속해서 하락하는 현상을 말한다. 디플레이션은 국민 경제에 심각한 영향을 미치는데, 물건 가격이 지속적으로 하락하면 기업이 생산을 줄이게 되어 결국 경제 전체가 무너질 수 있기 때문이다. 기업의 생산 활동이 위축되면 고용이 줄고, 고용이 줄면 소득이 줄어서 가계 소비가 줄고, 이는 다시 기업의 판매 부진으로 이어져 생산 활동이 위축되는 악순환을 거듭하게 된다.

잠깐 체크
❶ 우리 생활에서 접하는 여러 상품의 가격이 총체적으로 오르면, 물가가 (상승 / 하락)했다고 한다.
❷ 지나치게 높은 인플레이션이 발생하면 화폐 가치가 높아진다. (○, ×)

답 ❶ 상승 ❷ ×

경기 • 매매나 거래에 나타나는 호황·불황과 같은 경제 활동 상태

경기는 경제 전체의 활동 상태를 말해. 생산이나 소비, 수출 등이 활발하게 이루어지면서 경기가 잘 돌아가는 상태를 가리켜 **경기가 좋다**고 하거나 **경기 •호황, 경기 과열, 경기 활성화, 호경기** 등으로 표현하고, 이때를 **경기 호황기**라고 해. 반대로 생산이나 소비, 수출 등이 활발하게 이루어지지 못해 경기가 잘 돌아가지 못하는 상태를 말할 때는 **경기가 나쁘다**고 하거나, **경기 •불황, 경기 침체, 경기 악화, 불경기** 등으로 표현하고 이때를 **경기 침체기**라고 해.

경기는 (3) ㅎㅎㄱ 와 침체기를 거듭하면서 변화하는데, 이렇게 한 나라의 경제 상황이 좋아졌다가 나빠지기를 반복하는 현상을 **경기 변동**이라고 해. 경기 변동이 급격하게 일어나면 경제 주체들이 혼란을 겪기 때문에 경기 호황기이든, 경기 침체기이든 경기를 안정화하는 방안이 필요해.

- **호황** 모든 기업체의 활동이 정상 이상으로 활발한 상태. 전반적으로 수요와 공급이 늘고, 투자와 고용의 수준이 높아진다.
- **불황** 경제 활동이 일반적으로 침체되는 상태. 물가와 임금이 내리고 생산이 위축되며 실업이 늘어난다.

통화 정책 • 중앙은행이 통화량이나 이자율 조정을 통해 경기를 조절하는 정책

국가에서는 경제 안정화 정책을 통해 경기 변동에 대처하려고 해. 보통은 **통화량**이나 이자율을 조정해서 경기를 조절하는 **통화 정책**을 시행하는데, 이 역할은 •중앙은행이 도맡아서 해.

경기가 침체되면, 중앙은행은 통화량을 늘리기 위해 이자율을 인하해. 그럼 시중에 도는 돈의 양이 많아지고 내야 할 이자가 줄기 때문에, •가계의 소비와 기업의 투자가 증가하지. 이렇게 되면 재화에 대한 수요가 증가하여 물가가 상승하고, 고용이 늘어남에 따라 경기 침체가 회복돼.

통화와 통화량
'통화'란 한 나라에서 사용하는 화폐를 말한다. 이때 나라 안에서 실제로 쓰고 있는 돈의 양을 '통화량'이라고 한다.

- **중앙은행** 한 나라의 금융과 통화 정책의 주체가 되는 은행. 지폐를 발행하고 나랏돈을 다루며 금융 정책을 시행한다. 우리나라의 중앙은행은 한국은행이다.
- **가계** 소비의 주체로 '가정'을 이르는 말.

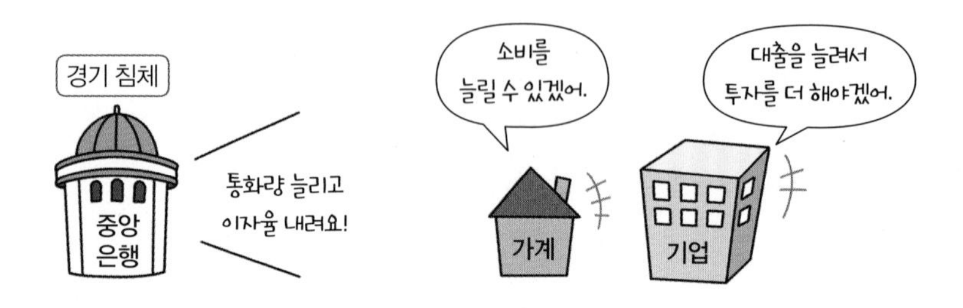

반대로 경기가 과열되면, 중앙은행은 통화량을 줄이기 위해 이자율을 인상해. 그럼 시중에 도는 돈의 양이 줄어들고 이자로 내야 할 돈이 많아지기 때문에 가계의 소비와 기업의 투자가 감소하지. 이렇게 되면 재화에 대한 수요가 감소하여 물가가 (4) ㅎㄹ 하고 고용이 줄어서 경기 과열이 진정돼.

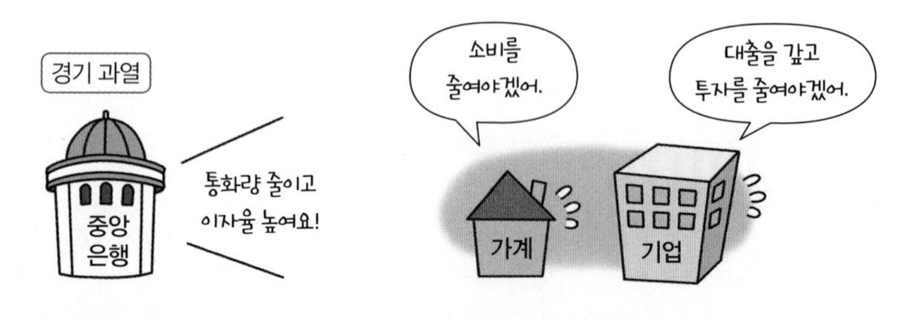

요약하자면 중앙은행은 경기가 침체되면 시중에 돈을 풀어서 소비와 투자를 늘리려고 하고, 경기가 과열되면 시중에 돈이 덜 돌게 해서 소비와 투자를 줄이려고 해.

잠깐 체크
1. 통화 정책은 중앙은행의 주도로 시행된다. (○, ×)
2. 경기가 과열되면 중앙은행은 통화량을 (늘리기, 줄이기) 위해 이자율을 (인상한다, 인하한다).

답 1 ○ 2 줄이기, 인상한다

재정 정책 ● 정부 지출이나 조세의 변동을 통해 경기를 조절하는 정책

통화 정책이 중앙은행의 주도로 이루어지는 경제 안정화 정책이라면, •재정 정책은 정부가 주도하는 경제 안정화 정책이야. 정부는 정부 지출이나 조세의 변동을 통해서 경기를 조절하는 **재정 정책**을 통해 경기를 (5) ㅇㅈㅎ 하려고 하지. 참고로 소비세, 법인세 등등 '○○세'라는 표현은 '○○'와 관련된 세금이라고 이해하면 편해. 또 시중에 돈을 많이 풀어서 소비와 투자를 늘리고, 시중에 돈이 덜 돌게 해서 소비와 투자를 줄이려는 큰 흐름은 통화 정책과 같아.

경기가 침체되면 정부는 시중에 돈을 풀어. 예를 들어 정부가 재난 상황에서 국민에게 재난 지원금을 지급하는 것은 시중에 돈을 풀어서 침체된 경기를 다시 잘 돌아가게 하려는 시도야. 한편 정부는 국민이 내야 하는 세금을 줄이기도 해. 이렇게 국민들이 쓸 돈을 주면서 세금으로 낼 돈을 줄여 주는 것은 열심히 소비하고 투자하라는 뜻이야. 소비와 투자가 활발하게 일어나면 경기 침체가 회복되기 때문이지.

반대로 경기가 과열되면 정부는 시중에 있던 돈을 거둬들여. 기존에 국민들에게 주던 지원금을 더 이상 주지 않는 등의 방법으로 •민간에 풀었던 돈을 줄이고 세금을 올리지. 그러면 소비와 투자가 위축되면서 과열된 경기가 진정돼.

● **재정** 국가 또는 지방 자치 단체가 행정 활동이나 공공 정책을 시행하기 위하여 자금을 만들어 관리하고 이용하는 경제 활동.

● **민간** 일반 사람들 사이. 또는 관청이나 정부 기관에 속하지 않음.

잠깐 체크

❶ 정부는 정부 지출과 조세를 조절하여 경기 과열이나 경기 침체의 정도를 완화하고자 한다. (○, ×)

❷ 정부는 경기 과열 때문에 일어난 경제 문제를 해결하기 위해 정부가 걷는 세금을(줄인다 / 늘린다).

답 ❶ ○ ❷ 늘린다

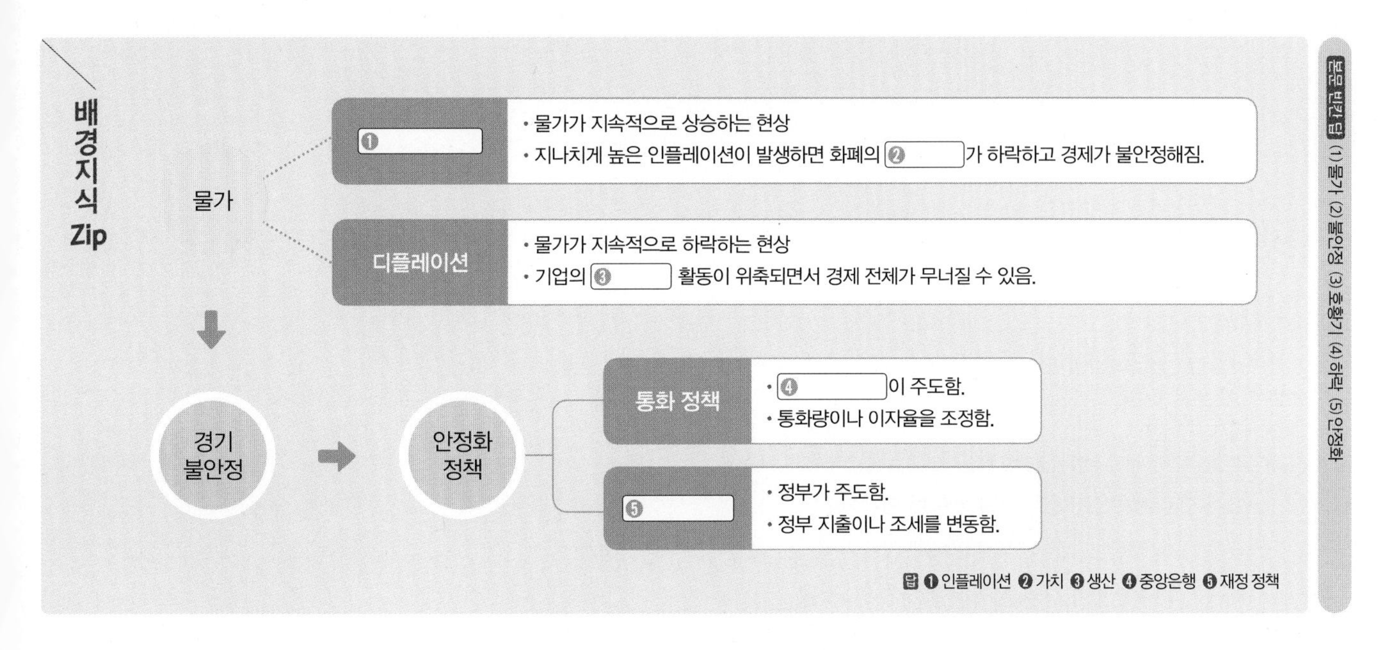

본문 빈칸 답 (1) 물가 (2) 불안정 (3) 호황기 (4) 하락 (5) 안정화

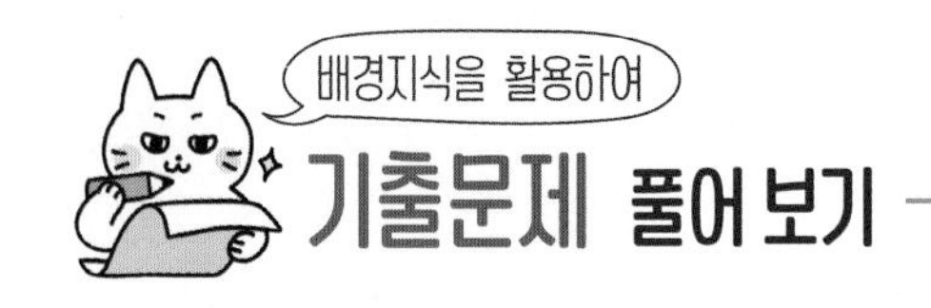

[01~02] 다음 글을 읽고 물음에 답하시오.

❶ [1]물가란 시장에서 거래되는 개별 상품의 가격을 종합하여 평균한 것으로, 물가 변동은 전반적인 상품의 가격 변동을 나타낸다. [2]물가지수는 이러한 물가 변동을 알기 쉽게 지수화한 경제 지표를 일컫는다. [3]지수란 기준이 되는 시점의 수치를 100으로 해서 비교 시점의 수치를 나타낸 것인데, 이를테면 어느 특정 시점의 물가지수가 115라면 이는 기준 시점보다 물가 수준이 15% 높다는 것을 의미한다.

❷ [1]물가지수를 정확하게 측정하려면 모든 재화와 서비스의 가격 변동을 조사해야 하지만 이는 현실적으로 불가능하다. [2]그래서 정부는 일정 기준에 의해 선정된 대표 품목만을 대상으로 가격을 조사하여 물가지수를 구한다. [3]이때 선정된 품목들의 가격지수부터 구하게 되는데, 가격지수란 기준이 되는 시점에서 개별 상품의 가격 변동을 지수로 나타낸 수치를 말한다. [4]이처럼 선정된 품목들의 개별 가격지수의 합을 평균하는 방법으로 물가 수준의 변화를 파악하는 것을 단순물가지수라고 한다. [5]그러나 모든 품목이 전체 물가에 동일한 영향을 주는 것으로 전제하기 때문에 단순물가지수로 현실적인 물가 상승률을 드러내는 데에는 한계가 있다. [6]따라서 해당 품목이 차지하는 중요도에 따라 가격지수에 가중치를 부여하여 체감 물가에 근접한 결과를 측정하고자 한다. [7]이때 품목별 가중치를 가격지수에 곱한 후 합하여 얻어지는 값을 가중물가지수라고 한다. [8]가중물가지수는 거래 비중이 큰 품목의 가격 변동이 물가지수에 더 많이 영향을 미치도록 계산한 것이다.

❸ [1]이러한 물가지수는 어떤 용도로 쓰일까? [2]먼저, 물가지수는 화폐의 구매력을 측정할 수 있는 수단이 된다. [3]만일 시장에서 물가가 지속적으로 상승하는 경우 구입할 수 있는 상품의 양은 물가가 오르기 전보다 감소하게 되므로 화폐의 구매력은 떨어지게 된다. [4]다음으로, 물가지수는 경기 판단 지표로서의 역할을 한다. [5]일반적으로 물가는 경기가 호황일 때 수요 증가에 의하여 상승하고 경기가 불황일 때 수요 감소로 하락한다.

01

윗글을 통해 알 수 있는 내용이면 ○에, 그렇지 않으면 ×에 표시하시오.

(1) 화폐의 구매력은 물가에 따라 변화한다. [○ ×]

(2) 어느 특정 시점의 물가지수가 140이라면 기준 시점보다 물가 수준이 140% 높다는 것을 의미한다. [○ ×]

(3) 단순물가지수는 거래 비중이 큰 품목의 가격 변동이 물가지수에 더 많이 영향을 미치도록 계산한 것이다. [○ ×]

02

윗글을 통해 확인할 수 없는 것은?

① 물가와 물가지수의 차이점은 무엇인가?
② 물가지수를 측정하는 방법은 무엇인가?
③ 물가지수의 용도에는 어떤 것들이 있는가?
④ 물가지수의 개념은 어떻게 변화해 왔는가?
⑤ 물가지수와 경기 상황은 어떤 관계가 있는가?

[03~04] 다음 글을 읽고 물음에 답하시오.

❶ [1]1930년대 세계는 대공황이라 부르는 극심한 경기 침체 상태에 빠져 큰 고통을 겪고 있었다. [2]이에 대해 당시 경제학계의 주류를 이루고 있던 고전파 경제학자들은 모든 경제적 흐름이 수요와 공급의 법칙에 따라 자율적으로 조절되므로 경기는 자연적으로 회복될 것이라고 믿었다. [3]인위적인 시장 개입은 오히려 상황을 악화시킬 것이라고 생각했던 것이다. [4]그러나 케인스의 생각은 달랐다. [5]케인스는 만성적 경기 침체의 원인이 소득 감소로 인한 '수요의 부족'에 있다고 생각했다. [6]이에 따라 케인스는, 정부가 조세를 감면하고 지출을 늘려 국민 소득과 투자를 증가시키는 인위적인 수요팽창정책을 써야 한다는 '유효수요이론'을 •주창했다.

❷ [1]설명의 편의를 위해 가계와 기업, 금융 시장만으로 구성된 단순한 경제를 상정하기로 하자. [2]기업은 상품 생산을 위한 노동력을 필요로 하고 가계는 이를 제공하는데, 그 과정에서 소득이 가계로 흘러 들어간다. [3]그리고 가계는 그 소득을 필요한 물건을 구입하기 위해 소비하게 된다. [4]만일 가계가 벌어들인 돈을 전부 물건 구입에 사용한다면 소득은 항상 소비와 일치하게 된다. [5]그러나 현실 세계에서 가계는 벌어들인 소득 전부를 즉각 소비하지는 않는다. [6]가계의 소득 중 소비되지 않은 부분은 저축되기 마련이며, 이렇게 저축된 부분은 소득과 소비의 순환 흐름에서 빠져나간다. [7]물론, 저축으로 •누출된 돈이 가정의 이불이나 베개 밑에서 잠자는 것은 아니다. [8]가계는 저축한 돈을 금융 시장에 맡겨 두고, 기업은 이를 투자받아 생산 요소를 구입한다.

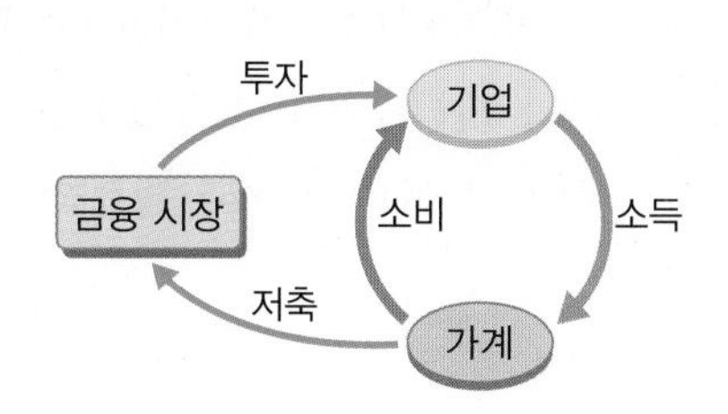

* 화살표는 돈의 이동 방향임.

❸ [1]이때, 저축의 크기보다 투자의 크기가 작은 상황이 지속되면 경기가 만성적인 침체 상태에 빠지게 된다는 것이 케인스의 생각이었다. [2]사람들이 저축을 늘리고 소비를 줄이면 기업의 생산 활동이 위축되고 이는 가계의 소득을 감소시킨다. [3]소득이 감소하면 사람들은 미래에 대한 불안을 느낀 나머지 소비를 최대한 줄이고 저축을 늘리며, 이는 다시 가계의 소득을 더욱 감소시키는 악순환으로 이어진다. [4]따라서 국민 경제 전체의 관점에서 보면 저축은 총수요를 감소시켜 불황을 심화시키는 악영향을 미친다는 것이다. [5]케인스는 이와 같은 관점에서 '소비는 미덕, 저축은 악덕'이라는 유명한 말을 남겼다.

• **주창하다** 주의나 사상을 앞장서서 주장하다.
• **누출** 국민 소득이 순환하는 과정에서, 소득이 국내 시장에서 지출되지 않고 저축, 조세, 수출 등의 형태로 빠져나가는 일.

03

윗글의 내용과 일치하면 ○에, 일치하지 않으면 ×에 표시하시오.

(1) 유효수요이론에서는 정부의 역할을 중요시한다. (○ | ×)
(2) 케인스는 세금을 올리는 것이 투자를 증가시킨다고 보았다. (○ | ×)
(3) 고전파 경제학자들은 수요팽창정책을 적극적으로 지지했다. (○ | ×)

04

윗글을 이해한 내용으로 적절하지 않은 것은?

① 고전파 경제학자들은 인위적인 시장 개입이 경기를 악화시킨다고 생각했다.
② 고전파 경제학자들은 경제적 흐름이 수요와 공급의 법칙에 의해 조절된다고 여겼다.
③ 케인스는 저축의 크기보다 투자의 크기가 작은 상황이 발생할 수 있다고 보았다.
④ 케인스는 투자의 크기가 작을수록 경기 침체에서 빨리 벗어날 수 있다고 생각했다.
⑤ 케인스는 사람들이 저축을 늘리고 소비를 줄이는 상황에 대비해서 정부가 지출을 늘려야 한다고 주장했다.

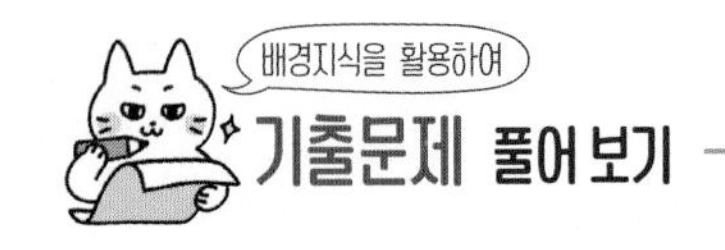

[05~07] 다음 글을 읽고 물음에 답하시오.

❶ [1]전통적인 통화 정책은 정책 금리를 활용하여 물가를 안정시키고 경제 안정을 도모하는 것을 목표로 한다. [2]중앙은행은 경기가 과열되었을 때 정책 금리 인상을 통해 경기를 진정시키고자 한다. [3]정책 금리 인상으로 시장 금리도 높아지면 가계 및 기업에 대한 대출 감소로 신용 공급이 축소된다. [4]신용 공급의 축소는 경제 내 수요를 줄여 물가를 안정시키고 경기를 진정시킨다. [5]반면 경기가 침체되었을 때는 반대의 과정을 통해 경기를 부양시키고자 한다.

❷ [1]금융을 통화 정책의 전달 경로로만 보는 전통적인 경제학에서는 금융감독 정책이 개별 금융 회사의 건전성 확보를 통해 금융 안정을 달성하고자 하는 ㉠미시 건전성 정책에 집중해야 한다고 보았다. [2]이러한 관점은 금융이 직접적인 생산 수단이 아니므로 단기적일 때와는 달리 장기적으로는 경제 성장에 영향을 미치지 못한다는 인식과, 자산 시장에서는 가격이 본질적 가치를 초과하여 폭등하는 버블이 존재하지 않는다는 효율적 시장 가설에 기인한다. [3]미시 건전성 정책은 개별 금융 회사의 건전성에 대한 예방적 규제 성격을 가진 정책 수단을 활용하는데, 그 예로는 향후 손실에 대비하여 금융 회사의 자기자본 하한을 설정하는 최저 자기자본 규제를 들 수 있다.

❸ [1]이처럼 전통적인 경제학에서는 금융감독 정책을 통해 금융 안정을, 통화 정책을 통해 물가 안정을 달성할 수 있다고 보는 이원적인 접근 방식이 지배적인 견해였다. [2]그러나 글로벌 금융 위기 이후 금융 시스템이 •와해되어 경제 불안이 확산되면서 기존의 접근 방식에 대한 •자성이 일어났다. [3]이 당시 경기 부양을 목적으로 한 중앙은행의 저금리 정책이 자산 가격 버블에 따른 금융 불안을 야기하여 경제 안정이 훼손될 수 있다는 데 공감대가 형성되었다. [4]또한 금융 회사가 대형화되면서 개별 금융 회사의 부실이 금융 시스템의 붕괴를 야기할 수 있게 됨에 따라 금융 회사 규모가 금융 안정의 새로운 위험 요인으로 등장하였다. [5]이에 기존의 정책으로는 금융 안정을 확보할 수 없고, 경제 안정을 위해서는 물가 안정뿐만 아니라 금융 안정도 필수적인 요건임이 밝혀졌다. [6]그 결과 미시 건전성 정책에 ㉡거시 건전성 정책이 추가된 금융감독 정책과 물가 안정을 위한 통화 정책 간의 상호 보완을 통해 경제 안정을 달성해야 한다는 견해가 주류를 형성하게 되었다.

❹ [1]거시 건전성이란 개별 금융 회사 차원이 아니라 금융 시스템 차원의 위기 가능성이 낮아 건전한 상태를 말하고, 거시 건전성 정책은 금융 시스템의 건전성을 추구하는 규제 및 감독 등을 포괄하는 활동을 의미한다. [2]이때, 거시 건전성 정책은 미시 건전성이 거시 건전성을 담보할 수 있는 충분조건이 되지 못한다는 '구성의 오류'에 논리적 기반을 두고 있다. [3]거시 건전성 정책은 금융 시스템 위험 요인에 대한 예방적 규제를 통해 금융 시스템의 건전성을 추구한다는 점에서, 미시 건전성 정책과는 차별화된다.

❺ [1]거시 건전성 정책의 목표를 효과적으로 달성하기 위해서는 경기 변동과 금융 시스템 위험 요인 간의 상관관계를 감안한 정책 수단의 도입이 필요하다. [2]금융 시스템 위험 요인은 경기 순응성을 가진다. [3]즉 경기가 호황일 때는 금융 회사들이 대출을 늘려 신용 공급을 팽창시킴에 따라 자산 가격이 급등하고, 이는 다시 경기를 더 과열시키는 반면 불황일 때는 그 반대의 상황이 일어난다. [4]이를 완화할 수 있는 정책 수단으로는 경기 대응 •완충자본 제도를 들 수 있다. [5]이 제도는 정책 당국이 경기 과열기에 금융 회사로 하여금 최저 자기자본에 추가적인 자기자본, 즉 완충자본을 쌓도록 하여 과도한 신용 팽창을 억제시킨다. [6]한편 적립된 완충자본은 경기 침체기에 대출 •재원으로 쓰도록 함으로써 신용이 충분히 공급되도록 한다.

- **와해되다** 조직이나 계획 등이 산산이 무너지고 흩어지게 되다.
- **자성(自省)** 자기 자신의 태도나 행동을 스스로 반성함.
- **완충** 대립하는 것 사이에서 불화나 충돌을 누그러지게 함.
- **재원** 재화나 자금이 나올 원천.

05 윗글을 통해 알 수 있는 것은?

① 글로벌 금융 위기 이전에는, 금융이 단기적으로 경제 성장에 영향을 미치지 못한다고 보았다.
② 글로벌 금융 위기 이전에는, 개별 금융 회사가 건전하다고 해서 금융 안정이 달성되는 것은 아니라고 보았다.
③ 글로벌 금융 위기 이전에는, 경기 침체기에는 통화 정책과 더불어 금융감독 정책을 통해 경기를 부양시켜야 한다고 보았다.
④ 글로벌 금융 위기 이후에는, 정책 금리 인하가 경제 안정을 훼손하는 요인이 될 수 있다고 보았다.
⑤ 글로벌 금융 위기 이후에는, 경기 변동이 자산 가격 변동을 유발하나 자산 가격 변동은 경기 변동을 유발하지 않는다고 보았다.

06 ㉠과 ㉡에 대한 설명으로 적절하지 않은 것은?

① ㉠에서는 물가 안정을 위한 정책 수단과는 별개의 정책 수단을 통해 금융 안정을 달성하고자 한다.
② ㉡에서는 신용 공급의 경기 순응성을 완화시키는 정책 수단이 필요하다.
③ ㉠은 ㉡과 달리 예방적 규제 성격의 정책 수단을 사용하여 금융 안정을 달성하고자 한다.
④ ㉡은 ㉠과 달리 금융 시스템 위험 요인을 감독하는 정책 수단을 사용한다.
⑤ ㉠과 ㉡은 모두 금융 안정을 달성하기 위해 금융 회사의 자기자본을 이용한 정책 수단을 사용한다.

07 윗글을 바탕으로 할 때, 〈보기〉의 A~C에 들어갈 말을 바르게 짝 지은 것은?

보기

미시 건전성 정책과 거시 건전성 정책 간에는 정책 수단 운용에서 입장 차이가 존재한다. 경기가 불황일 때 (A) 건전성 정책에서는 완충자본을 (B)하도록 하고, (C) 건전성 정책에서는 최소 수준 이상의 자기자본을 유지하도록 하여 개별 금융 회사의 건전성을 확보하려 한다.

	A	B	C
①	거시	사용	미시
②	거시	적립	미시
③	미시	유지	거시
④	미시	적립	거시
⑤	미시	사용	거시

04

❶ 경제

저축과 투자

기출 속 배경지식 키워드 | #금융 #신용 #채권(債權) #채무 #이자율 #예금 #주식 #채권(債券)

교과 연계
고등학교 경제
V. 경제생활과 금융

배경지식 DNA 점검

◎ 다음 십자말풀이를 완성해 봅시다.

	❶❶		
			❸
❷		❸	
❷			

가로 열쇠

❶ 특정인에게 어떤 행위를 청구할 수 있는 권리

❷ 다른 사람에게 자금을 빌리거나 자금을 빌려주는 것

❸ 돈을 빌린 사람이 대가로 지급하는 것

세로 열쇠

❶ 특정인에게 어떤 행위를 하여야 할 의무

❷ 은행 등의 금융 기관에 돈을 맡기는 일

❸ 이자를 원금으로 나눈 비율

답 가로 ❶ 채권 ❷ 금융 ❸ 이자 세로 ❶ 채무 ❷ 예금 ❸ 이자율

수능 필수 배경지식

최근 우리나라에 주식과 •가상 화폐 열풍이 불었어. 많은 사람이 주식이나 가상 화폐를 거래했는데, 이 과정에서 높은 수익을 얻은 사람도 있지만 손해를 본 사람도 있지. 은행 예금으로 돈을 넣어 두면 안전하고 좋을 텐데, 왜 위험을 감수하려는 걸까? 예금은 돈을 잃을 위험성이 적은 대신 큰 이익을 얻기 어렵지만, 주식이나 가상 화폐 거래는 손해를 볼 위험이 있는 만큼 큰 이익을 볼 수도 있기 때문이야. 이번에는 예금이나 주식처럼 여윳돈을 활용하는 방법을 한번 알아볼까?

• **가상 화폐** 실제 시장에서 사용되는 실물 화폐가 아니라 가상 공간에서만 사용할 수 있는 화폐.

금융 • 다른 사람에게 자금을 빌리거나 자금을 빌려주는 것
신용 • 돈을 빌려 쓰고 약속대로 갚을 수 있는 능력

다른 사람에게 자금을 빌리거나 자금을 빌려주는 것을 **금융**이라고 해. 여윳돈을 은행에 맡겨 두는 것도 금융 활동이고, 돈이 필요한 사람이 은행에 가서 돈을 빌리는 것도 (1) ㄱㅇ ㅎㄷ 이야. 이때 돈이나 물건을 빌려주거나 빌리는 것을 **대출**이라고 하고, 돈을 갚거나 돌려주는 것을 **상환**이라고 해. 예를 들어 어떤 사람이 대출금을 •만기 날짜에 상환했다고 하면, 이 사람은 돈을 갚기로 약속한 날짜에 대출금을 갚았다는 얘기야.

• **만기** 미리 정한 기한이 다 참. 또는 그 기한.

그럼 아무나 돈이 필요할 때 은행에 가서 돈을 빌릴 수 있는 걸까? 그렇지 않아. 돈을 빌려주는 주체는 당연히 돈을 잘 갚을 사람에게 돈을 빌려주고 싶어 해. 그런데 돈을 빌리러 온 사람이 돈을 잘 갚을지 판단하는 일이 어렵기 때문에 신용이라는 개념이 등장했어.

신용은 돈을 빌려 쓰고 약속대로 갚을 수 있는 능력으로, (2) ㅅㅇ 이 좋을수록 더 낮은 금리로 더 많은 돈을 빌릴 수 있어. 돈을 잘 갚을 사람에게 더 싸게, 더 많이 빌려주겠다는 거야. 신용이 너무 나쁜 경우 신용 카드를 발급할 수 없거나, 대출 금리가 올라가고, 아예 대출이 거절되기도 해.

예전에는 신용 등급을 1등급부터 10등급까지 구분했지만 요즘에는 1,000점을 만점으로 한 신용 점수제를 활용하고 있어. 점수가 높을수록 신용이 좋다는 뜻이야.

채권(債權) • 특정인에게 어떤 행위를 청구할 수 있는 권리
채무(債務) • 특정인에게 어떤 행위를 하여야 할 의무

채권과 채무는 법 영역에서도 중요하게 다뤄지는 개념인데, 여기서는 돈을 빌리고 갚는 것과 관련해서 잠깐 짚고 갈게. **채권**은 특정인에게 어떤 행위를 청구할 수 있는 권리이고, **채무**는 특정인에게 어떤 행위를 하여야 할 의무야. 이때 채권을 가진 사람을 **채권자**, 약속을 •이행할 의무를 지닌 사람을 **채무자**라고 해.

●**이행하다** 실제로 행하다. 또는 채무자가 채무의 내용을 실행하다.

만약 어떤 사람이 은행이나 아는 사람에게 돈을 빌린다면, 이때 돈을 빌려준 측은 채권을 가진 채권자가 돼. 반대로 돈을 빌린 측은 채권자에게 (3) ㅊㅁ를 진 채무자가 되지.

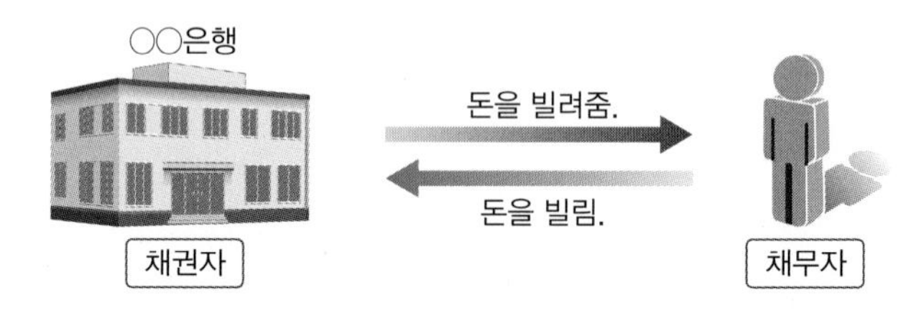

참고로 뒤에서 금융 상품의 하나인 **채권(債券)**을 공부할 건데, 채권(債券)은 여기서 설명한 채권(債權)과 의미가 엄연히 다른 동음이의어이니 헷갈리면 안 돼.

잠깐 체크

❶ 신용이 (좋을수록 / 나쁠수록) 대출 금리가 낮아진다.
❷ 특정인에게 어떤 행위를 하여야 할 의무를 채권이라고 한다. (○, ×)
❸ 어떤 사람이 은행에서 대출을 하면, 이 사람은 (채권자 / 채무자)가 되고 은행은 (채권자 / 채무자)가 된다.

답 ❶ 좋을수록 ❷ × ❸ 채무자, 채권자

이자 • 돈을 빌린 사람이 대가로 지급하는 것
이자율(금리) • 이자를 원금으로 나눈 비율

돈을 빌리는 사람은 돈을 빌려주는 사람에게 그 대가인 **이자**를 지급해. 이자를 얼마 지급하는지는 이자율에 따라 달라지는데, **이자율(금리)**은 이자를 원금으로 나눈 비율을 말해. 예를 들어 수지가 은행에 100만 원을 연 2%의 이자율로 맡겼다면 은행이 1년 뒤에 수지에게 지급해야 할 이자는 2만 원(1,000,000 x 2%)이 되는 거야. 어렵지 않지?

+ 이자율(금리) 구하는 방법

$$\frac{이자}{원금} \times 100$$

그런데 이자율은 물가 변동을 고려하는지에 따라 두 가지로 구분할 수 있어. 하나는 물가 변동을 고려하지 않는 **명목 이자율**이고 다른 하나는 물가 변동을 고려한 **실질 이자율**이야.

수지가 가격이 100만 원인 보석을 사는 대신, 명목 이자율 2%로 1년 동안 은행에 돈을 맡겼다고 하자. 1년 동안 물가가 상승하지 않았다면 1년 뒤에 은행에서 찾은 102만 원(100만 원(원금) + 2만 원(이자))으로 보석을 사고도 2만 원이 남지. 은행에 돈을 맡긴 덕에 1년 뒤에 •구매력이 커졌어.

●**구매력** 상품이나 서비스를 살 수 있는 능력.

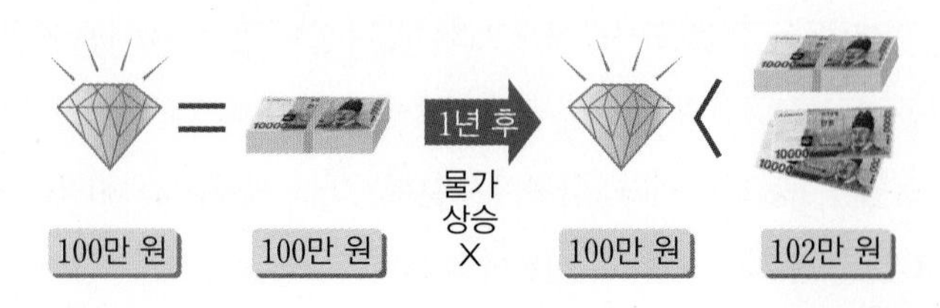

하지만 물가가 오른다면 이야기가 달라져. 1년 동안 물가가 5% 올라서 보석의 가격이 105만 원이 되었다고 하자. 수지는 이제 은행에서 찾은 102만 원으로 이 보석을 살 수 없게 됐어. 같은 보석인데 1년 전과 달리 살 수 없게 되었으니 (4) ㄱㅁㄹ 이 작아진 것이지. 앞에서 물가는 장기적으로 상승하는 경향을 보인다고 했지? 따라서 우리가 관심을 두어야 할 이자율은 물가 변동을 반영하는 실질 이자율이야.

= 명목 이자율 - 물가 상승률

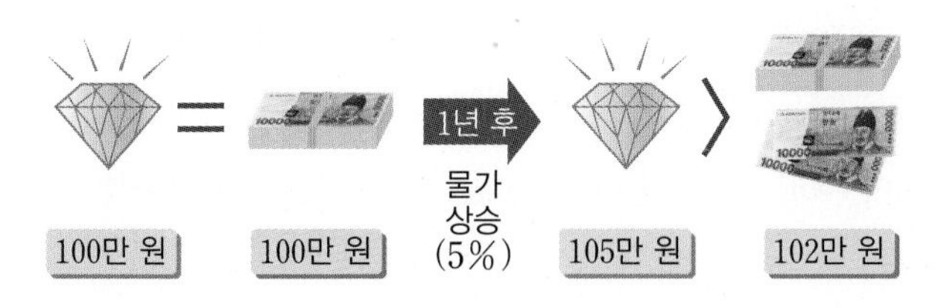

예금 • 일정한 계약에 의해 은행 등의 금융 기관에 돈을 맡기는 일

이제 저축과 투자를 살펴보자. 먼저 저축의 대표적인 수단인 예금을 알아볼게. **예금**은 확정된 이자를 받으며 돈을 불리는 금융 상품이야. 예금은 **요구불 예금**과 **저축성 예금**으로 나뉘어.

입출금이 자유로운 요구불 예금

요구불 예금은 예금주가 언제든지 돈을 맡기고 찾을 수 있는 예금이야. 일반적인 입출금 통장을 생각하면 돼. 언제든지 돈을 넣고 뺄 수 있는 대신에, 이자율이 별로 높지 않아.

요구불 예금

정해진 기간 동안 출금하지 않겠다는 약속을 하는 저축성 예금

요구불 예금과 다르게 **저축성 예금**은 이자 수입을 주된 목적으로 기간을 정해 놓고 하는 예금이야. 저축성 예금은 또다시 적금과 정기 예금으로 나눌 수 있어.

먼저 **적금**은 일정 기간 동안 매달 약속한 돈을 은행에 넣는 금융 상품으로, 적은 돈이라도 차곡차곡 모아서 큰돈을 만들기 좋은 방법이야. 예를 들어 6개월 동안 매달 30만 원을 넣는 적금을 든다면, 6개월 후 만기일에는 그동안 내가 저축한 180만 원에 이자를 더해서 돌려받게 돼.

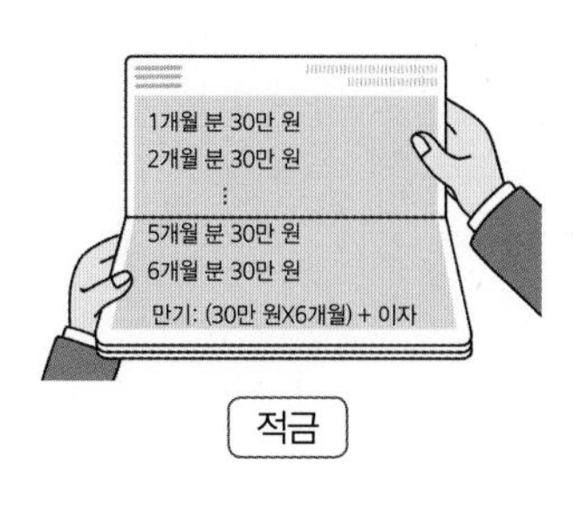

적금

정기 예금은 일정 금액을 일정 기간 동안 금융 기관에 맡기고 정한 기한 안에는 찾지 않겠다는 약속으로 하는 예금이야. 예를 들면 1년 동안 1,000만 원을 은행에 넣어 두기로 하고, 1년이 지난 뒤에 원금인 1,000만 원과 정해진 이자를 함께 받는 식이야.

정기 예금

일반적으로 예금의 장점은 (5) ㅇㄱ 을 보장받고 정해진 이자를 확실하게 받을 수 있다는 점이야. 다만 이자율 이상의 수익은 기대할 수 없다는 한계가 있어. 또 물가를 고려한 실질 이자율을 따졌을 때 성실하게 저축을 했음에도 불구하고 결과적으로는 구매력이 줄어드는 일이 생길 수 있지. 특히 이자율이 과거보다 훨씬 낮아진 저금리 시대가 자리 잡으면서, 예금만으로는 필요한 •자산을 확보하기 어렵다고 보는 의견도 있어.

• **자산** 경제적 가치가 있는 재산.

잠깐 체크

❶ 예금은 원금 손실의 위험이 (낮은 / 높은) 금융 상품이다.

❷ 요구불 예금은 적금과 정기 예금으로 나뉜다. (○, ×)

답 ❶ 낮은 ❷ ×

주식 ● 기업이 회사 소유권의 일부를 투자자에게 준다는 증표

예금과 같은 저축만으로는 돈을 많이 불릴 수 없다는 점은 이제 이해했지? 따라서 돈을 더 빨리, 더 많이 불리기를 원하는 사람은 어느 정도의 위험성을 감수하고 투자를 선택해. (6) ㅌㅈ 는 주식, 채권, 부동산 등을 구입하여 수익을 얻으려는 행위야. 저축에 비해 원금 손실의 위험이 큰 대신, 잘만 하면 큰 수익을 얻을 수 있지.

●**조달하다** 필요한 돈이나 물건 등을 대어 주다.

주식은 기업이 장기적인 사업 자금을 •조달하기 위해 발행하는 것으로, 투자자로부터 돈을 받고 그 증표로 주는 것이야. 이때 주식을 발행해서 사업 자금을 조달하는 회사를 **주식회사**라고 하고, 주식을 가진 사람을 **주주** 또는 **주식 투자자**라고 해. 그리고 주식 시장에서 주식을 사면 **매수**를 했다고 하고, 주식을 팔면 **매도**를 했다고 해.

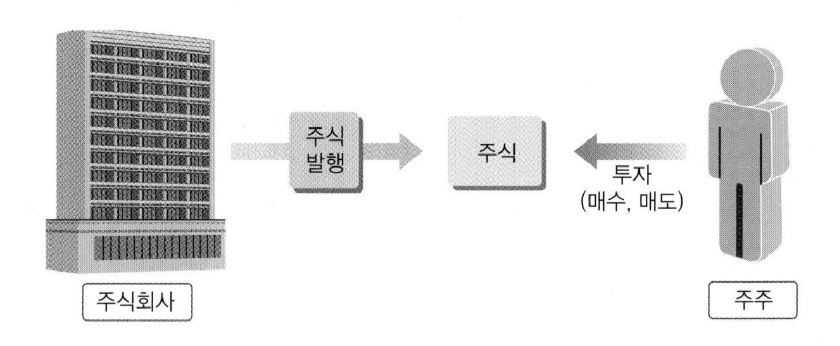

그렇다면 주주들은 어떻게 이익을 얻을까? 첫 번째 방법은 **시세 차익**을 활용하는 거야. 시세는 특정한 시기의 물건값을, 차익은 가격의 변동으로 생기는 이익을 말하지. 쉽게 말하자면 주식의 가격이 낮을 때 사서 높을 때 팔면서 생기는 이익이야. 오른쪽 그림과 같이 시간의 흐름에 따라 가격이 변하는 주식이 있다고 하자. 이 주식을 A 가격에 사서 시간이 흐른 후 B 가격에 팔면 'B−A' 만큼의 시세 차익을 얻을 수 있지.

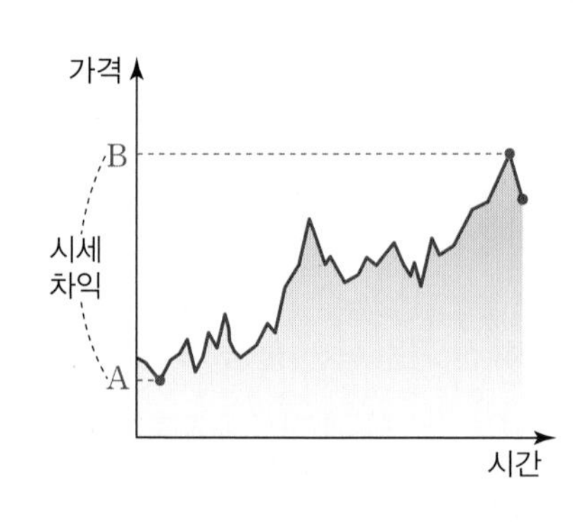

두 번째는 **배당**이야. 배당은 주식회사가 투자자들에게 회사를 경영하여 얻은 수익 가운데 일부를 투자자의 지분에 비례해 나누어 주는 것을 말하는데 이렇게 배당하는 돈을 **배당금**이라고 해. 주주는 주식을 많이 가지고 있을수록, 회사가 수익을 많이 낼수록 많은 (7) ㅂㄷㄱ 을 받을 수 있어. 그리고 회사가 수익을 많이 내면 주식 가격도 상승해서 주주들은 또 한 번 이익을 보게 되지.

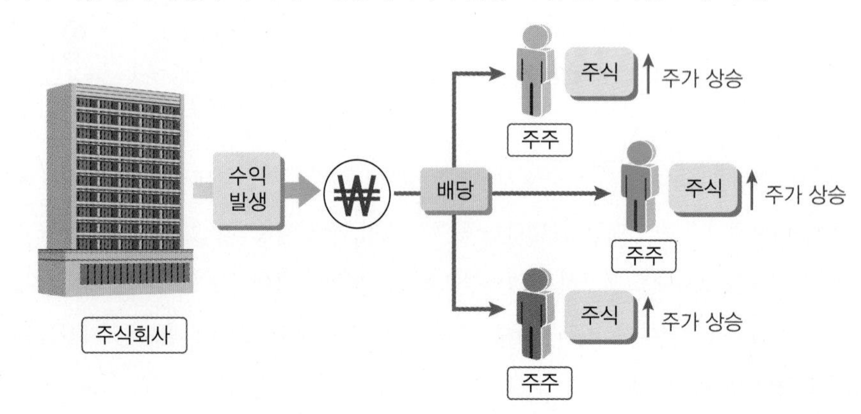

잠깐 체크

❶ 기업은 사업 자금을 얻기 위해 주식을 (발행 / 매수)한다.

❷ 주식회사의 수익이 발생하면 주주들이 배당금을 지급한다. (○, ×)

답 ❶ 발행 ❷ ×

채권(債券) ● 국가, 지방 자치 단체, 은행, 회사 등이 사업에 필요한 자금을 빌리기 위해 발행하는 •유가 증권

채권은 일종의 •차용증으로, 정부, 공공 기관, 은행, 일정 조건을 갖춘 기업 등이 돈을 빌리면서 언제까지 빌리고, 이자는 언제, 얼마를 줄 것인지를 약속하는 증서야. 누가 발행하느냐에 따라 **국채**(국가가 발행)나 **회사채**(회사가 발행) 등으로 나뉘기도 해. 또 발행 기관에 따라 안정성과 수익성에도 차이가 있어.

채권을 산다는 것은 채권을 발행한 주체에게 돈을 빌려준다는 뜻이고, 채권을 발행한다는 것은 돈을 빌린다는 뜻이야. 그래서 채권을 산 사람은 만기일에 원금과 함께 약속된 (8) ㅇㅈ 를 받게 되지. 이때 채권 투자자는 이자를 받는 대신, 가격이 오른 채권을 만기일 이전에 다른 사람에게 팔아서 이익을 얻을 수도 있어.

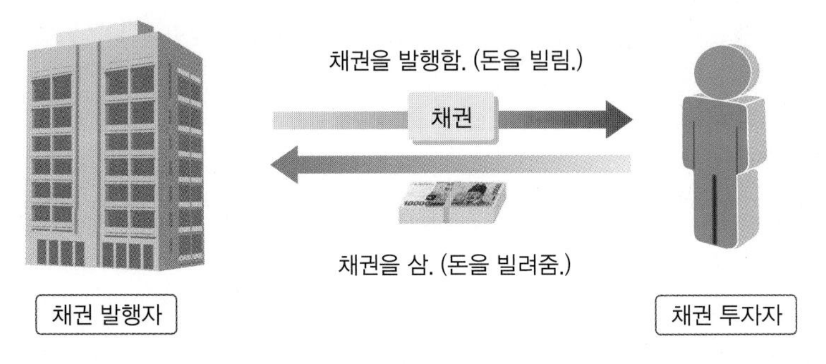

채권은 주식에 비해서 원금과 이자에 대한 안전성이 비교적 높은 편이지만, 채권의 가격이 떨어지거나 채권을 발행한 곳이 파산하면 손해를 볼 수 있으므로 신중하게 구매해야 해. 주식이든 채권이든 투자를 할 때에는 한곳에만 투자하는 것이 아니라 안전성과 수익성을 고려하여 여러 곳에 •분산 투자하는 것이 합리적인 자산 관리 방법이야.

●**유가 증권** 법적으로 재산권을 표시하는 문서.

●**차용증** 돈이나 물건을 빌린 것을 증명하는 문서.

●**분산 투자** 투자에서 오는 위험을 줄이기 위하여 여러 군데로 나누어서 하는 투자.

잠깐 체크

❶ 채권을 사는 것은 채권 발행자에게 돈을 (빌리는 / 빌려주는) 것이다.

❷ 채권이 만기되면 채권 구매자는 채권 발행자가 약속한 이자를 받을 수 있다. (○, ×)

답 ❶ 빌려주는 ❷ ○

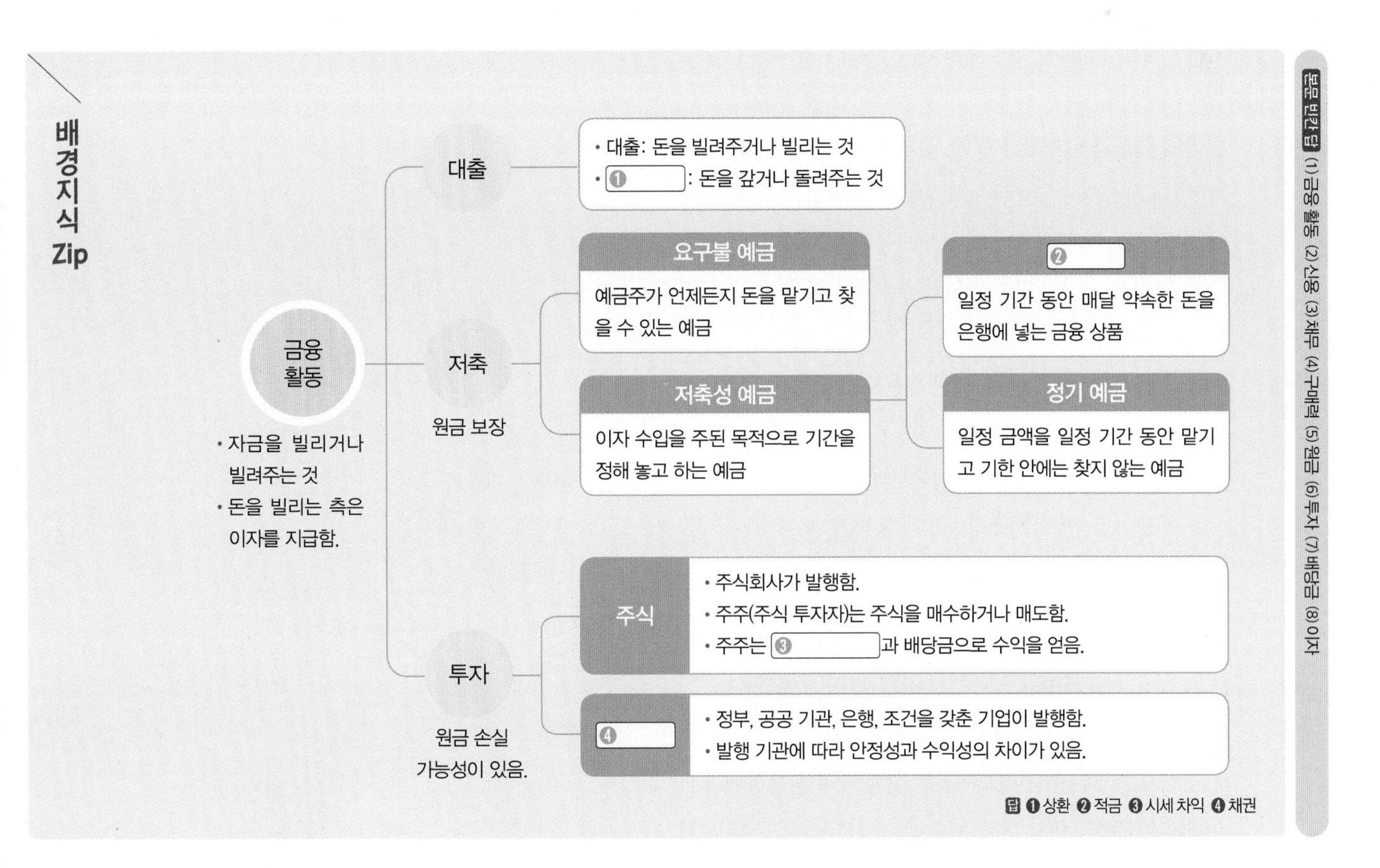

본문 빈칸 답 (1) 금융 활동 (2) 신용 (3) 채무 (4) 구매력 (5) 원금 (6) 투자 (7) 배당금 (8) 이자

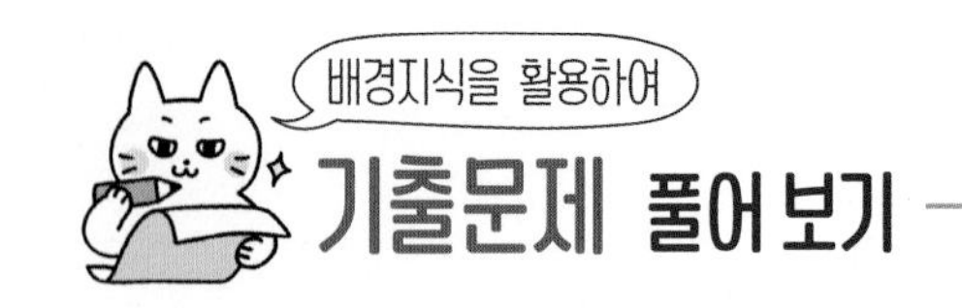

[01~02] 다음 글을 읽고 물음에 답하시오.

❶ [1]돈을 빌린 사람은 빌린 돈에 대한 대가를 지급하는데, 이를 이자라 하고, 원금에 대한 이자의 비율을 금리(金利) 또는 이자율이라고 한다. [2]금리의 흐름을 제대로 파악할 수 있다면 사람들은 보다 합리적으로 저축이나 소비, 투자를 할 수 있을 것이다. [3]그렇다면 금리의 흐름을 예측할 수 있는 방법은 없을까?

❷ [1]금리는 자금에 대한 수요와 공급이 일치되는 지점에서 결정된다. [2]자금 수요가 공급보다 많으면 금리가 올라가고, 자금 공급이 수요보다 많으면 금리가 내려간다.

❸ [1]그런데 물가가 변하면 같은 돈으로 재화와 서비스를 살 수 있는 구매력이 달라지고, 실질적인 금리도 달라진다. [2]이로 인해 명목적인 금리와 실질적인 금리를 구분해야 할 필요성이 생겼고, 경제학자 어빙 피셔는 다음과 같은 방정식을 수립했다.

㉠ 명목 금리(i) ≒ 물가 상승률(π) + 실질 금리(r)

❹ [1]명목 금리는 우리가 접할 수 있는 표면상의 금리이며, 각종 금융 기관이 제시하는 일반적인 예금과 대출의 금리가 여기에 해당한다. [2]실질 금리는 명목 금리에서 물가 상승률을 차감한 값이다.

❺ [1]명목 금리는 물가 상승률과 실질 금리의 합과 같으므로, 두 지표의 변동을 알 수 있다면 명목 금리의 흐름도 예측해 볼 수 있게 된다. [2]명목 금리의 흐름을 파악하기 위해서는 먼저 물가 변동을 예상할 수 있어야 한다. [3]물가 상승률이 높아지면 명목 금리도 오르는데, 이는 화폐 가치가 떨어진 만큼 금리를 올려 보상받으려는 경향이 있기 때문이다.

❻ [1]실질 금리는 사전에 관측되기 어려우므로 이를 간접적으로라도 알려 줄 지표가 필요하다. 화폐가 없던 시절의 상황을 가정해 보자. [2]씨앗이나 농기구와 같은 실물을 빌리고 나중에 생산물 일부를 이자로 지급한다면, 어느 정도의 이자를 지급하는 것이 좋겠는가? [3]아마도 실물을 투자해서 얻게 될 추가적 생산물의 양 이내에서 이자를 지급할 것이다. [4]즉 실질 금리는 실물 투자에 따라 늘어나는 추가적 생산물이 결정한다. [5]이와 마찬가지로 경제가 잘 돌아가 경제 성장률이 높을 때는 일반적으로 기업의 투자 성과도 높아진다. [6]따라서 실질 금리는 경제 성장률이 높으면 오르고 떨어지면 낮아진다. [7]즉 금리의 흐름은 물가와 경제 성장률에 큰 영향을 받는다.

01 윗글의 내용과 일치하면 ○에, 일치하지 않으면 ×에 표시하시오.

(1) 경제 성장률이 높으면 실질 금리가 오른다. [○ ×]

(2) 자금 수요가 공급보다 적어지면 금리가 오른다. [○ ×]

(3) 물가가 떨어지면 명목 금리를 올려 보상을 받으려는 경향이 있다. [○ ×]

02 ㉠을 활용하여 〈보기〉를 이해한 내용으로 적절한 것은?

〈보기〉

알뜰한 춘향이는 광한루은행에서 판매하는 1년 만기 예금 상품에 가입했다. 예금의 금리는 고정 금리 3%였다. 춘향이는 가입 시점 1년 후 물가 상승률을 2%로 예상하고 예금의 실질 금리를 계산했다. 1년 후 돈을 찾았을 때, 물가 상승률은 전년 같은 시기 대비 4%였다.

① 광한루은행은 명목 금리를 제시하지 않았다.
② 예금의 실질 금리가 춘향이의 예상치보다 낮아졌다.
③ 실제 돈을 찾는 시점에 예금의 실질 금리는 1%였다.
④ 광한루은행은 춘향이에게 높은 실질 금리를 보장했다.
⑤ 광한루은행은 예금 상품의 명목 금리를 중도에 바꾸었다.

사회

[03~04] 다음 글을 읽고 물음에 답하시오.

❶ [1]금융 거래는 개인과 금융 기관 간의 거래뿐 아니라 개인 간에도 이루어진다. [2]이때 발생할 수 있는 갈등을 예방하기 위해 민법은 금전, 즉 돈을 빌려주는 것을 내용으로 하는 계약을 금전소비대차로 규정하고 관련 내용을 명시하고 있다. [3]금전소비대차 계약은 돈을 빌려주는 채권자와 돈을 빌리는 채무자의 합의를 우선시하는데, 이때의 계약은 몇 가지 유의할 점이 있다.

❷ [1]첫째, 채권자와 채무자는 이자에 관한 사항을 서로 합의해야 한다. [2]이자 지급에 대한 합의가 이루어지지 않았을 때는 무이자가 원칙이다. [3]그런데 만일 이자 지급에는 합의를 하였으나 이자율을 정하지 않았으면 연 5%의 법정 이자율이 적용된다. [4]둘째, 채무자가 돈을 갚지 못할 때를 대비해서 채권자가 요구하는 인적 담보와 물적 담보에 관한 사항을 명시해야 한다. [5]채권자는 인적 담보와 물적 담보 모두를 요구할 수 있는데 채무자 대신 돈을 갚아 줄 보증인을 제공하는 것을 인적 담보라 하고, 빚 대신 처분할 수 있는 물건을 제공하는 것을 물적 담보라 한다. [6]물적 담보는 채권자가 처분할 수 있어야 하므로 채무자의 소유이거나, 채무자의 소유가 아닌 다른 사람의 소유라면 소유자로부터 처분에 대한 약속을 받아야 한다. [7]셋째, 돈을 갚을 날짜를 합의해야 한다. [8]돈을 갚기로 한 날 채무자는 채권자의 은행 계좌로 입금하면 되지만, 직접 만나 갚기로 할 경우 채권자가 고의로 나타나지 않거나, 받기를 거부하여 갚지 못한다면 사전에 합의가 없더라도 공탁 제도를 활용할 수 있다. [9]공탁은 채무자가 돈이나 유가 증권 등을 법원의 •공탁소에 맡기는 것을 말한다. [10]공탁을 할 경우 그날 돈을 갚는 것과 같은 효과를 가져 상환 시기에 따른 분쟁을 피할 수 있다.

❸ [1]금전소비대차는 채무자가 빌린 돈을 갚으면 계약이 만료된다. [2]만약 채무자가 돈을 갚지 않으면 채권자는 계약 해제나 강제 집행을 통해 채무 내용에 대해 강제할 수 있다.

• **공탁소** 공탁(돈이나 물건을 제공하고 그 보관을 위탁함.) 사무를 행하는 국가 기관.

03 윗글의 내용과 일치하면 ○에, 일치하지 않으면 ×에 표시하시오.

(1) 금융 거래는 개인 간에도 일어날 수 있다. ○ ×

(2) 금전소비대차 계약이 끝나는 조건은 채무 내용의 이행이다. ○ ×

(3) 채권자는 공탁 제도를 통해 채무자의 유가 증권으로 원금을 상환받을 수 있다. ○ ×

04 윗글을 바탕으로 〈보기〉의 사례를 검토한 내용으로 가장 적절한 것은?

보기

A는 주택을 구입하고자 B에게 돈을 빌리고 개인 간의 금융 거래에 관한 금전소비대차 계약서를 작성했다. 이에 채무자 A와 채권자 B는 돈을 갚지 못했을 경우를 대비하여 인적·물적 담보에 관한 사항을 합의하고, 원금은 지정 날짜에 만나서 상환하기로 했다. 이자는 매달 지급하기로 했으나 이자율은 정하지 않았다.

① A와 B가 인적 담보에 합의했더라도 B는 보증인을 요구할 수 없다.
② A가 지정 날짜까지 상환하지 않으면 B는 채무 내용에 대한 강제 집행을 할 수 있다.
③ A의 소유가 아니면 B는 처분에 대한 약속을 받은 물건이라도 물적 담보로 설정할 수 없다.
④ A와 B가 이자율을 정하지 않았으므로 무이자 원칙에 따라 A는 이자를 지급하지 않아도 된다.
⑤ 원금 상환 날짜에 B가 나타나지 않아도 A와 B 사이에 사전 합의가 없으면 A는 공탁 제도를 활용할 수 없다.

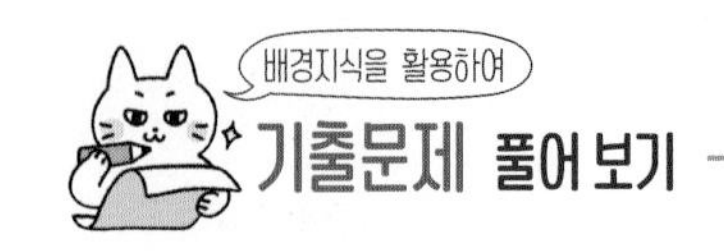

[05~08] 다음 글을 읽고 물음에 답하시오.

❶ [1]대한민국 정부가 해외에서 발행한 채권의 CDS 프리미엄은 우리가 매체에서 자주 접하는 경제 지표의 하나이다. [2]이 지표를 이해하기 위해서는 채권의 '신용 위험'과 '신용 파산 스와프(CDS)'의 개념을 살펴볼 필요가 있다.

❷ [1]채권은 정부나 기업이 자금을 조달하기 위해 발행하며 그 가격은 채권이 매매되는 채권 시장에서 결정된다. [2]채권의 발행자는 정해진 날에 일정한 이자와 원금을 투자자에게 지급할 것을 약속한다. [3]채권을 매입한 투자자는 이를 다시 매도하거나 이자를 받아 수익을 얻는다. [4]그런데 채권 투자에는 발행자의 지급 능력 부족 등의 사유로 이자와 원금이 지급되지 않을 가능성인 신용 위험이 •수반된다. [5]이에 따라 각국은 채권의 신용 위험을 평가해 신용 등급으로 •공시하는 신용 평가 제도를 도입하여 투자자를 보호하고 있다.

❸ [1]우리나라의 신용 평가 제도에서는 •원화로 이자와 원금의 지급을 약속한 채권 가운데 발행자의 지급 능력이 최상급인 채권에 AAA라는 최고 신용 등급이 부여된다. [2]원금과 이자가 지급되지 않아 •부도가 난 채권에는 D라는 최저 신용 등급이 주어진다. [3]그 외의 채권은 신용 위험이 커지는 순서에 따라 AA, A, BBB, BB 등 점차 낮아지는 등급 범주로 평가된다. [4]이들 각 등급 범주 내에서도 신용 위험의 상대적인 크고 작음에 따라 각각 '−'나 '+'를 붙이거나 하여 각 범주가 세 단계의 신용 등급으로 세분되는 경우가 있다. [5]채권의 신용 등급은 신용 위험의 변동에 따라 조정될 수 있다. [6]다른 조건이 일정한 가운데 신용 위험이 커지면 채권 시장에서 해당 채권의 가격이 ⓐ 떨어진다.

❹ [1]CDS는 채권 투자자들이 신용 위험을 피하려는 목적으로 활용하는 파생 금융 상품이다. [2]CDS 거래는 '보장 매입자'와 '보장 매도자' 사이에서 이루어진다. [3]여기서 '보장'이란 신용 위험으로부터의 보호를 뜻한다. [4]보장 매도자는, 보장 매입자가 보유한 채권에서 부도가 나면 이에 따른 손실을 보상하는 역할을 한다. [5]CDS 거래를 통해 채권의 신용 위험은 보장 매입자로부터 보장 매도자로 •이전된다. [6]CDS 거래에서 신용 위험의 이전이 일어나는 대상 자산을 '기초 자산'이라 한다.

❺ [1]가령 은행 ㉠ 갑은, 기업 ㉡ 을이 발행한 채권을 매입하면서 그것의 신용 위험을 피하기 위해 보험 회사 ㉢ 병과 CDS 계약을 체결할 수 있다. [2]이때 기초 자산은 을이 발행한 채권이다.

❻ [1]보장 매도자는 기초 자산의 신용 위험을 부담하는 것에 대한 보상으로 보장 매입자로부터 일종의 보험료를 받는데, 이것의 •요율이 CDS 프리미엄이다. [2]CDS 프리미엄은 기초 자산의 신용 위험이나 보장 매도자의 유사시 지급 능력과 같은 여러 요인의 영향을 받는다. [3]다른 요인이 동일한 경우, ㉣ 기초 자산의 신용 위험이 크면 CDS 프리미엄도 크다. [4]한편 ㉤ 보장 매도자의 지급 능력이 우수할수록 보장 매입자는 유사시 손실을 보다 확실히 보전받을 수 있으므로 보다 큰 CDS 프리미엄을 기꺼이 지불하는 경향이 있다. [5]만약 보장 매도자가 발행한 채권이 있다면, 그 신용 등급으로 보장 매도자의 지급 능력을 판단할 수 있다. [6]이에 따라 다른 요인이 동일한 경우, 보장 매도자가 발행한 채권의 신용 등급이 높으면 CDS 프리미엄은 크다.

- **수반되다** 어떤 일과 더불어 생기다.
- **공시하다** 공공 기관이 권리의 발생, 변경, 소멸 등의 내용을 공개적으로 게시하여 일반에게 널리 알리다.
- **원화** 원을 화폐 단위로 하는 한국의 화폐.
- **부도** 어음(일정한 금액을 일정한 날짜와 장소에서 치를 것을 약속하거나 제삼자에게 그 지급을 위탁하는 유가 증권)이나 수표를 가진 사람이 기한이 되어도 어음이나 수표에 적힌 돈을 지급받지 못하는 일.
- **이전되다** 권리 등이 남에게 넘어가거나 또는 남으로부터 넘어오다.
- **요율** 요금의 정도나 비율.

05 윗글의 내용과 일치하지 않는 것은?

① 정부는 자금을 조달하기 위해 채권을 발행한다.
② 채권 발행자의 지급 능력이 커지면 신용 위험은 커진다.
③ 신용 평가 제도는 채권을 매입한 투자자를 보호하는 장치이다.
④ 다른 조건이 일정할 경우, 어떤 채권의 신용 등급이 낮아지면 해당 채권의 가격은 하락한다.
⑤ 채권 발행자는 일정한 이자와 원금의 지급을 약속하지만, 채권에는 그 약속이 지켜지지 않을 위험이 수반된다.

06 ❺의 ㉠~㉢에 대한 이해로 가장 적절한 것은?

① ㉠은 기초 자산을 보유하지 않는다.
② ㉠은 기초 자산에 부도가 나면 손실을 보상하는 역할을 한다.
③ ㉡은 신용 위험을 기피하는 채권 투자자이다.
④ ㉢은 신용 위험을 부담하는 보장 매도자이다.
⑤ ㉢은 기초 자산에 부도가 나야만 이득을 본다.

07 〈보기〉의 ㉮~㉲ 중 CDS 프리미엄이 두 번째로 큰 것은?

보기

윗글의 ㉣과 ㉤을 기준으로 서로 다른 CDS 거래 ㉮~㉲를 비교하여 CDS 프리미엄의 크기에 순서를 매길 수 있다. (단, 기초 자산의 발행자와 보장 매도자는 한국 기업이며, ㉮~㉲에서 제시된 조건 외에 다른 조건은 동일하다.)

CDS 거래	기초 자산의 신용 등급	보장 매도자 발행 채권의 신용 등급
㉮	BB+	AAA
㉯	BB+	AA−
㉰	BBB−	A−
㉱	BBB−	AA−
㉲	BBB−	A+

① ㉮ ② ㉯ ③ ㉰ ④ ㉱ ⑤ ㉲

08 문맥상 ⓐ의 의미와 가장 가까운 의미로 쓰인 것은?

① 오늘 아침에는 기온이 영하로 떨어졌다.
② 과자 한 봉지를 팔면 내게 100원이 떨어진다.
③ 더위를 먹었는지 입맛이 떨어지고 기운이 없다.
④ 신발이 떨어져서 걸을 때마다 빗물이 스며든다.
⑤ 선생님 말씀이 떨어지자마자 모두 자리에 앉았다.

05

1 경제

외환 시장과 환율

기출 속 배경지식 키워드 | #외환 #외화 #외환 시장 #기축 통화 #환율 #원화 가치

교과 연계
고등학교 경제
Ⅳ. 세계 시장과 교역

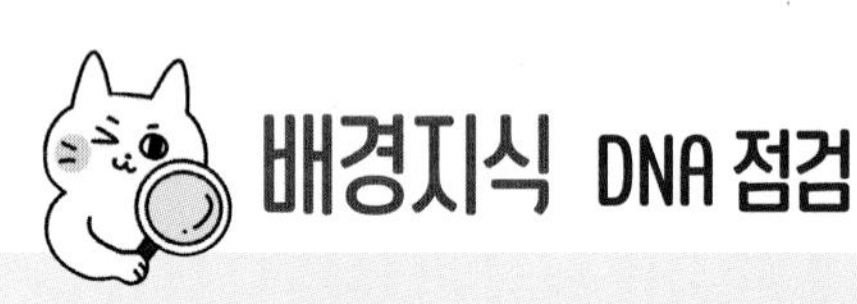

다음 빈칸에 들어갈 알맞은 말을 보기 에서 찾아 적어 봅시다.

〈오늘의 환율표〉

국가명	통화	현금 사실 때 (원)	현금 파실 때 (원)
미국 (KRW/USD)	달러	1,180.00	1,145.00
일본 (KRW/JPY 100)	엔	1,042.00	1,011.00
유럽 연합 (KRW/EUR)	유로	1,360.00	1,320.00

보기

100엔 1달러 1유로 환율

1 위와 같은 표를 통해 그날의 [   ]을 알 수 있다.

2 [   ]를 사려면 1,180원이 필요하다.

3 [   ]를 팔면 1,320원을 받을 수 있다.

답 1 환율 2 1달러 3 1유로

해외여행을 가기 전에 꼭 해야 하는 일은? 여권을 만들고 여행 계획을 짜는 등 다양한 일이 있겠지만 •환전을 뺄 수는 없을 거야. 국제 거래를 할 때도 똑같아. 고유의 화폐를 사용하는 국가들이 많기 때문에 각국에서 사용하는 화폐 가치에 맞게 화폐를 교환해서 거래를 해야 한단다. 지금부터 이러한 화폐 교환을 공부해 보자.

- **환전** 한 나라의 화폐를 다른 나라의 화폐와 맞바꿈.

외환 • 외환 시장에서 거래되는 외국 화폐와 외화 표시 증권

외환은 외국의 화폐뿐만 아니라 화폐의 가치를 지니는 수표, •어음, 예금 등의 •외화 표시 증권을 모두 지칭하는 개념으로, 달러($), 엔화(¥), 유로(€) 등이 (1) ㅇㅎ에 해당해. 그리고 이러한 외환을 거래하는 시장을 **외환 시장**이라고 하지. 참고로 세계 시장에서 널리 통용되는 중심 화폐를 **기축 통화**라고 하는데, 대표적으로는 미국의 달러($)가 있어.

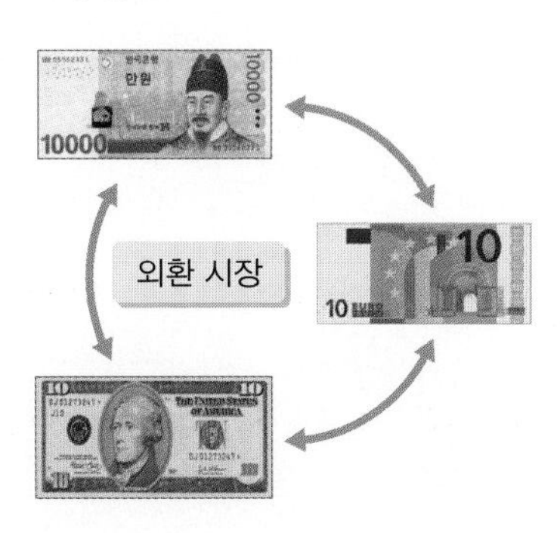

- **어음** 일정한 금액을 일정한 날짜와 장소에서 지불할 것을 약속하거나 다른 사람에게 그 지급을 맡기는 유가 증권.
- **외화** 외국의 돈.

환율 • 두 나라 화폐 사이의 교환 비율

환율(換率)(換: 바꾸다, 率: 비율)이란 두 나라 화폐 사이의 교환 비율을 말해. •원화를 어떤 화폐와 교환하느냐에 따라 '원화의 대○○ 환율' 또는 '○○ 환율'이라고 불러. (○○: 원화와 교환할 화폐의 이름을 넣음.) 예를 들어 1,000원을 1달러로 교환할 수 있다면, 이때의 (2) ㄷㄹ ㅎㅇ은 '1,000원/달러'로 표기해.

드라마 〈야인 시대〉에서 김두한이 노동자들의 임금 협상을 하며 미군에게 "4달러!"를 외치는 장면 혹시 아니? 달러 환율을 '1,000원/달러'로 계산한다면, 김두한은 하루 일당으로 4천 원을 달라고 요구한 셈이지. 물론 그 당시 물가와 환율을 고려했을 때 4달러의 가치는 지금보다 훨씬 컸어.

- **원화** 원을 화폐 단위로 하는 한국의 화폐.

잠깐 체크

❶ (원화 / 외화)는 외국의 화폐를 의미하는 개념이다.
❷ 외환은 외환 시장에서 거래한다. (○, ×)

답 ❶ 외화 ❷ ○

사회

환율은 고정되어 있지 않고 계속 변동되기 때문에, 언제 환전을 하느냐에 따라 손해를 볼 수도 있고 이득을 볼 수도 있어. 왜 환율이 계속 변하는 걸까? 앞에서 재화의 가격이 수요와 공급에 의해 결정되는 것을 배웠지? 화폐 가격도 마찬가지로 그 화폐에 대한 수요와 공급에 의해서 결정된단다. 예를 들면 달러에 대한 수요가 많아지면 달러 환율이 오르고, 달러에 대한 (3) ㄱㄱ 이 많아지면 달러 환율이 떨어져. 한편 외환 시장의 수요 곡선과 공급 곡선이 교차할 때의 환율을 **균형 환율**이라고 해.

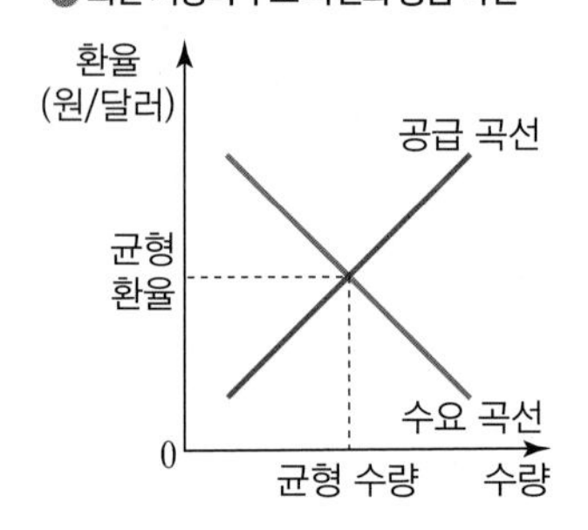

환율 상승은 원화 가치 하락을 의미해. 달러 환율이 '1,000원/달러'에서 '2,000원/달러'로 올랐다고 생각해 봐. 1달러짜리 수입 상품을 1,000원이면 살 수 있었는데, 환율이 올라서 같은 상품을 2,000원에 사게 되었으니 원화 가치가 떨어진 셈이지. 그렇게 되면 우리나라 사람들은 수입 상품을 덜 사게 되겠지? 반대로 외국 사람들은 우리나라 물건을 더 싼 가격에 사게 될 거야. 그래서 보통 환율이 상승하면 수입이 감소하고 수출은 증가한단다.

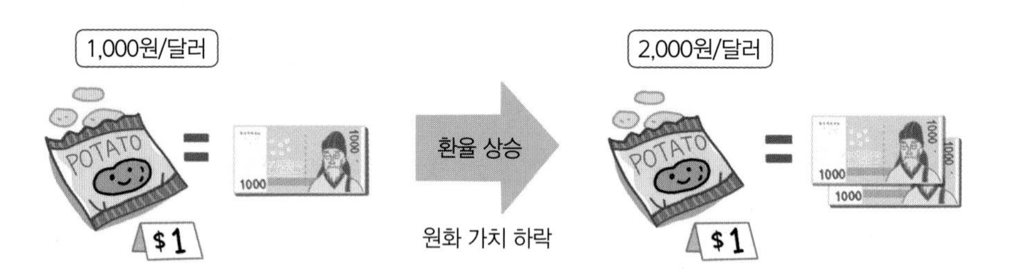

한편 환율 하락은 원화 가치 상승을 의미해. 달러 환율이 '2,000원/달러'에서 '1,000원/달러'로 떨어졌다고 생각해 봐. 이전에는 2,000원을 가지고 1달러짜리 수입 상품을 1개 살 수 있었다면, 달러 환율이 하락한 다음에는 똑같은 2,000원을 가지고 2개를 살 수 있게 되는 거지. 수입 상품의 (4) ㄱㄱ 이 저렴해진 거야. 그래서 환율이 하락하면 수입은 증가하고 수출은 감소해.

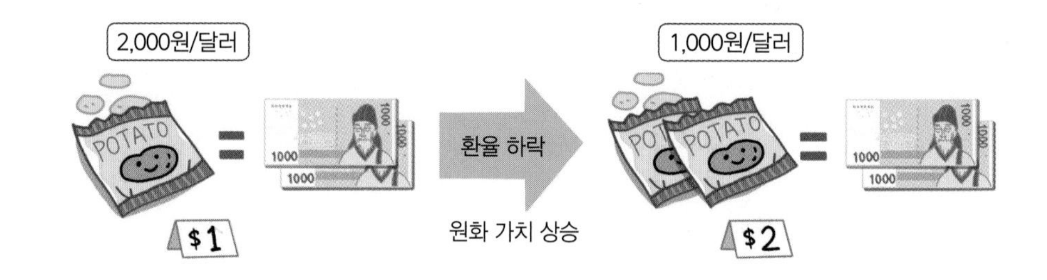

잠깐 체크

❶ 달러 환율 상승은 원화 가치(상승 / 하락)을 의미한다.

❷ 엔화에 대한 수요가 늘면 엔화 환율이 하락한다. (○, ×)

답 ❶ 하락 ❷ ×

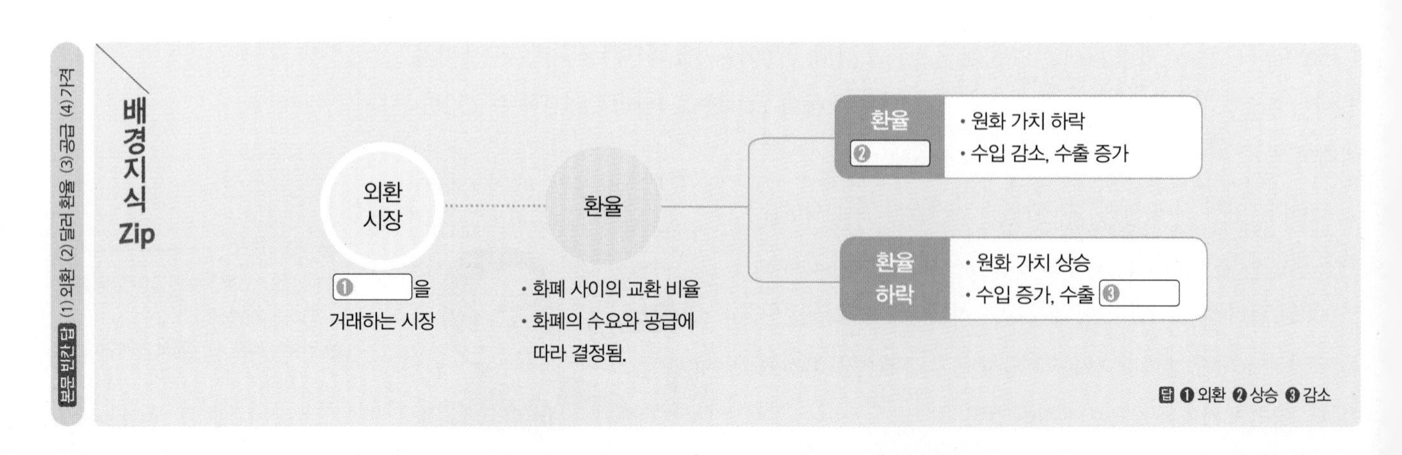

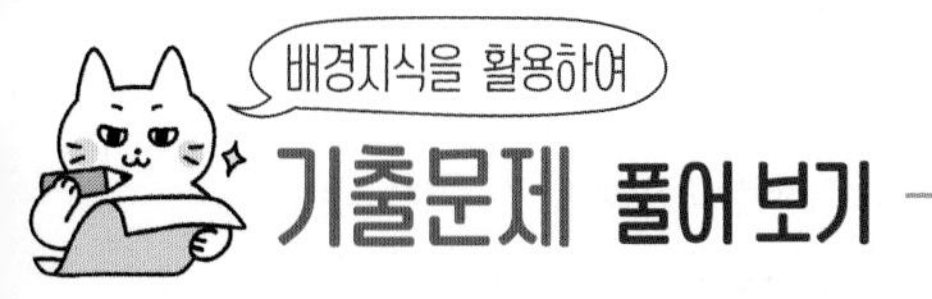

정답과 해설 15쪽

사회

[01~02] 다음 글을 읽고 물음에 답하시오.

❶ [1]일반적으로 환율의 상승은 •경상 수지를 개선하는 것으로 알려져 있다. [2]이를테면 국내 기업은 수출에서 벌어들인 외화를 국내로 들여와 원화로 바꾸기 때문에, 환율이 상승한 경우에는 외국에서 우리 상품의 외화 표시 가격을 다소 낮추어도 수출량이 늘어나면 수출액이 증가한다. [3]동시에 수입 상품의 원화 표시 가격은 상승하여 수입품을 덜 소비하므로 수입액은 감소한다. [4]그런데 이와 같이 환율 상승이 항상 경상 수지를 개선할 것 같지만 반드시 그런 것은 아니다.

❷ [1]환율이 올라도 단기적으로는 경상 수지가 오히려 악화되었다가 점차 개선되는 현상이 있는데, 이를 그래프로 표현하면 J자 형태가 되므로 'J커브 현상'이라 한다. [2]J커브 현상에서 경상 수지가 악화되는 원인 중 하나로, 환율이 오른 비율만큼 수입 상품의 가격이 오르지 않는 것을 꼽을 수 있다. [3]이는 환율 상승 후 상당 기간 동안 외국 기업이 매출 감소를 우려해 상품의 원화 표시 가격을 바로 올리지 않기 때문이다. [4]또한 소비자들의 수입 상품 소비가 가격 변화에 따라 줄어들기까지는 상당 기간이 소요된다. [5]그뿐만 아니라 국내 기업이 수출 상품의 외화 표시 가격을 낮추더라도 외국 소비자가 이를 인식하고 소비를 늘리기까지는 다소 시간이 걸린다. [6]그러나 J커브의 형태가 보여 주듯이, 당초에 올랐던 환율이 지속되는 상황에서 어느 정도 시간이 지나 상품의 가격 및 물량의 조정이 제대로 이루어진다면 경상 수지가 개선된다.

❸ [1]한편, J커브 현상과는 별도로 환율 상승 후에 얼마의 기간이 지나더라도 경상 수지의 개선을 이루지 못하는 경우도 있다. [2]첫째, 상품의 가격 조정이 일어나도 국내외의 상품 수요가 가격에 어떻게 반응하는가 하는 수요 구조에 따라 경상 수지는 개선되지 못하기도 한다. [3]수출량이 증가하고 수입량이 감소하더라도, ㉠경상 수지가 그다지 개선되지 않거나 오히려 악화될 수도 있다는 것이다. [4]둘째, 장기적인 차원에서 수출 기업이 환율 상승에만 의존하여 품질 개선이나 원가 절감 등의 노력을 계속하지 않는다면 경쟁력을 잃어 경상 수지를 악화시킬 수도 있다.

• **경상 수지** 상품(재화와 서비스 포함)의 수출액에서 수입액을 뺀 결과. 수출액이 수입액보다 클 때는 흑자, 작을 때는 적자로 구분함.

01

윗글의 내용과 일치하면 ○에, 일치하지 않으면 ×에 표시하시오.

(1) 소비자는 상품의 가격 변화에 즉각적으로 반응한다. ○ ×

(2) 국내외 수요 구조는 경상 수지에 긍정적으로만 작용한다. ○ ×

(3) 환율 상승은 경상 수지를 개선하기도 하고 악화하기도 한다. ○ ×

02

㉠의 이유로 가장 적절한 것은?

① 국내외 상품 수요가 가격에 얼마나 민감한지는 경상 수지의 개선 여부와는 무관하다.

② 가격의 조정이 신속하게 이루어질수록 국내외 상품 수요는 가격에 민감하게 반응한다.

③ 환율이 상승하더라도 경우에 따라서는 국내외 상품 수요가 가격에 민감하지 않을 수 있다.

④ 환율이 상승하더라도 국내외 기업은 환율이 얼마나 안정적인지 관찰한 후 가격을 조정한다.

⑤ 환율이 상승하면 국내외 상품의 수요 구조에 따라 수출 상품의 가격 조정이 선행될 수 있다.

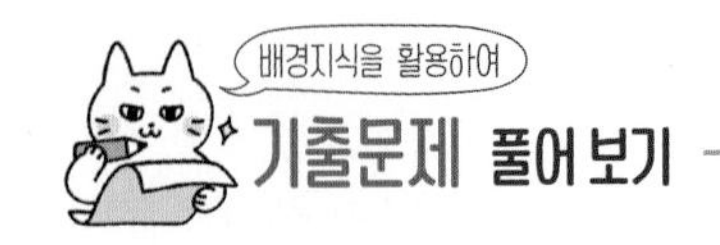

[03~04] 다음 글을 읽고 물음에 답하시오.

❶ [1]정부는 국민 생활에 영향을 미치는 활동의 총체인 정책의 목표를 효과적으로 달성하기 위해 정책 수단의 특성을 고려하여 정책을 수행한다. [2]정책 수단 선택의 사례로 환율과 관련된 경제 현상을 살펴보자. [3]외국 통화에 대한 자국 통화의 교환 비율을 의미하는 환율은 장기적으로 한 국가의 생산성과 물가 등 기초 경제 여건을 반영하는 수준으로 수렴된다. [4]그러나 단기적으로 환율은 이와 괴리되어 움직이는 경우가 있다. [5]만약 환율이 예상과는 다른 방향으로 움직이거나 또는 비록 예상과 같은 방향으로 움직이더라도 변동 폭이 예상보다 크게 나타날 경우 경제 주체들은 과도한 위험에 노출될 수 있다. [6]환율이나 주가 등 경제 변수가 단기에 지나치게 상승 또는 하락하는 현상을 오버슈팅(overshooting)이라고 한다. [7]이러한 오버슈팅은 물가 경직성 또는 금융 시장 변동에 따른 불안 심리 등에 의해 촉발되는 것으로 알려져 있다. [8]여기서 물가 경직성은 시장에서 가격이 조정되기 어려운 정도를 의미한다.

❷ [1]물가 경직성에 따른 환율의 오버슈팅을 이해하기 위해 통화를 금융 자산의 일종으로 보고 경제 충격에 대해 장기와 단기에 환율이 어떻게 조정되는지 알아보자. [2]경제에 충격이 발생할 때 물가나 환율은 충격을 흡수하는 조정 과정을 거치게 된다. [3]물가는 단기에는 장기 계약 및 공공요금 규제 등으로 인해 경직적이지만 장기에는 •신축적으로 조정된다. [4]반면 환율은 단기에서도 신축적인 조정이 가능하다. [5]이러한 물가와 환율의 조정 속도 차이가 오버슈팅을 초래한다. [6]물가와 환율이 모두 신축적으로 조정되는 장기에서의 환율은 구매력 평가설에 의해 설명되는데, 이에 의하면 장기의 환율은 자국 물가 수준을 외국 물가 수준으로 나눈 비율로 나타나며, 이를 균형 환율로 본다. [7]가령 국내 통화량이 증가하여 유지될 경우 장기에서는 자국 물가도 높아져 장기의 환율은 상승한다. [8]이때 통화량을 물가로 나눈 실질 통화량은 변하지 않는다.

❸ [1]그런데 단기에는 물가의 경직성으로 인해 구매력 평가설에 기초한 환율과는 다른 움직임이 나타나면서 오버슈팅이 발생할 수 있다. [2]가령 국내 통화량이 증가하여 유지될 경우, 물가가 경직적이어서 실질 통화량은 증가하고 이에 따라 시장 금리는 하락한다. [3]국가 간 자본 이동이 자유로운 상황에서, 시장 금리 하락은 투자의 기대 수익률 하락으로 이어져, 단기성 외국인 투자 자금이 해외로 빠져나가거나 신규 해외 투자 자금 유입을 위축시키는 결과를 초래한다. [4]이 과정에서 자국 통화의 가치는 하락하고 환율은 상승한다. [5]통화량의 증가로 인한 효과는 물가가 신축적인 경우에 예상되는 환율 상승에, 금리 하락에 따른 자금의 해외 유출이 유발하는 추가적인 환율 상승이 더해진 것으로 나타난다. [6]이러한 추가적인 상승 현상이 환율의 오버슈팅인데, 오버슈팅의 정도 및 지속성은 물가 경직성이 클수록 더 크게 나타난다. [7]시간이 경과함에 따라 물가가 상승하여 실질 통화량이 원래 수준으로 돌아오고 해외로 유출되었던 자금이 시장 금리의 반등으로 국내로 복귀하면서, 단기에 과도하게 상승했던 환율은 장기에는 구매력 평가설에 기초한 환율로 수렴된다.

❹ [1]단기의 환율이 기초 경제 여건과 괴리되어 과도하게 급등락하거나 균형 환율 수준으로부터 장기간 이탈하는 등의 문제가 심화되는 경우를 예방하고 이에 대처하기 위해 정부는 다양한 정책 수단을 동원한다. [2]오버슈팅의 원인인 물가 경직성을 완화하기 위한 정책 수단 중 강제성이 낮은 사례로는 외환의 수급 불균형 해소를 위해 관련 정보를 신속하고 정확하게 공개하거나, 불필요한 가격 규제를 축소하는 것을 들 수 있다. [3]한편 오버슈팅에 따른 부정적 파급 효과를 완화하기 위해 정부는 환율 변동으로 가격이 급등한 수입 필수 품목에 대한 세금을 조절함으로써 •내수가 급격히 위축되는 것을 방지하려고 하기도 한다. [4]또한 환율 급등락으로 인한 피해에 대비하여 수출입 기업에 환율 변동 보험을 제공하거나, 외화 •차입 시 지급 보증을 제공하기도 한다. [5]이러한 정책 수단은 직접성이 높은 특성을 가진다. [6]이와 같이 정부는 기초 경제 여건을 반영한 환율의 추세는 용인하되, 사전적 또는 사후적인 미세 조정 정책 수단을 활용하여 환율의 단기 급등락에 따른 위험으로부터 실물 경제와 금융 시장의 안정을 도모하는 정책을 수행한다.

• **신축적** 일의 형편에 따라 적절하게 대처할 수 있는 것.
• **내수** 국내에서의 수요.
• **차입** 돈이나 물건 등을 꾸어 들임.

03 윗글에 대한 이해로 적절하지 않은 것은?

① 물가가 신축적인 경우가 경직적인 경우에 비해 국내 통화량 증가에 따른 국내 시장 금리 하락 폭이 작을 것이다.

② 국내 통화량이 증가하여 유지될 경우 장기에는 실질 통화량이 변하지 않으므로 장기의 환율도 변함이 없을 것이다.

③ 물가 경직성에 따른 환율의 오버슈팅은 물가의 조정 속도보다 환율의 조정 속도가 빠르기 때문에 발생하는 것이다.

④ 환율의 오버슈팅이 발생한 상황에서 외국인 투자 자금이 국내 시장 금리에 민감하게 반응할수록 오버슈팅 정도는 커질 것이다.

⑤ 환율의 오버슈팅이 발생한 상황에서 물가 경직성이 클수록 구매력 평가설에 기초한 환율로 수렴되는 데 걸리는 기간이 길어질 것이다.

04 윗글을 바탕으로 할 때, 〈보기〉의 'A국' 경제 상황에 대한 '경제학자 갑'의 견해를 추론한 것으로 적절하지 않은 것은?

보기

A국 경제학자 갑은 자국의 최근 경제 상황을 다음과 같이 진단했다.

금융 시장 불안의 여파로 A국의 주식, 채권 등 금융 자산의 가격 하락에 대한 우려가 확산되면서 안전 자산으로 인식되는 B국의 채권에 대한 수요가 증가하고 있다. 이로 인해 외환 시장에서는 A국에 투자되고 있던 단기성 외국인 자금이 B국으로 유출되면서 A국의 환율이 급등하고 있다.

B국에서는 해외 자금 유입에 따른 통화량 증가로 B국의 시장 금리가 변동할 것으로 예상된다. 이에 따라 A국의 환율 급등은 향후 다소 진정될 것이다. 또한 양국 간 교역 및 금융 의존도가 높은 현실을 감안할 때, A국의 환율 상승은 수입품의 가격 상승 등에 따른 부작용을 초래할 것으로 예상되지만 한편으로는 수출이 증대되는 효과도 있다. 그러므로 정부는 시장 개입을 가능한 한 자제하고 환율이 시장 원리에 따라 자율적으로 균형 환율 수준으로 수렴되도록 두어야 한다.

① A국에 환율의 오버슈팅이 발생한 상황에서 B국의 시장 금리가 하락한다면 오버슈팅의 정도는 커질 것이다.

② A국에 환율의 오버슈팅이 발생하였다면 이는 금융 시장 변동에 따른 불안 심리에 의해 촉발된 것으로 볼 수 있다.

③ A국에 환율의 오버슈팅이 발생할지라도 시장의 조정을 통해 환율이 장기에는 균형 환율 수준에 도달할 수 있을 것이다.

④ A국의 환율 상승이 수출을 증대시키는 긍정적인 효과도 동반하므로 A국의 정책 당국은 외환 시장 개입에 신중해야 한다.

⑤ A국의 환율 상승은 B국으로부터 수입하는 상품의 가격을 인상시킴으로써 A국의 내수를 위축시키는 결과를 초래할 수 있다.

06

❷ 법

법과 계약

기출 속 배경지식 키워드 | #공법 #사법 #계약 #청약 #승낙 #채권 #채무 #급부

교과 연계
고등학교 정치와 법
Ⅰ. 민주주의와 헌법
Ⅳ. 개인 생활과 법
Ⅴ. 사회생활과 법

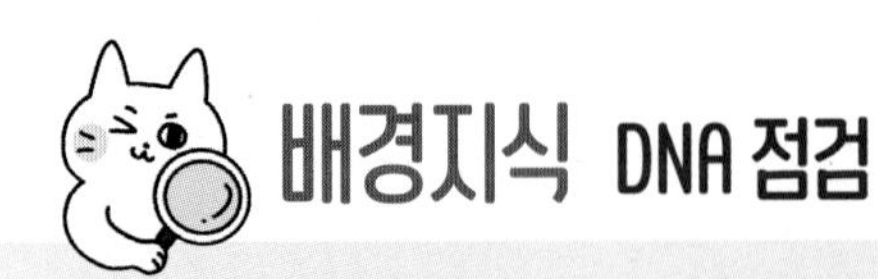

○ 다음 내용을 관련 있는 것끼리 바르게 연결해 봅시다.

헌법	(1) •	• ㉠	계약에서 약속을 이행할 의무
형법	(2) •	• ㉡	범죄와 형벌의 종류와 정도 등을 정해 놓은 법
민법	(3) •	• ㉢	물건을 사고파는 일에 관한 법
상법	(4) •	• ㉣	우리나라의 최고법이자 기본법
계약	(5) •	• ㉤	가족 관계, 재산 문제 등 개인 간의 법률관계를 다루는 법
채무	(6) •	• ㉥	사람이 다른 사람들과 거래를 하고 관계를 맺는 과정에서 이루어지는 일정한 합의나 약속

답 (1)㉣ (2)㉡ (3)㉤ (4)㉢ (5)㉥ (6)㉠

수능 필수 배경지식

영화나 드라마에서 형사가 범인을 체포할 때 꼭 등장하는 단골 대사가 있지? "당신은 변호사를 선임할 권리가 있고, 묵비권을 행사할 수 있으며……." 굳이 이 긴 문장을 읊는 이유는 뭘까? 바로 체포되는 사람은 누구나 자신이 체포되는 이유와, 자신에게 변호인의 도움을 받을 권리가 있음을 알아야 한다고 법에서 규정하고 있기 때문이야. 우리나라는 •법치주의 국가이기 때문에, 여러 가지 영역에서 법을 세세하게 규정해서 나라를 운영하고 질서를 유지하는 데 활용하고 있어.

•**법치주의** 국가의 권력은 국민의 의사에 따라 만들어진 법률에 바탕을 두어야 한다는 주의.

법 • 국가의 강제력을 수반하는 사회 규범

법(法)은 국가의 강제력을 •수반하는 사회 규범이야. 법은 내용과 성격 등에 따라 헌법, 형법, 민법과 같이 다양하게 분류돼.

•**수반하다** 어떤 일과 더불어 생기다. 또는 그렇게 되게 하다.

공법(公法)은 개인과 국가 간 또는 국가 기관 간의 공적인 생활 관계를 규율하는 법으로, 헌법이나 형법 등이 이에 해당해. **헌법**은 우리나라의 최고법이자 기본법으로, 일반 법률보다 추상적이고 일반적인 내용을 다뤄. 또 **형법**은 범죄와 형벌을 정하고 있는 법률이야.

(公: 국가나 사회의 일)
(예) 대한민국 헌법 제1조: 대한민국은 민주 공화국이다.

▲ 법의 분류

사법(私法)은 개인 간의 법률관계를 규율하는 법으로, (1) ㅁㅂ과 상법 등으로 나뉘어. **민법**은 가족 관계나 재산 문제 등 개인 간의 법률관계에 관하여 권리와 의무의 발생, 변경, 소멸 등을 규정하는 법이야. 이와 달리 **상법**은 상품을 사고파는 일과 같은, 상업에 관한 사항을 규정하는 법이란다.

(私: 사사롭다)

그런데 만약 국가와 국가 간에 분쟁이 나면 어느 나라의 법으로 해결해야 할까? 이런 곤란함을 해결하기 위해 국가 간의 명시적·묵시적 합의에 기초하여 형성된 법을 **국제법**이라고 해. 대표적으로 국가들끼리 맺은 **조약**이 바로 (2) ㄱㅈㅂ에 해당해.

잠깐 체크

❶ 헌법과 형법은 (공법 / 사법)에 해당한다.

❷ 사법은 개인과 국가 간의 법률관계를 규율하는 법이다. (○, ×)

답 ❶ 공법 ❷ ×

사회

계약 • 일정한 법률 효과를 발생시킬 목적으로 이루어지는 합의 또는 약속

계약은 법률 행위의 일종으로서, 사람들이 거래를 하고 관계를 맺는 과정에서 이루어지는 일정한 합의나 약속을 말해. 대표적으로 물건을 사고파는 매매 계약, 물건을 빌려 쓰고 그 사용료를 지불하는 임대차 계약 등이 있지. 이때 계약을 맺기를 요청하는 **청약**과 이를 받아들이겠다는 **승낙**이 있으면 당사자의 의사가 일치해서 계약이 (3) ㅅㄹ 된다고 봐.

계약의 성립

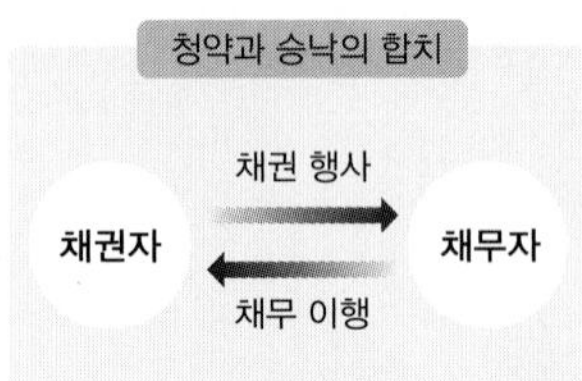

그림과 같이 아이스크림 가게에 간 손님이 "이거 주세요."라고 말했을 때, 가게 주인이 "네."라고 대답하는 순간 계약은 성립하고, 서로 약속의 •이행을 요구할 수 있는 **채권**이 발생해.

• 손님: 아이스크림을 달라고 요구함.
• 주인: 아이스크림 값을 요구함.

● **이행** 채무자가 채무의 내용을 실행하는 일.

만약 위 상황과 같이 아이스크림을 받아든 손님이 그냥 나가려고 하면 주인은 돈을 달라고 요구할 수 있는데, 이는 채권을 행사한 것으로 볼 수 있어.

채권과 채무는 앞에서도 배웠지만 다시 짚고 가자. 계약이 성립되면 서로 약속의 이행을 요구할 수 있는 권리인 **채권**과 약속을 이행할 의무인 **채무**가 발생해. 그리고 약속의 이행을 요구할 권리를 가진 사람을 (4) ㅊㄱㅈ, 약속을 이행할 의무를 지닌 사람을 **채무자**라고 하지. 이때 채권의 목적이 되는, 채무자가 하여야 할 행위를 가리켜 **급부**라고 한단다.

잠깐 체크

❶ 매매 계약은 법률 행위의 일종이다. (○, ×)

❷ 채무자는 채권자가 요구하는 급부를 이행해야 할 의무를 진다. (○, ×)

답 ❶ ○ ❷ ○

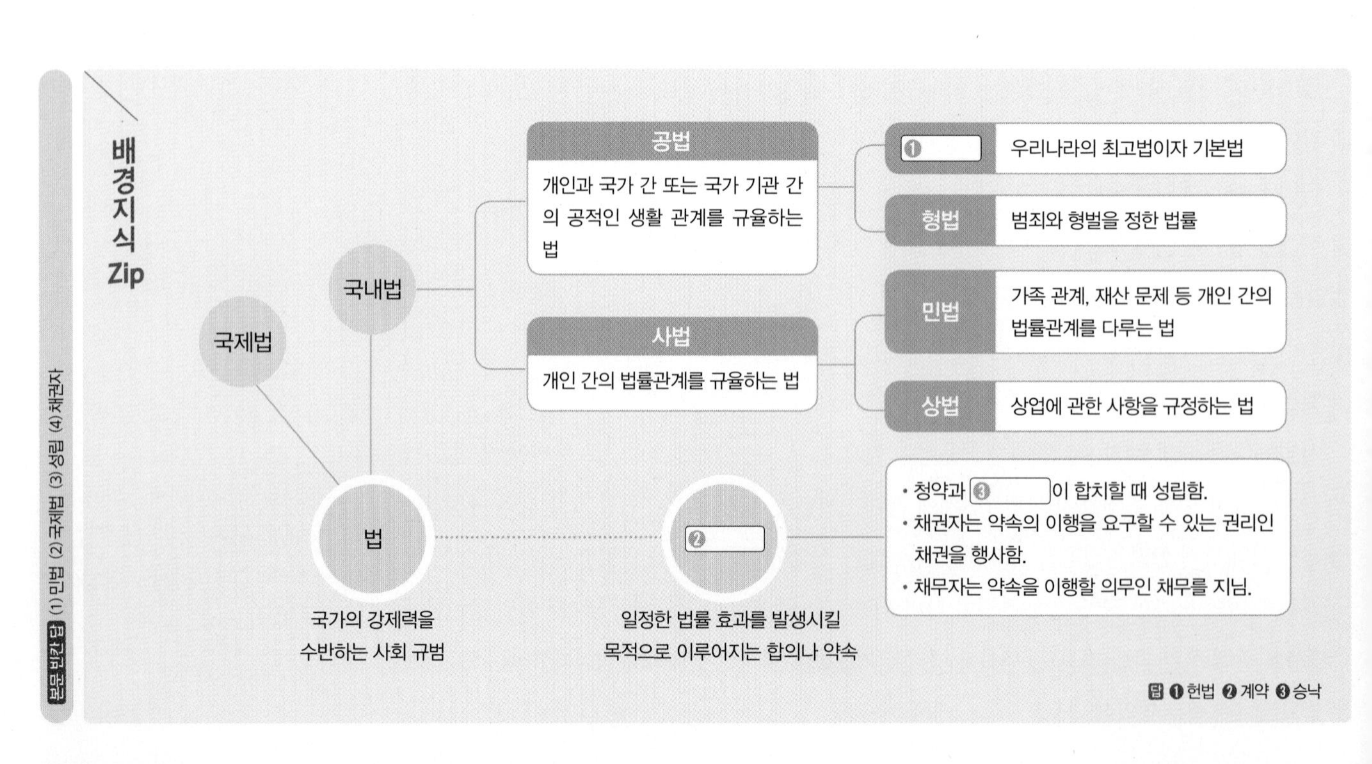

답 (1) 민법 (2) 국제법 (3) 성립 (4) 채권자

정답과 해설 16쪽

[01~02] 다음 글을 읽고 물음에 답하시오.

❶ [1]인간은 집단생활을 하기 때문에 분쟁이 발생할 수밖에 없다. [2]그래서 문제가 발생하는 것을 예방하거나 문제를 원만히 해결하기 위해 규칙을 만든다. [3]여러 규칙 중 사회 구성원들의 합의에 따라 만들어지고 강제성을 가진 규칙을 법이라고 한다. [4]이때 강제성은 공공의 이익을 실현하기 위해 사회 구성원들이 동의할 때만 발휘될 수 있다. [5]이러한 법은 몇 가지 특징이 있는데 먼저 법은 행동의 결과를 중시한다. [6]왜냐하면 다른 사람이 행동을 평가할 수 있고 그 변화도 확인할 수 있어야 하기 때문이다. [7]그리고 법은 국민의 자유와 권리를 보호한다. [8]만약 법이 없다면 권력자나 국가 기관이 멋대로 권력을 휘두를 수 있을 것이다. [9]마지막으로 법은 최소한의 간섭만 한다. [10]개인이 처리해도 되는 일까지 법이 간섭한다면 사람들은 숨이 막혀 평온하게 살기 힘들 것이다.

❷ [1]대표적인 법에는 ㉠민법과 형법이 있다. [2]민법은 국가 기관이 아닌, 사람들 간의 권리관계를 다루는 법률로서 재산 관계와 가족 관계로 구성되어 있다. [3]근대 사회에서 형성된 민법의 원칙은 오늘날까지도 중요하게 여겨지고 있다. [4]중요 원칙 중 하나는 개인의 사유 재산에 대해 절대적 지배를 인정하고 국가를 비롯한 단체나 개인은 다른 사람의 사유 재산 행사에 간섭하지 못한다는 것이다. [5]그리고 다른 사람에게 끼친 손해는 그 행위가 위법이고 동시에 고의나 과실에 의한 경우에만 책임을 진다는 원칙도 있다. [6]그런데 이 원칙들은 경제적 강자가 경제적 약자를 지배하는 수단으로 악용되기도 하여 20세기에 들면서 제한이 생겼다. [7]그 결과 개인의 사유 재산에 대한 지배는 여전히 보장되지만 •공공복리에 적합하도록 행사해야 한다는 것과 같은 수정된 원칙들이 적용되고 있다.

❸ [1]반면, 형법은 범죄와 형벌을 규정하는 법률로서 '죄형법정주의'라는 기본 원칙이 있다. [2]죄형법정주의는 범죄의 행위와 그 범죄에 대한 처벌을 미리 법률로 정해 두어야 한다는 것이다. [3]그래서 범죄 발생 당시에는 없었던 법이 나중에 생겨도 그것을 •소급해서 적용할 수 없다. [4]또한 민법과 달리 어떤 사항을 직접 규정한 법규가 없을 때, 그와 비슷한 사항을 규정한 법규를 •유추하여 적용할 수도 없다.

- **공공복리** 사회 구성원 전체에 두루 관계되는 복지.
- **소급하다** 과거에까지 거슬러 올라가서 미치게 하다.
- **유추하다** 어떤 사항을 직접 규정한 법규가 없을 때 그와 비슷한 사항을 규정한 법규를 적용하다.

01

윗글의 내용과 일치하면 ○에, 일치하지 않으면 ×에 표시하시오.

(1) 새롭게 제정된 법은 과거 범죄에 소급 적용될 수 있다. (○ | ×)

(2) 법의 강제성은 사회 구성원들이 동의하지 않더라도 발휘된다. (○ | ×)

(3) 법의 목적은 문제가 발생하는 것을 예방하거나 문제를 원만하게 해결하기 위함이다. (○ | ×)

02

㉠에 대한 설명으로 적절하지 않은 것은?

① 경제적 강자로부터 경제적 약자를 보호하기 위해 원칙이 수정되었다.

② 국가 기관이 아닌 사람들 간의 권리관계에 문제가 생겼을 경우 적용한다.

③ 위법한 행위가 발생했을 때 의도적으로 잘못을 한 경우에만 책임을 물을 수 있다.

④ 20세기에 들면서 공공복리에 적합하지 않을 경우 개인의 재산권 행사를 제한할 수 있게 되었다.

⑤ 개인이 재산을 사용하는 것에 대해 국가나 타인이 간섭하지 못한다는 원칙이 근대 사회에서 형성되었다.

배경지식 플러스

법의 소급 적용
'소급 적용'이란 '어떤 법률, 규칙 등이 시행되기 전에 일어난 일에까지 거슬러서 미치도록 적용하는 일'을 말한다. 즉, 새롭게 제정된 법을 소급하면 해당 법을 과거에 일어난 일에 적용하여 처벌하는 등의 일이 가능하다.

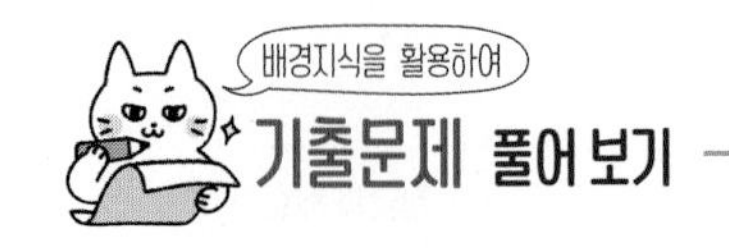

[03~06] 다음 글을 읽고 물음에 답하시오.

❶ [1]채권은 어떤 사람이 다른 사람에게 특정 행위를 요구할 수 있는 권리이다. [2]이 특정 행위를 급부라 하고, 특정 행위를 해 주어야 할 의무를 채무라 한다. [3]채무자가 채권을 ⓐ가진 이에게 급부를 이행하면 채권에 대응하는 채무는 소멸한다. [4]급부는 재화나 서비스 제공인 경우가 많지만 그 외의 내용일 수도 있다.

❷ [1]민법상의 권리는 여러 가지가 있는데 계약 없이 법률로 정해진 요건의 충족으로 발생하기도 하지만 대개 계약의 효력으로 발생한다. [2]계약이란 권리 발생 등에 관한 당사자의 합의로서, 계약이 성립하면 합의 내용대로 권리 발생 등의 효력이 인정되는 것이 원칙이다. [3]당장 필요한 재화나 서비스는 그 제공을 급부로 하는 계약을 성립시켜 확보하면 되지만 미래에 필요할 수도 있는 재화나 서비스라면 계약을 성립시킬 수 있는 권리를 확보하는 것이 유리하다. [4]이를 위해 '예약'이 활용된다. [5]일상에서 예약이라고 할 때와 법적인 관점에서의 예약은 구별된다. [6]㉠기차 탑승을 위해 미리 돈을 지불하고 승차권을 구입하는 것을 '기차 승차권을 예약했다'고도 하지만 이 경우는 예약에 해당하지 않는 계약이다. [7]법적으로 예약은 당사자들이 합의한 내용대로 권리가 발생하는 계약의 일종으로, 재화나 서비스 제공을 급부 내용으로 하는 다른 계약인 '본계약'을 성립시킬 수 있는 권리 발생을 목적으로 한다.

❸ [1]예약은 예약상 권리자가 가지는 권리의 법적 성질에 따라 두 가지 유형으로 나뉜다. [2]첫째는 채권을 발생시키는 예약이다. [3]이 채권의 급부 내용은 '예약상 권리자의 본계약 성립 요구에 대해 상대방이 승낙하는 것'이다. [4]회사의 급식 업체 •공모에 따라 여러 업체가 신청한 경우 그중 한 업체가 선정되었다고 회사에서 통지하면 예약이 성립한다. [5]이에 따라 선정된 업체가 급식을 제공하고 대금을 ⓑ받기로 하는 본계약 체결을 요청하면 회사는 이에 응할 의무를 진다. [6]둘째는 예약 완결권을 발생시키는 예약이다. [7]이 경우 예약상 권리자가 본계약을 성립시키겠다는 의사를 표시하는 것만으로 본계약이 성립한다. [8]가족 행사를 위해 식당을 예약한 사람이 식당에 도착하여 예약 완결권을 행사하면 곧바로 본계약이 성립하므로 식사 제공이라는 급부에 대한 계약상의 채권이 발생한다.

❹ [1]예약에서 예약상의 급부나 본계약상의 급부가 이행되지 않는 문제가 ⓒ생길 수 있는데, 예약의 유형에 따라 발생 문제의 양상이 다르다. [2]일반적으로 급부가 이행되지 않아 채권자에게 손해가 발생한 경우 채무자는 자신의 고의나 과실에서 비롯된 것이 아님을 증명하지 못하는 한 채무 불이행 책임을 진다. [3]이로 인해 채무의 내용이 바뀌는데 원래의 급부 내용이 무엇이든 채권자의 손해를 돈으로 물어야 하는 손해 배상 채무로 바뀐다.

❺ [1]만약 타인이 고의나 과실로 예약상 권리자가 가진 권리 실현을 방해했다면 예약상 권리자는 그에게도 책임을 ⓓ물을 수 있다. [2]법률에 의하면 누구든 고의나 과실에 의해 타인에게 피해를 ⓔ끼치는 행위를 하고 그 행위의 위법성이 인정되면 불법행위 책임이 성립하여, 가해자는 피해자에게 손해를 돈으로 배상할 채무를 지기 때문이다. [3]다만 예약상 권리자에게 예약 상대방이나 방해자 중 누구라도 손해 배상을 하면 다른 한쪽의 배상 의무도 사라진다. [4]급부 내용이 동일하기 때문이다.

• **공모** 일반에게 널리 공개하여 모집함.

03 윗글에 대한 이해로 적절하지 않은 것은?

① 불법행위 책임은 계약의 당사자 사이에 국한된다.
② 급부가 이행되면 채무자의 채권자에 대한 채무가 소멸된다.
③ 예약상 권리자는 본계약상 권리의 발생 여부를 결정할 수 있다.
④ 재화나 서비스 제공을 대상으로 하는 권리 외에 다른 형태의 권리도 존재한다.
⑤ 계약상의 채권은 계약이 성립하면 추가 합의가 없어도 발생하는 것이 원칙이다.

04 ㉠에 대한 이해로 가장 적절한 것은?

① 기차 탑승은 채권에 해당하고 돈을 지불하는 행위는 그 채권의 대상인 급부에 해당한다.
② 기차를 탑승하지 않는 것은 승차권 구입으로 발생한 채권에 대응하는 의무를 포기하는 것이다.
③ 기차 승차권을 미리 구입하는 것은 계약을 성립시키면서 채권의 행사 시점을 미래로 정해 두는 것이다.
④ 승차권 구입은 계약 없이 법률로 정해진 요건을 충족하여 서비스를 제공받을 권리를 발생시키는 행위이다.
⑤ 미리 돈을 지불하는 것은 미래에 필요한 기차 탑승 서비스 이용이라는 계약을 성립시킬 수 있는 권리를 확보한 것이다.

05 윗글을 참고할 때, 〈보기〉의 ㉮에 대한 이해로 적절하지 않은 것은?

보기

특별한 행사를 앞두고 있는 갑은 미용실을 운영하는 을과 예약을 하여 행사 당일 오전 10시에 머리 손질을 받기로 했다. 갑이 시간에 맞춰 미용실을 방문하여 머리 손질을 요구했을 때 병이 이미 을에게 머리 손질을 받고 있었다. 갑이 예약해 둔 시간에 병이 고의로 끼어들어 위법성이 있는 행위를 하여 ㉮갑은 오전 10시에 머리 손질을 받을 수 없는 손해를 입었다.

① ㉮가 발생하는 과정에서 을의 과실이 있는 경우, 을은 갑에 대해 채무 불이행 책임이 있고 병은 갑에 대해 손해 배상 채무가 있다.
② ㉮가 발생하는 과정에서 을에게 고의나 과실이 없음이 증명된 경우, 을과 달리 병에게는 갑이 입은 손해에 대해 금전으로 배상할 책임이 있다.
③ ㉮가 발생하는 과정에서 을의 고의가 있는 경우, 을과 병은 모두 갑에게 손해 배상 채무를 지고 을이 배상을 하면 병은 갑에 대한 채무가 사라진다.
④ ㉮가 발생하는 과정에서 을에게 고의나 과실이 있는지 없는지 증명되지 않은 경우, 을과 병은 모두 갑에게 채무를 지고 그에 따른 급부의 내용은 동일하다.
⑤ ㉮가 발생하는 과정에서 을에게 고의나 과실이 있는지 없는지 증명되지 않은 경우, 을과 병은 모두 채무 불이행 책임을 지므로 갑에게 손해 배상 채무를 진다.

06 문맥상 ⓐ~ⓔ의 단어와 가장 가까운 의미로 쓰인 것은?

① ⓐ: 자신의 일에 자부심을 가지는 것이 중요하다.
② ⓑ: 올해 생일에는 고향 친구에게서 편지를 받았다.
③ ⓒ: 기차역 주변에 새로 생긴 상가에 가 보았다.
④ ⓓ: 나는 도서관에서 책 빌리는 방법을 물어 보았다.
⑤ ⓔ: 바닷가의 찬바람을 쐬니 온몸에 소름이 끼쳤다.

❷ 법

소송과 재판

기출 속 배경지식 키워드 | #민사 소송 #원고 #피고 #형사 소송 #공소 #피고인 #항소 #상고

교과 연계
고등학교 정치와 법
Ⅳ. 개인 생활과 법

배경지식 DNA 점검

◎ 다음 그림을 참고하여 빈칸에 들어갈 알맞은 말을 골라 봅시다.

가

나

1 가는 [민사 / 형사] 재판의 좌석 배치도이고, 나는 [민사 / 형사] 재판의 좌석 배치도이다.

2 ㉠은 [검사 / 변호사]이다. 범죄를 수사하고 공소를 제기한다.

3 ㉡은 [원고 / 피고]이며, 소송을 당한 측의 당사자이다.

답 1 형사, 민사 2 검사 3 피고

수능 필수 배경지식

앞에서 우리나라 법의 종류와 계약에 관해 배웠지? 이번에는 법을 어겼을 때, 또는 법에 따른 해결이 필요한 문제가 생겼을 때 어떤 절차를 활용하는지 알아보자. 사회에서 사람들 사이에 일어나는 분쟁을 공정하게 해결하기 위해 만든 절차가 바로 소송이야. 법원에서는 소송에 따른 •재판을 통해 •이해관계의 충돌을 해결하거나 범죄 행위를 한 사람에게 형벌을 가해.

- **재판** 법원에서 법적으로 문제가 되는 사건에 대하여 법률에 따라 판단하는 일.
- **이해관계** 서로 이익과 손해가 걸려 있는 관계.

소송 • 사람들 사이의 다툼을 법에 따라 판결해 달라고 법원에 요구하는 행위

소송은 재판에 의하여 원고와 피고 사이의 권리나 의무 등의 법률관계를 확정하여 줄 것을 법원에 요구하는 행위 또는 그런 절차를 말해. 이때 소송에서 이기는 일을 **승소**라고 하고, 소송에서 지는 일을 **패소**라고 해. 재판에서 지면 상대방의 소송 비용을 부담하거나 •배상을 하는 등 여러 가지 불이익을 보기 때문에 소송 당사자는 (1) ㅅㅅ를 하기 위해 다양한 노력을 해.

- **배상** 남에게 입힌 손해를 물어 주는 일.

민사 소송 • 권리나 이익 문제로 인한 다툼을 해결하고 조정하기 위해 개인이 법원에 요구하여 이루어지는 재판 절차

원고 • 법원에 민사 소송을 제기한 사람

피고 • 민사 소송에서, 소송을 당한 측의 당사자

민사 소송은 개인 간에 권리나 이익 문제로 일어난 다툼을 해결하기 위한 재판으로, **민법**과 밀접한 관련이 있어. 법원에 민사 소송을 •제기하는 행위를 •**소(訴)**라고 하고, 소를 제기하기 위해 법원에 내는 서류를 **소장**이라고 해. 이때 소송을 제기한 사람을 **원고**, 소송을 당한 사람을 **피고**라고 한단다.

민사 재판의 판결문을 보면 소송을 제기한 원고와 소송을 당한 (2) ㅍㄱ를 알 수 있어. 예를 들어 오른쪽 그림과 같은 판결문에서 소송을 제기한 사람은 강소송이고, 소송을 당한 사람은 김당해야.

판 결
사건: □□□
원고: 강소송
피고: 김당해

- **제기하다** 소송을 일으키다.
- **소** 법률에 따라 주장의 정당성을 심판하여 권리나 의무 등을 확정해 달라고 법원에 신청하는 일.

잠깐 체크

❶ 민사 재판은 개인 간 분쟁을 해결하기 위한 재판이다. (○, ×)

❷ 민사 소송에서 (원고 / 피고)는 소송을 제기한 사람이다.

답 ❶ ○ ❷ 원고

형사 소송 ● 형법을 어긴 사람에게 형벌을 내리기 위한 재판 절차
공소 ● 검사가 법원에 형사 사건의 재판을 청구하는 일
피고인 ● 형사 소송에서, 범죄를 저질렀을 가능성이 있어 검사의 공소에 의해 재판을 받는 사람

형사 소송은 형법을 위반한 사람에게 형벌을 부과하기 위한 재판 절차로, **형법**과 밀접한 관련이 있어. 법정 드라마에서 검사와 변호사가 치열하게 주장을 주고받는 장면을 본 적이 있니? 검사가 피고인의 유죄를 주장하고 있다는 것은 그 재판이 (3) ㅎㅅ 소송이라는 것을 의미해.

검사가 법원에 특정 형사 사건의 재판을 청구하는 일을 **공소**라고 해. 이러한 공소를 제기하는 일을 **기소**라고 하지. 이때 **피고인**은 검사의 공소에 의해 형사 재판을 받는 사람이야. 참고로 **피의자**는 범죄의 혐의는 있지만 아직 검사에 의해 형사 재판이 청구되지 않은 사람을 뜻하는데, 검사가 공소를 제기하면 그때부터 피고인이라고 불러.

검사
검찰권을 행사하는 사법관. 범죄를 수사하고 공소를 제기하며 재판을 집행한다.

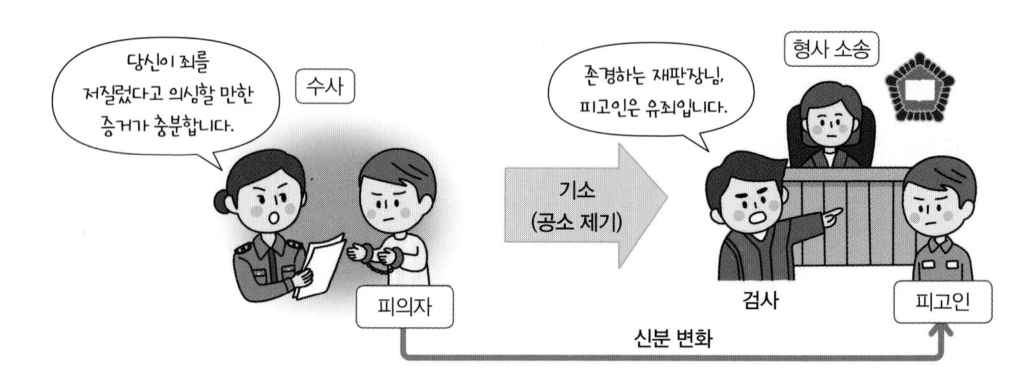

형사 소송은 어떤 절차를 걸쳐 진행될까? 먼저 범죄 피해자나 법정 대리인이 수사 기관에 •**고소장**을 제출하거나, 제3자의 고발 또는 수사 기관의 사건 인지를 통해 범죄 수사가 시작돼. 수사가 마무리되면 검사는 피의자가 재판을 받는 것이 마땅한지 판단한 후 법원에 공소를 제기하지. 그래서 형사 소송에서 소송 당사자를 가리키는 말은 민사 소송과 달라. 형사 소송의 판결문을 보면, 민사 소송에서와 달리 '피고인'과 '검사'가 표기되어 있어.

판 결
사건: ◇◇◇
피고인: 박혐의
검사: 최기소

● **고소장** 범죄의 피해자나 다른 고소권자가 범죄 사실을 고소하기 위하여 수사 기관에 제출하는 서류.

잠깐 체크
❶ 형사 소송에서는 변호사가 소송을 제기한다. (○, ×)
❷ 공소가 제기되면 피의자는 (피고 / 피고인)이 된다.
답 ❶ × ❷ 피고인

입증 책임 ● 소송에서, 자기에게 유리한 사실을 주장하기 위하여 법원을 설득할 만한 증거를 제출하는 책임

소송에서 자기에게 유리한 사실을 주장하기 위하여 법원을 설득할 만한 증거를 제출하는 책임을 •**입증 책임**이라고 해. 기본적으로 소송에서 어떤 사실을 주장하는 사람이 그 내용에 대한 입증 책임을 지지. (4) ㅇㅈ ㅊㅇ이 있는 당사자는 증거가 부족하면 재판에서 불리한 판결을 받게 되므로 입증 자료를 충실히 제출해야 해.

● **입증** 증거를 들어서 어떤 사실을 증명함.

잠깐 체크
❶ 소송에서 자기에게 유리한 사실을 주장하기 위해 법원에 증거를 제출할 책임을 의미하는 개념은?
❷ 일반적으로 입증 책임을 다하지 못한 당사자는 재판에서 불이익을 당한다. (○, ×)
답 ❶ 입증 책임 ❷ ○

항소 ● 제1심 판결에 대하여 불복하여 상소함. 또는 그 상소

상고 ● 제2심 판결에 대하여 불복하여 상소함. 또는 그 상소

그럼 하나의 사건에는 단 한 번의 재판만 가능한 걸까? 아니야. 소송을 제기한 사람이든 소송을 당한 사람이든, 재판 결과가 불만족스럽다면 상급 법원에 다시 재판을 해 달라고 요구할 수 있어. 이때 하급 법원의 판결에 따르지 않고 상급 법원에 •재심을 요구하는 일을 **상소**라고 하는데, 상소에는 항소와 상고가 있어.

●**재심** 한 번 심사했던 것을 다시 심사함.

항소는 제1심 판결에 대하여 •불복하여 상소하는 행위 또는 그 상소를 말하고, **상고**는 제2심 판결에 대하여 불복하여 상소하는 행위 또는 그 상소를 말해. 보통 제1심 판결은 지방 법원에서 내리고, 제2심 판결은 고등 법원에서, 제3심 판결은 (5) ㄷㅂㅇ 에서 내려.

●**불복하다** 명령이나 결정에 따르지 않다.

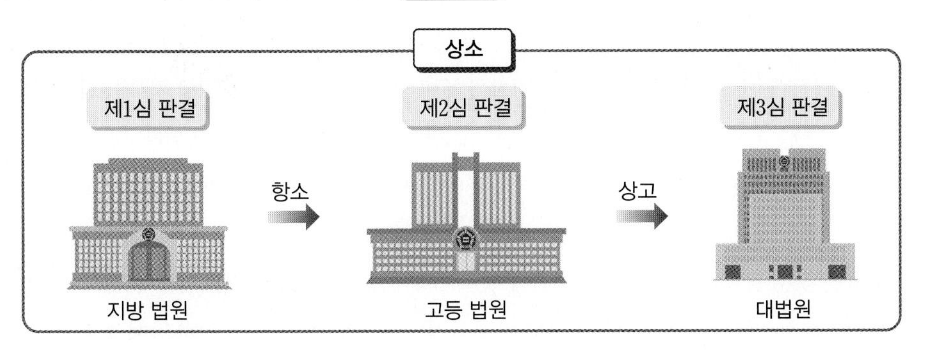

잠깐 체크

❶ 하급 법원의 판결에 따르지 않고 상급 법원에 재심을 요구하는 것을 상소라고 한다. (○, ×)

❷ 제2심 판결에 불복하는 측은 대법원에 (항소 / 상고)를 할 수 있다.

답 ❶ ○ ❷ 상고

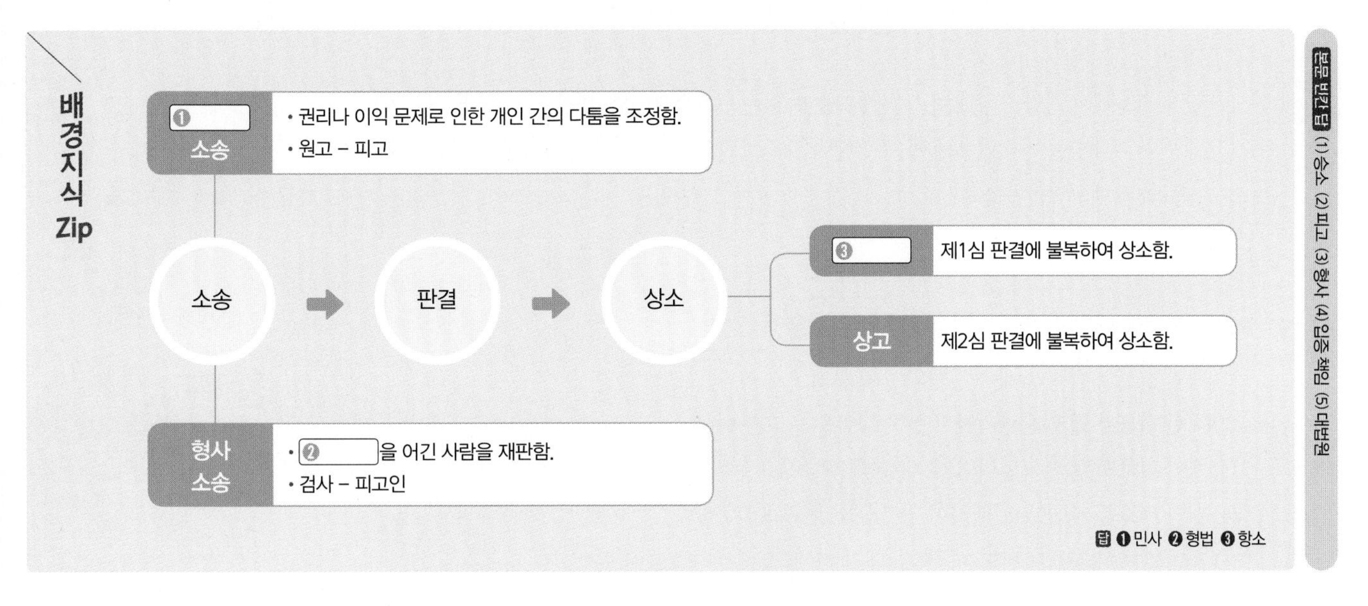

답 ❶ 민사 ❷ 형법 ❸ 항소

본문 빈칸 답 (1) 승소 (2) 피고 (3) 형사 (4) 입증 책임 (5) 대법원

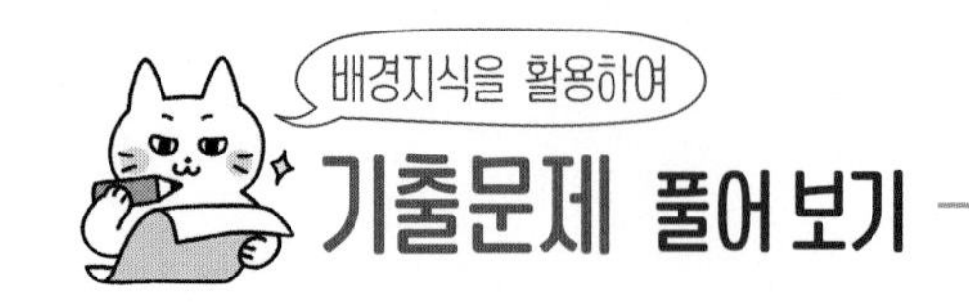

[01~02] 다음 글을 읽고 물음에 답하시오.

❶ [1]A회사의 온라인 취업 사이트에 갑을 비롯한 수만 명의 가입자가 개인 정보를 제공하였다. [2]누군가 A회사의 시스템 관리가 허술한 것을 알고 링크 파일을 만들어 자신의 블로그에 올렸다. [3]이를 통해 많은 이들이 가입자들의 정보를 자유롭게 열람하였다. [4]이 사실을 알게 된 갑은 A회사에 사이트 운영의 중지와 배상을 요구하였지만, A회사는 거부하였다. [5]갑은 소송을 검토하였는데, 받게 될 배상액에 비해 들어갈 비용이 적지 않다는 생각에 망설였다. [6]갑은 온라인 카페를 통해 소송할 사람들을 모았고 마침내 100명이 넘는 가입자들이 동참하게 되었다. [7]갑은 이들과 함께 ㉠공동 소송을 하여 A회사에 사이트 운영의 중지와 피해의 배상을 청구하였다.

❷ [1]공동 소송은 소송 당사자의 수가 여럿이 되는 소송을 말한다. [2]이는 저마다 개별적으로 수행할 수 있는 소송들을 하나의 절차에서 한꺼번에 심리하고 진행할 수 있도록 배려하는 것으로서, 경제적이고 효율적으로 일괄 구제할 수 있다는 장점이 있다. [3]하지만 당사자의 수가 지나치게 많으면 한꺼번에 소송을 진행하기에 번거롭다. [4]그래서 실제로는 대개 공동으로 변호사를 선임하여 그가 소송을 수행하도록 한다. [5]또한 선정 당사자 제도를 이용할 수도 있는데, 이는 갑과 같은 이를 선정 당사자로 삼아 그에게 모두의 소송을 맡기는 것이다.

❸ [1]위 사건에서 수만 명의 가입자가 손해를 입었지만, 배상받을 금액이 적은 탓에 대부분은 소송에 참여하지 않았다. [2]그리하여 전체 피해 규모가 엄청난 데 비하면, 승소해서 받게 될 배상금의 총액은 매우 적을 것이다. [3]이래서는 피해 구제도 미흡하고, 기업에 시스템을 개선하도록 하는 동기를 부여하지 못한다. [4]이를 해결할 방안으로 다른 나라에서 시행되는 집단 소송과 단체 소송 제도의 도입이 논의되어 왔다.

❹ [1]집단 소송은 피해자들의 일부가 전체 피해자들의 이익을 대변하는 대표 당사자가 되어, 기업을 상대로 손해 배상 청구 등의 소를 제기할 수 있도록 하는 방식이다. [2]만일 갑을 비롯한 피해자들이 공동 소송을 하여 승소한다면 이들만 배상을 받게 된다. [3]반면에 집단 소송에서 대표 당사자가 수행하여 이루어진 판결은 원칙적으로 소송에 참가하지 않은 사람들에게도 그 효력이 미친다. [4]그러나 대표 당사자는 초기에 고액의 소송 비용을 내야 하는 등의 부담이 있어 소송의 개시가 쉽지만은 않다.

❺ [1]단체 소송은 법률이 정한, 전문성과 경험을 갖춘 단체가 기업을 상대로 침해 행위의 중지를 청구하는 소를 제기할 수 있도록 하는 제도이다. [2]위의 사례에서도 IT 관련 협회와 같은 전문 단체가 소송을 한다면 더 효과적일 수 있을 것이다. [3]하지만 단체 소송은 공익적 이유에서 인정되는 것이어서, 이를 통해 개인 피해자들을 위한 손해 배상 청구는 하지 못한다.

01

윗글의 내용과 일치하면 ○에, 일치하지 않으면 ×에 표시하시오.

(1) 선정 당사자 제도는 소송 당사자들이 한꺼번에 절차를 진행해야 하는 부담을 덜어줄 수 있다. ○ ×

(2) 단체 소송에서 기업을 상대로 소를 제기할 수 있는 단체의 자격은 법률이 정한다. ○ ×

(3) 일부의 피해자들이 집단 소송을 수행하여 승소하면 그런 소송이 진행되는지 몰랐던 피해자들도 배상받을 수 있다. ○ ×

02

㉠의 목적에 대한 설명으로 적절하지 않은 것은?

① 개인 정보의 침해가 계속 진행되는 것을 막고자 한다.
② 개인 정보를 철저히 관리하지 못한 책임을 묻고자 한다.
③ 개인 정보의 침해가 일어난 데 대한 배상을 받고자 한다.
④ 개인 정보를 판매한 데 대하여 경각심을 촉구하고자 한다.
⑤ 개인 정보의 침해를 당한 피해자들이 소송에 드는 비용을 줄이고자 한다.

[03~04] 다음 글을 읽고 물음에 답하시오.

❶ [1]일반적으로 법률에서는 일정한 법률 효과와 함께 그것을 일으키는 요건을 규율한다. [2]이를테면, 민법 제750조에서는 불법 행위에 따른 손해 배상 책임을 규정하는데, 그 배상 책임의 성립 요건을 다음과 같이 정한다. [3]'고의나 과실'로 말미암은 '위법 행위'가 있어야 하고, '손해가 발생'하여야 하며, 바로 그 위법 행위 때문에 손해가 생겼다는, 이른바 '인과 관계'가 있어야 한다. [4]이 요건들이 모두 충족되어야, 법률 효과로서 가해자는 피해자에게 손해를 배상할 책임이 생기는 것이다.

❷ [1]소송에서는 이런 요건들을 입증해야 한다. [2]소송에서 입증은 주장하는 사실을 법관이 의심 없이 확신하도록 만드는 일이다. [3]어떤 사실의 존재 여부에 대해 법관이 확신을 갖지 못하면, 다시 말해 입증되지 않으면 원고와 피고 가운데 누군가는 패소의 불이익을 당하게 된다. [4]이런 불이익을 받게 될 당사자는 입증의 부담을 안을 수밖에 없고, 이를 입증 책임이라 부른다.

❸ [1]대체로 어떤 사실이 존재함을 증명하는 것이 존재하지 않음을 증명하는 것보다 쉽다. [2]이 둘 가운데 어느 한쪽에 부담을 지워야 한다면, 쉬운 쪽에 지우는 것이 공평할 것이다. [3]이런 형평성을 고려하여 특정한 사실의 발생을 주장하는 이에게 그 사실의 존재에 대한 입증 책임을 지도록 하였다. [4]그리하여 상대방에게 불법 행위의 책임이 있다고 주장하는 피해자는 소송에서 원고가 되어, 앞의 민법 조문에서 규정하는 요건들이 이루어졌다고 입증해야 한다.

❹ [1]그런데 이들 요건 가운데 인과 관계는 그 입증의 어려움 때문에 ●공해 사건 등에서 문제가 된다. [2]공해에 관하여는 현재의 과학 수준으로도 해명되지 않는 일이 많다. [3]그런데도 피해자에게 공해와 손해 발생 사이의 인과 관계를 하나하나의 연결 고리까지 자연 과학적으로 증명하도록 요구한다면, 사실상 사법적 구제를 거부하는 일이 될 수 있다. [4]더구나 관련 기업은 월등한 지식과 기술을 가지고 훨씬 더 쉽게 원인 조사를 할 수 있는 상황이기에, 피해자인 상대방에게만 엄격한 부담을 지우는 데 대한 형평성 문제도 제기된다.

❺ [1]공해 소송에서도 인과 관계에 대한 입증 책임은 여전히 피해자인 원고에 있다. [2]판례도 이 원칙을 바꾸지는 않는다. [3]다만 입증되었다고 보는 정도를 낮추어 인과 관계 입증의 어려움을 덜어 주려 한다. [4]곧 공해 소송에서는 예외적으로 인과 관계의 입증에 관하여 의심 없는 확신의 단계까지 요구하지 않고, 다소 낮은 정도의 규명으로도 입증되었다고 인정하는 판례가 등장하는 것이다. [5]이렇게 해서 인과 관계가 인정되면 가해자인 피고는 인과 관계의 성립을 방해하는 증거를 제출하여 책임을 면해야 한다.

● **공해** 산업이나 교통의 발달에 따라 사람이나 생물이 입게 되는 여러 가지 피해. 자동차의 매연, 공장의 폐수, 여러 종류의 쓰레기 등으로 공기와 물이 더럽혀지고 자연환경이 파괴되는 문제 등을 이른다.

03

윗글의 내용과 일치하면 ○에, 일치하지 않으면 ×에 표시하시오.

(1) 법률 효과는 그것을 일으키는 요건이 충족되어야 효과가 발휘된다. ○ ×

(2) 공해 소송에서는 피해자를 고려하여 피고가 입증 책임을 지게 한다. ○ ×

(3) 소송에서는 특정 사실이 발생했다고 주장하는 이가 입증 책임을 진다. ○ ×

04

윗글을 이해한 내용으로 가장 적절한 것은?

① 법관은 입증을 통해 어떤 사실의 존재 여부를 증명한다.

② 원칙적으로 인과 관계만 인정되면 입증이 성공했다고 본다.

③ 민법 제750조에서 규정하는 요건들이 충족되었다는 사실을 입증할 책임은 소송에서 피고에게 있다.

④ 위법 행위를 저지르면 고의와 과실이 없다는 사실을 입증하더라도 불법 행위에 따른 손해 배상 책임이 성립한다.

⑤ 문제되는 사실이 실제로 일어났는지 밝혀지지 않으면 그 사실의 존재에 대한 입증 책임이 있는 쪽이 소송에서 불이익을 받는다.

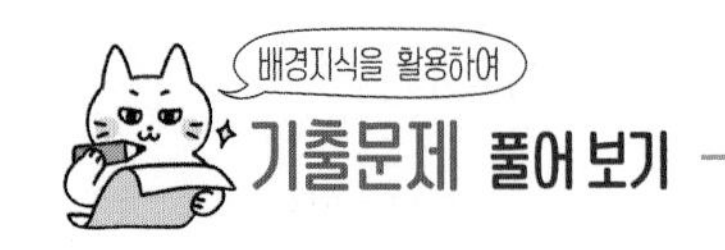

[05~08] 다음 글을 읽고 물음에 답하시오.

❶ [1]변론술을 가르치는 프로타고라스(P)에게 에우아틀로스(E)가 제안하였다. [2]"제가 처음으로 승소하면 그때 수강료를 내겠습니다." [3]P는 이를 ⓐ받아들였다. [4]그런데 E는 모든 과정을 수강하고 나서도 소송을 할 기미를 보이지 않았고 그러자 P가 E를 상대로 소송하였다. [5]P는 주장하였다. [6]"내가 승소하면 판결에 따라 수강료를 받게 되고, 내가 지면 자네는 계약에 따라 수강료를 내야 하네." [7]E도 맞섰다. [8]"제가 승소하면 수강료를 내지 않게 되고 제가 지더라도 계약에 따라 수강료를 내지 않아도 됩니다."

❷ [1]지금까지도 이 사례는 풀기 어려운 논리 난제로 거론된다. [2]다만 법률가들은 이를 해결할 수 있는 사안이라고 본다. [3]우선, 이 사례의 계약이 수강료 지급이라는 효과를, 실현되지 않은 사건에 의존하도록 하는 계약이라는 점을 살펴야 한다. [4]이처럼 일정한 효과의 발생이나 소멸에 제한을 ⓑ덧붙이는 것을 '부관'이라 하는데, 여기에는 '기한'과 '조건'이 있다. [5]효과의 발생이나 소멸이 장래에 확실히 발생할 사실에 의존하도록 하는 것을 기한이라 한다. [6]반면 장래에 일어날 수도 있는 사실에 의존하도록 하는 것은 조건이다. [7]그리고 조건이 실현되었을 때 효과를 발생시키면 '정지 조건', 소멸시키면 '해제 조건'이라 ⓒ부른다.

❸ [1]민사 소송에서 판결에 대하여 상소, 곧 항소나 상고가 그 기간 안에 제기되지 않아서 사안이 종결되든가, 그 사안에 대해 대법원에서 최종 판결이 *선고되든가 하면, 이제 더 이상 그 일을 다툴 길이 없어진다. [2]이때 판결은 확정되었다고 한다. [3]확정 판결에 대하여는 '기판력(旣判力)'이라는 것을 인정한다. [4]기판력이 있는 판결에 대해서는 더 이상 같은 사안으로 소송에서 다툴 수 없다. [5]예를 들어, 계약서를 제시하지 못해 매매 사실을 입증하지 못하고 패소한 판결이 확정되면, 이후에 계약서를 발견하더라도 그 사안에 대하여는 다시 소송하지 못한다. [6]같은 사안에 대해 서로 모순되는 확정 판결이 존재하도록 할 수는 없는 것이다.

❹ [1]확정 판결 이후에 법률상의 새로운 사정이 ⓓ생겼을 때는, 그것을 근거로 하여 다시 소송하는 것이 허용된다. [2]이 경우에는 전과 다른 사안의 소송이라 하여 이전 판결의 기판력이 미치지 않는다고 보는 것이다. [3]위에서 예로 들었던 계약서는 판결 이전에 작성된 것이어서 그 발견이 새로운 사정이라고 인정되지 않는다. [4]그러나 임대인이 임차인에게 집을 비워 달라고 하는 소송에서 임대차 기간이 남아 있다는 이유로 임대인이 패소한 판결이 확정된 후 시일이 흘러 계약 기간이 만료되면, 임대인은 집을 비워 달라는 소송을 다시 할 수 있다. [5]계약상의 기한이 지남으로써 임차인의 권리에 변화가 생겼기 때문이다.

❺ [1]이렇게 살펴본 바를 바탕으로 ㉠P와 E 사이의 분쟁을 해결하는 소송이 어떻게 전개될지 따져 보자. [2]이 사건에 대한 소송에서는 조건이 성취되지 않았다는 이유로 법원이 E에게 승소 판결을 내리면 된다. [3]그런데 이 판결 확정 이후에 P는 다시 소송을 할 수 있다. [4]조건이 실현되었기 때문이다. [5]따라서 이 두 번째 소송에서는 결국 P가 승소한다. [6]그리고 이때부터는 E가 다시 수강료에 관한 소송을 할 만한 사유가 없다. [7]이 분쟁은 두 차례의 판결을 ⓔ거쳐 해결될 수 있는 것이다.

* **선고되다** 재판장으로부터 판결이 알려지다.

05

윗글을 이해한 내용으로 적절하지 않은 것은?

① 승소하면 그때 수강료를 내겠다고 할 때 승소는 수강료 지급 의무에 대한 기한이다.
② 기한과 조건은 모두 계약상의 효과를 장래의 사실에 의존하도록 한다는 점이 공통된다.
③ 계약에 해제 조건을 덧붙이면 그 조건이 실현되었을 때 계약상 유지되고 있는 효과를 소멸시킬 수 있다.
④ 판결이 선고되고 나서 상소 기간이 다 지나가도록 상소가 이루어지지 않으면 그 판결에는 기판력이 생긴다.
⑤ 기판력에는 법원이 판결로 확정한 사안에 대하여 이후에 법원 스스로 그와 모순된 판결을 내릴 수 없다는 전제가 깔려 있다.

06 ㉠에 대한 추론으로 적절한 것은?

① 첫 번째 소송에서 P는 계약이 유효하다고 주장하고, E는 계약이 유효하지 않다고 주장할 것이다.
② 첫 번째 소송의 판결문에는 E가 수강료를 내야 할 의무가 있다는 내용이 실릴 것이다.
③ 첫 번째 소송에서나 두 번째 소송에서나 P가 할 청구는 수강료를 내라는 내용일 것이다.
④ 두 번째 소송에서는 E가 첫 승소라는 조건을 달성하지 못한 상태이므로 P는 수강료를 받을 수 있을 것이다.
⑤ 첫 번째와 두 번째 소송의 판결은 P와 E 사이에 승패가 상반될 것이므로 두 판결 가운데 하나는 무효일 것이다.

07 윗글을 바탕으로 〈보기〉의 사례를 검토한 내용으로 적절하지 않은 것은?

보기

갑은 을을 상대로 자신에게 빌려 간 금전을 갚아 달라는 소송을 하는데, 계약서와 같은 증거 자료는 제출하지 못했다. 그 결과 (가) 또는 (나)의 경우가 생겼다고 하자.

(가) 갑은 금전을 빌려주었다는 증거를 제시하지 못하여 패소하였다. 이 판결은 확정되었다.
(나) 법원은 을이 금전을 빌렸다는 사실을 인정하면서도, 갚기로 한 날은 2015년 11월 30일이라 인정하여, 아직 그날이 되지 않았다는 이유로 갑에게 패소 판결을 내렸다. 이 판결은 확정되었다.

① (가)의 경우, 갑은 더 이상 상급 법원에 상소하여 다툴 수 있는 방법이 남아 있지 않다.
② (가)의 경우, 갑은 빌려 준 금전에 대한 계약서를 발견하더라도 그것을 근거로 하여 금전을 갚아 달라고 소송하는 것은 허용되지 않는다.
③ (나)의 경우, 을은 2015년 11월 30일이 되기 전에는 갑에게 금전을 갚지 않아도 된다.
④ (나)의 경우, 2015년 11월 30일이 지나면 갑이 을을 상대로 금전을 갚아 달라는 소송을 다시 하더라도 기판력에 *저촉되지 않는다.
⑤ (나)의 경우, 이미 지나간 2015년 2월 15일이 갚기로 한 날임을 밝혀 주는 계약서가 발견되면 갑은 같은 해 11월 30일이 되기 전에 그것을 근거로 금전을 갚아 달라는 소송을 할 수 있다.

* **저촉되다** 법이나 규칙 등에 위반되거나 어긋나게 되다.

08 문맥상 ⓐ~ⓔ와 바꿔 쓰기에 가장 적절한 것은?

① ⓐ: 수취하였다
② ⓑ: 부가하는
③ ⓒ: 지시한다
④ ⓓ: 형성되었을
⑤ ⓔ: 경유하여

08

❸ 사회 · 문화

계층과 불평등

기출 속 배경지식 키워드 | #사회 불평등 #사회 계층 #양극화 #공공 부조 #사회 보험

교과 연계
고등학교 사회·문화
Ⅳ. 사회 계층과 불평등

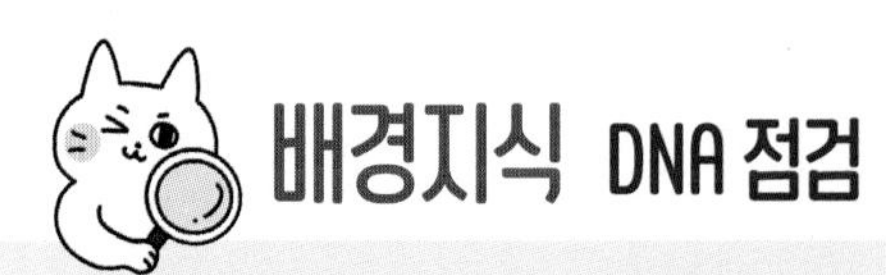

다음 내용이 맞으면 '예', 틀리면 '아니요'에 표시해 봅시다.

사회 계층은 변화하지 않는다.	□ 예	□ 아니요
계층의 양극화는 사회 통합을 저해한다.	□ 예	□ 아니요
부의 재분배는 양극화를 완화하는 방법이다.	□ 예	□ 아니요
국민연금과 국민 건강 보험은 공공 부조이다.	□ 예	□ 아니요
사회 보험은 개인의 선택에 따라 가입이 자유롭다.	□ 예	□ 아니요

답 아니요, 예, 예, 아니요, 아니요

동화 〈왕자와 거지〉를 읽어 본 적 있니? 얼굴이 똑 닮은 왕자와 거지가 서로 옷을 바꿔 입고 상대방의 삶을 경험하는 이야기지. 그런데 한 사람은 풍족한 삶을, 다른 한 사람은 빈곤한 삶을 살고 있었기 때문에 너무나도 다른 서로의 삶에 충격을 받게 돼.

흔히 모든 인간은 평등하다는 말을 해. 하지만 동화에 나온 두 인물이 그러했듯이, 우리 사회도 다양한 분야에서 불평등이 나타나고 있어. 국가는 이러한 불평등을 완화하고 사회를 안정시켜서 국민의 삶의 질을 높이기 위해 여러 가지 노력을 하고 있단다.

사회 불평등 • 부, 권력, 명예 등의 사회적 자원이 •차등적으로 분배되어 개인과 집단이 서열화된 것

모든 자원이 모든 사람에게 공평하게 돌아가면 좋겠지만, 현실에서는 •부(富)나 권력, 명예와 같은 사회적 자원의 •희소성 때문에 모든 사람에게 평등하게 분배될 수 없어. 이러한 현상 때문에 개인 및 집단이 •서열화된 것을 **사회 불평등**이라고 해. 사회 불평등 현상은 사회적 자원의 종류와 성격에 따라 경제적 불평등, 정치적 불평등, 사회·문화적 불평등과 같이 다양한 유형으로 나타나.

대표적인 사회 불평등에는 빈부 격차가 있어. **빈부 격차**는 한 사회에서, 가난한 사람과 돈이 많은 사람이 지닌 재산의 차이를 이르는 말이야. (1) ㅂㅂ ㄱㅊ가 크다는 건 일반적으로 재산과 소득의 불평등이 심하다는 뜻이지.

• **차등적** 고르거나 가지런하지 않고 차별이 있는 것.
• **부** 많은 재산.
• **희소성** 사람의 욕구에 비해 자원이 부족한 상태.
• **서열화되다** 가치나 지위의 높고 낮음에 따라 순서대로 늘어서게 되다.

잠깐 체크

❶ 현실에서 부나 권력 같은 사회적 자원은 (평등하게 / 차등적으로) 분배된다.
❷ 사회 불평등에는 경제적 불평등만 존재한다. (○, ×)

답 ❶ 차등적으로 ❷ ×

사회 계층 ● 한 사회에서 사회적 자원과 기회가 차등적으로 분배된 결과 비슷한 수준의 사회적 자원을 가진 사람들이 위계적인 층을 이루고 있는 것

양극화 ● 서로 다른 계층이나 집단이 점점 더 달라지고 멀어지게 되는 것

사회 계층은 한 사회에서 사회적 자원과 기회가 차등적으로 분배된 결과 비슷한 수준의 사회적 자원을 가진 사람들이 위계적인 층을 이루고 있는 것을 말해. (2) ㄱㅊ 을 구분하는 기준은 사회와 시대에 따라 달라지는데, 예를 들면 조선 시대에는 백성의 계층을 양반, 중인, 천민 등으로 구분했어.

과거 신분제 사회에서는 개인의 계층이 태어날 때부터 정해져 있었는데, 현대 사회에서는 개인의 능력과 노력에 따라 계층 간 이동이 가능해. 경제적으로 어려운 상황에 있던 사람이 교육을 통해 소득 수준이 높은 직업을 갖게 되는 것이 그 사례야. 사회 계층 구조의 유형에는 크게 피라미드형과 다이아몬드형이 있는데 각각의 특징은 다음과 같아.

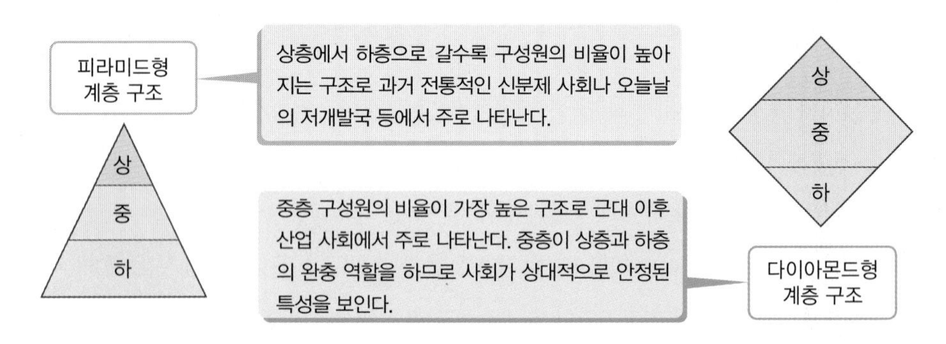

그런데 계층이나 집단 간의 격차가 너무 벌어져서 계층 (3) ㅇㄷ 이 어려워지면 서로 다른 계층이나 집단이 점점 더 달라지고 멀어지는 **양극화**가 나타나. 양극화된 사회는 오른쪽 그림처럼 중층 구성원의 비율이 낮은 모래시계형 계층 구조를 보이지. 양극화는 사회 통합을 •저해하고 사회 갈등으로 이어질 수 있기 때문에, 정부는 **부의 재분배(소득 재분배)**를 통해 양극화를 완화하고자 노력해. 부자에게 세금을 더 많이 걷어서 가난한 사람을 위한 복지 정책을 펴는 것이 그 예야.

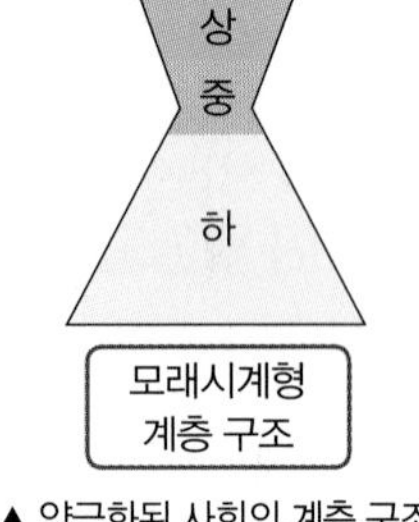

▲ 양극화된 사회의 계층 구조

● **저해하다** 막아서 못 하도록 해치다.

잠깐 체크

❶ 사회 계층을 구분하는 기준은 모든 사회에서 동일하다. (○, ×)

❷ 계층의 격차가 벌어질수록 계층 이동이 (쉽다 / 어렵다).

답 ❶ × ❷ 어렵다

공공 부조 ● 생활이 어려운 국민의 생활을 보장하고 자립을 지원하는 제도

우리나라는 이미 다양한 •사회 복지 정책을 시행하고 있어. 그중 하나인 **공공 부조**는 생활을 유지할 능력이 없거나 생활이 어려운 국민의 최저 생활을 보장하고 자립을 지원하기 위해 금전적·물질적 급여를 제공하는 제도야. 형편이 어려운 사람을 국가 차원에서 돕는 제도라고 볼 수 있지.

● **사회 복지** 국민의 생활 향상과 사회 보장을 위해 교육, 문화, 의료, 노동 등 사회생활의 모든 분야에 걸쳐 베푸는 사회 정책과 시설.

예를 들어 국민 기초 생활 보장 제도는 생활이 어려운 저소득 가구에게 필요한 돈을 제공해 주는 제도야. 공공 부조는 이미 발생한 어려움에 대한 사후 처방적 성격을 지니고, 소득 재분배 효과가 커. 하지만 세금을 바탕으로 운영하기 때문에 국가의 재정 부담이 크다는 한계가 있어.

사회

사회 보험 ● 사회적 위험에 대비하여 국가가 보장하는 강제적인 성격의 보험

또 다른 사회 복지 정책 중 하나인 **사회 보험**은 국민에게 미래에 발생할 수 있는 상해, 질병, 노령, 실업, 사망 등의 사회적 위험을 보험의 방식으로 대처함으로써 국민의 건강과 소득을 보장하는 제도야. 대표적인 예로 국민연금과 국민 건강 보험이 있지. 국민연금 보험료를 일정 기간 내면, 노동을 하기 어려운 나이가 되었을 때 국가에서 매달 돈을 줘. 또, 병원 진료비나 약값 영수증을 잘 보면 '보험자 부담금' 항목으로 청구된 금액이 있는데, 바로 이 금액을 국민 건강 보험 공단에서 부담하고 있어.

사회 보험은 개인, 정부, 기업이 공동으로 분담하여 보험료를 마련하고 미래의 (4) ㅇㅎ 에 대비하는 사전 예방적 성격을 지녀. 그리고 대상자의 강제 가입이 원칙이야. 예를 들어 직장인의 월급 명세서를 보면, 당사자의 의사와 관계없이 사회 보험의 보험료를 먼저 납부한 다음 남은 금액이 월급으로 지급되는 걸 확인할 수 있어.

사회 보험은 경제적 능력에 따라 보험료를 납부하고, 위험이 발생했을 때 비슷한 수준의 보험 급여를 지급하므로 소득 재분배 효과도 어느 정도 있어. 그렇지만 여력이 없어서 보험료를 납부하지 못한 사람들은 보험 급여를 받지 못하는 •사각지대에 놓일 수 있다는 한계가 있어.

● **사각지대** 관심이나 영향이 미치지 못하는 곳을 비유적으로 이르는 말.

잠깐 체크

❶ 공공 부조는 사전 예방적 성격을 지닌다. (○, ×)

❷ 사회 보험은 강제 가입이 원칙이며, 가입자는 보험료를 납부해야 한다. (○, ×)

❸ 사회 보험은 소득을 재분배하는 효과가(있다/없다).

답 ❶ × ❷ ○ ❸ 있다

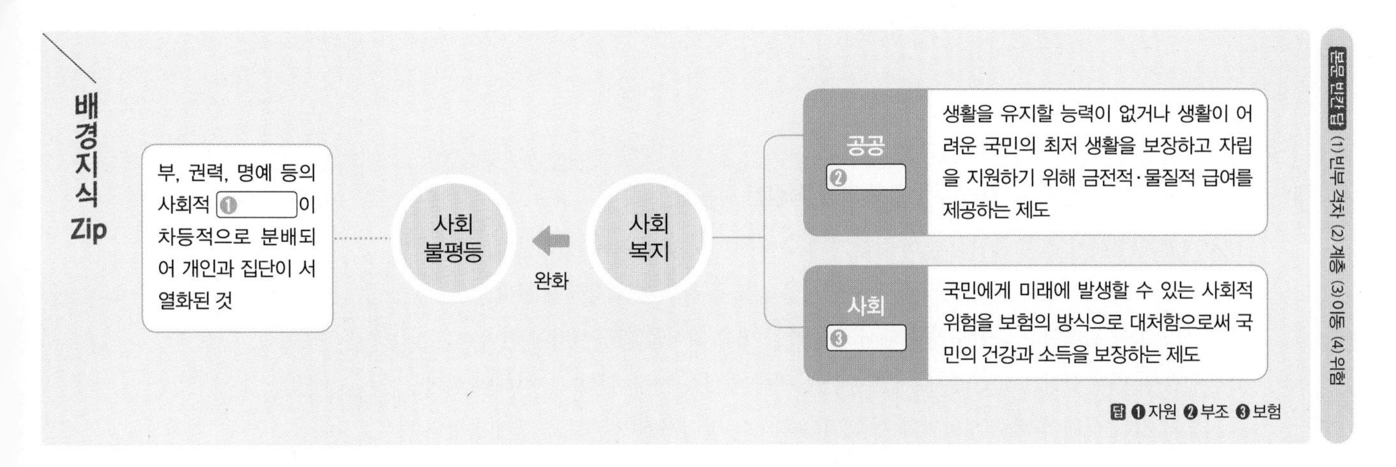

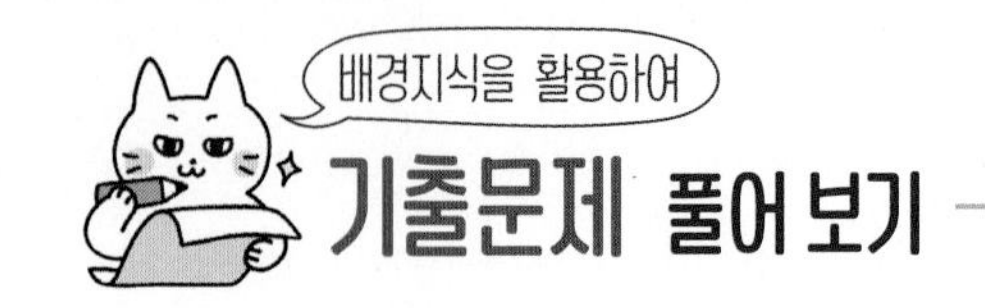

[01~02] 다음 글을 읽고 물음에 답하시오.

❶ [1]사회 계층은 일반적으로 소득 수준에 따라 상·중·하의 세 층으로 구분된다. [2]이 가운데 중간층은 상·하층 사이의 완충 지대로서, 사회 안정과 발전에 중요한 역할을 한다. [3]한편, 개인이 느끼는 계층적 소속감을 계층 귀속 의식이라고 하는데, 중간층 귀속 의식이 하층으로 확산될수록 사회는 그만큼 안정을 유지할 가능성이 높다.

❷ [1]중간층은 시대에 따라 많은 변화를 겪었다. [2]산업 자본주의 이전에는 자영업자나 소규모 사업가를 중심으로 중간층이 형성되어 있었다. [3]그러나 19세기 중반 이후 산업 자본가들이 크게 성장하면서, 중간층은 경쟁에서 밀려나고 상당수의 사람들이 하층으로 몰락하는 양극화 현상이 나타나기 시작했다. [4]이로 인해 사회 안정이 위협받게 되자, 일부 국가에서는 사회 보장 제도를 도입하여 위기에 대처하려고 하였다.

❸ [1]20세기에 접어들어 기업의 규모가 커지고 대량 생산이 이루어지면서 소유와 경영의 분리가 급진전되었다. [2]이에 따라 기업의 효율적 운영에 필요한 중간 관리자나 사무직이 증가하면서 이들이 중간층의 주축으로 성장하였다. [3]물론 대량 생산되던 내구성 상품에 대한 소비가 급감하고 공장 가동률이 떨어지면서, 대량 실업에 의한 세계 대공황이 발생하여 중간층이 위축되기도 하였다. [4]그러나 국가의 대규모 공공 투자 정책으로 실업이 완화되면서 위기는 해소되었다. [5]또한 최저 임금제의 실시에 따라 임금 수준이 전반적으로 향상되어 대량 소비 체제가 구축되었다. [6]그 결과 중간층은 대량 생산과 대량 소비 체제를 이끌며 20세기 중반까지 사회 안정의 주역으로 자리 잡았다.

❹ [1]20세기 후반에 들어 컴퓨터가 널리 보급되면서 사회는 정보화 시대로 접어들었고, 기업은 컴퓨터를 이용한 사무 자동화와 자동화된 생산 시설을 도입하기 시작했다. [2]이 과정에서 급속한 기술 발전에 대응하지 못한 노동자와 중간층은 위기 상황으로 내몰렸고 이로 인해 다시 양극화 현상이 나타났다. [3]특히 기대 수준과 현실의 괴리가 빚어내는 상대적 박탈감이 중간층을 중심으로 확산되고, 하층에서의 중간층 귀속 의식도 약화되고 있다.

❺ [1]현재 세계 경제 위기의 해법을 찾는 일은 그리 간단치 않다. [2]각 사회는 위기에 대응하기 위해 기존의 복지 프로그램과 사회 안전망을 보강할 대책들을 모색하고 있다. [3]하지만 일부에서는 양극화를 막을 근본적인 대책이 필요하다는 주장도 제기되고 있다. [4]유연한 상황 적응력을 갖추면서도 강자의 양보와 약자에 대한 배려를 추구해야 한다는 '자본주의 4.0'에 대한 논의도 이러한 흐름을 반영하는 것이다.

● **완충** 대립하는 것 사이에서 불화나 충돌을 줄어들게 함.

01

'양극화 현상'에 대한 설명으로 적절하면 ○에, 적절하지 않으면 ×에 표시하시오.

(1) 19세기 중반 이후 일부 국가에서 사회 보장 제도를 실시하는 계기가 되었다. ○ ×
(2) 19세기 중반 이후 20세기 후반에 이르기까지 지속적으로 심화되었다. ○ ×
(3) 20세기 후반에는 생산 및 사무 자동화의 확대에 대처하지 못해서 나타났다. ○ ×

02

윗글을 통해 이끌어 낼 수 있는 주장으로 가장 적절한 것은?

① 위기에 대처하기 위해 중간층과 하층의 기대 수준을 다소 낮추도록 해야 한다.
② 중간층과 하층이 보다 상위의 계층 귀속 의식을 갖도록 사회가 노력해야 한다.
③ 사회 안정을 위해서는 중간층을 확대하고 중간층 귀속 의식을 확산시켜야 한다.
④ 중간층의 위기 현상은 어쩔 수 없지만 중간층 귀속 의식은 지속적으로 유지해야 한다.
⑤ 사회의 각 구성원이 계층적 지위와 계층 귀속 의식을 일치시키며 본분을 지켜야 한다.

사회

[03~04] 다음 글을 읽고 물음에 답하시오.

❶ [1]최저소득보장제는 경제적 취약 계층에게 일정 생계비를 보장해 주는 제도로 국가는 가구별 •총소득에 따라 지원 가구를 선정하고 동일한 최저생계비를 보장해 준다. [2]가령 최저생계비를 80만 원까지 보장해 주는 국가라면, 총소득이 50만 원인 가구는 국가로부터 30만 원을 지원받아 80만 원을 보장받는 것이다. [3]국가에서는 이러한 최저생계비의 재원을 마련하기 위해 일정 소득을 넘어선 어느 지점부터 총소득에 대한 세금을 부과하게 된다. [4]이때 세금이 부과되는 기준 소득을 '면세점'이라 하는데, 총소득이 면세점을 넘는 경우 총소득 전체에 대해 세금이 부과되어 •순소득이 총소득보다 줄어들게 된다. [5]그런데 국가에서 최저생계비를 보장할 경우 면세점 이하나 그 부근의 소득에 속하는 일부 실업자, 저소득층은 일을 하여 소득을 올리는 것보다 일을 하지 않고 최저생계비를 보장받는 것이 더 유리하다고 판단할 수 있다. [6]또한 지원 대상을 선정하기 위한 소득 및 자산 심사를 하게 되므로 관리 비용이 추가로 지출되며, 실제로는 최저생계비를 보장받을 자격이 있지만 서류를 갖추지 못해 지원 대상에서 제외되는 가구가 생기기도 한다.

❷ [1]이러한 문제로 인해 기존의 복지 재원을 하나로 모아 국가 또는 지방자치단체에서 모든 구성원 개개인에게 아무 조건 없이 정기적으로 현금을 지급하는 '기본소득제'가 대안으로 제시되고 있다. [2]모든 국민에게 일정액을 현금으로 지급할 경우 저소득층 또한 일을 한 만큼 소득이 늘어나게 되므로 최저생계비를 보장받기 위해 사람들이 일부러 일자리를 구하지 않을 가능성이 낮다는 것이다. [3]동시에 기본소득제는 자격 심사 과정이 없어 관리 비용이 절약될 뿐만 아니라 제도에서 소외된 빈곤 인구도 줄일 수 있다. [4]하지만 기본소득제는 모든 국민에게 일정액이 지급되는 만큼, 이에 만족하는 사람들이 늘어나면 최저소득보장제를 실시할 때보다 오히려 일자리를 찾는 사람이 전체적으로 줄어들 것이란 우려도 동시에 제기되고 있다.

● **총소득** 세금 부과 이전, 또는 정부 지원 이전의 전체 소득.
● **순소득** 세금 부과 이후, 또는 정부 지원 이후의 실제 소득.

03 윗글의 내용과 일치하면 ○에, 일치하지 않으면 ×에 표시하시오.

(1) 최저소득보장제는 국가의 복지 제도에 해당한다. ○ ×

(2) 기본소득제는 선정된 사람에게만 돈을 지급한다. ○ ×

(3) 기본소득제를 시행하면 최저소득보장제를 실시할 때보다 구직자가 줄어들 것이라는 우려가 있다. ○ ×

04 〈보기〉는 '최저소득보장제'를 채택한 어느 국가의 가구별 소득을 나타낸 표이다. ❶을 바탕으로 〈보기〉를 이해한 내용으로 적절하지 않은 것은?

보기

가구	㉮	㉯	㉰	㉱	㉲
총소득	40	80	50	110	200
순소득	100	100	50	88	160

단위: 만 원

*최저생계비를 면세점인 100만 원까지 보장해 줌.
*총소득이 면세점을 넘는 경우 20% 균등 세율을 적용함.

① ㉮는 국가로부터 60만 원을 지원받았겠군.
② ㉯는 순소득이 100만 원이 되었으므로 세금이 부과되겠군.
③ ㉰의 총소득과 순소득을 보니 국가로부터 지원을 받지 못한 가구이겠군.
④ ㉱의 경우 최저생계비를 보장받기 위해 일부러 일을 하지 않을 수도 있겠군.
⑤ ㉲의 경우 세금이 부과되어 순소득이 총소득보다 줄어든 것이겠군.

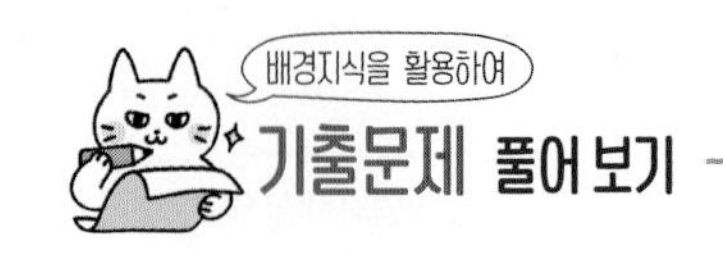

[05~08] 다음 글을 읽고 물음에 답하시오.

❶ [1]연금 제도의 목적은 나이가 많아 경제 활동을 못하게 되었을 때 일정 소득을 보장하여 경제적 안정을 ⓐ도모하는 것이다. [2]이를 위해서는 보험 회사의 사적 연금이나 국가가 세금으로 운영하는 공공 부조를 활용할 수 있다. [3]그럼에도 국가가 이 제도들과 함께 공적 연금 제도를 실시하는 까닭은 무엇일까?

❷ [1]그것은 사적 연금이나 공공 부조가 낳는 부작용 때문이다. [2]사적 연금에는 역선택 현상이 발생한다. [3]안정된 노후 생활을 기대하기 어려운 사람들이 주로 가입하고 그렇지 않은 사람들은 피하므로, 납입되는 보험료 총액에 비해 지급해야 할 연금 총액이 자꾸 커지는 것이다. [4]이렇게 되면 보험 회사는 계속 보험료를 인상하지 않는 한 사적 연금을 유지할 수 없다. [5]한편 공공 부조는 •도덕적 해이를 ⓑ야기할 수 있다. [6]무상으로 부조가 이루어지므로, 젊은 시절에는 소득을 모두 써 버리고 노년에는 공공 부조에 의존하려는 ⓒ경향이 생길 수 있기 때문이다. [7]이와 같은 부작용에 대응하기 위해 공적 연금 제도는 소득이 있는 국민들을 강제 가입시켜 보험료를 •징수한 뒤, 적립된 연금 기금을 국가의 책임으로 운용하다가, 가입자가 은퇴한 후 연금으로 지급하는 방식을 취하고 있다.

❸ [1]우리나라에서 공적 연금 제도를 운영하는 과정에는 ㉠사회적 연대를 중시하는 입장과 ㉡경제적 성과를 중시하는 입장이 부딪치고 있다. [2]구체적으로 전자는 이 제도를 계층 간, 세대 간 소득 재분배의 수단으로 이용해야 한다고 주장한다. [3]소득이 적어 보험료를 적게 낸 사람에게 보험료를 많이 낸 사람과 비슷한 연금을 지급하고, 자녀 세대의 보험료로 부모 세대의 연금을 충당하는 것은 그러한 관점에서 이해될 수 있다. [4]하지만 후자는 이처럼 사회 구성원 일부에게 희생을 강요하는 소득 재분배는 물가 상승을 반영하여 연금의 실질 가치를 보장할 수 있을 때만 허용되어야 한다고 비판한다. [5]사회 내의 소득 격차가 커질수록, 자녀 세대의 보험료 부담이 커질수록, 이 비판은 더욱 강해질 수밖에 없다.

❹ [1]이 두 입장은 요사이 연금 기금의 투자 방향에 관해서도 대립하고 있다. [2]이에 대해서는 원래 후자의 입장에서 연금 기금을 가입자들이 노후의 소득 보장을 위해 맡긴 •신탁 기금으로 보고, 안정된 금융 시장을 통해 대기업에 투자함으로써 수익률을 극대화하려는 태도가 지배적이었다. [3]그러나 최근에는 전자의 입장에서 연금 기금을 국민 전체가 사회 발전을 위해 ⓓ조성한 투자 자금으로 보고, 이를 일자리 창출에 연계된 사회 경제적 분야에 투자해야 한다는 주장이 힘을 얻고 있다. [4]이는 지금까지 연금 기금을 일종의 신탁 기금으로 규정해 온 관련 법률을 개정하여, 보험료를 낼 소득자 집단을 ⓔ확충하는 데 이 막대한 돈을 직접 활용하자는 주장이기도 하다.

- **도덕적 해이** 제도의 허점을 악용, 성실 의무를 다하지 않는 행위.
- **징수하다** 행정 기관이 법에 따라서 조세, 수수료, 벌금 등을 국민에게서 거두어들이다.
- **신탁** 믿고 맡김. 또는 일정한 목적에 따라 재산의 관리와 처분을 남에게 맡기는 일.

05

윗글을 통해 알 수 있는 내용으로 적절하지 않은 것은?

① 연금 제도의 목적을 달성하는 수단은 다양하다.
② 공적 연금 제도는 소득 재분배의 수단이 될 수 있다.
③ 공적 연금 제도를 시행한 뒤에는 공공 부조를 폐지해야 한다.
④ 공공 부조가 낳는 도덕적 해이는 국민들의 납세 부담을 증가시킨다.
⑤ 공적 연금 제도가 시행된다고 하여 사적 연금이 금지되는 것은 아니다.

06

㉠과 ㉡에 대한 이해로 적절한 것은?

① ㉠에서는 연금 기금을 국민 전체가 사회 발전을 위해 조성한 투자 자금으로 본다.
② ㉠에서는 연금 기금을 안정된 금융 시장을 통해 수익률이 높은 대기업에 투자하려고 한다.
③ ㉠에서는 관련 법률을 개정하여 연금 기금의 법적 성격을 바꾸는 데 반대한다.
④ ㉡에서는 사회 내의 소득 격차가 커질수록 공적 연금 제도를 통한 소득 재분배를 더욱 강하게 요구한다.
⑤ ㉡에서는 보험료를 낼 소득자 집단을 확충하는 데 연금 기금을 직접 활용하자고 주장한다.

07

윗글을 바탕으로 〈보기〉에 대해 분석한 내용으로 적절하지 않은 것은?

보기

(가) 공적 연금 보험료를 •체납하는 사람들이 날로 늘어나는 가운데, 그중 상당수가 고용이 불안정한 30~40대인 것으로 밝혀졌다.
(나) 공적 연금 보험료를 체납한 고소득자도 상당히 많아 누적 체납액이 2,000억 원을 넘어섰다.

① (가)를 보니, 공적 연금 기금을 일자리 창출에 연계된 사회 경제적 분야에 투자해야 한다는 주장이 제기될 수 있겠군.
② (나)를 보니, 공적 연금 제도에서는 국가가 보험료를 징수하는 업무를 철저히 집행해야 하겠군.
③ (나)를 보니, 고의 체납으로 인해 공적 연금 제도에도 역선택과 유사한 현상이 발생할 수 있겠군.
④ (가)와 (나)를 보니, 적립될 공적 연금 기금이 •고갈되는 경우에 대비할 필요가 있겠군.
⑤ (가)와 (나)를 보니, 소득이 있는 국민들을 공적 연금에 강제 가입시키는 제도를 완화해야 하겠군.

• **체납하다** 세금 등을 정해진 기간까지 내지 아니하고 미루다.

• **고갈되다** 자원이나 물질 등이 다 써서 없어지다.

08

ⓐ~ⓔ의 사전적 뜻풀이로 바르지 않은 것은?

① ⓐ: 어떤 시기나 기회가 닥쳐 옴.
② ⓑ: 일이나 사건 등을 끌어 일으킴.
③ ⓒ: 현상이나 사상, 행동 등이 어떤 방향으로 기울어짐.
④ ⓓ: 무엇을 만들어서 이룸.
⑤ ⓔ: 늘리고 넓혀 충실하게 함.

수능 국어 영역의
독서 DNA를 깨우자!

그런데 있잖아…….
DNA가 뭐야?

III 과학

1 물리학

2 화학

3 생명 과학

4 지구 과학

01

1 물리학

힘과 운동

기출 속 배경지식 키워드 | #운동 #속력 #속도 #등속 #가속도 #힘의 평형 #뉴턴 운동 법칙 #운동량 보존 법칙

교과 연계
고등학교 물리학 Ⅰ
Ⅰ. 1. 힘과 운동

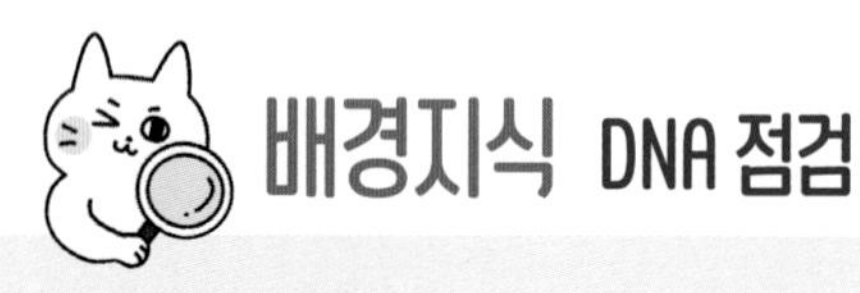

○ 다음 그림을 참고하여 빈칸에 들어갈 알맞은 말을 골라 봅시다.

1 지구가 화분을 당기는 힘(F_1)은 [합력 / 중력]이다.

2 F_1과 F_2는 [작용 반작용 / 힘의 평형] 관계에 있다.

3 F_1과 F_4는 [지구 / 탁자 / 화분]에 작용하는 힘이다.

4 F_3과 F_4는 [한 물체에 작용하는 / 두 물체 사이에 작용하는] 힘이다.

5 정지해 있는 화분이 계속 정지해 있으려는 성질은 [관성 / 가속도] 법칙에 따른다.

답 **1** 중력 **2** 작용 반작용 **3** 화분 **4** 두 물체 사이에 작용하는 **5** 관성

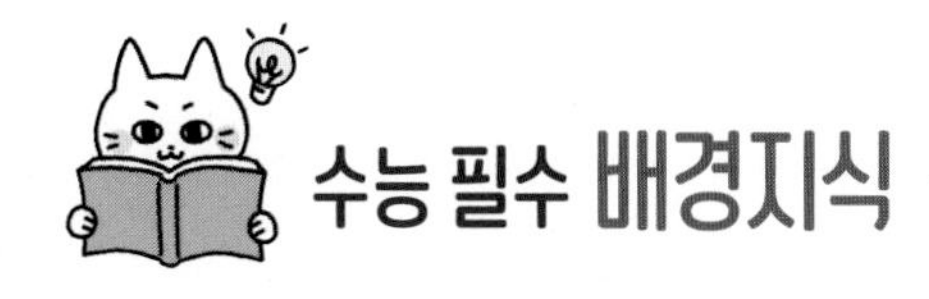

수능 필수 배경지식

스케이트를 신고 있는 두 사람이 서 있다가 한 사람이 다른 사람을 밀면 왜 두 사람 모두 뒤로 밀릴까? 바로 작용 반작용 법칙에 따라, 미는 힘을 가한 사람은 상대방에게 밀리는 힘을 받기 때문이야. 이처럼 우리 일상생활에는 힘과 운동 사이의 일정한 법칙들이 숨어 있어. 또 어떤 것들이 있는지 살펴볼까?

속력 • 단위 시간 동안 물체가 이동한 거리
속도 • 단위 시간 동안 물체의 변위

물체가 운동한다는 것은 시간에 따라 물체의 위치가 변한다는 것을 말해. 이때 물체가 움직인 경로를 따라 실제로 이동한 거리를 **이동 거리**라 하고, 처음 위치에서 나중 위치까지의 위치 변화량을 **변위**라고 하지. 이동 거리는 크기만 가진 물리량이고, 변위는 크기와 (1) ㅂㅎ을 모두 가진 물리량이야.

이동 거리와 변위가 어떻게 다른지 한번 볼까? 오른쪽 그림처럼 P점에서 출발한 학생이 동쪽으로 100m를 달린 후 되돌아서 서쪽으로 50m를 이동하여 Q점에 도착했다고 하자. 이때 이동 거리는 150m이고, (2) ㅂㅇ는 동쪽으로 50m야.

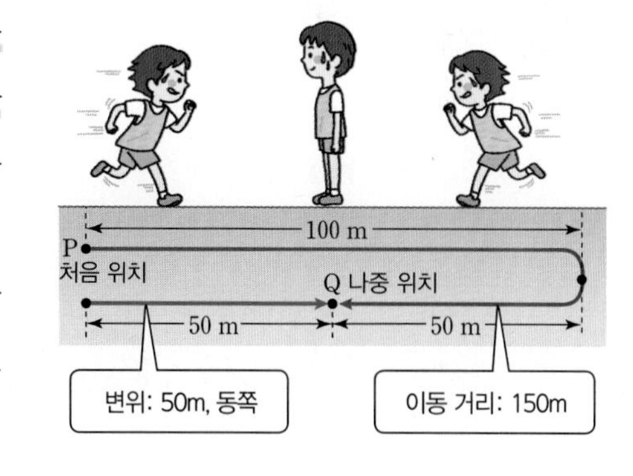

이때 단위 시간 동안 물체가 이동한 거리를 **속력**이라고 해.

$$(\text{속력}) = \frac{(\text{이동 거리})}{(\text{걸린 시간})}$$

←크기만 가진 물리량

한편 이 학생이 같은 빠르기로 이동해도 동쪽으로 운동할 때와 서쪽으로 운동할 때 나중 위치가 달라. 그래서 물체의 운동을 나타낼 때는 빠르기와 방향을 동시에 나타내는데, 단위 시간 동안 물체의 변위를 **속도**라고 해.

$$(\text{속도}) = \frac{(\text{변위})}{(\text{걸린 시간})}$$

←크기와 방향을 모두 가진 물리량

잠깐 체크

❶ 이동 거리와 변위는 항상 서로 같다. (○, ×)

❷ 단위 시간 동안 물체가 이동한 거리를 나타내는 개념은?

답 ❶ × ❷ 속력

등속 운동 • 물체의 속력이 일정한 운동
등속도 운동 • 물체의 속력과 운동 방향이 모두 일정한 운동
가속도 운동 • 시간에 따라 물체의 속도가 변하는 운동

우리 주변에서 볼 수 있는 물체의 운동은 속력의 변화와 운동 방향의 변화에 따라 다음과 같이 분류할 수 있어. 먼저 **등속 운동**은 물체의 속력이 일정한 운동을 말하고, **등속도 운동(등속 직선 운동)**은 물체의 속력과 운동 방향이 모두 일정한 운동을 말해. 에스컬레이터나 무빙워크 등이 등속 직선 운동을 하는 예야. 이와 달리 운동 방향만 변하는 운동도 있고, (3) ㅅㄹ 만 변하는 운동도 있고, 속력과 운동 방향이 모두 변하는 운동도 있어. 다음을 보면 이해가 쉬울 거야.

▲ 대관람차 ▲ 자유 낙하 하는 물체 ▲ 바이킹

대관람차는 속력이 일정하고 운동 방향만 계속 변하는 운동을 해. 자유 낙하 하는 물체는 운동 방향이 일정하지만 중력의 영향으로 속력이 점점 빨라지지. 또 바이킹은 운동 방향이 계속 바뀌면서 중심을 지날 때는 속력이 빨라지고 양 끝에서는 속력이 느려져. 이때 자유 낙하 하는 물체나 바이킹처럼 시간에 따라 물체의 속도가 변하는 운동을 **가속도 운동**이라고 하고, 시간에 따른 속도의 변화량을 **가속도**(a)라고 해. 가속도는 속도의 변화량을 걸린 시간으로 나누어서 구할 수 있어.

$$(\text{가속도}) = \frac{(\text{속도의 변화량})}{(\text{걸린 시간})}$$

잠깐 체크

❶ 속력과 운동 방향이 모두 일정한 운동을 등속 직선 운동이라고 한다. (○, ×)

❷ 가속도를 구하려면 운동에 걸린 시간과 속도의 변화량을 알아야 한다. (○, ×)

답 ❶ ○ ❷ ○

힘의 평형 • 물체에 작용하는 힘의 합력이 0일 때

한 물체에 여러 힘이 동시에 작용할 때 이 힘들과 같은 효과를 내는 하나의 힘을 합력, 합력을 구하는 것을 힘의 합성, 한 물체에 작용하는 모든 힘의 합력을 **알짜힘**이라고 해. 이때 힘은 크기와 방향을 모두 가지고 있기 때문에, 힘의 합력을 구할 때는 방향도 고려해야 한단다.

예를 들어 한 물체에 두 힘이 같은 방향으로 작용하면 두 힘의 (4) ㅎㄹ 의 크기는 두 힘의 크기를 더한 것과 같고, 합력의 방향은 두 힘의 방향과 같아.

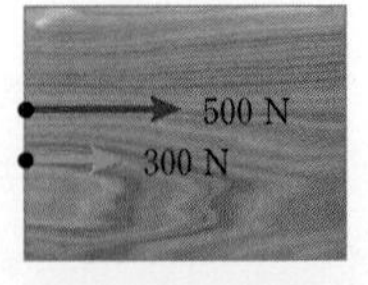

- 합력의 크기: $F = 500\text{ N} + 300\text{ N} = 800\text{ N}$
- 합력의 방향: 오른쪽 방향

한 물체에 두 힘이 서로 반대 방향으로 작용하면 두 힘의 합력의 크기는 큰 힘의 크기에서 작은 힘의 크기를 뺀 것과 같고, 방향은 더 큰 힘의 방향과 같지.

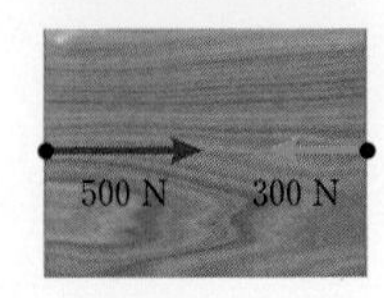

- 합력의 크기: $F = 500\text{ N} - 300\text{ N} = 200\text{ N}$
- 합력의 방향: 오른쪽 방향

힘

정지하고 있는 물체를 움직이게 하거나 움직이는 물체의 속도를 변화시키는 작용으로, 단위는 N(뉴턴)이다. 힘을 표시할 때는 보통 화살표를 이용하여 힘의 크기, 힘의 작용점, 힘의 방향을 함께 표시한다.

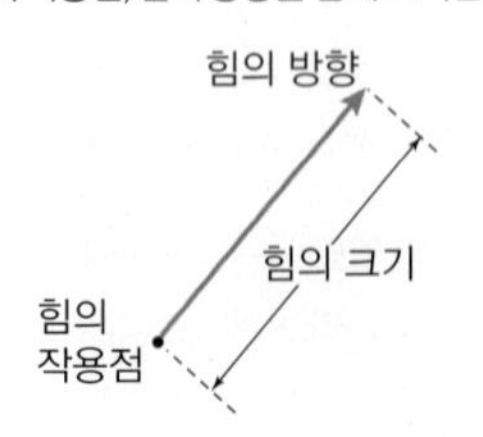

그런데 일직선상에서 한 물체에 크기가 같은 두 힘이 반대 방향으로 작용하면 힘의 합력과 그 물체에 작용하는 알짜힘이 0이 돼. 이때 물체에 작용하는 두 힘이 **평형**을 이루고 있다고 해.

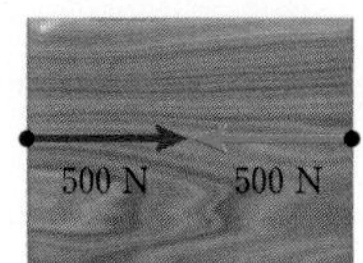

• 합력의 크기:
F=500 N−500 N
=0 N

✔ 잠깐 체크
❶ 한 물체에 작용하는 모든 힘의 합력을 나타내는 개념은?
❷ 일직선상에서 한 물체에 크기가 같은 두 힘이 같은 방향으로 작용하면 합력의 크기는 0이 된다. (○, ×)

답 ❶ 알짜힘 ❷ ×

뉴턴 운동 제1법칙(관성 법칙) • 물체는 원래의 운동 상태를 유지한다

달리던 버스가 갑자기 정지할 때 몸이 앞쪽으로 쏠린 경험이 다들 있을 거야. 이러한 현상은 물체가 처음의 운동 상태를 계속 유지하려는 성질인 **관성** 때문에 일어나. 뉴턴(1642~1727)은 관성에 대해 다음과 같은 **뉴턴 운동 제1법칙(관성 법칙)**을 정리했어.

물체에 작용하는 알짜힘이 0일 때 정지해 있던 물체는 계속 정지해 있고, 운동하던 물체는 계속 등속 직선 운동을 한다.

과학

뉴턴 운동 제2법칙(가속도 법칙) • 물체의 질량이 작을수록, 물체에 큰 힘을 가할수록 가속도가 커진다

뉴턴 운동 제2법칙(가속도 법칙)은 물체에 작용하는 알짜힘과 (5) ㄱㅅㄷ 의 관계를 나타내.

$a=\frac{F}{m}$ 물체에 알짜힘이 작용하면 알짜힘의 방향으로 가속도(a)가 생기며, 그 가속도의 크기는 물체에 작용하는 알짜힘의 크기(F)에 비례하고, 물체의 질량(m)에 반비례한다.

위 식에서 알 수 있듯 가속도는 물체의 질량이 작을수록, 물체에 작용하는 알짜힘의 크기가 클수록 커져. 경주용 자동차가 짧은 시간에 빠른 속도에 도달할 수 있는 것은 질량을 가능한 한 작게 만들고 엔진 출력을 증가시켜서 가속도를 크게 했기 때문이야.

뉴턴 운동 제3법칙(작용 반작용 법칙) • 두 물체 사이에 같은 크기의 힘이 항상 쌍으로 작용한다

달리기 선수가 출발할 때 바닥을 발로 세게 미는 까닭은 발로 바닥을 밀어 힘을 가하면 바닥도 발에 같은 크기의 힘을 가해서 앞으로 나아갈 수 있기 때문이야. 이때 발이 바닥을 미는 힘을 작용이라고 하면, 바닥이 발을 미는 힘은 반작용이라고 해. 이처럼 힘은 두 물체 사이에서 상호 작용 하는 하나의 쌍으로 존재해. **뉴턴 운동 제3법칙(작용 반작용 법칙)**에서 다음과 같이 정리했지.

$F_{AB}=-F_{BA}$ 물체 A가 물체 B에 힘을 작용하면, 동시에 물체 B도 물체 A에 같은 크기의 힘을 반대 방향으로 작용한다.

✔ 잠깐 체크
❶ 정지한 물체에 작용하는 알짜힘이 0일 때 물체는 계속 정지해 있다. (○, ×)
❷ 가속도는 물체에 작용하는 알짜힘의 크기에 (비례 / 반비례)한다.
❸ 작용 반작용 관계에 있는 두 힘은 크기가 같고 방향이 반대이다. (○, ×)

답 ❶ ○ ❷ 비례 ❸ ○

운동량 • 물체가 운동하는 정도를 나타내는 물리량

물체가 운동하는 정도를 나타내는 물리량을 **운동량**이라고 해. 운동량(p)은 질량(m)과 속도(v)의 곱으로 나타낼 수 있지($p=mv$). 따라서 운동량은 물체의 질량이 클수록, (6) ㅅㄷ 가 빠를수록 크기가 커져.

속도가 동일할 때, 질량이 큰 쪽의 운동량이 더 크다.

질량이 동일할 때, 속도가 빠른 쪽의 운동량이 더 크다.

질량이 커도 속도가 0이면 운동량이 0이다.

운동량 보존 법칙 • 충돌 전과 충돌 후의 운동량의 합은 보존된다

놀이공원에서 범퍼카를 탈 때, 정지해 있는 범퍼카에 다른 범퍼카가 달려와 부딪치면 달려온 범퍼카의 속도는 줄고 정지해 있던 범퍼카의 속도는 증가해. 또 당구를 칠 때 당구공으로 다른 당구공을 때리면 가만히 있던 당구공이 튀어 나가게 되지. 이는 모두 운동량의 합이 보존되기 때문에 일어나는 현상이야. 두 물체가 충돌할 때 외부에서 힘이 작용하지 않으면 충돌 전과 충돌 후의 운동량의 합은 항상 일정하게 보존되거든. 이것을 **운동량 보존 법칙**이라고 해.

잠깐 체크

❶ 물체가 운동하는 정도를 나타내는 물리량은?

❷ 트럭의 운동량은 승용차의 운동량보다 항상 더 크다. (○, ×)

❸ 두 물체가 충돌하면 충돌 전 운동량의 합보다 충돌 후 운동량의 합이 더 커진다. (○, ×)

답 ❶ 운동량 ❷ × ❸ ×

배경지식 Zip

물체의 운동	• 운동: 시간의 경과에 따라 물체의 공간적 위치가 바뀌는 것 • 속력: 단위 시간 동안 물체가 이동한 거리. 크기만 가지는 물리량 • 속도: 단위 시간 동안 물체의 변위. 크기와 ❶ ____ 을 모두 가지는 물리량
여러 가지 운동	• 등속 운동: 속력이 일정한 운동 • 등속도 운동(등속 직선 운동): 속력과 운동 방향이 모두 일정한 운동 • ❷ ____ 운동: 속도가 변하는 운동
뉴턴 운동 제1법칙(관성 법칙)	물체에 작용하는 알짜힘이 0일 때 물체는 처음의 운동 상태를 유지함.
뉴턴 운동 제2법칙(가속도 법칙)	물체에 알짜힘이 작용하면 알짜힘의 방향으로 가속도가 생기며, 가속도의 크기는 알짜힘의 크기(F)에 비례, 물체의 질량(m)에 반비례함.
뉴턴 운동 제3법칙(작용 반작용 법칙)	한 물체가 다른 물체에 힘을 작용하면, 동시에 다른 물체도 그 물체에 같은 크기의 힘을 ❸ ____ 방향으로 작용함.
운동량 보존 법칙	두 물체가 충돌할 때 충돌 전과 충돌 후의 운동량의 합은 보존됨.

답 ❶ 방향 ❷ 가속도 ❸ 반대

본문 빈칸 답 (1) 방향 (2) 변위 (3) 속력 (4) 합력 (5) 가속도 (6) 속도

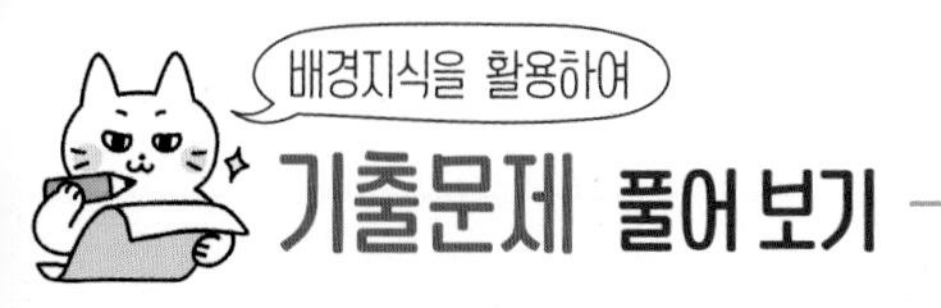

정답과 해설 19쪽

[01~02] 다음 글을 읽고 물음에 답하시오.

❶ [1]회전 운동을 하는 물체는 외부로부터 돌림힘이 작용하지 않는다면 일정한 빠르기로 회전 운동을 유지하는데, 이를 각운동량 보존 법칙이라 한다. [2]각운동량은 질량이 m인 작은 알갱이가 회전축으로부터 r만큼 떨어져 속도 v로 운동하고 있을 때 mvr로 표현된다. [3]그런데 회전하는 물체에 회전 방향으로 힘이 가해지거나 마찰 또는 공기 저항이 작용하게 되면, 회전하는 물체의 각운동량이 변화하여 회전 속도는 빨라지거나 느려지게 된다. [4]이렇게 회전하는 물체의 각운동량을 변화시키는 힘을 돌림힘이라고 한다.

❷ [1]그러면 팽이와 같은 물체의 각운동량은 어떻게 표현할까? [2]아주 작은 균일한 알갱이들로 팽이가 이루어졌다고 볼 때, 이 알갱이 하나하나를 질량 요소라고 한다. [3]이 질량 요소 각각의 각운동량의 총합이 팽이 전체의 각운동량에 해당한다. [4]회전 운동에서 물체의 각운동량은 (각속도)×(회전 관성)으로 나타낸다. [5]여기에서 각속도는 회전 운동에서 물체가 단위 시간당 회전하는 각이다. [6]질량이 직선 운동에서 물체의 속도를 변화시키기 어려운 정도를 나타내듯이, 회전 관성은 회전 운동에서 각속도를 변화시키기 어려운 정도를 나타낸다. [7]즉, 회전체의 회전 관성이 클수록 그것의 회전 속도를 변화시키기 어렵다.

❸ [1]회전체의 회전 관성은 회전체를 구성하는 질량 요소들의 회전 관성의 합과 같은데, 질량 요소들의 회전 관성은 질량 요소가 회전축에서 떨어져 있는 거리가 멀수록 커진다. [2]그러므로 질량이 같은 두 팽이가 있을 때 홀쭉하고 키가 큰 팽이보다 넓적하고 키가 작은 팽이가 회전 관성이 크다.

❹ [1]각운동량 보존의 원리는 스포츠에서도 쉽게 확인할 수 있다. [2]피겨 선수에게 공중회전 수는 중요한데 이를 확보하기 위해서는 공중회전을 하는 동안 각속도를 크게 해야 한다. [3]이를 위해 피겨 선수가 공중에서 팔을 몸에 바짝 붙인 상태로 회전하는 것을 볼 수 있다. [4]피겨 선수가 팔을 몸에 붙이면 팔을 구성하는 질량 요소들이 회전축에 가까워져서 팔을 폈을 때보다 몸 전체의 회전 관성이 줄어들게 된다.

01

윗글의 내용과 일치하면 ○에, 일치하지 않으면 ×에 표시하시오.

(1) 정지되어 있는 물체는 회전 관성이 클수록 회전시키기 쉽다. [○ | ×]

(2) 회전하는 팽이는 외부에서 가해지는 돌림힘의 작용 없이 회전을 멈출 수 있다. [○ | ×]

(3) 크기와 질량이 동일한, 속이 빈 쇠공과 속이 찬 플라스틱 공이 자전할 때 회전 관성은 쇠공이 더 크다. [○ | ×]

02

윗글을 바탕으로 〈보기〉를 이해한 내용으로 적절한 것은?

보기

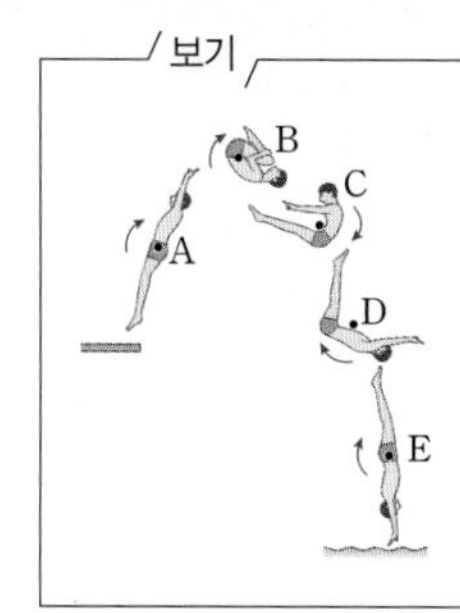

다이빙 선수가 발판에서 점프하여 공중회전하며 A~E 단계를 거쳐 1.5바퀴 회전하여 입수하고 있다. 여기에서 검은 점은 회전 운동의 회전축을 나타내며 회전 운동은 화살표 방향으로만 진행된다. 단, 다이빙 선수가 공중에 머무는 동안은 외부에서 돌림힘이 작용하지 않는다고 간주한다.

① A보다 B에서 다이빙 선수의 각운동량이 더 크겠군.
② B보다 D에서 다이빙 선수의 질량 요소들의 합은 더 작겠군.
③ A~E의 다섯 단계 중 B 단계에서 다이빙 선수는 가장 작은 각속도를 갖겠군.
④ C에서 E로 진행함에 따라 다이빙 선수의 팔과 다리가 펼쳐지면서 회전 관성이 작아지겠군.
⑤ B 단계부터 같은 자세로 회전 운동을 계속하여 입수한다면 다이빙 선수는 1.5바퀴보다 더 많이 회전하겠군.

배경지식 플러스

각속도
회전 운동을 하는 물체가 단위 시간 동안 움직이는 각도를 말한다. 물체가 원운동을 할 때는 시간에 따라 회전하는 각도인 각속도를 이용하여 표현한다.

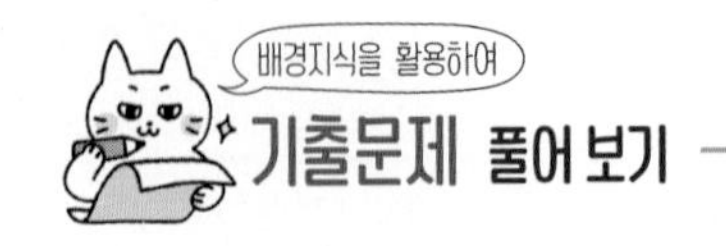

기출문제 풀어 보기

[03~05] 다음 글을 읽고 물음에 답하시오.

❶ [1]물체의 운동을 과학적으로 설명할 때 기본이 되는 개념이 '속력'이다. [2]속력은 단위 시간당 이동한 거리로 나타내는데 이러한 속력에 대한 개념은 유용하게 쓰인다. [3]예를 들어 자동차로 여행할 때 우리는 주행 시간을 알고 싶어 한다. [4]이때 필요한 것이 여행하는 동안의 '평균 속력'이다. [5]평균 속력은 '이동 거리'를 '걸린 시간'으로 나눈 값으로 1시간 동안 80km를 달렸다면, 평균 속력은 80km/h가 된다. [6]한편 운동하는 물체의 속력은 수시로 변하는데 어떤 순간의 속력을 '순간 속력'이라 한다. [7]자동차의 주행 속력계를 어느 한 순간 봤을 때 주행 속력계가 가리킨 속력이 바로 순간 속력이라 할 수 있다.

❷ [1]한편 물체의 운동 상태를 정확하게 표현하기 위해서 운동의 크기인 속력뿐만 아니라 운동의 방향도 알아야 하는데, 속력과 그 운동 방향을 포함했을 때를 '속도'라 한다. [2]예를 들어 '서쪽으로 60km/h로 운동하는', '동쪽으로 60km/h로 운동하는' 것과 같이 표현하면 속도가 된다. [3]그러나 이 두 경우, 속력은 같지만 방향이 다르기 때문에 같은 속도라 할 수 없다.

❸ [1]운동하는 물체가 속력이 커지거나 작아지지 않고 일정하게 유지되면 '등속력'으로 운동하는 것이다. [2]그 물체가 일정한 방향으로 등속력으로 운동할 때 이를 '등속도'라 한다. [3]이때 일정한 방향이란 직선을 말한다. [4]반면에 속력 또는 운동 방향이 변한다면 속도는 변한다. [5]물체의 속도가 단위 시간에 따라 변할 때, 단위 시간당 속도의 변화를 '가속도'라 한다. [6]이때 속도의 변화는 나중 속도에서 처음 속도를 뺀 것이 된다. [7]직선 도로에서 자동차가 30km/h로 달리다가 1시간 뒤 35km/h로 달린다면, 이전 속력에 비해 5km/h만큼 속력이 증가했고, 같은 시간 조건에서 35km에서 30km로 달렸다면, 이번에는 5km/h만큼 속력이 감소한 셈이다.

❹ [1]또한 어떤 물체가 같은 크기의 속력으로 움직이다가 방향을 바꿔도 가속도에 해당한다. [2]예를 들어, 동쪽으로 자동차가 30km/h로 달리다가 1시간 뒤 서쪽으로 방향을 바꾸어 30km/h로 달린다고 •가정하자. [3]편의상 동쪽을 '+', 서쪽을 '−'로 표기할 때 속도의 변화는 나중 속도에서 처음 속도를 뺀 것이므로, −30km/h에서 30km/h를 빼면, −60km/h가 된다. [4]이는 서쪽 방향으로 시간당 60km/h만큼 속도가 변한 것이다.

❺ [1]한편 속도는 상대적일 수 있다. [2]직선으로 달리는 기차 안에서 철수가 걷고 있을 때, 관찰자가 어디에 있느냐에 따라 속도는 달라진다. [3]기차의 속도가 60km/h라는 말은 기차 밖에서 속도를 측정했을 때이다. [4]달리는 기차 안에서 철수가 기차 주행 방향으로 3km/h로 걷는다면 기차 안의 관찰자가 철수를 본 속도는 3km/h이다. [5]하지만 관찰자가 기차 밖의 도로에서 기차 안에서 걷고 있는 철수의 속도를 측정한다면, 기차 속도에다 철수가 기차 안에서 걷는 속도를 합쳐 63km/h가 되는 것이다.

• **가정하다** 사실이 아니거나 사실인지 아닌지 분명하지 않은 것을 임시로 받아들이다.

03

윗글의 내용과 일치하는 것은?

① 속도는 단위 시간당 이동한 거리로 나타낸다.
② 가속도는 나중 속도에서 처음 속도를 빼서 구한다.
③ 평균 속력을 구하려면 이동 거리와 운동의 방향을 알아야 한다.
④ 속도는 절대적인 개념이므로 관찰자의 위치와 상관없이 변하지 않는다.
⑤ 등속력으로 운동하는 물체를 관찰하면 방향은 일정하지만 속력이 점점 커지는 것을 확인할 수 있다.

04 **윗글로 미루어 알 수 있는 내용으로 적절하지 않은 것은?**

① 반원 모양의 회전 구간을 일정한 속력으로 주행하는 자동차의 속도는 변함이 없다.

② 직선 도로에서 일정한 거리를 두고 시작점과 끝점에 속력 측정기를 설치하여 과속을 단속하는 구간 단속은 평균 속력을 측정하는 방식이다.

③ 서쪽으로 100km/h로 달리는 자동차와 동쪽으로 100km/h로 달리는 자동차를 도로에 정지해 있는 관찰자가 본 경우, 속력은 같지만 속도는 다르다.

④ 40km/h로 직선 운동하는 배 안에서 배의 운동 방향으로 A가 2km/h로 걷고 있을 때, 육지에 서 있는 관측자가 A의 속도를 측정하면 42km/h가 된다.

⑤ 1시간 동안 이동하면서 계속 주행 속력계를 관찰했을 때, 자동차의 순간 속력이 80km/h를 넘은 적이 없다면, 1시간 동안 평균 속력은 80km/h보다 클 수 없다.

05 **윗글을 바탕으로 〈보기〉를 이해한 내용으로 적절하지 않은 것은?**

보기

똑같은 출발점에서 토끼와 거북이를 동일한 직선 방향으로 동시에 출발하게 한 후, 1초 간격으로 토끼와 거북이가 출발점에서 이동한 거리의 값을 다음과 같이 얻었다고 가정한다.

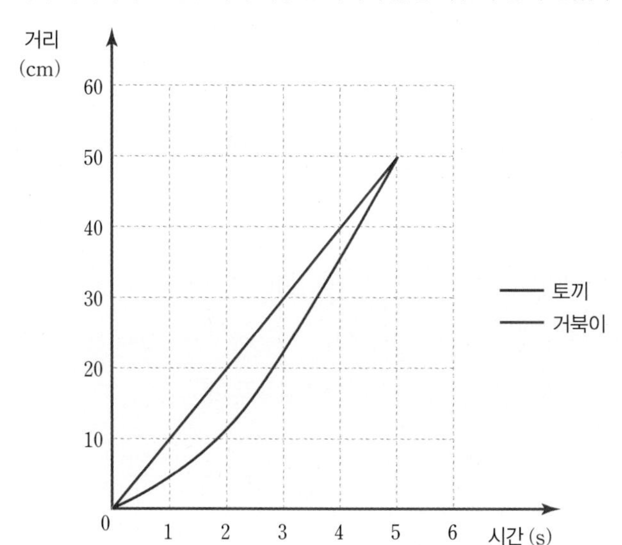

구분	0초	1초	2초	3초	4초	5초
토끼	0cm	4cm	12cm	22cm	35cm	50cm
거북이	0cm	10cm	20cm	30cm	40cm	50cm

① 0초에서 5초까지 거북이의 속력은 일정하다.

② 0초에서 1초까지 거북이가 토끼보다 빠르다.

③ 0초에서 5초까지 토끼와 거북이의 평균 속력은 같다.

④ 0초에서 5초까지 토끼의 속력은 증가하다가 감소한다.

⑤ 0초에서 5초까지 토끼는 가속도 운동을, 거북이는 등속도 운동을 한다.

과학

02

1 물리학

열과 에너지

기출 속 배경지식 키워드 | #일 #에너지 #운동 에너지 #퍼텐셜 에너지 #역학적 에너지 #역학적 에너지 보존 법칙 #열역학 제1법칙 #열효율 #엔트로피

교과 연계
고등학교 물리학 Ⅰ
Ⅰ. 2. 열과 에너지

배경지식 DNA 점검

○ 다음 그림을 참고하여 빈칸에 들어갈 알맞은 말을 골라 봅시다.

1 ㉠은 운동 / 퍼텐셜 에너지이고, ㉡은 운동 / 퍼텐셜 에너지이다.

2 퍼텐셜 에너지와 운동 에너지의 합을 열 / 역학적 에너지라고 한다.

3 마찰이나 공기 저항이 없을 때 역학적 에너지는 보존된다 / 증가한다 / 감소한다.

답 1 퍼텐셜, 운동 2 역학적 3 보존된다

장대높이뛰기 선수가 경기를 하는 모습을 본 적 있니? 장대높이뛰기 선수는 장대를 들고 힘껏 달려가서 장대를 구부린 다음, •탄성을 이용해서 높은 가로대를 뛰어넘어. 이 과정을 물리학적으로 말한다면, 장대높이뛰기 선수는 달려가면서 가졌던 운동 에너지를 장대를 이용해서 퍼텐셜 에너지로 바꾸었기 때문에 높이 도약할 수 있는 거야. 이러한 일이 가능하게 만들어 주는 에너지의 종류와 특성을 자세하게 알아보자.

• **탄성** 물체에 외부에서 힘을 가하면 부피와 모양이 바뀌었다가, 그 힘을 제거하면 본디의 모양으로 되돌아가려고 하는 성질.

역학적 에너지와 보존 • 역학적 에너지는 마찰이나 공기 저항을 받지 않을 때 일정하게 보존된다

일과 에너지의 관계

일은 물체에 힘이 작용하여 물체가 힘의 방향으로 일정한 거리만큼 움직였을 때에 힘과 거리를 곱한 양을 말해. 이렇게 물체가 일을 할 수 있는 능력을 통틀어서 **에너지**라고 하지. 즉, 물체가 (1) ㅇ 을 한다는 것은 물체가 에너지를 갖고 있다는 뜻이야.

이때 일과 에너지는 서로 전환될 수 있어. 그래서 에너지의 단위로는 일의 단위와 같은 J(줄)을 사용해. 아래를 볼까?

왼쪽 그림에서 사람이 돌을 들어 올리는 일을 한다고 하자. 그럼 돌은 사람이 일을 한 만큼 에너지를 갖게 돼. 또 오른쪽 그림에서 사람이 돌을 떨어뜨리면 돌은 말뚝을 박는 일을 하게 되는데, 공기 저항을 무시할 때 돌은 말뚝을 박는 일을 한 만큼의 (2) ㅇㄴㅈ 가 감소하게 돼.

잠깐 체크

❶ 에너지를 가진 물체는 일을 할 수 있다. (○, ×)

❷ 사람이 돌을 들어 올리면 돌의 에너지가 감소한다. (○, ×)

답 ❶ ○ ❷ ×

운동 에너지

운동 에너지는 운동하는 물체가 가지고 있는 에너지를 말해. 물체의 운동 에너지는 물체의 질량이 클수록, 속력이 빠를수록 커. 예를 들어 빠르게 굴러가는 볼링공은 느리게 굴러가는 볼링공보다 운동 에너지가 크기 때문에 더 많은 핀을 쓰러뜨릴 수 있지.

퍼텐셜 에너지

퍼텐셜 에너지는 물체가 기준면으로부터 어떤 위치에서 기준 위치로 되돌아갈 때까지 일을 할 수 있는 잠재적(potential) 에너지를 말해. 그냥 (3) ㅇㅊ **에너지**라고도 하지. 퍼텐셜 에너지에는 중력 퍼텐셜 에너지와 탄성력 퍼텐셜 에너지가 있어.

중력 퍼텐셜 에너지는 지면으로부터 어떤 높이에 있는 물체가 가진 퍼텐셜 에너지야. 예를 들어 사람이 볼링공을 높이 들어 올리는 일을 하면, 높은 위치에 있는 볼링공은 낙하하면서 외부에 일을 할 수 있는 중력 퍼텐셜 에너지를 갖게 돼.

탄성력 퍼텐셜 에너지는 용수철과 같은 •탄성체의 길이나 모양이 변형되었을 때 가지는 에너지야. 예를 들면 활을 쏠 때 활시위를 힘껏 당길수록 활이 많이 변형되고, 활은 탄성력 퍼텐셜 에너지를 더 많이 갖게 되기 때문에 화살을 더 빠르게 날아가게 할 수 있어.

• **탄성체** 탄성을 가지는 물체.

역학적 에너지

물체의 운동에서 운동 에너지와 퍼텐셜 에너지의 합을 **역학적 에너지**라고 해. 이때 운동 에너지와 퍼텐셜 에너지는 서로 전환될 수 있어.

예를 들면 야구공을 위로 던지면, 야구공의 운동 에너지가 감소한 만큼 중력 퍼텐셜 에너지가 증가해. 또 야구공이 아래로 내려올 때는 중력 퍼텐셜 에너지가 감소한 만큼 운동 에너지가 증가하지.

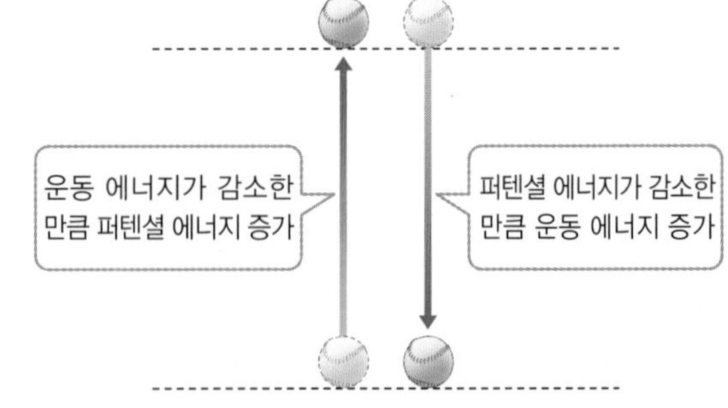

이렇게 운동 에너지와 퍼텐셜 에너지가 서로 전환될 때 •마찰이나 공기 저항을 받지 않는다면 역학적 에너지는 일정하게 보존되는데, 이를 **역학적 에너지 보존 법칙**이라고 한단다. 반대로 마찰이나 공기 저항이 있으면 역학적 에너지가 **열에너지**로 전환되기 때문에 (4) ㅇㅎㅈ 에너지는 보존되지 않아. 야구 선수가 슬라이딩을 했을 때 얼마 지나지 않아 멈추는 것은 마찰 때문에 운동 에너지가 열에너지로 빠르게 전환되기 때문이야.

▲ 슬라이딩을 하는 야구 선수

• **마찰** 두 물체가 서로 닿아 비벼짐. 물체가 닿아 있는 면에서 운동을 방해하는 방향으로 마찰력이 작용하는 현상이 나타남.

열에너지
온도가 다른 물체 사이에서 이동하는 에너지. 물체의 온도나 상태를 변화시키는 작용을 한다.

잠깐 체크
1. 역학적 에너지는 (운동 에너지 / 열에너지)와 퍼텐셜 에너지의 합이다.
2. 역학적 에너지는 항상 보존된다. (○, ×)

답 1 운동 에너지 2 ×

내부 에너지와 기체가 하는 일 • 열이 가해져 내부 에너지가 증가한 기체는 외부에 일을 할 수 있다

냄비의 물이 끓으면 뚜껑이 움직이는 모습을 본 적 있을 거야. 이는 냄비 속 기체에 열이 가해져서 기체가 외부에 일을 하기 때문에 일어나는 현상인데, 기체가 어떻게 외부에 일을 하는지 알아보자.

열과 온도의 관계

우리 주변의 물질은 맨눈으로 볼 수 없는 아주 작은 알갱이인 •분자로 이루어져 있고, 이 분자들은 **분자 운동**이라고 불리는 불규칙한 운동을 해. 분자 운동은 온도가 높을수록 활발해지지.

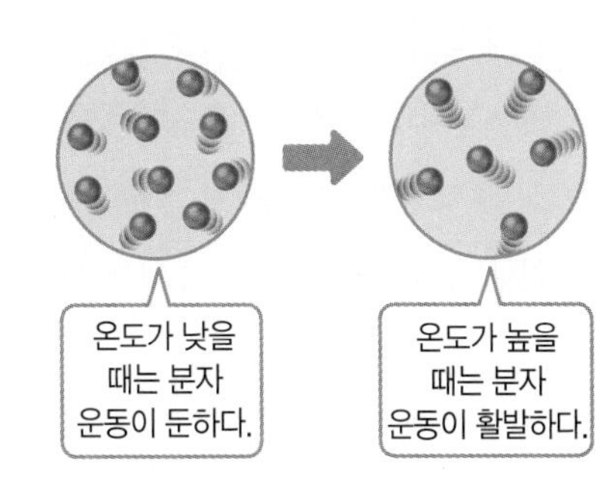

이때 온도가 다른 두 물체가 서로 접촉하면 온도가 높은 물체에서 온도가 낮은 물체로 에너지가 이동하는데, 온도가 다른 두 물체 사이에서 이동하는 에너지를 **열**이라고 하고, 이동한 열의 양을 **열량**이라고 해.

•**분자** 물질에서 화학적 형태와 성질을 잃지 않고 분리될 수 있는 최소의 입자.

기체의 내부 에너지

한편 물질을 구성하는 분자들이 가지고 있는 에너지의 총합을 **내부 에너지**라고 해. 기체는 기체 분자들 사이에 작용하는 힘이 매우 약하기 때문에 기체의 내부 에너지는 기체 분자들의 운동 에너지라고 생각하면 돼. 참고로 기체 분자의 크기와 기체 분자 사이에 작용하는 힘을 무시할 수 있는 기체를 **이상 기체**라고 한단다.

열역학 제1법칙 • 전체 에너지의 양은 변하지 않는다

자, 위 내용들을 종합해서 열과 기체가 외부에 일을 하는 과정을 살펴보자. 오른쪽 그림을 볼까? 그림과 같이 끓는 물 위에 풍선을 가까이 가져가면, 열이 물에서 풍선 속 공기로 이동해서 풍선 속 기체의 온도가 올라가. 그러면 기체의 분자 운동이 활발해지면서 내부 에너지가 증가하게 되지. 내부 에너지가 증가한 기체는 풍선의 부피를 팽창시켜 외부에 일을 하지.

이때 기체가 흡수한 열은 내부 에너지의 변화량과 기체가 외부에 한 일의 합과 같은데 이것이 바로 **열역학 제1법칙**이야. 열역학 제1법칙은 (5) ㅇ 에너지와 역학적 에너지를 포함한 에너지 보존 법칙으로, 하나의 •계에 들어가거나 나온 열이 일과 내부 에너지로 전환되어 전체 에너지의 양은 변하지 않는다는 것을 뜻해.

•**계(系)** 일정한 상호 작용에 관련이 있는 집합체.

잠깐 체크

❶ 열은 온도가 낮은 물체에서 온도가 높은 물체로 이동한다. (○, ×)

❷ 기체가 흡수한 열은 내부 에너지의 변화량과 기체가 외부에 한 일의 합과 같음을 정리한 법칙은?

답 ❶ × ❷ 열역학 제1법칙

열기관의 열효율 • 열기관의 열효율은 항상 1보다 작다

열기관은 열에너지를 일로 바꾸는 장치로, 외부에 일을 하기 위해 고안됐어. 증기 기관이나 가솔린 엔진 등이 열기관에 해당하지.

열기관의 원리를 알아볼까? 열기관은 온도가 높은 고열원에서 열을 흡수해서 일을 하고, 온도가 낮은 저열원으로 열을 방출해서 처음 상태로 되돌아와. 즉 흡수한 열의 일부만 일을 할 수 있는 역학적 에너지로 바뀌고, 나머지 열은 저열원으로 빠져나간다는 이야기야.

열기관의 원리

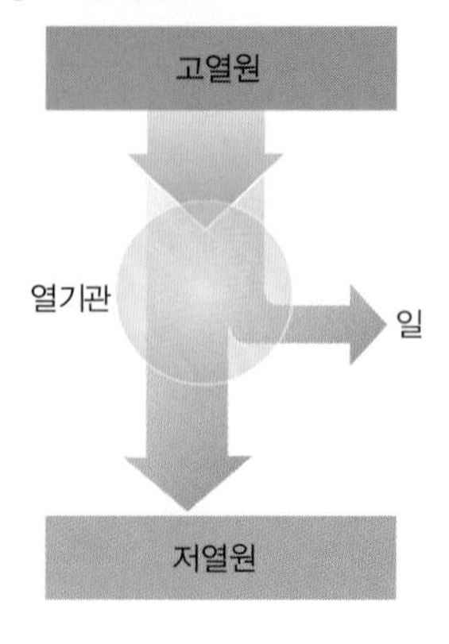

이때 열기관이 고열원에서 흡수한 열량에 대한 열기관이 한 일의 비율을 **열효율**이라고 해. 앞에서 말했다시피 열기관은 흡수한 열을 모두 역학적 에너지로 바꾸지 않기 때문에 열기관의 열효율은 항상 1보다 작아. 예를 들어 오래 달린 자동차의 엔진이 뜨거운 까닭은 자동차 엔진이 일을 할 때 열의 일부가 엔진 밖의 (6) ㅈㅇㅇ 으로 빠져나가 버리기 때문이야.

엔트로피 • 무질서도를 나타내는 척도

열기관은 자발적으로 고온의 물체에서 저온의 물체로 이동하는 열의 특성을 활용한 장치야. 그런데 왜 그 반대로의 열의 이동은 나타나지 않을까? 이러한 방향성은 **엔트로피** 개념과 관련이 있어. 엔트로피는 다소 어려운 개념인데 무질서도를 나타내는 척도라는 것 정도만 알아 두자. 보통 무질서한 상태일수록 엔트로피가 크다고 하는데, 질서 있는 상태에서 무질서한 상태로 되는 과정은 자발적으로 일어나고 그 반대는 자발적으로 일어나지 않아. 즉, 낮은 엔트로피 상태에서 높은 엔트로피 상태로 되는 과정이 자발적으로 일어난다는 뜻이야. 위에서 살펴본 열기관을 예로 들면, 열이 고열원에서 저열원으로 이동해서 (7) ㅇㅌㄹㅍ 가 증가하는 현상은 자발적으로 일어나고 있는 거야.

잠깐 체크

❶ 열기관이 고열원에서 흡수한 열량에 대한 열기관이 한 일의 비율을 나타내는 개념은?

❷ 열기관에서 열이 고열원에서 저열원으로 이동하면 엔트로피가 감소한다. (○, ×)

답 ❶ 열효율 ❷ ×

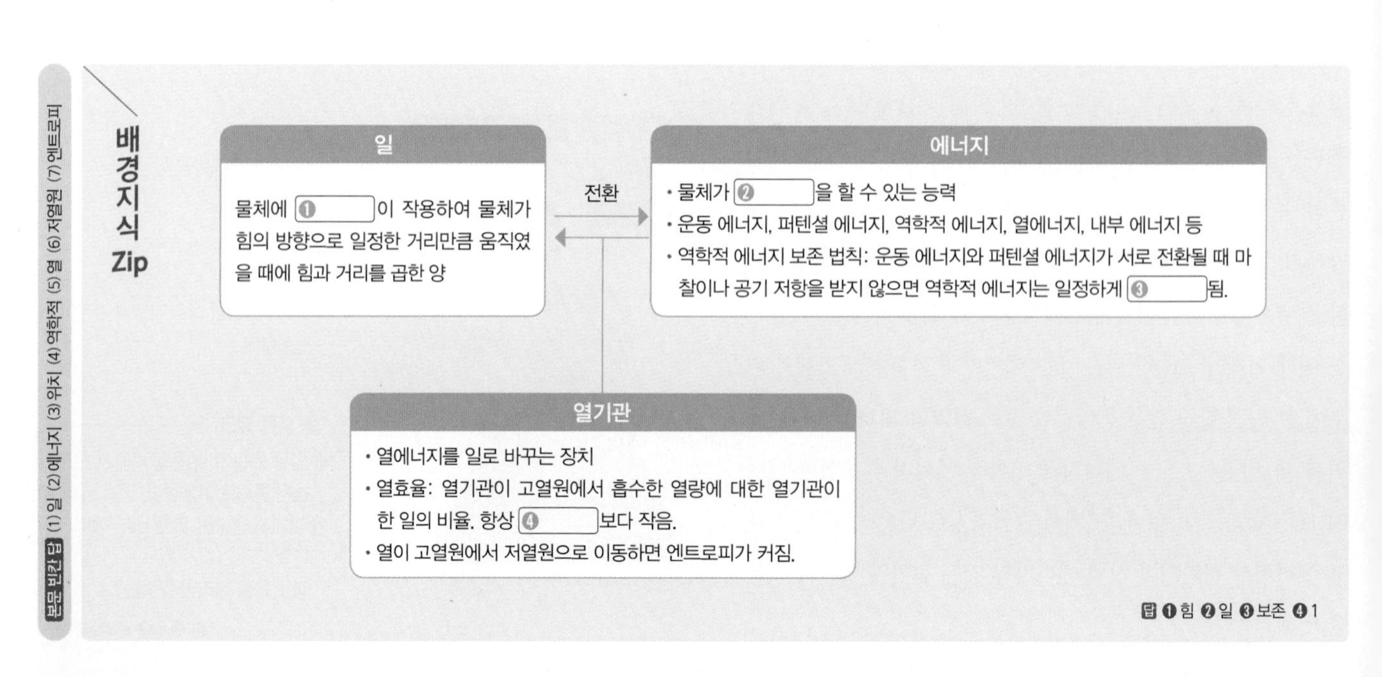

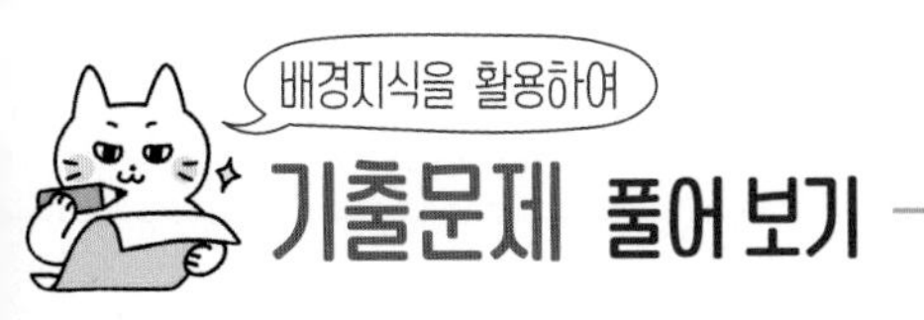

정답과 해설 20쪽

[01~02] 다음 글을 읽고 물음에 답하시오.

❶ [1]과학에서 관심을 갖는 대상을 '계(system)'라고 하고, 계를 제외한 우주의 나머지 부분은 '주위(surroundings)', 계와 주위 사이는 '경계(boundary)'라고 한다. [2]계는 주위와 에너지나 물질의 교환이 모두 일어나지 않는 '고립계', 주위와 물질 교환 없이 에너지 교환만 일어나는 '닫힌계', 주위와 물질 및 에너지 교환이 모두 일어나는 '열린계'로 나눌 수 있다.

❷ [1]열역학 제1법칙에 따르면 우주의 에너지 총량은 일정하므로, 계와 주위의 에너지 합 또한 일정하다. [2]계와 주위 사이에 에너지 교환이 있다면, 계의 에너지가 감소할 때 주위의 에너지는 증가하며, 계의 에너지가 증가할 때 주위의 에너지는 감소하게 된다. [3]계와 주위 사이에 에너지 교환이 일어날 때, 계의 에너지가 증가하면 +로, 계의 에너지가 감소하면 −로 표시한다. [4]한편, 계가 열을 흡수하는 과정은 흡열 과정, 계가 열을 방출하는 과정은 발열 과정이라고 하는데, 열은 에너지의 대표적인 형태이므로, 흡열 과정에 관련된 열은 +Q로, 발열 과정에 관련된 열은 −Q로 나타낼 수 있다.

❸ [1]계의 에너지는 온도, 압력, 부피 등의 열역학적 변수들에 의해 결정되므로, 열역학적 변수들이 같은 계들은 같은 '상태'에 있다고 할 수 있다. [2]〈그림 1〉과 같이 피스톤이 연결된 실린더가 있고, 실린더에는 보일-샤를의 법칙을 만족하는 기체가 들어 있다고 가정해 보자. [3]먼저, 피스톤을 고정하지 않은 채 실린더 속 기체의 압력이 P_1로 일정하도록 유지한 상태에서 실린더를 가열하여 실린더 속 기체의 온도가 T_1에서 T_2가 되도록 하면, 온도가 높아짐에 따라 실린더 속 기체의 부피는 증가하게 된다. [4]한편, 피스톤을 고정하여 실린더 속 기체의 부피를 일정하게 하고 실린더를 가열하면, 실린더 속 기체의 온도가 T_1에서 T_2가 되는 동안 실린더 속 기체의 압력은 P_1에서 P_2로 증가하는데, 온도가 T_2인 상태를 유지하면서 고정시켰던 피스톤을 풀면 실린더 속 기체의 압력이 P_1이 될 때까지 실린더 속 기체의 부피는 증가하게 된다.

〈그림 1〉

❹ [1]전자의 경우를 A, 후자의 경우를 B라고 하면, A는 T_1, P_1인 초기 상태에서 T_2, P_1인 최종 상태가 되었고, B는 T_1, P_1인 초기 상태에서 T_2, P_2인 상태를 거쳐 T_2, P_1인 최종 상태가 되었다고 할 수 있다. [2]그리고 두 계라 할 수 있는 A와 B가 같은 상태에 있으면, A와 B의 실린더 속 기체의 내부 에너지는 서로 같다고 할 수 있다.

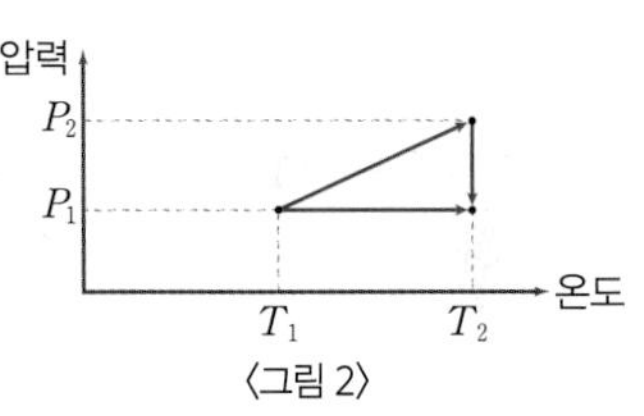

〈그림 2〉

❺ [1]이때 A의 초기 상태와 B의 초기 상태, A의 최종 상태와 B의 최종 상태는 각각 같지만, 초기 상태에서 최종 상태에 이르는 경로는 다르다. [2]따라서 두 계가 같은 상태에 있다고 해서 두 계가 만들어진 과정이 같다고 할 수는 없다. [3]또한 어떤 계의 변화가 일어나는 경로는 초기 상태에서 최종 상태로 진행하면서 거치는 일련의 상태들로 이루어져 있으며, 이 두 상태를 연결하는 경로는 무한히 많다.

01

윗글의 내용과 일치하면 ○에, 일치하지 않으면 ×에 표시하시오.

(1) 열역학적 변수들이 같은 두 계는 같은 상태에 있다. ○ ×

(2) 열역학 제1법칙에 따르면 우주의 에너지 총량은 일정하다. ○ ×

(3) 열린계에서는 주위와 물질 교환 없이 에너지 교환만 일어난다. ○ ×

02

윗글의 내용과 일치하지 않는 것은?

① A와 B 모두 초기 상태보다 최종 상태에서 실린더 속 기체의 부피가 더 크다.
② A의 초기 상태와 B의 초기 상태에서 실린더 속 기체의 내부 에너지는 서로 같다.
③ A의 최종 상태와 B의 최종 상태에서 실린더 속 기체의 내부 에너지는 서로 다르다.
④ 어떤 계가 초기 상태에서 최종 상태로 진행하면서 거칠 수 있는 경로는 무한히 많다.
⑤ 계와 주위 사이에 에너지 교환이 일어날 때 계의 에너지가 증가하면 주위의 에너지는 감소한다.

[03~06] 다음 글을 읽고 물음에 답하시오.

❶ [1]18세기에는 열의 실체가 칼로릭(caloric)이며 칼로릭은 온도가 높은 쪽에서 낮은 쪽으로 흐르는 성질을 갖고 있는, 질량이 없는 입자들의 모임이라는 생각이 받아들여지고 있었다. [2]이를 칼로릭 이론이라 ㉠부르는데, 이에 따르면 찬 물체와 뜨거운 물체를 접촉시켜 놓았을 때 두 물체의 온도가 같아지는 것은 칼로릭이 뜨거운 물체에서 차가운 물체로 이동하기 때문이라는 것이다. [3]이러한 상황에서 과학자들의 큰 관심사 중의 하나는 증기 기관과 같은 열기관의 열효율 문제였다.

❷ [1]열기관은 높은 온도의 열원에서 열을 흡수하고 낮은 온도의 대기와 같은 열기관 외부에 열을 방출하며 일을 하는 기관을 말하는데, 열효율은 열기관이 흡수한 열의 양 대비 한 일의 양으로 정의된다. [2]19세기 초에 카르노는 열기관의 열효율 문제를 칼로릭 이론에 기반을 두고 ㉡다루었다. [3]카르노는 물레방아와 같은 수력 기관에서 물이 높은 곳에서 낮은 곳으로 ㉢흐르면서 일을 할 때 물의 양과 한 일의 양의 비가 높이 차이에만 좌우되는 것에 주목하였다. [4]물이 높이 차에 의해 이동하는 것과 흡사하게 칼로릭도 고온에서 저온으로 이동하면서 일을 하게 되는데, 열기관의 열효율 역시 이러한 두 온도에만 의존한다는 것이었다.

❸ [1]한편 1840년대에 줄(Joule)은 일정량의 열을 얻기 위해 필요한 각종 에너지의 양을 측정하는 실험을 행하였다. [2]대표적인 것이 열의 일당량 실험이었다. [3]이 실험은 열기관을 대상으로 한 것이 아니라, 추를 낙하시켜 물속의 날개바퀴를 회전시키는 실험이었다. [4]열의 양은 칼로리(calorie)로 표시되는데, 그는 역학적 에너지인 일이 열로 바뀌는 과정의 정밀한 실험을 통해 1kcal의 열을 얻기 위해서 필요한 일의 양인 열의 일당량을 측정하였다. [5]줄은 이렇게 일과 열은 형태만 다를 뿐 서로 전환이 가능한 물리량이므로 등가성을 갖는다는 것을 입증하였으며, 열과 일이 상호 전환될 때 열과 일의 에너지를 합한 양은 일정하게 보존된다는 사실을 알아내었다. [6]이후 열과 일뿐만 아니라 화학 에너지, 전기 에너지 등이 등가성을 가지며 상호 전환될 때에 에너지의 총량은 변하지 않는다는 에너지 보존 법칙이 입증되었다.

❹ [1]열과 일에 대한 이러한 이해는 카르노의 이론에 대한 과학자들의 재검토로 이어졌다. [2]특히 톰슨은 ⓐ칼로릭 이론에 입각한 카르노의 열기관에 대한 설명이 줄의 에너지 보존 법칙에 위배된다고 지적하였다. [3]카르노의 이론에 의하면, 열기관은 높은 온도에서 흡수한 열 전부를 낮은 온도로 방출하면서 일을 한다. [4]이것은 줄이 입증한 열과 일의 등가성과 에너지 보존 법칙에 ㉣어긋나는 것이어서 열의 실체가 칼로릭이라는 생각은 더 이상 유지될 수 없게 되었다. [5]하지만 열효율에 관한 카르노의 이론은 클라우지우스의 증명으로 유지될 수 있었다. [6]그는 카르노의 이론이 유지되지 않는다면 열은 저온에서 고온으로 흐르는 현상이 ㉤생길 수도 있을 것이라는 가정에서 출발하여, 열기관의 열효율은 열기관이 고온에서 열을 흡수하고 저온에 방출할 때의 두 작동 온도에만 관계된다는 카르노의 이론을 증명하였다.

❺ [1]클라우지우스는 자연계에서는 열이 고온에서 저온으로만 흐르고 그와 반대되는 현상은 일어나지 않는 것과 같이 경험적으로 알 수 있는 방향성이 있다는 점에 주목하였다. [2]또한 일이 열로 전환될 때와는 달리, 열기관에서 열 전부를 일로 전환할 수 없다는, 즉 열효율이 100%가 될 수 없다는 상호 전환 방향에 관한 비대칭성이 있다는 사실에 주목하였다. [3]이러한 방향성과 비대칭성에 대한 논의는 이를 설명할 수 있는 새로운 물리량인 엔트로피의 개념을 낳았다.

03

윗글의 내용과 일치하는 것은?

① 열기관은 외부로부터 받은 일을 열로 변환하는 기관이다.
② 수력 기관에서 물의 양과 한 일의 양의 비는 물의 온도 차이에 비례한다.
③ 칼로릭 이론에 의하면 차가운 쇠구슬이 뜨거워지면 쇠구슬의 질량은 증가하게 된다.
④ 칼로릭 이론에서는 칼로릭을 온도가 낮은 곳에서 높은 곳으로 흐르는 입자라고 본다.
⑤ 열기관의 열효율은 두 작동 온도에만 관계된다는 이론은 칼로릭 이론의 오류가 밝혀졌음에도 유지되었다.

정답과 해설 20쪽

과학

04 윗글로 볼 때 ⓐ의 내용으로 가장 적절한 것은?

① 화학 에너지와 전기 에너지는 서로 전환될 수 없는 에너지라는 점
② 열의 실체가 칼로릭이라면 열기관이 한 일을 설명할 수 없다는 점
③ 자연계에서는 열이 고온에서 저온으로만 흐르는 것과 같은 방향성이 있는 현상이 존재한다는 점
④ 열효율에 관한 카르노의 이론이 맞지 않는다면 열은 저온에서 고온으로 흐르는 현상이 생길 수 있다는 점
⑤ 열기관의 열효율은 열기관이 고온에서 열을 흡수하고 저온에 방출할 때의 두 작동 온도에만 관계된다는 점

05 윗글을 바탕으로 할 때, 〈보기〉의 [가]에 들어갈 말로 가장 적절한 것은?

보기

줄의 실험과 달리, 열기관이 흡수한 열의 양(A)과 열기관으로부터 얻어진 일의 양(B)을 측정하여 $\frac{B}{A}$로 열의 일당량을 구하면, 그 값은 ([가]   )는 결과가 나올 것이다.

① 열기관의 두 작동 온도의 차이가 일정하다면 줄이 구한 열의 일당량과 같다
② 열기관이 열을 흡수할 때의 온도와 상관없이 줄이 구한 열의 일당량과 같다
③ 열기관이 흡수한 열의 양이 많을수록 줄이 구한 열의 일당량보다 더 커진다
④ 열기관의 두 작동 온도의 차이가 커질수록 줄이 구한 열의 일당량보다 더 커진다
⑤ 열기관이 흡수한 열의 양과 두 작동 온도에 상관없이 줄이 구한 열의 일당량보다 작다

06 밑줄 친 부분이 ㉠~㉤과 같은 의미로 사용된 것은?

① ㉠: 웃음은 또 다른 웃음을 부르는 법이다.
② ㉡: 그는 익숙한 솜씨로 기계를 다루고 있었다.
③ ㉢: 이야기가 엉뚱한 방향으로 흐르고 있다.
④ ㉣: 그는 상식에 어긋나는 일을 한 적이 없다.
⑤ ㉤: 하늘을 보니 당장이라도 비가 오게 생겼다.

03

❶ 물리학

특수 상대성 이론

기출 속 배경지식 키워드 | #특수 상대성 이론 #상대성 원리 #광속 불변 원리 #동시성의 상대성 #시간 지연(시간 팽창) #질량-에너지 등가성

교과 연계
고등학교 물리학 Ⅰ
Ⅰ. 3. 특수 상대성 이론

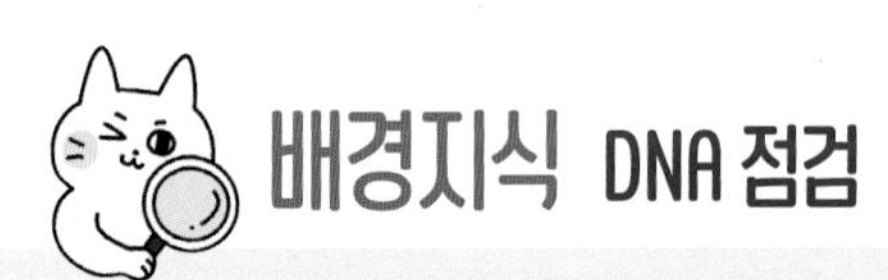

◎ 다음 내용이 맞으면 '예', 틀리면 '아니요'에 표시해 봅시다.

물리적 상황의 관측 결과는 관찰자의 운동 상태와 관계없이 항상 같다.	□ 예	□ 아니요
진공에서 빛의 속력은 항상 일정하다.	□ 예	□ 아니요
특수 상대성 이론에서 동시성은 절대적인 개념이다.	□ 예	□ 아니요
동시에 일어나는 두 사건의 시간 간격은 좌표계에 따라 다르게 측정될 수 있다.	□ 예	□ 아니요
질량과 에너지는 서로 변환될 수 없다.	□ 예	□ 아니요

답 아니요, 예, 아니요, 예, 아니요

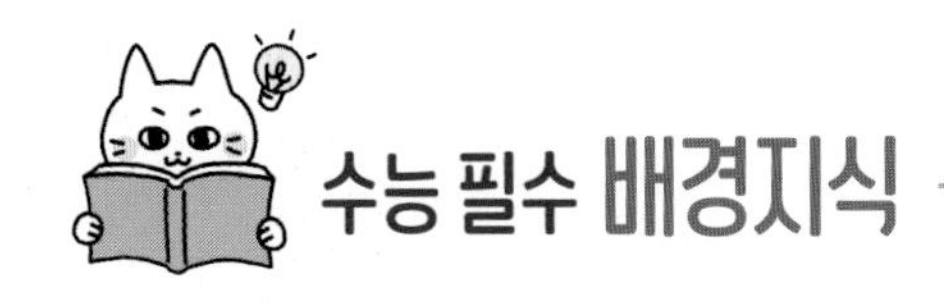

수능 필수 배경지식

우주선을 떠난 두 사람이 블랙홀의 중력의 영향을 강하게 받는 밀러 행성으로 가서, 세 시간 남짓의 시간을 보냈다.

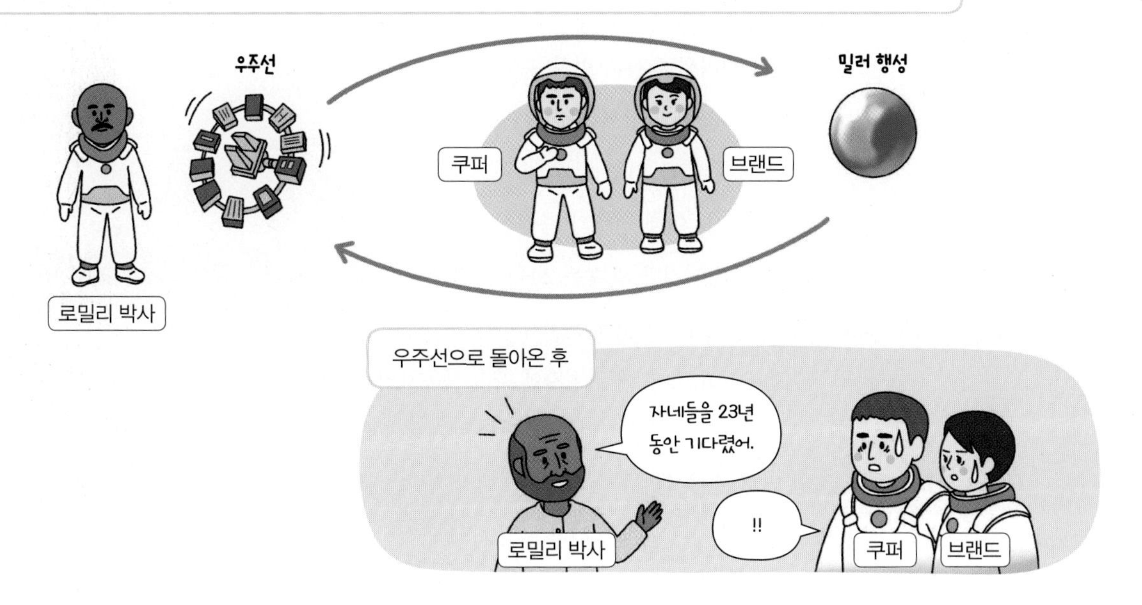

영화 〈인터스텔라〉에서는 인물들의 시간이 서로 다르게 흐르는 현상이 나와. 어떻게 그런 일이 가능한 걸까? 이 궁금증을 해결하기 위해 시간이 절대적이라는 고정관념을 깨트린 **아인슈타인**[1879~1955]의 **상대성 이론**을 알아보자. 상대성 이론은 아주 복잡하고 어려운 개념이지만, 우리는 기본만 간단하게 짚고 갈 거야. 먼저 특수 상대성 이론의 두 가지 가정부터 알아보자.

특수 상대성 이론

첫 번째 가정, 상대성 원리

모든 •관성 좌표계에서 물리 법칙은 동일하게 성립한다.

• **관성 좌표계** 관성 법칙이 성립하는 좌표계. 좌표계란 관찰이나 측정을 위해 특정한 위치를 원점으로 하여 특정 방향의 축을 정하고, 좌표로 물체의 위치를 나타내는 기준틀을 말한다.

일정한 속도로 움직이는 트럭(관성 좌표계) 위에서 어떤 사람이 공을 위로 던졌다가 받았다고 생각해 보자. 트럭 위의 관찰자와 지면에 멈춰 있는 관찰자에게 공의 운동 경로는 서로 다르게 보이지만, 두 (1) ㄱㅊㅈ 모두 공의 운동을 동일한 뉴턴 운동 법칙($F=ma$)으로 설명할 거야. 즉, **상대성 원리**의 핵심은 '관찰되는' 물리량은 다를 수 있으나, 그 물리량 사이의 관계를 나타내는 '물리 법칙'은 동일하다는 거야.

잠깐 체크

❶ 관찰자에 따라 관찰되는 물리량은 다를 수 있다. (○, ×)

❷ 관성 좌표계에서 관찰되는 물리량이 달라지면 물리량 사이의 물리 법칙도 달라진다. (○, ×)

답 ❶ ○ ❷ ×

두 번째 가정, 광속 불변 원리

- **진공** 공기 등의 물질이 전혀 존재하지 않는 공간.
- **광원** 제 스스로 빛을 내는 물체. 태양, 별 등이 있다.

> 모든 관성 좌표계에서 보았을 때, •진공 중에서 진행하는 빛의 속력은 관찰자나 •광원의 속력에 관계없이 일정하다.

광속 불변 원리의 핵심은 빛의 속력이 항상 일정하다는 거야. 그림과 같이 민호는 정지해 있고 은수는 자전거를 타고 20 km/h의 속력으로 운동하는 상황을 보자. 이때 민호가 측정한 자동차의 속력은 100 km/h이지만, 은수는 20 km/h의 속력으로 운동하는 중이기 때문에 은수가 측정한 자동차의 속력은 80 km/h야. 즉 관찰자에 따라 자동차의 속력이라는 물리량이 다르게 측정돼.

그런데 광속 불변 원리에 따르면, 달리는 자동차가 전조등으로 속력이 c인 빛을 쐈을 때 자동차 운전자와 민호, 은수에게 관측되는 (2) ㅂ 의 속력은 모두 c로 동일해. 빛의 속력은 관찰자나 광원의 속력에 영향을 받지 않고 일정하다는 점 기억해 둬.

동시성의 상대성

특수 상대성 이론에서의 사건 특수 상대성 이론에서의 사건은 특정 시각과 위치에서 발생한 물리적 상황을 말한다.

동시성은 어떤 두 사건이 같은 시간에 일어나는 것을 이르는 말인데, 특수 상대성 이론에서의 동시성은 절대적 개념이 아니라 관찰자의 운동 상태에 따라 달라지는 상대적 개념이야. 동시에 일어나는 두 사건 사이의 시간이 좌표계에 따라 다르게 측정될 수 있다는 것 정도만 이해하면 돼. 즉, 관찰자에 따라 사건 A, B가 동시에 일어난 것으로 보일 수도 있고, 사건 A와 B가 시간 차이를 두고 일어난 것으로 보일 수도 있어. 이게 무슨 뜻일까? 다음 그림을 보면서 이해해 보자.

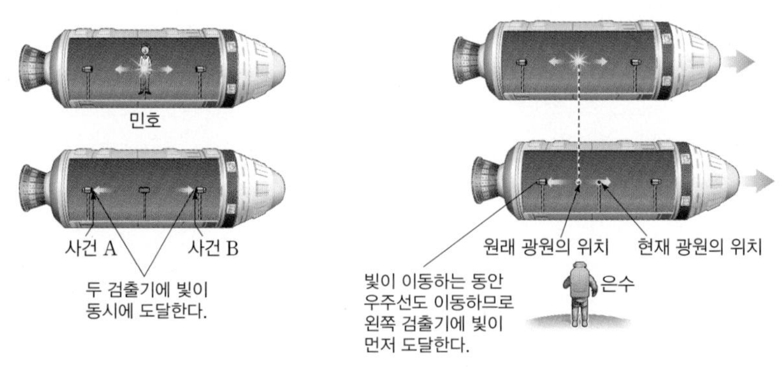

▲ 우주선에서 빛의 관찰 ▲ 행성에서 빛의 관찰

위 그림은 광속에 가까운 속도로 등속 운동 하는 우주선 안에 있는 민호와, 바깥 행성에 서 있는 은수가 우주선 안을 관찰하는 상황이야. 빛이 전구로부터 같은 거리에 놓인 두 검출기에 도달하는 사건을 각각 A와 B라고 하자. 아인슈타인이 가정한 광속 불변 원리에 따라 민호와 은수는 모두 같은 광속을 측정하게 돼. 민호가 보았을 때 두 빛은 동일한 거리를 이동하므로 두 사건 A, B가 동시에 일어나지. 하지만 은수가 보았을 때는 빛의 속력은 일정한데, 빛이 이동하는 동안 우주선이 오른쪽으로 이동하므로 사건 A가 사건 B보다 먼저 발생해. 즉, 두 사건 사이의 시간이 좌표계에 따라 다르게 측정될 수 있는 거야. 이것을 **동시성의 상대성**이라고 해.

시간 지연(시간 팽창)

동시성의 상대성 개념을 이해했다면 이제 두 사건 사이의 (3) ㅅㄱ 간격이 좌표계에 따라 달라질 수 있다는 점을 이해했을 거야. 이처럼 시간은 상대적인 개념이야. 그래서 빠르게 움직이는 우주선 안의 민호가 본 시계와 바깥 행성의 은수가 본 시계가 가리키는 시각이 서로 다를 수 있지. 관성 좌표계에서, 한 관찰자가 볼 때 빠르게 운동하는 관찰자의 시계가 느리게 가는데 이러한 현상을 **시간 지연** 또는 **시간 팽창**이라고 해.

질량 – 에너지 등가성

자, 여기까지 시간의 상대성에 대해 살펴보았어. 그런데 아인슈타인은 시간이 상대적인 것처럼, 질량도 상대적인 물리량이라고 믿었어. 그리고 물체에 힘을 가해 운동 에너지가 증가하면 물체의 속력뿐만 아니라 질량도 함께 증가해야 한다고 생각했지. 즉, 에너지의 일부는 속력을 증가시키고 일부는 질량을 증가시키는 데 사용된다는 거야. 에너지가 질량으로 전환되었으니, 질량은 에너지의 또 다른 형태로 생각할 수 있다는 사실! 이를 **질량 – 에너지 등가성**이라고 해. 질량(m)과 에너지(E) 사이의 관계를 나타내는 식이 바로 그 유명한 '$E=mc^2$'이야.

질량이 (4) ㅇㄴㅈ의 또 다른 형태라는 발견이 왜 중요하냐면, 이 사실이 핵에너지(핵분열, 핵융합)나 태양의 에너지를 이해하는 데 기초가 되었기 때문이야.

구체적으로 알아볼까? 양성자와 중성자가 결합하여 만들어진 헬륨 원자핵의 질량은 그 이전 상태의 양성자와 중성자의 질량의 합보다 작아. 이처럼 양성자와 중성자가 결합하여 헬륨 원자핵이 되는 과정에서 감소한 질량을 **질량 결손**이라고 하는데, 이때 감소한 질량만큼의 에너지가 방출돼. 태양 중심부에서는 이러한 핵융합 반응이 일어나고 있는데 이 핵융합 과정에서 발생한 에너지가 바로 태양 에너지의 근원이야.

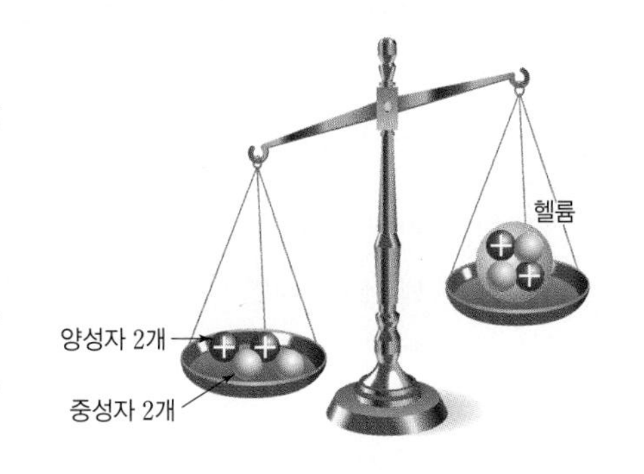

잠깐 체크

❶ 빛의 속력은 관찰자의 속력에 따라 다르게 관찰된다. (○, ×)

❷ 동시성은 관찰자의 운동 상태에 따라 달라지는 (절대적 / 상대적)인 개념이다.

❸ 특수 상대성 이론에 따르면 질량은 에너지의 또 다른 형태이다. (○, ×)

답 ❶ × ❷ 상대적 ❸ ○

배경지식 Zip

상대성 원리	모든 관성 좌표계에서 물리 법칙은 동일하게 성립함.
광속 불변 원리	모든 관성 좌표계에서 보았을 때, 진공 중에서 진행하는 빛의 속력은 관찰자나 광원의 ❶ ____에 관계없이 일정함.

↓

특수 상대성 이론	• 동시성의 상대성: 두 사건 사이의 시간은 좌표계에 따라 다르게 측정될 수 있음. • 시간 ❷ ____(시간 팽창): 관성 좌표계의 한 관찰자가 볼 때 빠르게 운동하는 관찰자의 시계가 느리게 감. • 질량 – 에너지 등가성: 질량은 ❸ ____의 또 다른 형태임.

답 ❶ 속력 ❷ 지연 ❸ 에너지

본문 빈칸 답 (1) 관찰자 (2) 빛 (3) 시간 (4) 에너지

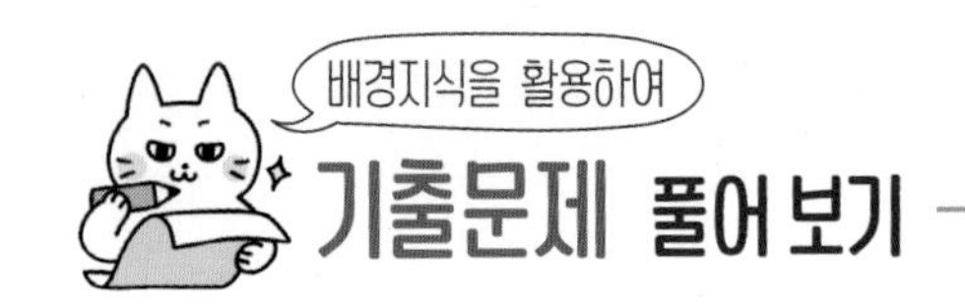

[01~02] 다음 글을 읽고 물음에 답하시오.

❶ [1]17세기에 수립된 뉴턴의 역학 체계는 3차원 공간에서 일어나는 물체의 운동을 취급하였는데 공간 좌표인 x, y, z는 모두 시간에 따라 변하는 것으로 간주하였다. [2]뉴턴에게 시간은 공간과 무관한 독립적이고 절대적인 것이었다. [3]즉, 시간은 시작도 끝도 없는 영원한 것으로, 우주가 생겨나고 사라지는 것과 아무 관계없이 항상 같은 방향으로 흘러간다. [4]시간은 빨라지지도 느려지지도 않는 물리량이며 모든 우주에서 동일한 빠르기로 흐르는 실체인 것이다. [5]이러한 뉴턴의 절대 시간 개념은 19세기 말까지 물리학자들에게 당연한 것으로 받아들여졌다.

❷ [1]하지만 20세기에 들어 시간의 절대성 개념은 아인슈타인에 의해 근본적으로 거부되었다. [2]그는 빛의 속도가 진공에서 항상 일정하다는 사실을 기초로 하여 상대성 이론을 수립하였다. [3]이 이론에 의하면 시간은 상대적인 개념이 되어, 빠르게 움직이는 물체에서는 시간이 느리게 간다. [4]광속을 c라 하고 물체의 속도를 v라고 할 때 시간은 $\frac{1}{\sqrt{1-(v/c)^2}}$배 팽창한다. [5]즉, 광속의 50%의 속도로 달리는 물체에서는 시간이 약 1.15 배 팽창하고, 광속의 99%로 달리는 물체에서는 7.09 배 정도 팽창한다. [6]v가 c에 비하여 아주 작을 경우에는 시간 팽창 현상이 거의 감지되지 않지만 v가 c에 접근하면 팽창률은 급격하게 커진다.

❸ [1]아인슈타인에게 시간과 공간은 더 이상 별개의 물리량이 아니라 서로 긴밀하게 연관되어 함께 변하는 상대적인 양이다. [2]따라서 운동장을 질주하는 사람과 교실에서 가만히 바깥 풍경을 보고 있는 사람에게 시간의 흐름은 다르다. [3]속도가 빨라지면 시간 팽창이 일어나 시간이 그만큼 천천히 흐르는 시간 지연이 생긴다.

01

윗글의 내용과 일치하면 ○에, 일치하지 않으면 ×에 표시하시오.

(1) 뉴턴의 역학 체계에서 시간은 절대적인 것이 아니다. ○ ×

(2) 아인슈타인에게 시간과 공간은 함께 변하는 상대적인 물리량이다. ○ ×

(3) 상대성 이론에서, 물체의 속도가 광속에 가까워지면 시간은 반대로 흐른다. ○ ×

02

'시간 팽창'의 예로 적절한 것은?

① 움직이는 사람의 시계 바늘은 가만히 있는 사람의 시계 바늘보다 빨리 움직인다.

② 초고속 우주선을 타고 여행할 때, 지구에 정지해 있을 때보다 천천히 늙는다.

③ 사고로 갇혀 있는 조난자는 갇히기 전보다 시간이 느리게 간다고 느낀다.

④ 좋아하는 사람과 같이 있을 때, 평소보다 시간이 빨리 간다고 느낀다.

⑤ 수백만 년 전에 일어난 별의 폭발 장면이 지금 지구에서 관측된다.

[03~04] 다음 글을 읽고 물음에 답하시오.

❶ [1]태양은 지구의 생명체가 살아가는 데 필요한 빛과 열을 공급한다. [2]이런 막대한 에너지를 태양은 어떻게 계속 내놓을 수 있을까?
❷ [1]19세기에는 에너지 보존 법칙이 확립되면서 새로운 에너지 공급이 없다면 태양의 온도가 점차 낮아져야 한다는 결론을 내렸다. [2]그렇다면 과거에는 태양의 온도가 훨씬 높았어야 했고, 지구의 바다가 펄펄 끓어야 했을 것이다. [3]하지만 실제로는 그렇지 않았다. [4]그래서 태양의 온도를 일정하게 유지해 주는 에너지원이 무엇인지에 대해 생각하게 되었다.
❸ [1]20세기 초에 방사능이 발견되면서 방사능 물질의 붕괴에서 나오는 핵분열 에너지가 태양의 에너지원으로 생각되었다. [2]그러나 태양빛의 스펙트럼을 분석한 결과 태양에는 우라늄 등의 방사능 물질 대신 수소와 헬륨이 있다는 것을 알게 되었다. [3]방사능 물질의 붕괴에서 나오는 핵분열 에너지가 태양의 에너지원은 아니었던 것이다.
❹ [1]현재 태양의 에너지원은 수소 원자핵 네 개가 헬륨 원자핵 하나로 융합하는 과정의 질량 결손으로 인해 생기는 핵융합 에너지로 알려져 있다. [2]태양은 엄청난 양의 수소 기체가 중력에 의해 뭉쳐진 것으로, 그 중심으로 갈수록 •밀도와 압력, 온도가 증가한다. [3]태양에서의 핵융합은 천만 도 이상의 온도를 유지하는 중심부에서만 일어난다. [4]높은 온도에서만 원자핵들이 높은 운동 에너지를 가지게 되며, 그 결과로 원자핵들 사이의 반발력을 극복하고 융합되기에 충분히 가까운 거리로 근접할 수 있기 때문이다. [5]태양빛이 핵융합을 통해 나온다는 사실은 태양으로부터 온 중성미자가 관측됨으로써 더 확실해졌다.
❺ [1]중심부의 온도가 올라가 핵융합 에너지가 늘어나면 그 에너지로 인한 압력으로 수소를 밖으로 밀어내어 중심부의 밀도와 온도를 낮추게 된다. [2]이렇게 온도가 낮아지면 방출되는 핵융합 에너지가 줄어들며, 그 결과 압력이 낮아져서 수소가 중심부로 들어오게 되어 중심부의 밀도와 온도를 다시 높인다. [3]이렇듯 태양 내부에서 중력과 핵융합 반응의 평형 상태가 유지되기 때문에 태양이 오랫동안 안정적으로 빛을 낼 수 있게 된다.

• **밀도** 빽빽이 들어선 정도.

과학

03 윗글의 내용과 일치하면 ○에, 일치하지 않으면 ×에 표시하시오.

(1) 에너지 보존 법칙의 확립 이후 내려진 태양의 온도에 대한 결론은 과거 지구의 기후와 부합하지 않았다. (○ / ×)
(2) 핵분열 에너지설은 스펙트럼 분석 결과 부정되었다. (○ / ×)
(3) 핵융합 에너지설은 태양 중성미자의 관측으로 인정되었다. (○ / ×)

04 윗글의 내용에 비추어 볼 때, 〈보기〉의 '핵융합 장치'에 대한 이해로 적절한 것은?

보기

태양의 원리를 적용한 대체 에너지 기술은 수소 원자핵을 초고온 상태로 만들어 수소 원자핵들이 빠른 속도로 자주 충돌할 수 있도록 밀도를 높여 주면 가능하다. 이를 실현하기 위해서는 수소 원자핵을 초고온 상태로 지속시킬 수 있는 '핵융합 장치'를 만드는 것이 가장 중요하다.

① 밀도가 높으면 온도가 낮아도 원자핵들이 핵융합을 할 수 있겠군.
② 지구에서 구하기 쉬운 방사능 물질을 이용하는 것이 바람직하겠군.
③ 초고온 상태를 유지하려면 태양 중력과 유사한 기능을 하는 힘이 필요하겠군.
④ 태양 표면과 같은 환경을 마련해 주려면 엄청난 양의 수소를 핵분열시켜야겠군.
⑤ 지속적으로 에너지를 얻기 위해서는 중력과 핵융합 반응의 평형 상태를 깨뜨려야겠군.

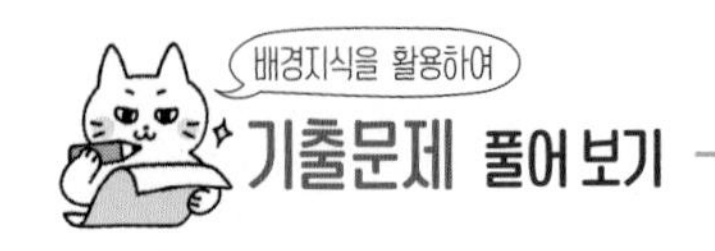

[05~07] 다음 글을 읽고 물음에 답하시오.

❶ [1]아인슈타인 이전 과학자들에게 에너지와 질량은 별개의 독립적인 물리량이었다. [2]하지만 아인슈타인은 $E=mc^2$이라는 공식으로 에너지(E)와 질량(m)의 관계를 밝혔다.

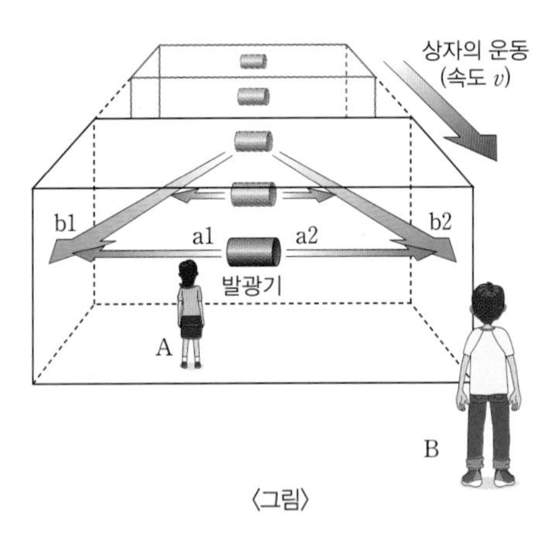

〈그림〉

❷ [1]㉠ 에너지와 질량의 관계에 대한 아인슈타인의 생각은 '상대성의 원리'와 '광속 일정의 원리'라는 두 가지 •공리에 기반을 두고 있는 〈그림〉과 같은 ⓐ 가상의 사고(思考) 실험을 통해 이해할 수 있다. [2]큰 상자가 있고 상자 안에는 A와 발광기가 각각 상자에 대해 정지 상태에 있다. [3]상자 안의 모든 상황을 볼 수 있는 상자 밖의 B를 향해 그 상자는 •등속도로 접근해 오고 있다. [4]그리고 발광기가 어느 순간 좌우를 향해 완전히 같은 세기의 빛(에너지)을 발사한다. [5]A의 입장에서 본다면, 발광기가 빛을 발사했지만 〈그림〉의 a1, a2와 같이 서로 정반대의 방향으로 동시에 발사했기 때문에 그로 인한 반동은 완전히 •상쇄되어 발광기는 빛을 발사한 후에도 상자 안에서 상자에 대해 정지 상태를 유지해야 한다. [6]한편 B의 입장에서는 상자가 자신을 향해 접근해 오기 때문에 당연히 상자 안의 발광기도 상자와 같은 속도로 접근해 온다. [7]그런데 발광기가 발사한 두 빛은 〈그림〉의 b1, b2와 같이 비스듬히 좌우로 퍼지면서 진행하기 때문에 빛의 발사로 인한 반동이 완전히 상쇄되지 못한다. [8]상쇄되지 못한 반동은 발광기의 운동에 감속 요인으로 작용하여, 상자의 속도에 비해 발광기가 접근해 오는 속도가 느려져야 한다. [9]결과적으로 동일한 발광기의 운동이 A와 B에게 각각 다르게 보이게 되는 모순이 생기게 된다.

❸ [1]이와 같은 모순과 관련하여 아인슈타인은 ⓑ 빛의 발사라는 에너지의 방출이 발광기 질량의 손실을 의미한다면, 빛을 방출하는 것에 따른 감속과 질량을 잃은 것에 따른 가속이 균형을 이루면서 발광기가 상자와 같은 속도로 B에게 접근한다고 생각했다. [2]결과적으로 A와 B가 보는 상황은 다르지 않으며, 서로 다른 물리량이라고 생각되었던 에너지와 질량이 광속(c)을 •환산인자로 하여 서로 환산될 수 있는 물리량이 된 것이다.

❹ [1]아인슈타인의 공식은 물체의 질량이 그 물체가 가진 잠재적인 에너지에 대한 척도이며, 물체가 에너지를 방출하면 그 질량은 E/c^2만큼 작아진다는 점을 보여 준다. [2]광속(c)이 진공 중에서 대략 초속 30만km이므로, 광속을 제곱한 값(c^2)은 대략 $9\times10^{16}m^2/s^2$의 천문학적인 수가 되는데, 이를 고려하면 아인슈타인의 공식은 우리에게 매우 작은 질량의 물질도 엄청난 에너지로 전환될 수 있음을 알려 준다고 할 수 있다.

- **공리** 수학이나 논리학 등에서 증명이 없이 자명한 진리로 인정되며, 다른 명제를 증명하는 데 전제가 되는 원리.
- **등속도** 물체의 속력과 이동 방향이 모두 일정한 경우를 이르는 말.
- **상쇄되다** 상반되는 것이 서로 영향을 받아 효과가 없어지다.
- **환산인자** 어떤 단위로 표시되는 양을 다른 단위로 나타내기 위하여 곱하거나 나누는 인자.

05 윗글에서 언급되지 않은 것은?

① 진공 중에서 빛의 속도
② 아인슈타인의 공식에서 광속의 역할
③ 광속의 변화 이유에 대한 아인슈타인의 생각
④ 아인슈타인의 공식에 나타난 에너지와 질량의 관계
⑤ 에너지와 질량의 관련성에 대한 아인슈타인 이전 과학자들의 생각

06 ㉠에 근거하여 〈보기〉에 대해 보인 반응으로 적절하지 않은 것은?

보기

에너지 보존 법칙에 따르면, 에너지가 다른 에너지로 전환될 때 전환 전후의 에너지 총합은 항상 일정하게 보존된다. 그리고 질량 보존 법칙에 따르면, 화학 반응에서 반응물 전체의 질량과 생성물 전체의 질량은 같다.

① 에너지가 다른 에너지로 전환될 때 엄밀한 의미에서 에너지의 총합은 증가하겠군.
② 에너지 보존 법칙이 엄밀하게 적용되기 위해서는 에너지의 전환 과정에서 질량의 변화 여부도 고려되어야겠군.
③ 화학 반응에서 반응물의 질량보다 생성물의 질량이 크다면 반응 결과에 따른 생성물에 잠재된 에너지는 증가했겠군.
④ 화학 반응에서 에너지의 유입이나 유출이 있다면 엄밀한 의미에서 질량 보존의 법칙이 성립하지 않을 수 있겠군.
⑤ 화학 반응에서 발열 등으로 질량 손실이 일어난다고 해도 일상적인 수준에서는 감지하기 어려울 만큼 적은 양이겠군.

07 ⓐ, ⓑ에 대해 이해한 내용으로 적절하지 않은 것은?

① ⓐ에서 빛의 방출에는 반동이 *수반된다고 본다.
② ⓐ에서 A와 B가 인식하는 빛의 진행 방향은 다르다고 본다.
③ ⓑ에서 에너지의 방출은 질량의 손실을 의미하는 것으로 본다.
④ ⓑ에서 A와 B는 모두 발광기를 상자에 대해 정지 상태에 있는 것으로 인식한다고 본다.
⑤ ⓑ에서 발광기에서 발사한 두 방향의 빛은 결과적으로 발광기의 운동을 변화시킨 것으로 본다.

* **수반되다** 어떤 일과 더불어 생기다.

04

1 물리학

전기와 자기

교과 연계
중학교 과학 2
Ⅱ. 전기와 자기
고등학교 물리학 Ⅰ
Ⅱ. 물질과 전자기장

기출 속 배경지식 키워드 | #전기 #전하 #전류 #전압 #저항 #직렬 #병렬 #자기 #자기장 #전자기 유도 #유도 전류

배경지식 DNA 점검

○ 다음 그림을 참고하여 빈칸에 들어갈 알맞은 말을 골라 봅시다.

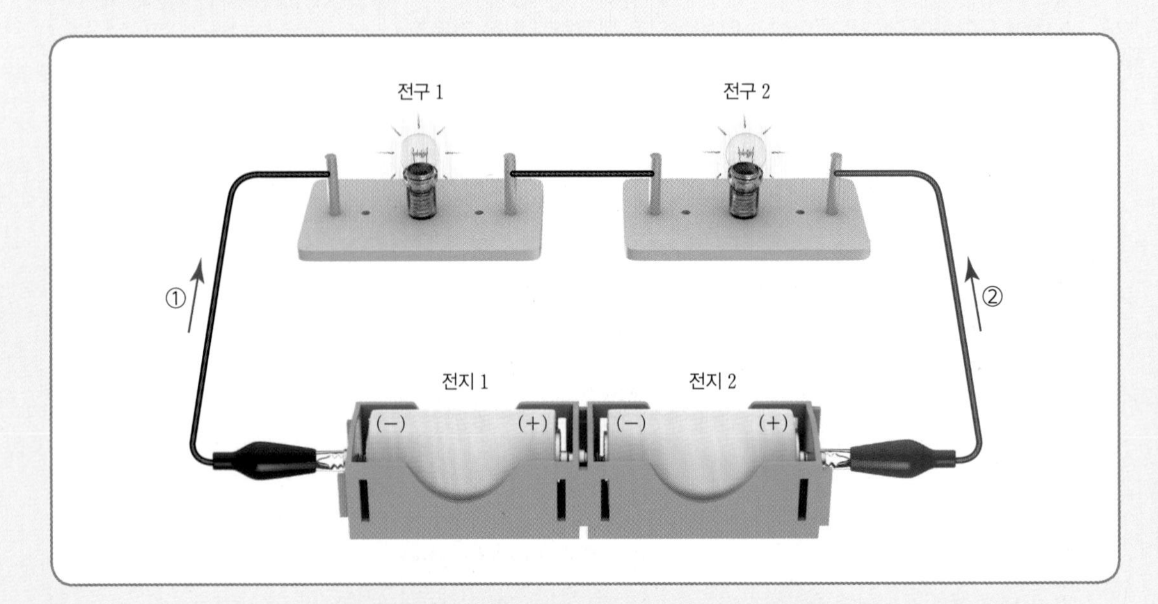

1 전기 회로에 전구를 직선으로 하나 더 추가하면 전체 [저항 / 전류]이(가) 커진다.

2 전지는 전류가 흐를 수 있도록 [저항 / 전압]을 건다.

3 회로에 흐르는 전류의 세기는 전압에 [비례 / 반비례]하고 저항에 [비례 / 반비례]한다.

4 두 전구는 [직렬연결 / 병렬연결]되어 있다.

5 전자는 [① / ②] 방향으로 이동한다.

답 1 저항 2 전압 3 비례, 반비례 4 직렬연결 5 ①

사람이 많은 지하철역의 개찰구를 떠올려 보자. 줄을 선 사람들을 전자, 사람들이 걷고 있는 줄을 전류, 개찰구는 전류의 흐름을 방해하는 저항에 빗대면 이는 전자와 전류, 저항의 관계와 비슷해. 이 관계를 더 자세히 공부해 볼까?

전기 • 전자 또는 *이온들의 움직임 때문에 생기는 에너지의 한 형태

전하 • 전기 현상을 일으키는 원인

먼저 물질의 기본적 구성 단위인 원자의 구조부터 보자. 오른쪽 그림처럼 원자는 (+)전하를 띤 **원자핵**과 (−)전하를 띤 **전자**로 이루어져 있는데, 이때 **전하**는 전기 현상을 일으키는 원인이야. 그래서 물체가 (+)전하나 (−)전하를 띠면 **전기를 띤다**고 해.

전하를 띤 물체 사이에는 전기력이라는 힘이 작용해. 다른 종류의 전하 사이에는 **당기는 힘(인력)**이 작용하고, 같은 종류의 전하 사이에는 **밀어내는 힘(척력)**이 작용하지. 원자핵과 전자는 서로 다른 (1) ㅈㅎ 를 띠므로 이들 사이에는 당기는 힘이 작용해.

● **이온** 전하를 띠는 원자 또는 원자단. 전기적으로 중성인 원자가 전자를 잃으면 양전하를, 전자를 얻게 되면 음전하를 가진 이온이 된다.

원자의 구조

전류 • 전하의 흐름

전하는 *도체를 따라 이동하는데 이러한 전하의 흐름을 **전류**라고 해. 단위는 A(암페어)를 쓰지. 전류가 계속 흐르려면 전하를 지속해서 움직이게 하는 장치인 **전지**가 필요한데, 우리가 잘 알고 있는 건전지가 바로 그 예야.

전기 회로에서 전자가 이동하는 방향은 전지의 (−)극에서 (+)극 쪽이야. 그런데 하나 주의할 점은 전류의 방향은 (+)극에서 (−)극 쪽으로 흐른다고 정해져 있다는 거야. 전하의 흐름이 (2) ㅈㄹ 인데 왜 방향이 서로 다르냐고? 전자의 이동 때문에 전류가 흐른다는 사실이 밝혀지기 이전부터 오랫동안 사용한 전류의 방향을 바꾸기 어려웠다고 하니 너그럽게 이해해 주자.

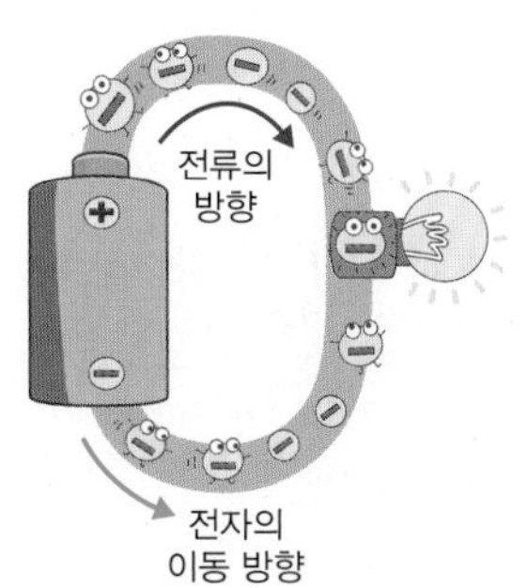

● **도체** 전기 또는 열에 대한 저항이 매우 작아 전기나 열을 잘 전달하는 물체. 전도체라고도 한다.

잠깐 체크

❶ 원자핵과 전자 사이에는 (인력 / 척력)이 작용하고, 전자와 전자 사이에는 (인력 / 척력)이 작용한다.

❷ 전하의 흐름을 전류라고 한다. (○, ×)

답 ❶ 인력, 척력 ❷ ○

전압 • 전기장이나 도체 안의 두 점 사이의 전기적인 위치 에너지 차
저항 • 전류가 흐르는 것을 방해하는 작용

앞에서 전지는 전하를 지속적으로 움직이게 만들어서 전류를 흐르게 한다고 했어. 전지는 수로의 펌프와 비슷한 역할을 하는데, 수로의 펌프는 물을 위로 끌어올려서 수면의 높이차로 물이 흐르게 만들어. 비슷하게 전지는 전기적인 위치 에너지 차이를 통해 전류가 흐르게 만들지.

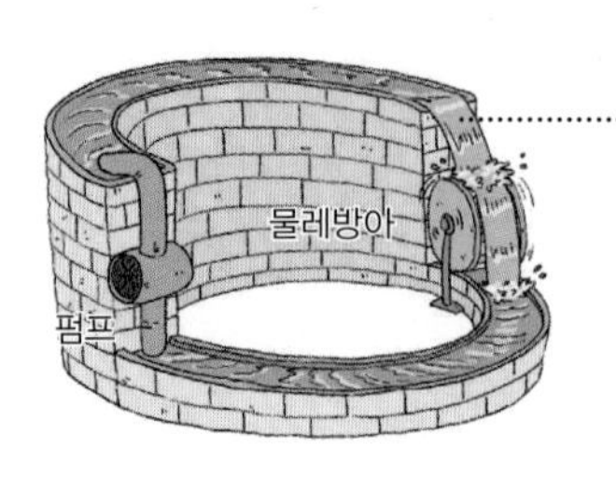

펌프를 작동하면 수면의 높이 차가 생겨 물이 흐른다.

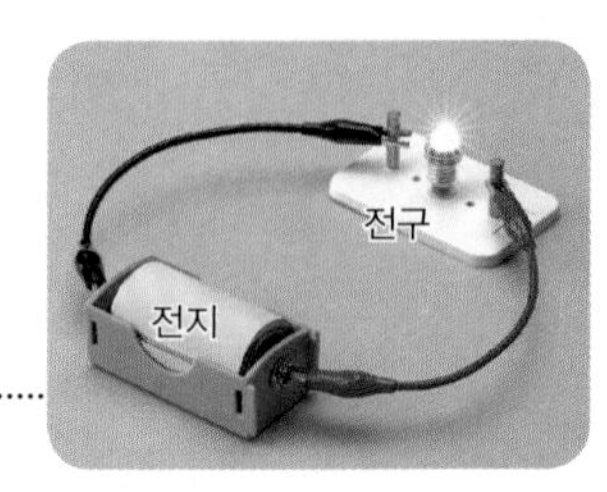

전지를 연결하면 전지의 전압으로 전류가 흐른다.

이때 이러한 전기적인 위치 에너지 차이를 **전압**이라고 하고 단위로는 **V(볼트)**를 써. 전지의 전압이 클수록 더 큰 전류가 흐를 수 있으므로 전압과 전류는 비례해. 그런데 전류의 흐름을 방해하는 작용이 하나 있어. 바로 **저항(전기 저항)**이지. 단위로는 **Ω(옴)**을 써. 저항이 클수록 전류의 세기가 약해지기 때문에, 저항과 전류는 반비례 관계에 있어. (3) ㅈㅇ 에 비례하고 전기 저항에 반비례하는 전류의 세기는 아래와 같이 **옴의 법칙**으로 정리할 수 있어.

$$\text{전류의 세기}(I) = \frac{\text{전압}(V)}{\text{전기 저항}(R)}$$

잠깐 체크

❶ 전류의 세기는 전압에 비례하고 저항에 반비례한다. (○, ×)

❷ 전류의 흐름을 방해하는 작용을 나타내는 개념은?

답 ❶ ○ ❷ 저항

직렬연결 • 전기 회로에서 전기나 전지 등을 일렬로 연결하는 것
병렬연결 • 전기 회로에서 전기나 전지 등의 극을 같은 극끼리 연결하는 것

저항을 연결하는 방식에 따라 회로 전체의 저항은 커지기도 하고 작아지기도 해. 이러한 저항의 연결 방식은 직렬연결과 병렬연결로 나뉘는데, **직렬연결**은 차례로 연결하는 방식이고 **병렬연결**은 나란히 연결하는 방식이라고 이해하면 쉬울 거야.

예를 들어 전구를 직렬연결하면 저항의 길이가 길어지는 것과 같으므로 전체 저항은 커지고 전류의 세기는 약해져. 단, 전류가 흐르는 길이 하나이기 때문에, 전구 한 개의 필라멘트가 끊어지기만 해도 회로 전체에 전류가 흐르지 않아서 모든 전구의 불이 꺼져.

반면에 전구를 **병렬연결**하면 저항은 작아지고 전체 회로에 흐르는 전류의 세기는 세져. 병렬연결의 대표적인 예로 멀티탭이 있는데, 병렬연결을 하면 각 전기 기구를 독립적으로 켜거나 끌 수 있어. 단, 많은 전기 기구를 동시에 사용하면 전체 (4) ㅈㅎ 이 작아져서 과전류가 흘러 불이 날 수도 있으니 안 쓰는 코드는 꼭 뽑아두도록 하자.

잠깐 체크

❶ 전지를 나란히 연결하는 방식을 (직렬연결 / 병렬연결)이라고 한다.

❷ 병렬연결에서는 전체 저항이 커지고 전류의 세기가 약해진다. (○, ×)

답 ❶ 병렬연결 ❷ ×

자기 • 쇠붙이를 끌어당기거나 남북을 가리키는 등 자석이 갖는 성질
자기장 • 자기력이 미치는 자석 주변의 공간

자기는 자석이 갖는 작용이나 성질을 말하는데, 자석끼리는 **자기력**이라고 하는, 서로 밀어내거나 끌어당기는 힘이 작용해. 그리고 자기력이 미치는 자석 주변의 공간을 **자기장**이라고 하지.

오랫동안 사람들은 자석의 성질이 전기와는 관련이 없을 것으로 생각했지만, 여러 과학자의 연구를 거쳐 전류가 흐르는 전선 주위에서 자기장이 생긴다는 사실이 밝혀졌단다.

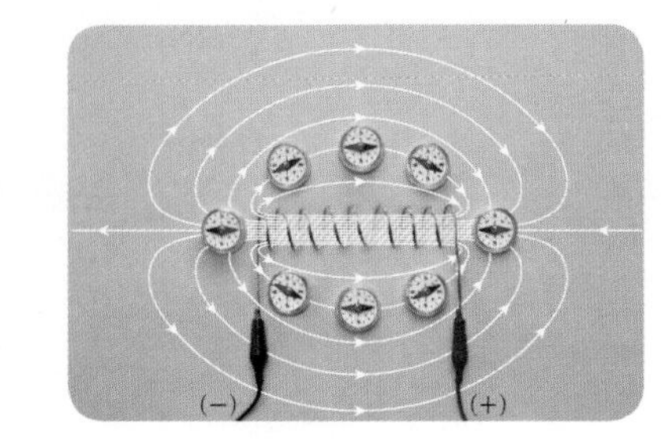

•코일에 전류가 흐르면 코일 주위에 자기장이 생기는데, 이때 자기장의 모습은 막대자석 주위에 생기는 (5) ㅈㄱㅈ의 모습과 비슷해. 이러한 특성은 •전동기나 스피커 등에 활발하게 활용되고 있어.

전기장과 전자기장

전기장	전기를 띤 물체의 주위에 전기 작용이 미치는 공간
전자기장	전기장과 자기장을 아울러 이르는 말

- **코일** 나사 모양이나 원통 꼴로 여러 번 감은 도선(전기의 양극을 이어 전류를 통하게 하는 쇠붙이 줄). 이것에 전류를 통하여 강한 전자기장을 만든다.
- **전동기** 자기장 안에서 전류가 흐르는 코일이 받는 힘을 이용한 장치.

전자기 유도 • 자기장에 의해 솔레노이드에 전류가 유도되는 현상
유도 전류 • 전자기 유도에 의하여 회로에서 생긴 전류

전류가 자기장을 만드는 현상과 반대로 자기장이 전류를 만드는 현상도 있어. 솔레노이드라고 하는 둥근 대롱 모양의 코일을 통과하는 자기장의 세기가 변할 때 솔레노이드에 전류가 유도되는데, 이 현상을 **전자기 유도**라고 해. 이때 솔레노이드에 유도되어 흐르는 전류를 **유도 전류**라고 한단다. 전자기 유도는 교통 카드 단말기나 무선 충전기 등 우리 생활 곳곳에서 유용하게 활용돼.

▲ 솔레노이드

잠깐 체크

❶ 자기력이 미치는 자석 주변의 공간을 나타내는 개념은?

❷ 자기장은 전류를 만들 수 없다. (○, ×)

답 ❶ 자기장 ❷ ×

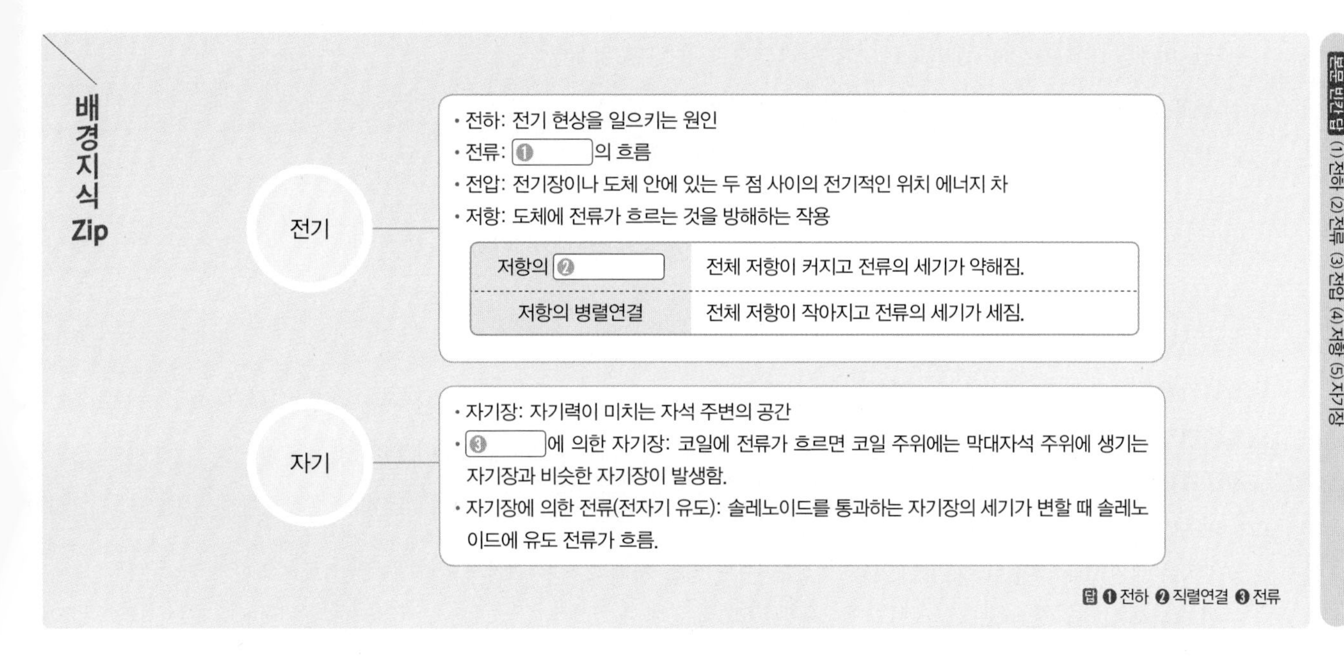
배경지식 Zip

전기

- 전하: 전기 현상을 일으키는 원인
- 전류: ❶ ______의 흐름
- 전압: 전기장이나 도체 안에 있는 두 점 사이의 전기적인 위치 에너지 차
- 저항: 도체에 전류가 흐르는 것을 방해하는 작용

저항의 ❷ ______	전체 저항이 커지고 전류의 세기가 약해짐.
저항의 병렬연결	전체 저항이 작아지고 전류의 세기가 세짐.

자기

- 자기장: 자기력이 미치는 자석 주변의 공간
- ❸ ______에 의한 자기장: 코일에 전류가 흐르면 코일 주위에는 막대자석 주위에 생기는 자기장과 비슷한 자기장이 발생함.
- 자기장에 의한 전류(전자기 유도): 솔레노이드를 통과하는 자기장의 세기가 변할 때 솔레노이드에 유도 전류가 흐름.

답 ❶ 전하 ❷ 직렬연결 ❸ 전류

본문 빈칸 답 (1) 전하 (2) 전류 (3) 전압 (4) 저항 (5) 자기장

과학

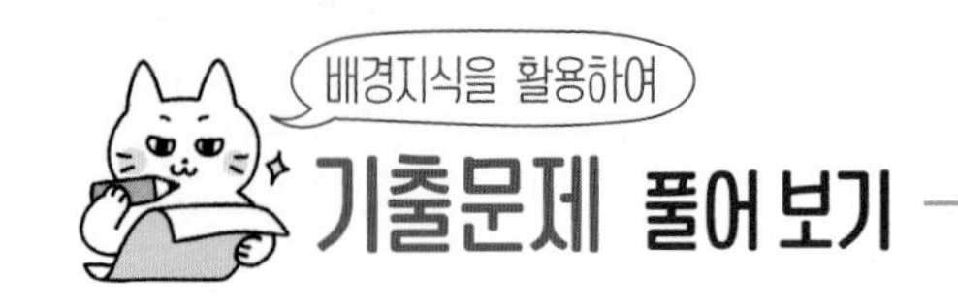

[01~02] 다음 글을 읽고 물음에 답하시오.

❶ [1]염분차 발전이란 •해수와 •담수의 염분 농도 차이를 통해 전기 에너지를 생산하는 기술로서, 대표적인 방법으로 역전기투석 발전이 있다. [2]이 방식은 전기를 이용해 염분을 제거하여 해수를 담수로 만드는 전기투석의 원리를 역으로 활용한 것이라고 할 수 있다. [3]역전기투석 발전기의 기본 구조는 두 개의 전극 사이에 음이온 교환막과 양이온 교환막이 여러 장 번갈아 설치된 형태이며, 다음과 같은 과정을 거쳐 전기 에너지가 생산된다.

❷ [1]먼저 가느다란 기공(구멍)이 뚫려 있는 교환막을 사이에 두고 한쪽은 해수를, 다른 한쪽은 담수를 흐르게 하면 농도 차에 의해 해수에 있는 나트륨 이온(Na^+)과 염화 이온(Cl^-)은 교환막의 기공을 통해 담수 쪽으로 확산되려고 한다. [2]이때 농도 차가 클수록 이동하려는 이온의 양은 늘어난다. [3]그런데 양이온 교환막의 기공에는 음전하를 지닌 •작용기를 여러 개 설치하여 나트륨 이온만을 교환막의 기공으로 끌어들이고, 음이온 교환막의 기공에는 양전하를 지닌 작용기를 여러 개 설치하여 염화 이온만을 교환막의 기공으로 끌어들인다.

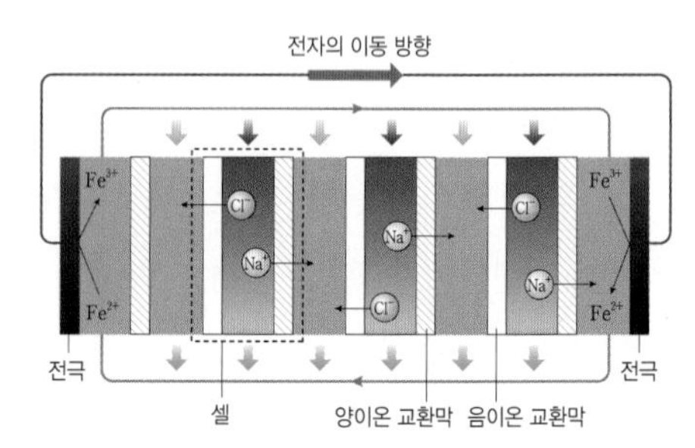

▲ 역전기투석 발전 구조도

❸ [1]이때 기공 내에 들어온 이온은 일단 한 작용기에 결합하지만 담수 쪽으로 확산하려는 힘에 의해 다시 떨어졌다가 다음 작용기에 재결합하는 과정을 반복한다. [2]이 과정을 거쳐 양이온인 나트륨 이온은 양이온 교환막을 통하여, 음이온인 염화 이온은 음이온 교환막을 통하여 해수에서 담수로 이동하게 된다. [3]이를 통해 담수에도 양이온과 음이온이 존재하게 되어, 양이온 교환막을 경계로 나트륨 이온의 농도 차가, 음이온 교환막을 경계로 염화 이온의 농도 차가 발생한다. [4]이러한 이온의 농도 차는 전기적 불균형 상태라고 할 수 있으므로 교환막을 사이에 두고 전위차, 즉 전압이 발생하게 되는 것이다.

❹ [1]이때 양이온 교환막과 음이온 교환막 한 쌍을 셀(cell)이라고 하는데, 두 교환막이 각각 전압을 띠고 있고, 그 사이에는 이온이 이동할 수 있는 •전해질이 흐르고 있으므로 셀은 전지와 같은 역할을 하게 된다. [2]따라서 전극 사이에 셀을 여러 장 배열할수록 높은 전압을 얻게 되는데, 이는 전지 여러 개를 직렬로 연결시킨 효과와 같다. [3]또한 각 셀에서 발생한 전압은 모두 합쳐지게 되므로, 양 끝에 위치한 두 전극 사이에는 높은 전위차가 발생하게 된다.

- **해수** 바다에 괴어 있는 짠물.
- **작용기** 분해되지 않고 마치 한 원자처럼 행동하는 원자들의 덩어리로 화합물의 성질을 결정함.
- **담수** 강이나 호수 등과 같이 염분이 없는 물.
- **전해질** 전기를 통하게 하는 물질.

01

윗글을 이해한 내용으로 적절하면 ○에, 적절하지 않으면 ×에 표시하시오.

(1) 셀의 개수가 많아질수록 전극 사이의 전위차는 커진다. ○ ×

(2) 양이온 교환막의 기공에 양전하를 지닌 작용기를 설치한다면 막을 통과하는 이온의 종류가 달라진다. ○ ×

(3) 음이온 교환막의 기공에 작용기를 설치하지 않는다면 이온의 확산은 이루어지지 않는다. ○ ×

02

윗글의 내용과 일치하지 않은 것은?

① 나트륨 이온은 양전하를 지닌 작용기와 결합하게 된다.
② 역전기투석 발전기의 두 전극 사이에는 전위차가 있다.
③ 전기투석은 전기를 이용하는, 역전기투석은 전기를 생산하는 기술이다.
④ 이온의 이동이 가능한 전해질로 인해 셀은 전지와 같은 역할을 하게 된다.
⑤ 양이온 교환막과 음이온 교환막에 기공이 없다면 교환막을 경계로 하는 전기적 불균형이 발생하지 않을 것이다.

과학

[03~04] 다음 글을 읽고 물음에 답하시오.

❶ [1]일반 사용자가 디지털 카메라를 들고 촬영하면 손의 미세한 떨림으로 인해 영상이 번져 흐려지고, 걷거나 뛰면서 촬영하면 식별하기 힘들 정도로 영상이 흔들리게 된다. [2]흔들림에 의한 영향을 최소화하는 기술이 영상 안정화 기술이다.

❷ [1]영상 안정화 기술에는 빛을 이용하는 •광학적 기술이 있다. [2]광학 영상 안정화(OIS) 기술을 사용하는 카메라 모듈은 렌즈 모듈, 이미지 센서, 자이로 센서, 제어 장치, 렌즈를 움직이는 장치로 구성되어 있다. [3]렌즈 모듈은 보정용 렌즈들을 포함한 여러 개의 렌즈들로 구성된다. [4]일반적으로 카메라는 렌즈를 통해 들어온 빛이 이미지 센서에 닿아 •피사체의 상이 맺히고, 피사체의 한 점에 해당하는 위치인 화소마다 빛의 세기에 비례하여 발생한 전기 신호가 저장 매체에 영상으로 저장된다. [5]그런데 카메라가 흔들리면 이미지 센서 각각의 화소에 닿는 빛의 세기가 변한다. [6]이때 OIS 기술이 작동되면 자이로 센서가 카메라의 움직임을 감지하여 방향과 속도를 제어 장치에 전달한다. [7]제어 장치가 렌즈를 이동시키면 피사체의 상이 유지되면서 영상이 안정된다.

❸ [1]렌즈를 움직이는 방법 중에는 보이스코일 모터를 이용하는 방법이 많이 쓰인다. [2]보이스코일 모터를 포함한 카메라 모듈은 중앙에 위치한 렌즈 주위에 코일과 자석이 배치되어 있다. [3]카메라가 흔들리면 제어 장치에 의해 코일에 전류가 흘러서 자기장과 전류의 직각 방향으로 전류의 크기에 비례하는 힘이 발생한다. [4]이 힘이 렌즈를 이동시켜 흔들림에 의한 영향이 상쇄되고 피사체의 상이 유지된다. [5]이외에도 카메라가 흔들릴 때 이미지 센서를 움직여 흔들림을 •감쇄하는 방식도 이용된다. [6]OIS 기술은 손 떨림을 훌륭하게 보정해 줄 수는 있지만 렌즈의 이동 범위에 한계가 있어 보정할 수 있는 움직임의 폭이 좁다.

• **광학** 물리학의 한 분야. 빛의 성질과 현상을 연구하는 학문이다.
• **피사체** 사진을 찍는 대상이 되는 물체.
• **감쇄하다** 줄어 없어지다. 또는 줄여 없애다.

03 윗글을 이해한 내용으로 적절하면 ○에, 적절하지 않으면 ×에 표시하시오.

(1) 광학 영상 안정화 기술을 사용하지 않는 디지털 카메라에도 이미지 센서는 필요하다. ○ ×

(2) 디지털 카메라의 저장 매체에는 이미지 센서 각각의 화소에서 발생하는 전기 신호가 영상으로 저장된다. ○ ×

(3) 보정 기능이 없다면 손 떨림이 있을 때 이미지 센서 각각의 화소에 닿는 빛의 세기가 변하여 영상이 흐려진다. ○ ×

04 윗글의 'OIS 기술'에 대한 설명으로 적절하지 않은 것은?

① 보이스코일 모터는 카메라 모듈에 포함되는 장치이다.
② 자이로 센서는 이미지 센서에 맺히는 영상을 제어 장치로 전달한다.
③ 보이스코일 모터에 흐르는 전류에 의해 발생한 힘으로 렌즈의 위치를 조정한다.
④ 자이로 센서가 카메라 움직임을 정확히 알려도 렌즈 이동의 범위에는 한계가 있다.
⑤ 흔들림에 의해 피사체의 상이 이동하면 원래의 위치로 돌아오도록 렌즈나 이미지 센서를 이동시킨다.

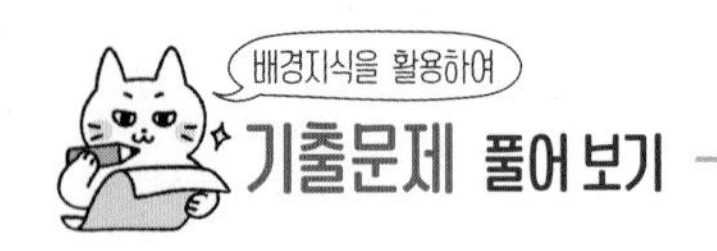

[05~07] 다음 글을 읽고 물음에 답하시오.

❶ [1]전기레인지는 용기를 가열하는 방식에 따라 하이라이트 레인지와 인덕션 레인지로 나눌 수 있다. [2]하이라이트 레인지는 상판 자체를 가열해서 열을 발생시키는 ㉠직접 가열 방식이고, 인덕션 레인지는 상판을 가열하지 않고 전자기 유도 현상을 통해 용기에 자체적으로 열을 발생시키는 ㉡유도 가열 방식이다.

❷ [1]하이라이트 레인지는 주로 니크롬으로 만들어진 열선을 원형으로 배치하고 열선의 열을 통해 그 위의 세라믹글라스 판을 직접 가열한다. [2]이렇게 발생한 열이 용기에 전달되어 음식을 조리할 수 있게 된다. [3]하이라이트 레인지는 비교적 다양한 소재의 용기를 쓸 수 있지만 에너지 효율이 낮아 조리 속도가 느리고 상판의 잔열로 인한 화상의 우려가 있다.

❸ [1]인덕션 레인지는 표면이 세라믹글라스 판으로 되어 있고 그 밑에 나선형 코일이 설치되어 있다. [2]전원이 켜지면 코일에 2만Hz 이상의 고주파 교류 전류가 흐르면서 그 주변으로 1초에 2만 번 이상 방향이 바뀌는 교류 자기장이 발생하게 되고, 그 위에 도체인 냄비를 놓으면 교류 자기장에 의해 냄비 바닥에는 수많은 •폐회로가 생겨나며 그 회로 속에 소용돌이 형태의 유도 전류인 맴돌이전류가 발생한다. [3]이때 흐르는 맴돌이전류가 냄비 소재의 저항에 부딪혀 •줄열 효과가 나타나게 되고 이에 의해 냄비에 열이 발생하게 되는데, 이때 맴돌이전류의 세기는 나선형 코일에 흐르는 전류의 세기에 비례한다.

❹ [1]인덕션 레인지의 가열 원리는 •강자성체의 자기 이력 현상과도 관련이 있다. [2]일반적으로 물체는 자기장의 영향을 받으면 자석의 성질을 갖게 되는데 이것을 자화라고 하며, 자화된 물체를 자성체라고 한다. [3]자성체의 자화 세기는 물체에 가해 준 자기장의 세기에 비례하여 커지다가 일정값 이상으로는 더 이상 커지지 않는데, 이를 자기 포화 상태라고 한다. [4]이때 물체에 가해 준 자기장의 세기를 줄이면 자화의 세기도 줄어들기 시작하며, 외부의 자기장이 사라지면 자석의 성질도 사라진다. [5]그런데 강자성체의 경우에는 외부 자기장의 세기가 줄어들어도 자화의 세기가 상대적으로 천천히 줄어들게 되고 외부 자기장이 사라져도 어느 정도 자화된 상태를 유지하게 되는데, 이를 자기 이력 현상이라고 하며 자성체에 남아 있는 자화의 세기를 잔류 자기라고 한다. [6]그리고 처음에 가해 준 외부 자기장의 역방향으로 일정 세기의 자기장을 가해 주면 자화의 세기가 0이 되고, 자기장을 더 세게 가해 주면 반대쪽으로 커져 자기 포화 상태가 된다. [7]이러한 과정을 반복하면 자기장의 세기에 따른 자화의 세기는 일정한 곡선을 그리게 되는데 이를 자기 이력 곡선이라고 한다. [8]이 과정에서 자기에너지는 열에너지로 전환되어 자성체의 온도를 높이는데, 이때 발생하는 열에너지는 자기 이력 곡선의 내부 면적과 비례한다. [9]만약 인덕션에 사용하는 냄비의 소재가 강자성체인 경우, 자기 이력 현상으로 인해 냄비에 추가로 열이 발생하게 된다.

❺ [1]이러한 가열 방식 때문에 인덕션 레인지는 음식 조리에 필요한 열을 낼 수 있도록 소재의 저항이 크면서 강자성체인 용기를 사용해야 한다는 제약이 있다. [2]또한 고주파 전류를 사용하기 때문에 조리 시 전자파에 대한 우려도 있다. [3]하지만 직접 가열 방식보다 에너지 효율이 높아 순식간에 용기가 가열되기 때문에 상대적으로 빠르게 음식을 조리할 수 있다. [4]그리고 무엇보다 상판이 직접 가열되지 않기 때문에 발화에 의한 화재의 가능성이 매우 낮고, 뜨거운 상판에 의한 화상 등의 피해로부터 비교적 안전하다는 장점이 있다.

- **폐회로** 전류가 흐를 수 있도록 구성된 회로.
- **줄열 효과** 도체에 전류를 흐르게 했을 때 도체의 저항 때문에 열에너지가 증가하는 현상.
- **강자성체** 물체가 외부의 자기장에 의하여 강하게 자기화(磁氣化)되어, 자기장을 없애도 자기화가 그대로 남아 있는 성질을 가지는 물질.

05

㉠과 ㉡에 대한 설명으로 적절한 것은?

① ㉠은 유도 전류를 이용하여 용기를 가열한다.
② ㉡은 상판을 가열하여 그 열로 음식을 조리한다.
③ ㉠은 ㉡에 비해 상대적으로 화상의 위험이 적다.
④ ㉠은 ㉡과 달리 빠른 시간 안에 용기를 가열할 수 있다.
⑤ ㉡은 ㉠보다 사용할 수 있는 용기 소재에 제약이 많다.

06 윗글을 바탕으로 〈보기〉의 '전기레인지'를 이해한 내용으로 적절하지 않은 것은?

〈보기〉

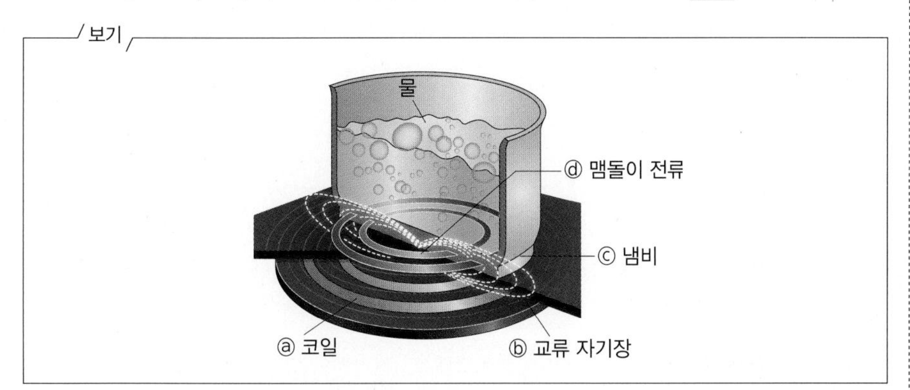

① ⓐ에 고주파 교류 전류가 흐르면 ⓑ가 만들어지는군.

② ⓑ의 영향을 받으면 ⓒ의 바닥에 ⓓ가 발생하는군.

③ ⓒ 소재의 저항이 커지면 ⓑ의 세기도 커지겠군.

④ ⓓ의 세기는 ⓐ에 흐르는 전류의 세기에 비례하겠군.

⑤ ⓓ가 흐르면 ⓒ 소재의 저항에 의해 열이 발생하는군.

07 윗글을 바탕으로 〈보기〉를 이해한 내용으로 적절하지 않은 것은?

〈보기〉

아래 그림은 두 물체 A, B의 자기장의 세기에 따른 자화 세기의 변화를 나타낸 자기 이력 곡선이다.

① 외부 자기장이 사라져도 자석의 성질을 지닌다는 점에서 A와 B는 모두 인덕션 레인지 용기의 소재로 적합하겠군.

② A 소재의 용기 외부에 가해지는 자기장의 세기가 커질수록 발생하는 열에너지의 크기는 계속 증가하겠군.

③ 인덕션 레인지의 전원을 차단했을 때 A 소재의 용기가 B 소재의 용기보다 잔류 자기의 세기가 더 크겠군.

④ 용기의 잔류 자기를 제거하기 위해서는 B 소재의 용기보다 A 소재의 용기에 더 큰 세기의 자기장을 가해 주어야겠군.

⑤ B 소재의 용기는 A 소재의 용기보다 자기장의 변화에 따라 발생하는 열에너지가 적겠군.

❶ 물리학

05 파동과 물질의 성질

∞ 교과 연계
고등학교 물리학 Ⅰ
Ⅲ. 파동과 정보 통신
고등학교 물리학 Ⅱ
Ⅲ. 파동과 물질의 성질

기출 속 배경지식 키워드 | #파동 #매질 #진폭 #파장 #주기 #진동수 #빛의 이중성 #물질의 이중성 #고전 역학 #양자 역학

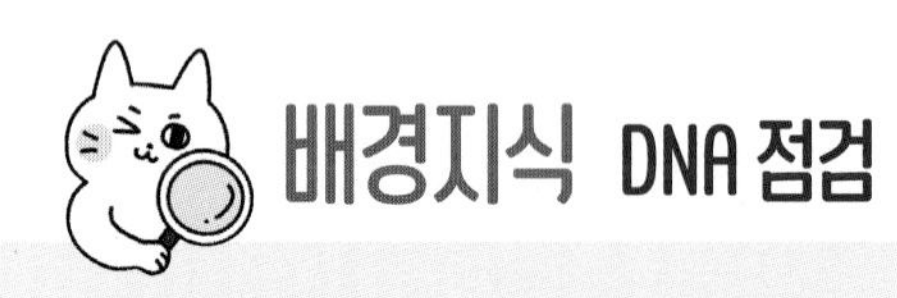

◎ 다음 십자말풀이를 완성해 봅시다.

	❶		❷❷	
❶				
		❸		
❸				

가로 열쇠

❶ ☐☐ 역학은 입자 및 입자 집단을 다루는 현대 물리학의 기초 이론이다.

❷ 한 지점에서 발생한 진동이 주위로 퍼져 나가는 현상을 ☐☐이라고 한다.

❸ 전기장과 자기장의 세기가 커졌다가 작아지는 것을 반복하면서 진행하는 횡파를 ☐☐☐☐라고 한다.

세로 열쇠

❶ ☐☐☐는 금속 표면에 특정 진동수 이상의 빛을 비추었을 때 표면에서 방출되는 전자이다.

❷ 파동에서, 위상이 동일한 이웃한 두 지점 사이의 거리를 ☐☐이라고 한다.

❸ ☐☐는 매질의 한 점이 한 번 진동하는 데 걸리는 시간이다.

답 가로 ❶ 양자 ❷ 파동 ❸ 전자기파 세로 ❶ 광전자 ❷ 파장 ❸ 주기

수능 필수 배경지식

가수 f(x)의 노래 〈Red Light〉를 들어 본 적이 있니? 거기에 이런 노랫말이 있지. "진짜 사랑이란 어쩌면 아주 느린 파동." 왜 파동을 사랑에 비유했을까? 아마도 파동의 어떤 성질이 사랑과 비슷하다고 생각했기 때문이겠지? 지금부터 파동에 대해 공부하면서 둘의 공통점을 짐작해 보자.

파동 ● 한 지점에서 발생한 진동이 주위로 퍼져 나가는 현상

매질 ● 파동을 전달하는 물질

진폭 ● 매질이 진동 중심에서 가장 멀리 이동한 지점까지의 거리

파장 ● 위상이 동일한 이웃한 두 지점 사이의 거리

호수에 돌을 던져 본 적이 있니? 돌이 떨어지면 물결이 동심원을 그리며 사방으로 퍼져 나가지. 이렇게 한 지점에서 발생한 진동이 주위로 퍼져 나가는 현상을 **파동**이라고 해. 이때 파동이 발생한 지점(돌이 떨어진 곳)을 **파원**이라 하고, 파동을 전달하는 물질(호수의 물)을 (1) ㅁㅈ 이라고 하지.

다음 그림은 오른쪽으로 진행하는 횡파의 예시야. 이때 매질은 파동을 전달하는 용수철이지. 그림을 참고해서 파동을 어떻게 표시하는지 알아보자.

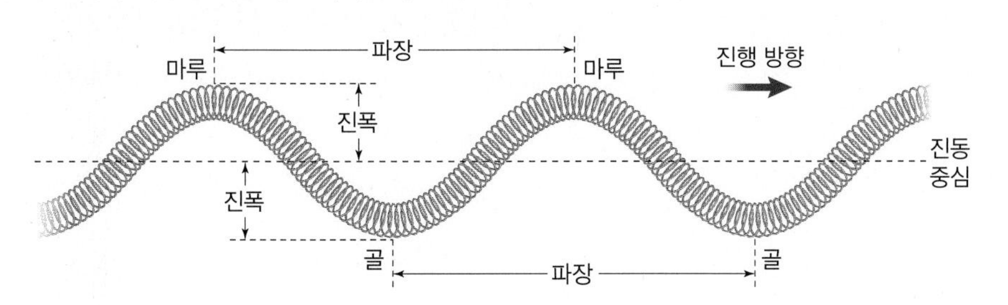

마루	횡파에서 가장 높은 곳	골	횡파에서 가장 낮은 곳
진폭	• 매질이 진동 중심에서 가장 멀리 이동한 지점까지의 거리 • 진동 중심에서 (2) ㅁㄹ 또는 골까지의 거리		
파장	• 위상이 동일한 이웃한 두 지점 사이의 거리 • 마루와 이웃한 마루 사이의 거리 또는 골과 이웃한 골 사이의 거리		

횡파와 종파

• **횡파** 파동의 진행 방향과 매질의 진동 방향이 수직인 파동

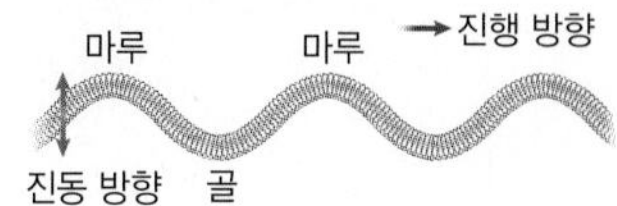

• **종파** 파동의 진행 방향과 매질의 진동 방향이 나란한 파동

진행 방향

진동 방향

위상

매질의 위치와 운동 상태를 위상이라 한다. 한 파동에 있는 마루들은 위상이 서로 같고, 마루와 골은 위상이 서로 반대이다.

잠깐 체크

❶ 한 지점에서 발생한 진동이 주위로 퍼져 나가는 현상은?

❷ 한 파동에서 마루와 골은 위상이 서로 같다. (○, ×)

답 ❶ 파동 ❷ ×

과학

주기 ● 매질의 한 점이 한 번 진동하는 데 걸리는 시간
진동수 ● 1초 동안 매질의 한 점이 진동하는 횟수

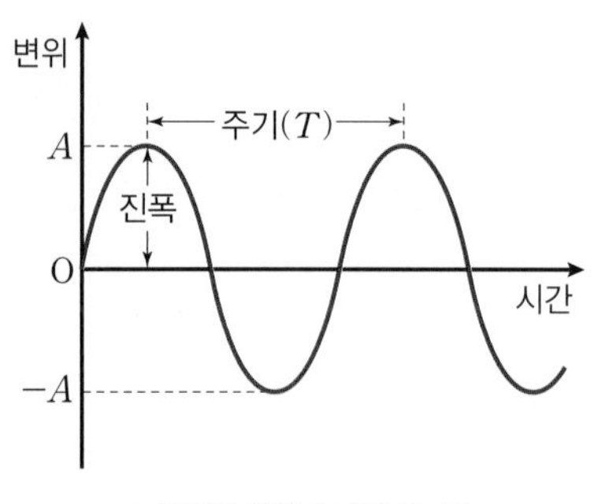

▲ 매질의 변위를 나타낸 그림

매질이 진동하며 파동이 진행할 때, 매질이 한 번 진동하는 데 걸리는 시간을 **주기**라고 하고 단위는 초를 써. 또 매질이 1초 동안 진동한 횟수를 **진동수**라고 하고 단위는 **Hz(헤르츠)**를 쓰지.

예를 들어 파동의 어느 한 점의 매질이 마루에서 다시 마루가 되는 데 2초가 걸렸다면, 이때의 주기는 2초이고 (3) ㅈㄷㅅ는 0.5 Hz야.

굴절 ● 파동이 매질의 경계면에서 진행 방향이 변하는 현상

만약 파동이 진행하는 매질이 바뀌면 어떤 일이 일어날까? 두 매질에서 파동이 진행하는 속력이 다르기 때문에 파동의 진행 방향이 변하는데, 이러한 현상을 **굴절**이라고 해.

파동의 성질을 지닌 빛은 진행하는 매질이 바뀔 때 굴절해. 오른쪽 그림을 보면 ●입사한 빛이 굴절되는 걸 알 수 있을 거야. 사막의 신기루도 빛이 굴절하기 때문에 나타나는 현상이란다.

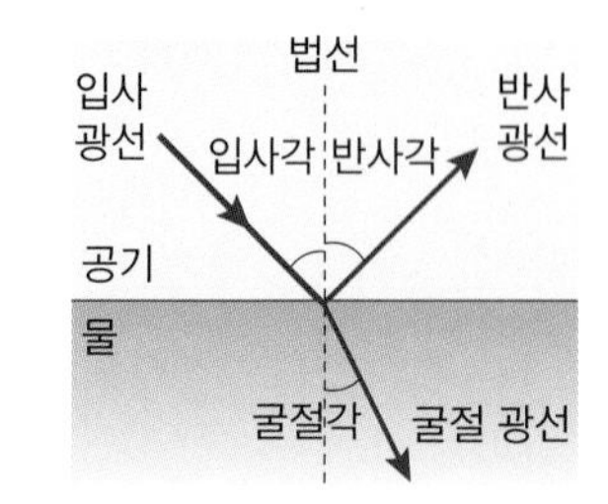

● **입사하다** 하나의 매질 속을 지나가는 소리나 빛의 파동이 다른 매질의 경계면에 이르다.

입사각, 반사각, 굴절각

입사각	입사 광선이 입사점에서 두 매질의 경계면의 법선과 이루는 각
반사각	파동이 서로 다른 매질의 경계면에서 반사할 때, 반사 파동의 방향과 경계면의 법선 사이의 각
굴절각	빛이나 소리가 하나의 매질을 지나 다른 매질로 들어가면서 두 매질의 경계면에서 굴절할 때, 굴절된 파동의 방향과 경계면의 법선이 이루는 각도

중첩 ● 여러 파동이 한 지점에서 만나 서로 겹치는 현상
간섭 ● 두 파동이 중첩될 때 매질의 진폭이 커지거나 작아지는 현상

서로 반대 방향으로 진행하는 두 파동이 만나면 어떤 현상이 나타날까? 서로 반대 방향으로 진행하는 물체가 만나면 충돌하지만, 여러 파동이 한 지점에서 만나면 서로 겹치게 돼. 이를 파동의 **중첩**이라고 해. 그리고 파동이 중첩될 때는 각 파동의 변위에 따라서 매질의 진폭이 더 커지기도 하고, 더 작아지기도 하는데 이 현상을 파동의 **간섭**이라고 하지.

파동의 (4) ㄱㅅ은 보강 간섭과 상쇄 간섭으로 나눌 수 있어. **보강 간섭**은 파동과 파동이 같은 위상(마루와 마루, 또는 골과 골이 만날 때)으로 중첩되어 매질의 진폭이 더 커지는 것을 말해. 반대로 **상쇄 간섭**은 파동과 파동이 반대 위상(마루와 골이 만날 때)으로 중첩되어 매질의 진폭이 작아지는 것을 뜻해.

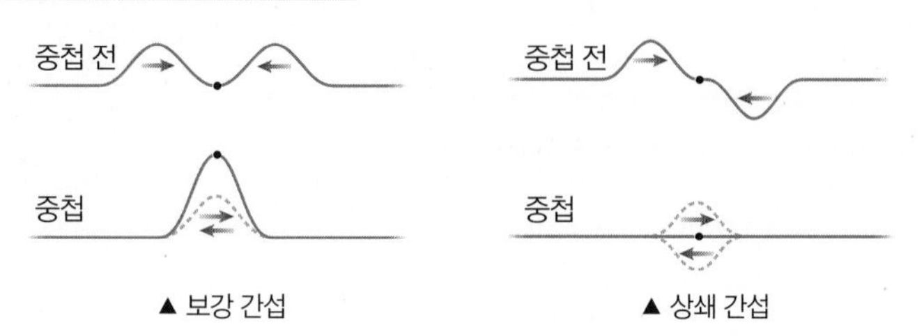

▲ 보강 간섭 ▲ 상쇄 간섭

잠깐 체크

❶ 파동의 주기는 파동의 매질이 마루에서 다시 마루가 되는 데 걸리는 시간이다. (○, ×)

❷ 파동과 파동이 같은 위상으로 중첩되면 매질의 진폭이 더 (커진다 / 작아진다).

답 ❶ ○ ❷ 커진다

전자기파(전자파) • 전기장과 자기장이 변화하면서 전달되는 파동

전자기파(전자파)는 전기장과 자기장의 세기가 커졌다가 작아지는 것을 반복하면서 진행하는 횡파를 말해. 참고로 전자기파의 진동수는 **주파수**라고도 불러.

전자기파는 파장이 긴 영역부터 전파(라디오파, 마이크로파), 적외선, 가시광선(빛), 자외선, 엑스선, 감마선 등으로 구분돼. 이러한 전자기파는 무선 통신은 물론 의료 등 생활 속 여러 분야에서 활발하게 활용되고 있어.

▲ 전자기파의 일종인 가시광선이 굴절, 반사되어 나타나는 무지개

빛의 이중성 • 빛은 파동이면서 입자이다

앞에서 살짝 언급했는데 빛은 파동의 성질을 지니고 있어. **맥스웰**(1831~1879)은 빛이 전자기파라는 것을 밝혀냈지. 그런데 빛이 (5) ㅍㄷ 이라고 하면 설명할 수 없는 현상이 나타났어.

빛의 광전 효과

광전 효과란 금속 표면에 특정 진동수 이상의 빛을 비추었을 때 금속 표면에서 전자가 방출되는 현상이야. 이때 금속 표면에서 튀어나온 전자를 **광전자**라고 해.

이때 광전자의 방출 여부는 금속판에 비춘 빛의 세기와는 관계없고 빛의 진동수에만 관계돼. 즉 빛의 세기가 세든 약하든 상관없이 빛의 진동수가 문턱 진동수보다 크면 광전자가 즉시 방출되고, 빛의 진동수가 문턱 진동수보다 작으면 광전자가 방출되지 않았어.

그런데 빛이 파동이라면, 비추는 빛의 진동수가 문턱 진동수보다 작더라도 빛의 세기를 증가시키면 광전 효과가 일어나야 했거든. 그럼 빛은 파동이 아닌 걸까? 과학자들은 고민에 빠졌지.

+ 문턱 진동수
어떤 금속에서 광전자를 방출시킬 수 있는 빛의 최소 진동수

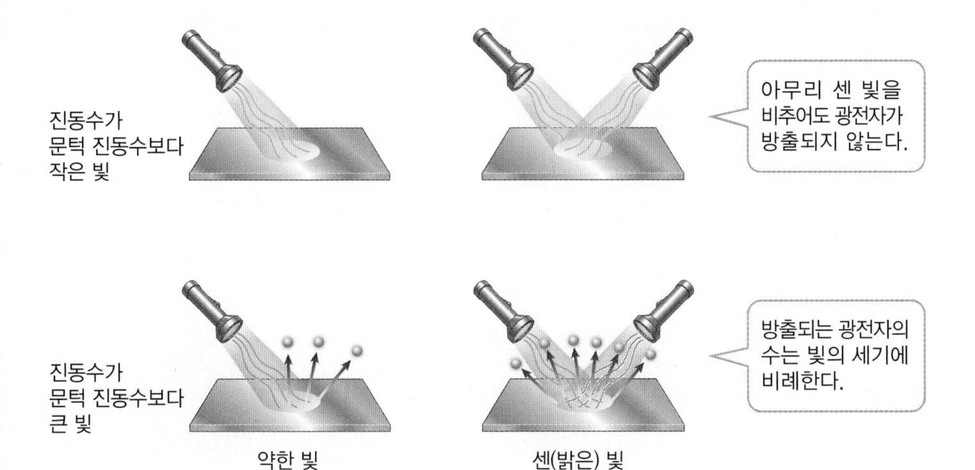

▲ 빛의 세기와 진동수에 따른 광전 효과

잠깐 체크

❶ 전자기파의 진동수를 주파수라고도 한다. (○, ×)

❷ 광전 효과는 빛의 파동성을 잘 보여 준다. (○, ×)

답 ❶ ○ ❷ ×

광양자설

아인슈타인은 광전 효과를 설명하기 위해 다음과 같은 광양자설을 제안했어.

> 빛은 진동수에 비례하는 에너지를 갖는 광자(광양자)라고 하는 입자들의 흐름이다.

즉, 빛은 진동수에 비례하는 에너지를 갖는 입자라는 거야. 광양자설에 의하면 광전 효과는 입자(광자)와 입자(전자)가 충돌하는 것인데, 빛의 세기가 약해도 진동수가 문턱 진동수보다 큰 광자는 전자에게 큰 에너지를 전달하기 때문에 광전자가 즉시 방출된다는 거지. 반대로 빛의 세기가 강해도 진동수가 문턱 진동수보다 작은 광자는 전자에게 전달하는 에너지가 작기 때문에 광전자가 방출되지 않는 거고 말이야.(골프공이 담긴 상자에 탁구공과 야구공 중 어떤 공을 던져야 골프공이 튀어나올지 생각해 봐.)

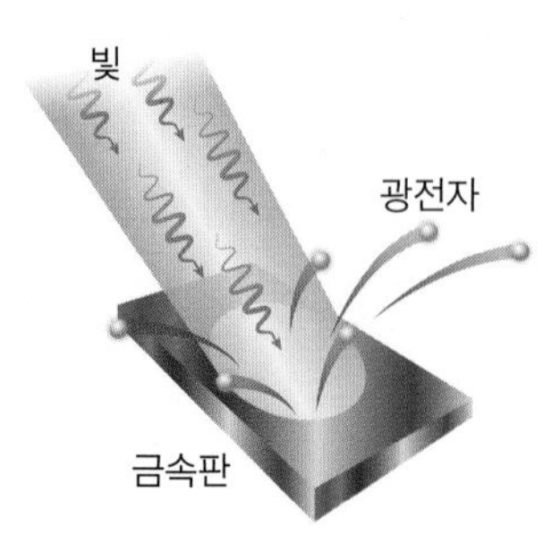

▲ 빛의 입자성에 따른 광전 효과

이처럼 빛을 (6) ㅇㅈ 라고 생각하면 광전 효과 실험 결과를 잘 설명할 수 있어. 즉, 광전 효과는 빛이 입자의 성질을 갖고 있음을 보여 주는 현상이야. 결국 빛은 파동의 성질과 입자의 성질을 함께 가지고 있다고 볼 수 있어. 이를 **빛의 이중성**이라고 해.

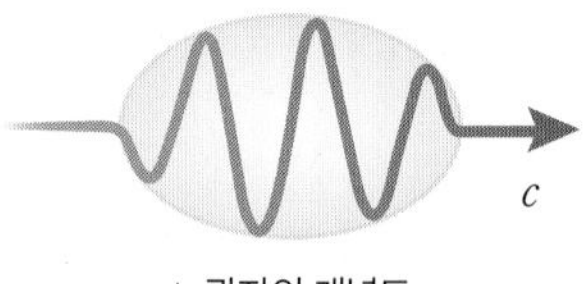

▲ 광자의 개념도

참고로 이후 **드브로이**(1892~1987)에 의해 전자나 원자와 같은 물질 또한 파동이면서 입자라는 사실이 밝혀졌는데, 이는 **물질의 이중성**이라고 한단다.

고전 역학 • 뉴턴의 운동 법칙을 기본으로 하는 역학
양자 역학 • 입자 및 입자 집단을 다루는 현대 물리학의 기초 이론

앞에서 다룬 물질의 이중성은 양자 역학과 밀접한 관련을 맺고 있어. 고전 역학과 양자 역학으로 구분되는 •역학의 개념을 간단하게 짚고 가자.

• **역학** 물체의 운동에 관한 법칙을 연구하는 학문.

고전 역학

고전 역학이란 뉴턴의 세 운동 법칙인 관성 법칙, 가속도 법칙, 작용 반작용 법칙에 따라 만든 역학 체계로 •거시 세계의 현상을 다뤄. 그래서 (7) ㄱㅈ 역학은 보통의 빠르기나 질량을 가진 거시적인 물체의 운동을 설명할 수 있지만, 물체의 빠르기가 빛의 빠르기에 가깝거나 크기가 원자 정도로 아주 작을 때는 물체의 운동을 제대로 설명할 수 없어.

• **거시 세계** 확대경과 같은 장비의 도움 없이 눈으로 볼 수 있는 현상이 드러나 있는 세계. 뉴턴 역학(고전 역학)이 성립한다.

고전 역학은 현재의 상태를 정확하게 알고 있다면 미래의 어느 순간에 어떤 사건이 일어날지를 정확하게 예측할 수 있다는 결정론적 입장을 취해. 또 배타적인 두 개의 상태는 공존할 수 없다고 생각해. 예를 들어 거시 세계에서 회전하는 팽이는 시계 방향으로 돌거나 반시계 방향으로 돌거나 둘 중 하나만 가능하다는 거지. 고전 역학에서의 관찰은 이미 정해진 상태를 확인하는 행위야.

나는 관찰 전부터 시계 방향으로 돌고 있었어.

시계 방향

양자 역학

양자 역학은 입자 및 입자 집단을 다루는 현대 물리학의 기초 이론이야. 분자, 원자, 전자와 같은 •미시 세계의 현상을 다뤄.

● **미시 세계** 원자나 전자와 같이 인간이 인식하기 어려울 정도로 매우 작은 대상들의 세계. 양자 역학이 성립한다.

양자 역학에서는 비록 현재 상태를 정확하게 알고 있다고 하더라도 미래에 일어나는 사실을 정확하게 예측하는 것은 불가능하다는 확률론적 입장을 취해. 또 상호 배타적인 상태들은 공존할 수 있고, 이러한 상호 배타적 상태들은 관찰에 의해 한 가지로 결정된다고 생각하지. 즉 (8) ㅁㅅ 세계에서 회전하는 팽이의 회전 방향은 시계 방향과 반시계 방향의 두 상태가 공존하다가, 관찰할 때 비로소 하나의 상태로 정해지는 거야. 양자 역학에서의 관찰은 물체의 상태를 결정하는 행위란다.

참고로 양자 역학에 따르면 입자성과 파동성을 모두 띠고 있는 물체의 위치와 운동량을 동시에 정확하게 측정하는 것은 원리적으로 불가능해. 왜냐하면 입자의 위치를 정확하게 측정하려고 하면 운동량에 대한 불확정성이 커지고, 운동량을 정확하게 측정하려고 하면 위치에 대한 불확정성이 커지기 때문이야. 이를 **하이젠베르크**(1901~1976)**의 불확정성 원리**라고 해.

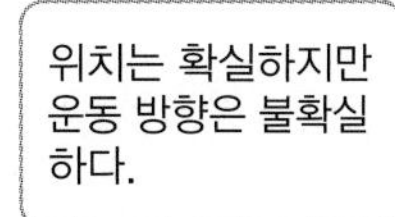

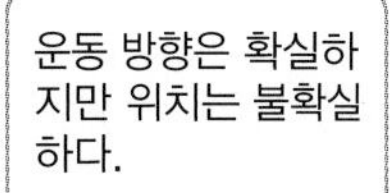

▲ 위치와 운동량에 대한 불확정성 원리

잠깐 체크

❶ 고전 역학은 미시 세계에서 일어나는 현상을 설명하는 이론이다.(○, ×)

❷ 불확정성 원리에 따르면 입자의 위치와 운동량은 동시에 정확하게 측정할 수 없다. (○, ×)

답 ❶ × ❷ ○

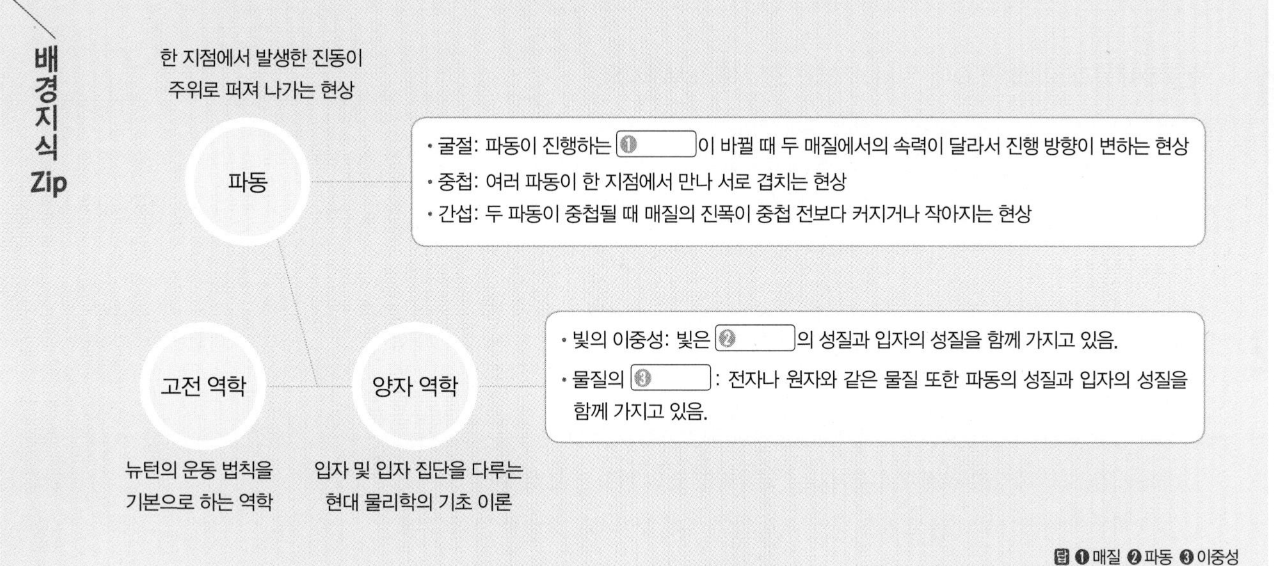

본문 빈칸 답 (1) 매질 (2) 마루 (3) 진동수 (4) 간섭 (5) 파동 (6) 입자 (7) 고전 (8) 미시

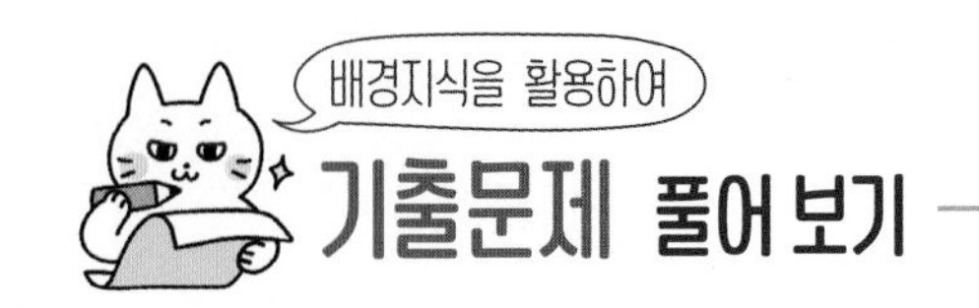

[01~02] 다음 글을 읽고 물음에 답하시오.

❶ [1]파동은 공간이나 물질의 한 부분에서 생긴 주기적 진동이 시간의 흐름에 따라 주위로 퍼져 나가는 현상을 의미한다. [2]호수에 돌을 던졌을 때 사방으로 퍼져 나가는 수면파, 공기 등을 통해 전달되는 음파 등은 매질을 통하여 진동이 전달되는 역학적 파동의 대표적인 예이다. [3]이러한 역학적 파동의 에너지는 진동하는 매질의 입자가 옆의 입자를 진동시키는 방법으로 매질을 따라 전달된다.

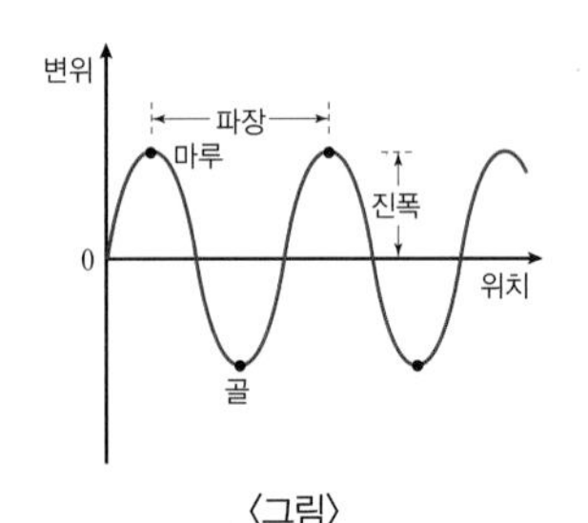

〈그림〉

❷ [1]파동은 〈그림〉과 같이 나타낼 수 있는데, 평형점 0을 기준으로 가장 높은 지점을 마루, 가장 낮은 지점을 골이라고 한다. [2]그리고 평형점 0에서 마루나 골까지의 높이, 즉 진동하는 입자가 평형점에서 최대로 벗어난 거리를 진폭, 마루와 마루 또는 골에서 골까지 거리를 파장이라고 하며, 파동이 1초 동안 진동한 횟수를 주파수라고 한다.

❸ [1]파동의 진행 속도는 파장과 주파수의 곱으로 나타내며, 파동의 속도가 일정하면 주파수가 높을수록 파장이 짧다는 특성이 있다. [2]역학적 파동은 진행하면서 매질에 흡수되어 에너지를 잃기도 하는데, 음파의 경우 주파수가 높을수록 매질에 더 잘 흡수되어 멀리 진행하지 못한다. [3]그리고 매질을 따라 진행하는 역학적 파동이 다른 매질을 만나게 되면 파동의 일부는 반사되어 돌아오고, 일부는 다른 매질로 투과하는 현상을 보인다.

❹ [1]먼저, 반사는 ㉠한 끝이 벽에 고정된 줄을 따라 파동이 전달되는 상황을 통해 설명할 수 있다. [2]이 파동이 매질인 줄을 따라 진행하다가 •고정단에 도달하면 진행해 온 반대 방향으로 줄을 따라 다시 돌아가게 되는데, 이처럼 매질이 급격하게 변하는 경계에서 파동이 반대 방향으로 되돌려지는 것을 반사라고 한다.

❺ [1]다음으로 ㉡다른 조건은 모두 같을 때, 밀도가 낮은 줄이 밀도가 높은 줄에 연결되어 있고, 이 줄을 따라 파동이 진행하는 상황을 통해 투과를 설명할 수 있다. [2]이 경우 파동이 밀도가 낮은 줄을 지나 밀도가 높은 줄과 연결된 경계에 도달하면 파동의 일부가 반사된다. [3]하지만 일부는 밀도가 높은 줄로 계속 진행하는데, 이를 투과라고 한다. [4]이때 파동이 투과되거나 반사되는 정도는 매질들의 물리적 특성 차이에 의해 결정된다. [5]가령 줄에서 진행하는 파동의 경우 매질 간의 밀도 차가 클수록, 음파의 경우 매질의 밀도와 음속을 곱한 값인 음파 저항이 클수록 반사 정도가 큰 경계를 형성하기 때문이다.

❻ [1]한편, 입사한 하나의 파동이 매질의 물리적 저항이 다른 경계에서 반사파와 투과파로 나누어질 때, 별도의 에너지 손실이 없다고 가정하면, 에너지 보존 법칙에 따라 두 파동이 갖는 에너지의 합은 원래 입사한 파동의 에너지와 같게 된다. [2]다만 파동의 에너지는 진폭의 제곱에 비례하므로, 입사한 파동의 에너지 중에서 일부분만 포함하는 반사파의 진폭은 줄어들게 된다.

• **고정단** 파동이 반사될 때, 파동의 위상이 180° 변하는 매질의 경계를 이르는 말.

01 윗글의 내용과 일치하면 ○에, 일치하지 않으면 ×에 표시하시오.

(1) 파동의 진행 속도가 동일하다면 낮은 주파수의 파동일수록 파장이 짧다. ○ ×

(2) 파동의 진폭은 진동하는 입자가 평형점에서 최대로 벗어난 거리이다. ○ ×

(3) 파동은 진동이 주위로 퍼져 나가는 현상을 의미한다. ○ ×

02 ㉠과 ㉡에 대해 이해한 내용으로 가장 적절한 것은?

① ㉠과 ㉡은 모두 역학적 파동으로 인한 매질의 특성 변화를 보여 준다.
② ㉠과 ㉡은 모두 역학적 파동의 진행에 따른 에너지의 증가를 보여 준다.
③ ㉠과 ㉡은 모두 매질의 경계에서 생겨나는 역학적 파동의 변화를 보여 준다.
④ ㉠은 파동의 진폭이 커지는 요인을, ㉡은 파동의 진폭이 작아지는 요인을 보여 준다.
⑤ ㉠은 파동이 매질에 입사되는 양상을, ㉡은 파동이 매질에서 흡수되는 양상을 보여 준다.

[03~04] 다음 글을 읽고 물음에 답하시오.

❶ [1]고전 역학에 따르면, 물체의 크기에 관계없이 초기 운동 상태를 정확히 알 수 있다면 일정한 시간 후의 물체의 상태는 정확히 측정될 수 있으며, 배타적인 두 개의 상태가 공존할 수 없다. [2]하지만 20세기에 등장한 양자 역학에 의해 미시 세계에서는 상호 배타적인 상태들이 공존할 수 있음이 알려졌다.

❷ [1]미시 세계에서의 상호 배타적인 상태의 공존을 이해하기 위해, 거시 세계에서 회전하고 있는 반지름 5cm의 팽이를 생각해 보자. [2]그 팽이는 시계 방향 또는 반시계 방향 중 한쪽으로 회전하고 있을 것이다. [3]팽이의 회전 방향은 관찰하기 이전에 이미 정해져 있으며, 다만 관찰을 통해 알게 되는 것뿐이다. [4]이와 달리 미시 세계에서 전자만큼 작은 팽이 하나가 회전하고 있다고 상상해 보자. [5]이 팽이의 회전 방향은 시계 방향과 반시계 방향의 두 상태가 공존하고 있다. [6]하나의 팽이에 공존하고 있는 두 상태는 관찰을 통해서 한 가지 회전 방향으로 결정된다. [7]두 개의 방향 중 어떤 쪽이 결정될지는 관찰하기 이전에는 알 수 없다. [8]거시 세계와 달리 양자 역학이 지배하는 미시 세계에서는, 우리가 관찰하기 이전에는 상호 배타적인 상태가 공존하는 것이다. [9]배타적인 상태의 공존과 관찰 자체가 물체의 상태를 결정한다는 개념을 받아들이기 힘들었기 때문에, 아인슈타인은 ㉠"당신이 달을 보기 전에는 달이 존재하지 않는 것인가?"라는 말로 양자 역학의 해석에 회의적인 태도를 취하였다.

❸ [1]최근에는 상호 배타적인 상태의 공존을 적용함으로써 초고속 연산을 수행하는 양자 컴퓨터에 대한 연구가 진행되고 있다. [2]이는 양자 역학에서 말하는 상호 배타적인 상태의 공존이 현실에서 실제로 구현될 수 있음을 잘 보여 주는 예라 할 수 있다. [3]미시 세계에 대한 이러한 연구 성과는 거시 세계에 대해 우리가 자연스럽게 지니게 된 상식적인 생각들에 근본적인 의문을 던진다.

03 윗글의 내용과 일치하면 ○에, 일치하지 않으면 ×에 표시하시오.

(1) 고전 역학은 배타적인 두 개의 상태의 공존을 인정하지 않는다. ○ ×

(2) 미시 세계에서 관찰은 이미 정해진 상태를 바꾸는 행위이다. ○ ×

(3) 양자 컴퓨터는 상호 배타적인 상태의 공존을 실제로 구현한 사례이다. ○ ×

04 문맥을 고려할 때 ㉠의 의미를 추론한 내용으로 가장 적절한 것은?

① 많은 사람들이 항상 달을 관찰하고 있으므로 달이 존재한다.

② 달은 질량이 매우 큰 거시 세계의 물체이므로 관찰 여부와 상관없이 존재한다.

③ 달은 원래부터 있었지만 우리가 관찰하지 않으면 존재 여부에 대해 말할 수 없다.

④ 달은 관찰 여부와 상관없이 존재하므로 누군가 달을 관찰하기 이전에도 존재한다.

⑤ 달이 있을 가능성과 없을 가능성이 반반이므로 관찰 이후에 달이 있을 가능성은 반이다.

[05~08] 다음 글을 읽고 물음에 답하시오.

❶ [1]양자 역학의 불확정성 원리는 우리가 물체를 '본다'는 것의 의미를 •재고하게 한다. [2]책을 보기 위해서는 책에서 반사된 빛이 우리 눈에 도달해야 한다. [3]다시 말해 무엇을 본다는 것은 대상에서 방출되거나 튕겨 나오는 광양자를 •지각하는 것이다.

❷ [1]광양자는 대상에 부딪쳐 튕겨 나올 때 대상에 충격을 주게 되는데, 우리는 왜 글을 읽고 있는 동안 책이 움직이는 것을 볼 수 없을까? [2]그것은 빛이 가하는 충격이 책에 의미 있는 운동을 일으키기에는 턱없이 작기 때문이다. [3]날아가는 야구공에 플래시를 터뜨려도 야구공의 운동에 아무 변화가 없어 보이는 것도 마찬가지이다. [4]책이나 야구공에 광양자가 충돌할 때에도 •교란이 생기지만 그 효과는 무시할 만하다.

❸ [1]어떤 대상의 물리량을 측정하려면 되도록 그 대상을 교란하지 않아야 한다. [2]측정 오차를 줄이기 위해 과학자들은 주의 깊게 실험을 설계하고 더 나은 기술을 사용함으로써 이러한 교란을 줄여 나갔다. [3]그들은 원칙적으로 ㉮측정의 정밀도를 높이는 데 한계가 없다고 생각했다. [4]그러나 물리학자들은 •소립자의 세계를 다루면서 이러한 생각이 잘못임을 깨달았다.

❹ [1]㉠'전자를 보는 것'은 ㉡'책을 보는 것'과 큰 차이가 있다. [2]우리가 어떤 입자의 운동 상태를 알려면 운동량과 위치를 알아야 한다. [3]여기에서 운동량은 물체의 질량과 속도의 곱으로 정의되는 양이다. [4]특정한 시점에서 특정한 전자의 운동량과 위치를 알려면, 되도록 전자에 교란을 적게 일으키면서 동시에 두 가지 물리량을 측정해야 한다.

❺ [1]이상적 상황에서 전자를 '보기' 위해 빛을 쏘아 전자와 충돌시킨 후 튕겨 나오는 광양자를 관측한다고 해 보자. [2]운동량이 작은 광양자를 충돌시키면 전자의 운동량을 적게 교란시켜 운동량을 상당히 정확하게 측정할 수 있다. [3]그러나 운동량이 작은 광양자로 이루어진 빛은 파장이 길기 때문에, 관측 순간의 전자의 위치, 즉 광양자와 전자의 충돌 위치의 측정은 부정확해진다. [4]전자의 위치를 더 정확하게 측정하기 위해서는 파장이 짧은 빛을 써야 한다. [5]그런데 파장이 짧은 빛, 곧 광양자의 운동량이 큰 빛을 쓰면 광양자와 충돌한 전자의 속도가 큰 폭으로 변하게 되어 운동량 측정의 부정확성이 오히려 커지게 된다. [6]이처럼 관측자가 알아낼 수 있는 전자의 운동량의 불확실성과 위치의 불확실성은 반비례 관계에 있으므로, 이 둘을 동시에 줄일 수 없음이 드러난다. [7]이것이 불확정성 원리이다.

- **재고하다** 어떤 일이나 문제 등에 대하여 다시 생각하다.
- **지각(知覺)하다** 알아서 깨닫다. 또는 감각 기관을 통하여 대상을 인식하다.
- **교란** 마음이나 상황 등을 뒤흔들어서 어지럽고 혼란하게 함.
- **소립자** 현대 물리학에서, 물질 또는 장(場)을 구성하는 데 가장 기본적인 단위로 설정된 작은 입자를 통틀어 이르는 말. 광양자, 전자, 양성자, 중성자, 양전자 등이 있다.

05 윗글을 통해 알 수 있는 내용으로 적절하지 않은 것은?

① 광양자가 전자와 충돌하면 전자의 운동량이 변한다.
② 물리학자들은 측정의 정밀도를 높이는 데 관심이 많다.
③ 질량이 변하지 않으면 전자의 운동량은 속도에 비례한다.
④ 플래시를 터뜨리는 것은 촬영 대상에 광양자를 쏘는 것이다.
⑤ 전자의 운동량을 측정하려면 전자보다 광양자의 운동량이 커야 한다.

06 윗글에서 ㉡과 구별되는 ㉠의 특성으로 가장 적절한 것은?

① 대상을 교란하는 효과를 무시할 수 없다.
② 대상을 매개물 없이 직접 지각할 수 있다.
③ 대상이 너무 작아 감지하기가 불가능하다.
④ 대상이 전달하는 의미를 해석할 필요가 없다.
⑤ 대상에서 반사되는 빛을 감지하여 이루어진다.

07 윗글을 바탕으로 〈보기〉에 대해 탐구한 내용으로 옳지 않은 것은?

보기

일정한 전압에 의해 가속된 전자 빔이 x축 방향으로 진행할 때, 전자 빔에 일정한 파장의 빛을 쏘아서 측정한 전자의 운동량은 ⓐ1.87×10^{-24}kg·m/s였다. 그 측정 오차 범위는 ⓑ9.35×10^{-27}kg·m/s보다 줄일 수 없었는데, 불확정성 원리에 따라 계산해 보니 이때 전자의 x축 방향의 위치는 ⓒ5.64×10^{-9}m의 측정 오차 범위보다 정밀하게 확정할 수 없었다.

① 빛이 교란을 일으킨 전자의 운동량이 ⓐ이겠군.
② 전자의 질량을 알면 ⓐ로부터 전자의 속도를 구할 수 있겠군.
③ 같은 파장의 빛을 사용하더라도 실험의 정밀도에 따라 전자 운동량의 측정 오차는 ⓑ보다 커질 수 있겠군.
④ 광양자의 운동량이 더 큰 빛을 사용하면 전자 운동량의 측정 오차 범위는 ⓑ보다 커지겠군.
⑤ 더 긴 파장의 빛을 사용하면 전자 위치의 측정 오차 범위를 ⓒ보다 줄일 수 있겠군.

08 ㉮의 의미를 포함하고 있는 말로 볼 수 없는 것은?

① 건물의 높이를 어림하여 보았다.
② 운동장의 넓이를 가늠할 수 없다.
③ 바지 길이를 대충 재어 보고 샀다.
④ 수확량을 대중해 보니 작년보다 많겠다.
⑤ 단위를 10개로 잡을 때 200개는 20단위이다.

❷ 화학

물질의 구성

기출 속 배경지식 키워드 | #입자 #원자 #전자 #원자핵 #양성자 #중성자 #분자 #원소 #스펙트럼 #이온

∞ 교과 연계
중학교 과학 2
Ⅰ. 물질의 구성
고등학교 화학 Ⅰ
Ⅱ. 원자의 세계

배경지식 DNA 점검

◎ 다음 그림을 참고하여 빈칸에 들어갈 알맞은 말을 골라 봅시다.

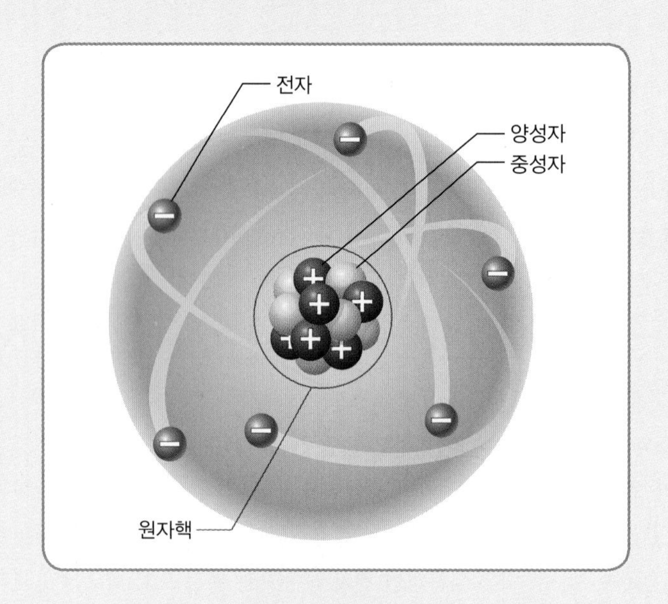

1 원자의 중심에는 [원소 / 원자핵]이/가 있다.

2 (−)전하를 띠는 [전자 / 양성자 / 중성자]는 원자핵 주위를 돌고 있다.

3 원자핵이 [(+)전하 / (−)전하]를 띠는 이유는 원자핵 속에 양성자가 들어 있기 때문이다.

4 원자가 전자를 잃으면 [음이온 / 양이온]이 된다.

5 원자가 2개 이상 결합하면 [분자 / 원소]가 될 수 있다.

답 1 원자핵 2 전자 3 (+)전하 4 양이온 5 분자

수능 필수 배경지식

우리 몸은 머리, 몸통, 팔, 다리, 손, 발 등으로 이루어져 있고 손은 손가락, 손등, 손바닥 등으로 이루어져 있어. 이처럼 물질을 구성하는 요소를 나누고 또 나누면 결국 남게 되는 가장 기본적인 요소는 무엇일까? 과학자들은 오래전부터 물질의 구성을 알아내기 위한 연구를 해 왔어.

원자 • 물질을 구성하는 기본 입자

원자는 물질을 구성하는 기본 •입자야. 과학자들은 원자가 **전자, 양성자, 중성자**로 이루어져 있음을 밝혀냈지.

아래 그림을 볼까? 원자는 (+)전하를 띠며 원자의 중심에 위치하는 **원자핵**과, (−)전하를 띠며 원자핵 주위를 빠르게 움직이는 **전자**로 구성되어 있어.

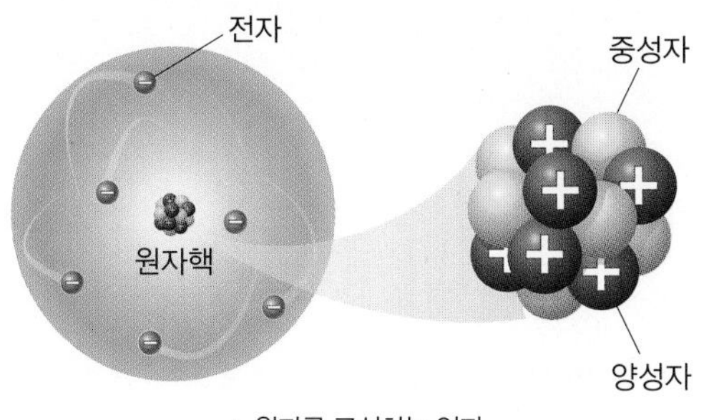

▲ 원자를 구성하는 입자

이때 원자핵은 **양성자**와 **중성자**로 이루어져 있는데, (1) ㅇㅅㅈ 는 (+)전하를 띠고 중성자는 전하를 띠지 않기 때문에 원자핵이 (+)전하를 띠는 거란다.

한 원자를 구성하는 원자핵의 (+)전하량과 (2) ㅈㅈ 들의 (−)전하량이 같기 때문에 원자는 전기적으로 중성이야.

• **입자** 물질을 구성하는 미세한 크기의 물체. 원자, 분자 등이 있다.

잠깐 체크

❶ 원자는 물질을 구성하는 기본 입자이다. (○, ×)

❷ 원자는 전기적으로 양성을 띤다. (○, ×)

답 ❶ ○ ❷ ×

과학

원자, 분자, 원소 비교

- 원자: 낱개의 블록(바퀴 블록 2개, 몸체 블록 1개, 손잡이 블록 1개)
- 분자: 장난감 자전거
- 원소: 블록의 종류(바퀴 블록, 몸체 블록, 손잡이 블록) → 3종류

분자 • 물질의 성질을 나타내는 가장 작은 입자

여러 개의 블록이 모여 장난감 자전거를 만드는 것처럼, 2개 이상의 원자가 모여 분자라는 새로운 물질을 만들 수 있어. 이때 **분자**는 독립된 입자로 존재하여 물질의 성질을 나타내는 가장 작은 입자를 말해. 예를 들어 산소 원자 2개가 산소 분자를 이루면 산소 기체의 성질을 나타내고, 수소 원자 2개와 산소 원자 1개가 물 (3) ㅂㅈ를 이루면 물의 성질을 나타내.

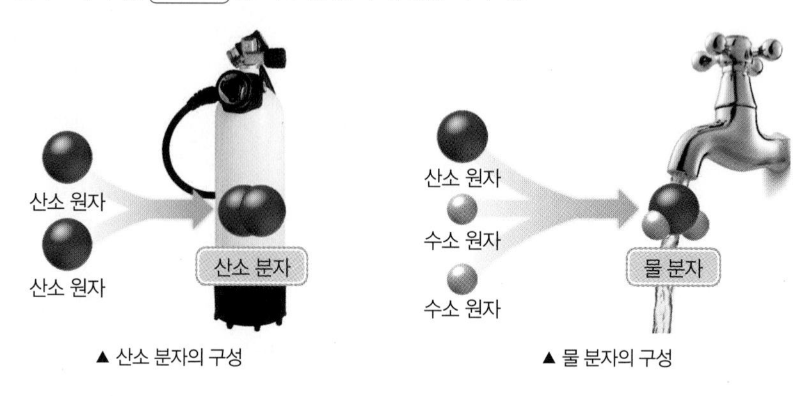

▲ 산소 분자의 구성 ▲ 물 분자의 구성

- **분광기** 빛을 파장에 따라 나누어 스펙트럼을 관찰하는 광학 기구.

연속 스펙트럼과 선 스펙트럼
햇빛의 스펙트럼에는 연속적인 색의 띠가 나타나지만, 리튬 원소와 스트론튬 원소의 스펙트럼에는 몇 개의 밝은 선이 나타난다.

원소 • 다른 물질로 분해되지 않으며 물질을 구성하는 기본 성분

위에서 산소 원자와 수소 원자가 물 분자를 구성한다고 했지? 거꾸로 물을 분해하면 수소와 산소로 나뉘지만, 수소와 산소는 더 분해되지 않아. 이처럼 다른 물질로 분해되지 않으며 물질을 구성하는 기본 성분을 **원소**라고 해.

한편 빛을 분광기로 관찰했을 때 볼 수 있는 여러 가지 색의 띠를 **스펙트럼**이라고 해. 연속적인 색의 띠가 나타나는 햇빛의 스펙트럼과 달리 원소의 스펙트럼에는 몇 개의 밝은 선이 나타나는데, 원소에 따라 선이 나타나는 위치, 색깔, 굵기, 수 등이 다르기 때문에 선 스펙트럼을 이용하면 원소를 구별할 수 있어.

분자식
원소 기호를 이용하여 분자를 이루는 원자의 종류와 개수를 나타낸 것. 분자식을 보면 분자를 이루는 원자의 종류와 수를 한눈에 알 수 있다.

잠깐 체크
❶ 분자는 독립된 입자로 물질의 성질을 나타내는 가장 작은 입자이다. (○, ×)
❷ 산소 원자 2개로 이루어진 산소 분자를 분자식으로 나타내시오.

답 ❶ ○ ❷ O_2

원소 기호와 분자식 • 원소와 분자를 기호로 표현하는 방법

원소는 **원소 기호**를 써서 나타내. 예를 들어 수소의 원소 기호는 H, 산소는 O야. **주기율표**를 찾아보면 모든 원소의 원소 기호를 확인할 수 있으니 참고해.

분자 또한 원소 기호를 써서 **분자식**으로 나타낼 수 있어. 분자를 이루는 원자의 원소 기호를 쓰고, 그 원자의 개수를 오른쪽 아래에 작은 숫자로 적어 주면 돼. 이때 1은 생략해. 예를 들어 수소 원자 2개와 산소 (4) ㅇㅈ 1개로 이루어진 물 분자는 H_2O로 표현할 수 있어.

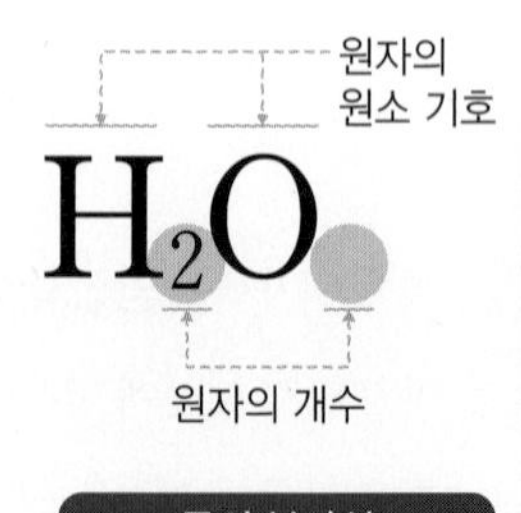

물의 분자식

이온 • 원자가 전자를 잃거나 얻어 전하를 띤 입자

우리가 마시는 이온 음료에는 나트륨(Na)이나 염소(Cl) 등의 입자가 녹아 있어. 물에 녹아 있는 나트륨이나 염소 입자를 나타낼 때는 원소 기호 옆에 작게 '+'나 '−'를 붙여 쓰는데, 이는 입자가 (5) ㅈㅎ 를 띠고 있음을 뜻해.

전기적으로 중성인 원자가 전자를 잃으면 (+)전하를 띠고, 전자를 얻으면 (−)전하를 띠는데 이렇게 전하를 띤 입자를 **이온**이라고 불러. 이때 (+)전하를 띤 입자를 **양이온**, (−)전하를 띤 입자를 **음이온**이라고 해.

과학

▲ 이온의 형성

이온도 원소 기호를 사용해서 나타낼 수 있어. 이온을 표현할 때는 원소 기호의 오른쪽 위에 잃거나 얻은 전자의 개수와 전하의 종류를 함께 나타내는데, 이를 **이온식**이라고 해. 예를 들면 오른쪽 그림의 경우 전자를 두 개 얻어서 (−)전하를 띤 산화 이온을 이온식으로 나타낸 거야.

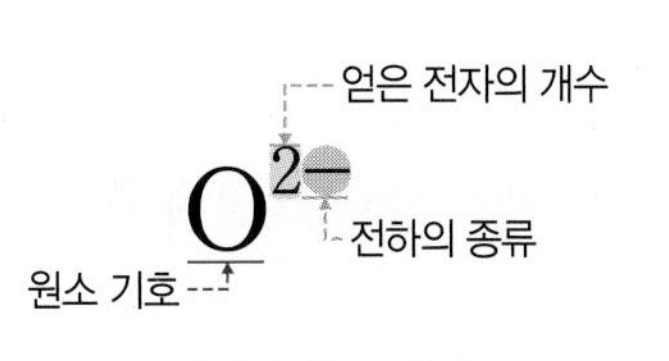

산화 이온의 이온식

잠깐 체크

❶ 원자가 전자를 잃거나 얻어서 전하를 띤 입자를 나타내는 개념은?

❷ 전기적으로 중성인 원자가 전자를 잃으면 음이온이 된다. (○, ×)

답 ❶ 이온 ❷ ×

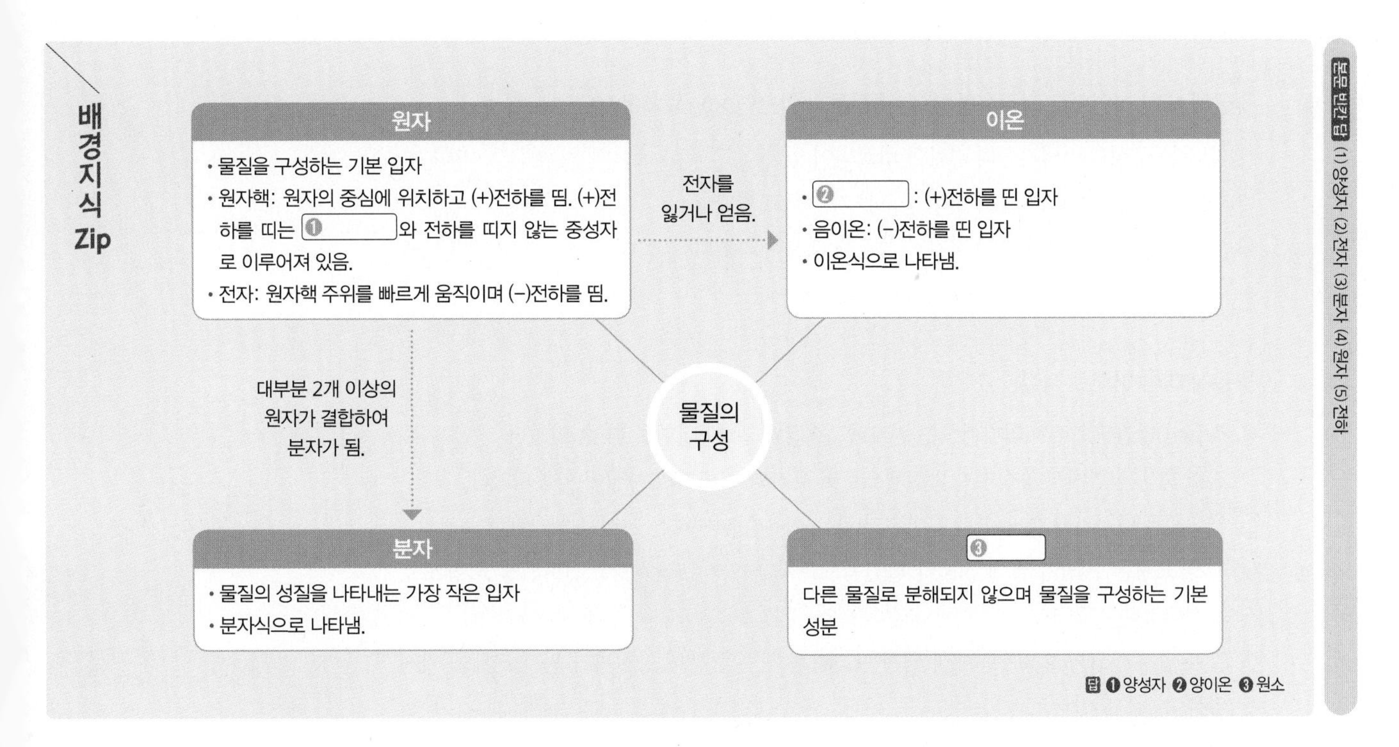

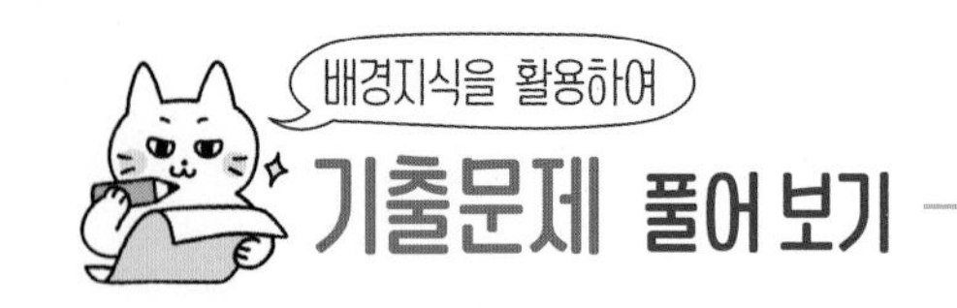

[01~02] 다음 글을 읽고 물음에 답하시오.

❶ [1]과거에는 물질이 더이상 쪼개지지 않는 작은 원자들로 구성되어 있다고 생각되었지만, 오늘날에는 원자가 전자, 양성자, 중성자로 구성된 복잡한 구조라는 것이 밝혀졌다. [2]음전기를 띠고 있는 전자는 세 입자 중 가장 작고 가볍다. [3]1897년에 톰슨이 기체 방전관 실험에서 음전기의 흐름을 확인하여 전자를 발견하였다. [4]같은 음전기를 띠고 있는 전자들은 서로 반발하므로 원자 안에 모여 있기 어렵다. [5]이에 전자끼리 흩어지지 않고 원자의 형태를 유지하는 이유를 설명하기 위해 톰슨은 '건포도빵 모형'을 제안하였다. [6]양전기가 빵 반죽처럼 원자에 고르게 퍼져 있고, 전자는 건포도처럼 점점이 박혀 있어서 원자가 평소에 전기적으로 중성이라고 생각한 것이다.

❷ [1]양전기를 띠고 있는 양성자는 전자보다 대략 2,000배 정도 무거워서 작은 에너지로 전자처럼 분리해 내거나 가속시키기 쉽지 않다. [2]그러나 1898년 마리 퀴리가 천연 광물에서 라듐을 발견한 이후 새로운 실험이 가능해졌다. [3]라듐은 강한 방사성 물질이어서 양전기를 띤 알파 입자를 큰 에너지로 방출한다. [4]1911년에 러더퍼드는 라듐에서 방출되는 알파 입자를 얇은 금박에 충돌시키는 실험을 하였다. [5]그 결과 알파 입자는 금박의 대부분을 통과했지만 일부 지점들은 통과하지 못하고 튕겨 나갔다. [6]이 실험을 통해 러더퍼드는 양전기가 빵 반죽처럼 원자 전체에 퍼져 있는 것이 아니라 아주 좁은 구역에만 모여 있다는 것을 알게 되었고, 이 구역을 '원자핵'이라고 하였다. [7]그는 실험 결과를 바탕으로 태양이 행성들을 당겨 공전시키는 것처럼 양전기를 띤 원자핵도 전자를 잡아당겨 공전시킨다는 '태양계 모형'을 제안하여 톰슨의 모형을 수정하였다.

❸ [1]그런데 러더퍼드의 모형은 각각의 원자에서 나타나는 고유한 스펙트럼을 설명하지 못했다. [2]1913년에 닐스 보어는 전자가 핵 주위의 특정한 궤도만을 돌 수 있다는 '에너지 양자화 가설'이라는 것을 제안하였다. [3]이를 통해 양성자 1개와 전자 1개로 이루어져 구조가 단순한 수소 원자의 스펙트럼을 설명할 수 있었다. [4]1919년에 러더퍼드는 질소 원자에 대한 충돌 실험을 통하여 핵에서 떨어져 나오는 양성자를 확인하였다. [5]그는 또한 핵 속에 전기를 띠지 않는 입자인 중성자가 있다는 것을 예측하였다. [6]1932년에 채드윅은 전기적으로 중성이며 질량이 양성자와 비슷한 입자인 중성자를 발견하였다. [7]1935년에 일본의 유카와 히데키는 중성자가 중간자라는 입자를 통해 핵력이 작용하게 하여 양성자를 잡아당긴다는 가설을 제안하였다. [8]여러 개의 양성자를 가진 원자에서는 같은 양전기를 띠고 있는 양성자들이 서로 밀어내려 하는데, 이러한 반발력보다 더 큰 힘이 있어야만 여러 개의 양성자가 핵에 속박될 수 있다. [9]그의 제안을 이용하면 양성자들이 흩어지지 않고 핵 안에 모여 있음을 설명할 수 있었다.

01

윗글에 대한 설명으로 적절하면 ○에, 적절하지 않으면 ×에 표시하시오.

(1) 원자를 구성하는 입자들의 질량이 비교되어 있다. ○ ×

(2) 원자를 구성하는 입자들의 내부 구조를 제시하고 있다. ○ ×

(3) 원자를 구성하는 입자들의 전기적 성질을 제시하고 있다. ○ ×

02

윗글에 대한 이해로 적절한 것은?

① 라듐이 발견됨으로써 러더퍼드는 원자핵을 발견하게 된 실험을 할 수 있었다.
② 질소 충돌 실험에서 양성자가 발견됨으로써 유카와 히데키의 가설이 입증되었다.
③ 채드윅은 양성자가 핵 안에서 흩어지지 않는 이유를 설명하는 가설을 제안했다.
④ 원자 모형은 19세기 말에 전자가 발견됨으로써 '태양계 모형'에서 '건포도빵 모형'으로 수정되었다.
⑤ 알파 입자가 금박의 일부분에서 튕겨 나간다는 사실을 통해 양전기가 원자 전체에 퍼져 있음이 입증되었다.

[03~04] 다음 글을 읽고 물음에 답하시오.

❶ [1]20세기 중반까지만 해도 물리학에서는 양성자와 중성자를 물질의 기본 단위로 여겼다. [2]하지만 1960년대 이후 양성자나 중성자보다 더 작은 입자에 대한 가설과 실험을 바탕으로 ㉠'표준모형(standard model)'의 개념이 성립되게 되었다. [3]'표준모형'에 따르면 모든 물질은 기본 입자와 매개 입자로 구성된다. [4]기본 입자는 양성자와 중성자를 구성하는 입자와 전자 등을 말하며, 매개 입자는 입자 사이의 상호 작용을 매개하는 입자를 말한다. [5]이때 매개 입자는 독특한 대칭성을 지니고 있어 모든 입자들이 질량을 가지지 못하게 한다. [6]이로 인해 '표준모형'의 개념은 현실 세계에서 입자들이 실제로는 질량을 가지고 있다는 점을 설명할 수 없어 모순에 빠졌다.

❷ [1]이러한 '표준모형'의 이론적 모순 상황에서 1964년 피터 힉스 교수는 입자들이 질량을 가지게 만드는 힉스 입자의 존재를 예측했다. [2]거의 같은 시기에 프랑수아 앙글레르 교수는 질량이 없던 입자들이 질량을 가지게 되는 힉스 메커니즘의 과정을 제시하였다. [3]이들의 이론에 따르면 대칭성이 깨진 매개 입자는 힉스 입자의 원형인 힉스 장(field)의 일부 요소를 흡수하여 질량을 가지게 된다. [4]또한 기본 입자도 힉스 장과의 상호 작용을 통해 질량을 가지게 된다. [5]이때 힉스 장과 입자의 상호 작용이 강할수록 입자들의 질량은 커지고, 상호 작용이 약한 입자들은 질량이 작아지게 된다. [6]한편 다른 입자로 흡수되지 않고 남은 힉스 장의 요소는 힉스 입자라는 새로운 입자의 상태로 존재하게 된다. [7]힉스 입자는 질량이 부여되는 과정에서 매우 짧은 순간 생성되었다가 사라지게 되며, 이러한 모든 과정을 힉스 메커니즘이라고 부른다. [8]그러나 순식간에 사라지는 힉스 입자는 자연 상태에서는 관측할 수 없었기 때문에 20세기 후반부터 입자 가속기를 통해 힉스 입자를 인위적으로 검출하기 위한 노력이 이어졌다.

❸ [1]입자 가속기는 양성자나 이온 등 전기적 성질을 갖고 있는 입자들을 전자기력을 이용해 빛의 속도에 가깝게 속도를 높여 주는 장치이다. [2]가속기 내 자기장을 지면과 수직 방향으로 작용하도록 설치하고 전류를 흐르게 하면 전하를 띤 입자가 지면과 수평 방향으로 힘을 받는 원리를 이용하여 입자를 가속시키게 된다. [3]이러한 원리를 통해 빛에 가까운 속도를 지니게 된 입자들을 인위적으로 충돌시키면, 붕괴된 입자에서 분리되어 나오는 새로운 입자를 검출기를 통해 관측할 수 있게 된다.

❹ [1]실제로 유럽의 한 연구소에서는 둘레 27km에 이르는 거대한 원형 입자 가속기로 두 개의 양성자를 강력한 전기장과 자석으로 가속한 후 정면 충돌시켜 힉스 입자의 존재를 확인하고자 했다. [2]최근 이러한 실험으로 관측된 새로운 입자가 '표준모형'의 힉스 입자와 성질이 매우 비슷하다는 결론이 내려져서 관심을 끌고 있다. [3]힉스 입자로 여겨지는 새로운 입자의 발견은 입자들의 질량 차이를 설명해 준다는 점에서 과학적 의의를 지닌다. [4]또한 새로운 입자의 발견으로 인해 오랜 난제였던 '표준모형'의 이론적 완성을 기대하게 되었으며, 물질의 가장 기본이 되는 단위에 대한 궁금증을 해결할 수 있는 실마리를 얻게 되었다.

03 윗글의 내용과 일치하면 ○에, 일치하지 않으면 ×에 표시하시오.

(1) 전자는 기본 입자에 포함되지 않는다. ○ ×

(2) 힉스 입자는 기존의 입자에 흡수된 후 사라진다. ○ ×

(3) 힉스 장과의 상호 작용을 통해 입자들의 질량이 달라진다. ○ ×

04 ㉠에 대한 설명으로 적절하지 않은 것은?

① 입자에 대한 가설에서 출발한 모형이다.
② 물질을 구성하는 입자의 종류를 구분하여 제시하고 있다.
③ 양성자와 중성자의 상호 작용을 설명하기 위해 •고안되었다.
④ 입자 가속기를 이용한 실험을 통해 이론적 완성을 기대할 수 있게 되었다.
⑤ 현실 세계의 상황과 맞지 않는 모순이 있어 새로운 입자 개념의 도입으로 일부 보완되었다.

• **고안되다** 연구하여 새로운 안이 나오다.

과학

[05~07] 다음 글을 읽고 물음에 답하시오.

❶ [1]19세기 중반 화학자 분젠은 불꽃 반응에서 나타나는 물질 고유의 불꽃색에 대한 연구를 진행하고 있었다. [2]그는 버너 불꽃의 색을 제거한 개선된 버너를 고안함으로써 물질의 불꽃색을 더 잘 구별할 수 있도록 하였다. [3]하지만 두 종류 이상의 금속이 섞인 물질의 불꽃은 색깔이 겹쳐서 분간이 어려웠다. [4]이에 물리학자 ㉠ 키르히호프는 •프리즘을 통한 분석을 제안했고 둘은 협력하여 불꽃의 색을 분리시키는 분광 분석법을 창안했다. [5]이것은 과학사에 길이 남을 업적으로 이어졌다.

❷ [1]그들은 불꽃 반응에서 나오는 빛을 프리즘에 통과시켜 띠 모양으로 분산시킨 후 망원경을 통해 이를 들여다보는 방식으로 실험을 진행하였다. [2]빛이 띠 모양으로 분산되는 것은 빛이 파장이 짧을수록 굴절하는 각이 커지기 때문이다. [3]이 방법을 통해 그들은 알칼리 금속과 알칼리 토금속의 스펙트럼을 체계적으로 조사하여 그것들을 •함유한 화합물들을 찾아내었다. [4]이 과정에서 그들은 특정한 금속의 스펙트럼에서 띄엄띄엄 떨어진 밝은 선의 위치는 그 금속이 홑원소로 존재하든 다른 원소와 결합하여 존재하든 불꽃의 온도에 상관없이 항상 같다는 결론에 도달하였다. [5]이로써 화학 반응을 이용하는 전통적인 분석 화학의 방법에 의존하지 않고도 정확하게 화합물의 원소를 판별해 내는 분광 분석법이 탄생하였다. [6]이 방법의 유효성은 그들이 새로운 금속 원소인 세슘과 루비듐을 발견함으로써 입증되었다.

❸ [1]1859년 키르히호프는 이 방법을 천문학 분야로까지 확장하였다. [2]그는 불꽃 반응 실험에서 관찰한 나트륨 스펙트럼의 두 개의 인접한 밝은 선과 1810년 프라운호퍼가 프리즘을 이용하여 태양빛의 스펙트럼에서 발견한 검은 선들을 비교하는 과정에서, 태양빛의 스펙트럼에 검은 선이 나타나는 원인을 설명할 수 있었다. [3]그는 태양빛의 스펙트럼의 검은 선들 중에서 프라운호퍼의 D선이 나트륨 고유의 밝은 선들과 같은 파장에서 겹쳐지는 것을 확인하고, D선은 태양에서 비교적 차가운 부분인 태양 대기 중에 존재하는 나트륨 때문에 생긴다고 해석했다. [4]이것은 태양 대기 중의 나트륨이 태양의 더 뜨거운 부분에서 나오는 빛 가운데 D선에 해당하는 파장의 빛들을 흡수하기 때문이다. [5]태양빛의 스펙트럼을 보면 D선 이외에도 차가운 태양 대기 중의 특정 원소에 의해 흡수된 빛의 파장 위치에 검은 선들이 나타난다. [6]이 검은 선들은 그 특정 원소가 불꽃 반응에서 나타내는 스펙트럼 상의 밝은 선들과 나타나는 위치가 동일하다.

❹ [1]이후 이러한 원리의 적용을 통해 철과 헬륨 같은 다른 원소들도 태양 대기 중에 존재함이 밝혀졌으며 다른 항성을 연구하는 데도 같은 원리가 적용되었다. [2]이를 두고 동료 과학자들은 물리학, 화학, 천문학에 모두 적용될 수 있는 분광 분석법이 천체 대기의 화학적 •조성을 밝혀냄으로써 우주의 통일성을 드러내었고 우주의 모든 곳에 존재하는 자연의 원리를 인식하는 데 공헌했다고 평가했다.

• **프리즘** 광선을 굴절 · 분산시킬 때 쓰는, 유리나 수정 등으로 된 다면체의 광학 부품.
• **함유하다** 물질이 어떤 성분을 포함하고 있다.
• **조성** 물질계를 구성하고 있는 여러 성분의 양(量)의 비.

05 윗글을 바탕으로 할 때, ㉠의 업적으로 볼 수 있는 것은?

① 화학 반응을 이용하는 분석 화학 방법을 확립하였다.
② 태양빛의 스펙트럼에 검은 선이 존재함을 알아내었다.
③ 물질을 불꽃에 넣으면 독특한 불꽃색이 나타나는 것을 발견하였다.
④ 프리즘을 이용하여 태양빛의 스펙트럼을 얻는 방법을 창안하였다.
⑤ 천체에 가지 않고도 그 대기에 존재하는 원소에 관한 정보를 얻을 수 있는 길을 열었다.

06 윗글을 이해한 내용으로 가장 적절한 것은?

① 루비듐의 존재는 분광 분석법이 출현하기 전에 확인되었다.
② 빛을 프리즘을 통해 분산시키면 빛의 파장이 길수록 굴절하는 각이 커진다.
③ 금속 원소 스펙트럼의 밝은 선의 위치는 불꽃의 온도를 높여도 변하지 않는다.
④ 철이 태양 대기에 존재한다는 사실은 나트륨이 태양 대기에 존재한다는 사실보다 먼저 밝혀졌다.
⑤ 분젠은 두 종류 이상의 금속이 섞인 물질에서 나오는 각각의 불꽃색이 겹치는 현상을 막아 주는 버너를 고안하였다.

07 윗글을 바탕으로 〈보기〉를 해석한 내용으로 적절하지 않은 것은?

보기

우리 은하의 어떤 항성 α와 β의 별빛 스펙트럼을 살펴보니 많은 검은 선들을 볼 수 있었다. 이것들을 나트륨, 리튬의 스펙트럼의 밝은 선들과 비교했을 때, 나트륨 스펙트럼의 밝은 선들은 각각의 파장에서 항성 β의 검은 선들과 겹쳐졌으나, 항성 α의 검은 선들과는 겹쳐지지 않았다. 리튬 스펙트럼의 밝은 선들은 각각의 파장에서 항성 α의 검은 선들과 겹쳐졌으나 항성 β의 검은 선들과는 겹쳐지지 않았다.

① 항성 α는 태양이 아니겠군.
② 항성 α의 별빛 스펙트럼에는 리튬이 빛을 흡수해서 생긴 검은 선들이 있겠군.
③ 항성 β에는 리튬이 존재하지 않겠군.
④ 항성 β의 별빛 스펙트럼에는 D선과 일치하는 검은 선들이 없겠군.
⑤ 항성 β의 별빛 스펙트럼에는 특정한 파장의 빛이 흡수되어 생긴 검은 선들이 있겠군.

07

❷ 화학

물질의 특성

기출 속 배경지식 키워드 | #끓는점 #녹는점 #어는점 #밀도 #용질 #용매 #용액 #용해도

교과 연계
중학교 과학 1
V. 물질의 상태 변화
중학교 과학 2
VI. 물질의 특성
고등학교 화학 I
I. 화학의 첫걸음

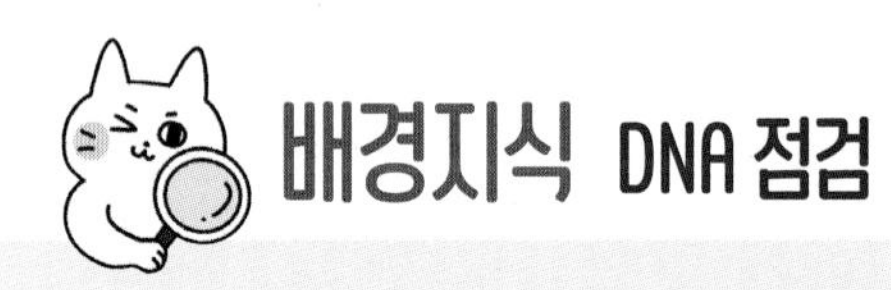

배경지식 DNA 점검

○ **다음 그림을 참고하여 빈칸에 들어갈 알맞은 말을 골라 봅시다.**

▲ 20˚C, 1 기압에서 여러 가지 물질의 밀도 (단위 : g/cm^3)

1 [에탄올 / 물]의 밀도는 식용유보다 크다.

2 단위 부피당 질량이 가장 작은 것은 [에탄올 / 수은]이다.

3 밀도가 1.3인 물질은 [물 / 사염화 탄소] 위에 뜬다.

4 밀도와 같이 물질의 특성에 해당하는 것은 [온도 / 질량 / 녹는점]이다.

답 **1** 물 **2** 에탄올 **3** 사염화 탄소 **4** 녹는점

금메달이 순금 메달인지, 도금 메달인지 간단히 확인할 방법이 있을까? 금메달의 밀도를 계산한 뒤, 순금의 밀도를 찾아 비교해 보면 돼. 고대 그리스의 수학자 **아르키메데스**(B.C. 287 ~ B.C. 212)는 목욕 중에 이러한 방법을 발견하고 "●유레카!"를 외쳤다고 전해지지. 이렇게 밀도를 통해 물질을 구별할 수 있는 이유는 밀도가 다른 물질과 구별되는 고유의 성질인 **물질의 특성**에 해당하기 때문이야. 지금부터 물질의 (1) ㅌㅅ 을 자세하게 알아보자.

● **유레카** 고대 그리스어로, '찾았다' 또는 '알았다'라는 뜻을 나타냄.

끓는점 ● 물질의 상태가 기체가 되는 동안 일정하게 유지되는 온도
녹는점 ● 물질의 상태가 액체가 되는 동안 일정하게 유지되는 온도
어는점 ● 물질의 상태가 고체가 되는 동안 일정하게 유지되는 온도

물을 가열하면 온도가 높아지다가 100℃에서 끓기 시작하는데, 이때 온도가 더 이상 높아지지 않고 일정하게 유지돼. 이처럼 물질의 상태가 기체로 되는 동안 일정하게 유지되는 온도를 **끓는점**이라고 해.

또 얼음을 가열하면 온도가 높아지다가 0℃에서 녹기 시작하는데, 이때도 온도가 일정하게 유지돼. 이렇게 물질의 상태가 액체로 되는 동안 일정하게 유지되는 온도는 **녹는점**이라고 해.

이번에는 반대로 온도가 내려가는 상황을 볼까? 물을 ●냉각하면 온도가 낮아지다가 0℃에서 얼기 시작하는데, 이때도 온도가 더 낮아지지 않고 일정하게 유지돼. 이처럼 물질의 상태가 고체로 되는 동안 일정하게 유지되는 온도를 **어는점**이라고 해.

끓는점, 녹는점, 어는점은 물질의 양에 관계없이 일정하고 종류에 따라 다르기 때문에 물질을 (2) ㄱㅂ 할 수 있는 특성이야.

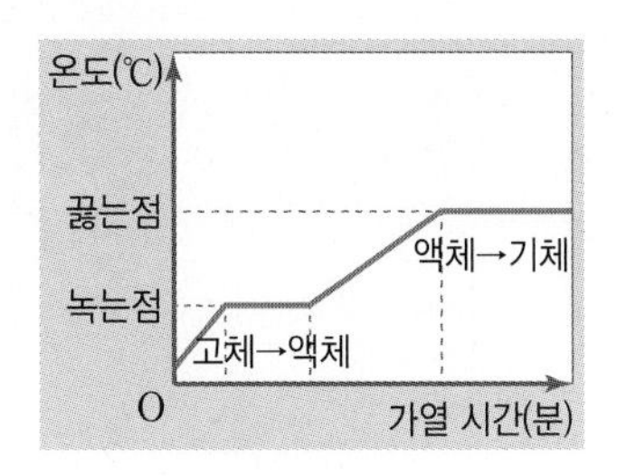

▲ 고체를 가열할 때의 온도 변화

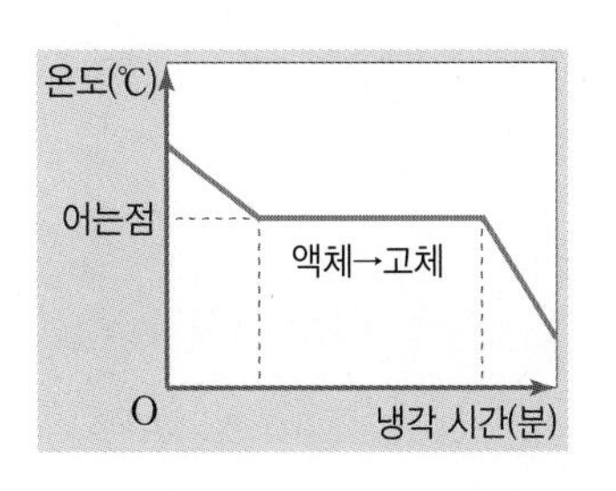

▲ 액체를 냉각할 때의 온도 변화

● **냉각** 식어서 차게 됨. 또는 식혀서 차게 함.

잠깐 체크

❶ 끓는점은 액체가 끓어 기체가 되는 동안 계속 높아진다. (○, ×)
❷ 어는점을 비교하면 물질들을 구별할 수 있다. (○, ×)

답 ❶ × ❷ ○

밀도 • 단위 부피당 물질의 질량

- **질량** 물체를 이루고 있는 물질의 고유한 양. 국제단위는 킬로그램(kg).
- **부피** 넓이와 높이를 가진 물건이 공간에서 차지하는 크기.

•질량이나 •부피가 같은 두 물질을 똑같은 물질이라고 할 수 있을까? 정답은 그렇지 않아. 솜 1kg과 철 1kg이 있다고 해서 솜과 철을 같은 물질이라고 이야기하지 않고, 우유 250ml와 주스 250ml가 있다고 해서 우유와 주스를 같은 물질이라고 이야기하지 않잖아.

그런데 단위 부피당 물질의 질량을 나타내는 **밀도**는 물질의 종류에 따라 다르고, 물질의 질량이나 부피가 달라져도 항상 일정하기 때문에 물질을 구별할 수 있는 특성이야. (3) ㅁㄷ는 다음과 같이 질량을 부피로 나누어서 구해.

$$밀도 = \frac{질량}{부피}$$

예를 들어 크기가 다양한 철 조각이 있다고 해 보자. 각 철 조각의 질량과 부피를 측정하면 밀도를 계산할 수 있는데, 어떤 크기라도 철 조각의 밀도는 모두 같은 값이 나와. 그래서 밀도를 비교하면 특정 물질들이 서로 같은 물질인지, 다른 물질인지 확인할 수 있는 거야.

일반적으로 고체나 액체의 밀도에 비해 기체의 밀도는 매우 작아. 기체가 액체보다 분자 사이의 거리가 멀어 같은 (4) ㅂㅍ 속에 들어 있는 분자의 수가 적기 때문이야.

또 물질이 뜨거나 가라앉는 현상도 밀도로 설명할 수 있는데, 밀도가 큰 물질은 가라앉고 밀도가 작은 물질은 떠. 즉 주스 위에 얼음이 떠 있는 이유는 얼음이 주스보다 밀도가 작기 때문이야.

▲ 얼음이 떠 있는 주스

잠깐 체크

1. 밀도는 단위 (부피 / 질량)당 물질의 (부피 / 질량)을 나타내는 개념이다.
2. 일반적으로 고체나 액체보다 기체의 밀도가 더 작다. (○, ×)

답 ❶ 부피, 질량 ❷ ○

용해도 • 어떤 온도에서 용매 100g에 최대로 녹을 수 있는 용질의 그램(g) 수

다른 물질이 섞이지 않고 한 가지 물질로만 이루어진 물질을 **순물질**이라고 하고, 두 가지 이상의 순물질이 섞여 있는 물질을 **혼합물**이라고 해. 용해도는 바로 이 혼합물과 관련 있는 개념이야.

▲ 순물질인 물

▲ 혼합물인 14K 금
(순금, 은, 구리, 아연 등이 섞여 있음.)

일정한 양의 물에 설탕을 넣고 저어 주면 설탕이 녹아 보이지 않게 돼. 이때 설탕과 같이 다른 물질에 녹는 물질을 **용질**, 물과 같이 다른 물질을 녹이는 물질을 **용매**라고 해. 그리고 이렇게 두 종류 이상의 순물질이 균일하게 섞여 있는 혼합물을 **용액**이라고 하지. 즉 설탕물은 용질이 용매에 녹는 과정을 거쳐 만들어진 용액이야.

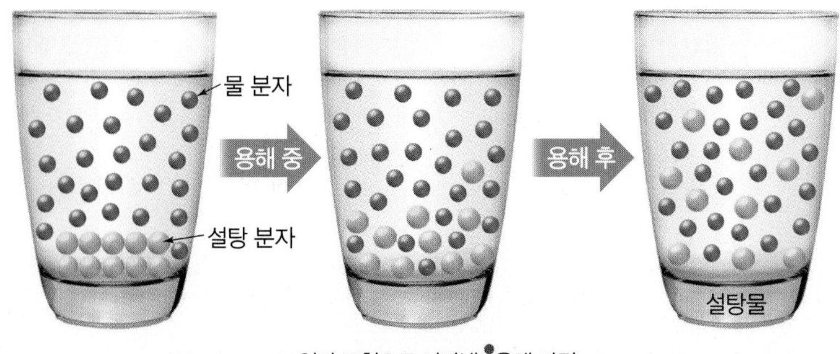

▲ 입자 모형으로 나타낸 •용해 과정

그렇지만 물 100 g에 설탕을 무한대로 넣는다고 해서 설탕이 전부 녹는 것은 아니야. 어느 시점부터는 설탕이 녹지 않고 그대로 가라앉거든. 이때 어떤 온도에서 용매 100 g에 최대로 녹을 수 있는 용질의 그램(g) 수를 **용해도**라고 해. 용해도 또한 물질의 종류에 따라 다르기 때문에 물질을 구별할 수 있는 특성이야.

고체 물질의 용해도는 대체로 온도가 높아질수록 증가하고 용매의 (5) ㅈㄹ 에 따라 달라. 그래서 용해도를 나타낼 때는 온도와 용매의 종류를 함께 표시해.

•**용해** 물질이 액체 속에서 균일하게 녹아 용액이 만들어지는 일. 또는 용액을 만드는 일.

잠깐 체크

❶ 어떤 온도에서 용매 100 g에 최대로 녹을 수 있는 용질의 그램(g) 수를 나타내는 개념은?

❷ 용해도는 온도와 용매에 따라 달라진다. (○, ×)

답 ❶ 용해도 ❷ ○

과학

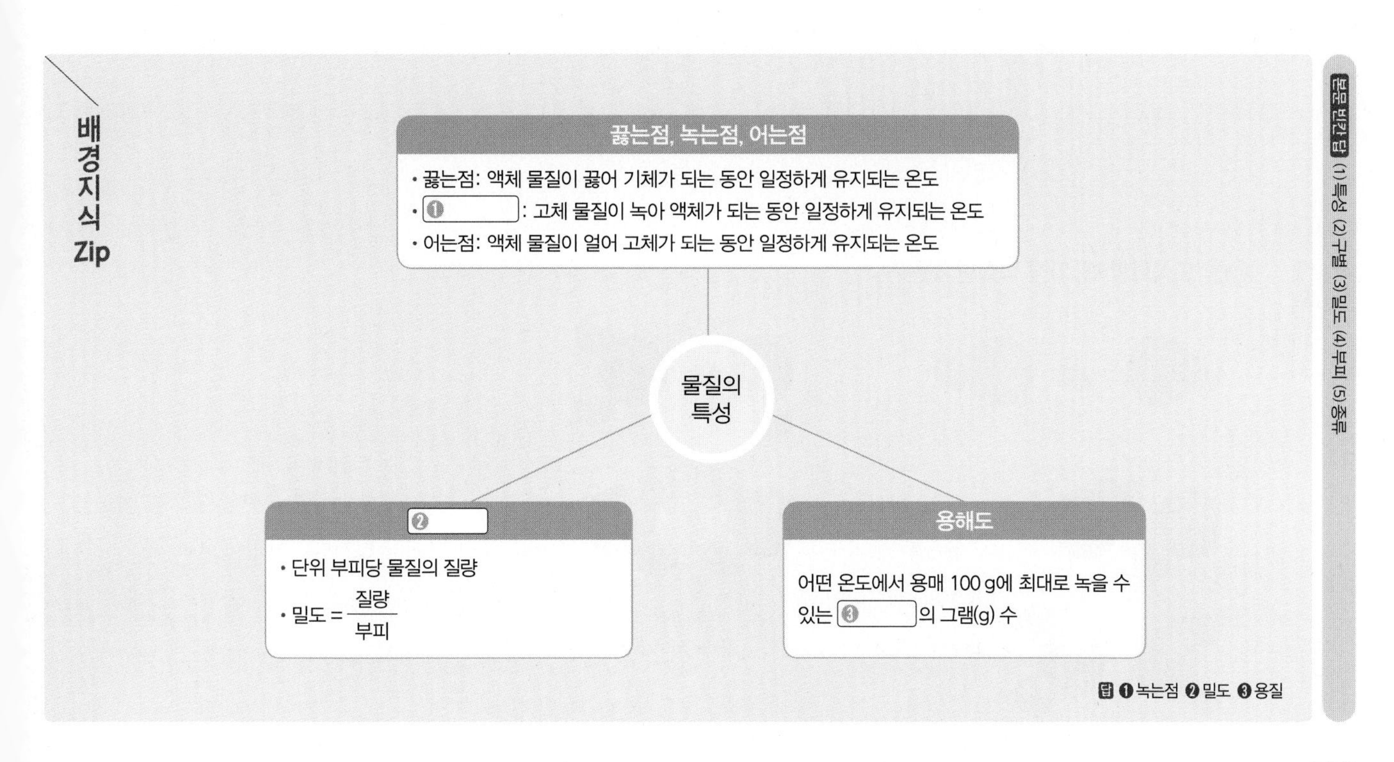

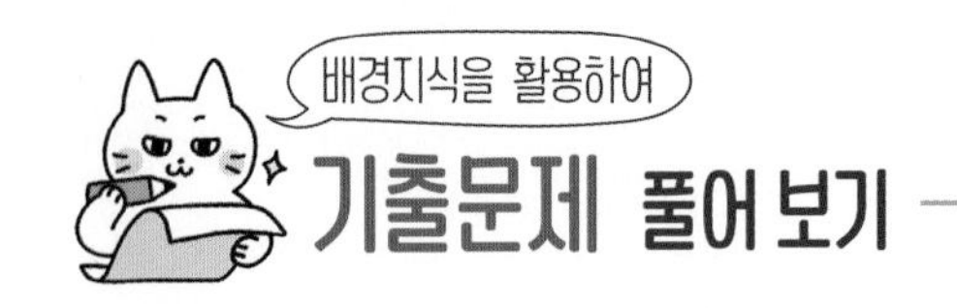

[01~02] 다음 글을 읽고 물음에 답하시오.

❶ [1]물은 상온에서 액체 상태이며, 100℃에서 끓어 기체인 수증기로 변하고, 0℃ 이하에서는 고체인 얼음으로 변한다. [2]만일 물이 상온 상태에서 기체이거나 또는 보다 높은 온도에서 끓어 고체 상태라면 물이 구성 성분의 대부분을 차지하는 생명체는 존재하지 않았을 것이다.

❷ [1]생물체가 생명을 유지하기 위해서 물에 의존하는 것은 무엇보다 물 분자 구조의 특징에서 비롯된다. [2]물 1 분자는 1개의 산소 원자(O)와 2개의 수소 원자(H)가 공유 결합을 이루고 있는데, 2개의 수소 원자는 약 104.5°의 각도로 산소와 결합한다. [3]이때 산소 원자와 수소 원자는 전자를 1개씩 내어서 전자쌍을 만들고 이를 공유한다. [4]하지만 전자쌍은 전자친화도가 더 큰 산소 원자 쪽에 가깝게 위치하여 산소 원자는 약한 음전하(−)를, 수소는 약한 양전하(+)를 띠게 되어 물 분자는 극성을 가지게 된다. [5]따라서 극성을 띤 물 분자들끼리는 서로 다른 물 분자의 수소와 산소 사이에 전기적 인력이 작용하는 결합이 형성된다.

❸ [1]물 분자가 극성을 가지고 있어서 물은 여러 가지 물질을 잘 녹이는 특성을 가진다. [2]그래서 우리 몸에서 용매 역할을 하며, 각종 물질을 운반하는 기능을 담당한다. [3]물은 혈액을 구성하고 있어 영양소, 산소, 호르몬, 노폐물 등을 운반하며, 대사 반응, 에너지 전달 과정의 •매질 역할을 하고 있다. [4]또한 전기적 인력으로 결합된 구조는 물이 비열이 큰 성질을 갖게 한다. [5]비열은 물질 1 g을 온도 1℃를 높일 때 필요한 열량을 말하는데, 물질의 고유한 특성이다. [6]체액은 대부분 물로 구성되어 있어서 상당한 추위에도 어느 정도까지는 체온이 내려가는 것을 막아 준다. [7]특히 우리 몸의 여러 생리 작용은 효소 단백질에 의해 일어나는데, 단백질은 온도 변화에 민감하므로 체온을 유지하는 것은 매우 중요하다.

• **매질** 어떤 파동 또는 물리적 작용을 한 곳에서 다른 곳으로 옮겨 주는 매개물.

01 윗글을 읽고 알 수 있는 내용으로 적절하면 ○에, 적절하지 않으면 ×에 표시하시오.

(1) 물 분자를 이루는 산소와 수소는 전자를 공유한다. ○ ×

(2) 물은 물질의 전달 과정에서 매질의 역할을 한다. ○ ×

(3) 물의 비열은 물의 고유한 특성이다. ○ ×

02 ❷를 도식화할 때, 가장 적절한 것은?

①
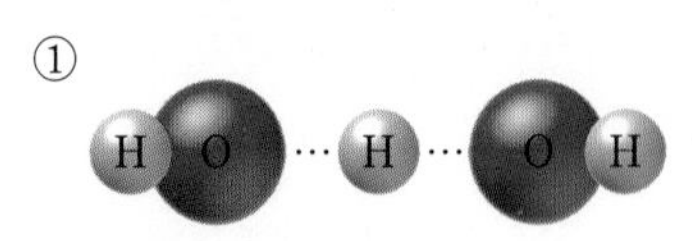

②
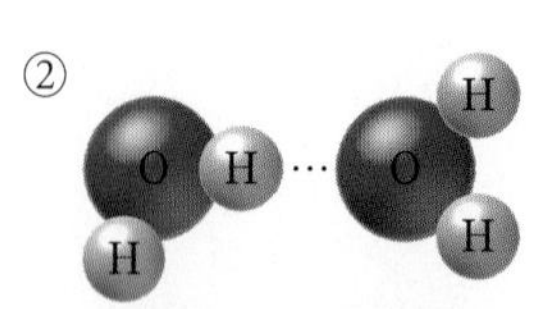

③
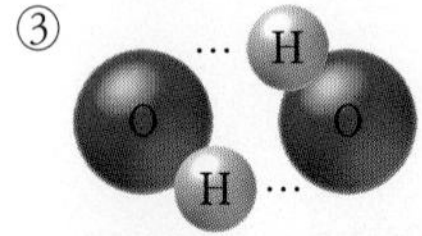

④
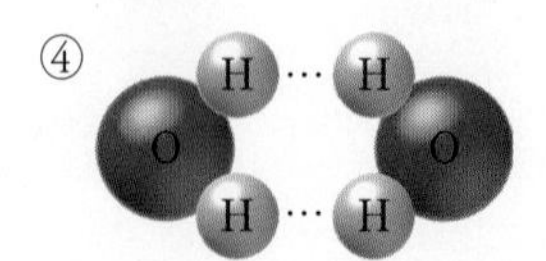

⑤
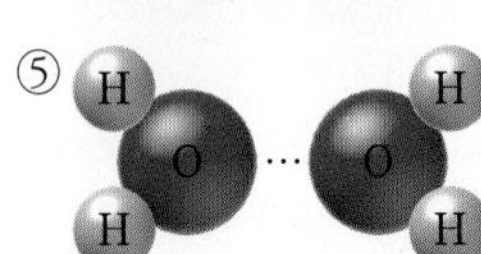

* …은 전기적 인력을 표시

[03~04] 다음 글을 읽고 물음에 답하시오.

❶ [1]지방은 몸을 구성하는 주요 성분이다. [2]또한 지방은 우리 몸의 에너지원이 되기도 하는데, 탄수화물과 단백질은 1g당 4kcal의 열량을 내는 데 비해 지방은 9kcal의 열량을 낸다. [3]'체지방'은 섭취한 영양분 중 쓰고 남은 영양분을 지방의 형태로 몸 안에 축적해 놓은 것을 지칭하는 용어이다. [4]체지방은 지방 조직을 이루는 지방세포에 축적되며, 피부 밑에 위치하는 피하지방과 내장 기관 주위에 위치하는 내장지방으로 나뉜다. [5]이 체지방은 내장 보호와 체온 조절 기능을 할 뿐 아니라 필요시 분해되어 에너지를 만들기도 한다.

❷ [1]체지방이 과잉 축적된 상태인 비만은 여러 가지 질병을 유발할 수 있으므로 건강을 유지하기 위해서는 체지방을 조절해야 한다. [2]이때 활용할 수 있는 지수가 체중에서 체지방이 차지하는 비율인 '체지방률'이다. [3]비만의 판정과 관련하여 흔히 쓰이는 '체질량지수(BMI)'는 신장과 체중을 이용한 여러 체격지수 중에서 체지방과 가장 상관성이 높은 것으로 알려져 있다. [4]BMI는 체중(kg)을 신장의 제곱(m^2)으로 나누어 구하는데, 18.5~22.9이면 정상 체중, 23 이상이면 과체중, 25 이상이면 경도 비만, 30 이상이면 고도 비만으로 판정한다. [5]그러나 운동선수처럼 근육량이 많은 사람은 체지방량이 적어도 상대적으로 BMI가 높을 수 있다. [6]이처럼 BMI는 체지방량에 대한 추정만 가능할 뿐 체지방량을 정확하게 알려줄 수 없다는 단점이 있다. [7]그렇다면 BMI의 단점을 보완할 수 있는 체지방 측정 방법에는 어떤 것이 있을까?

❸ [1]체지방을 측정하는 방법 중 가장 간단한 방법으로 '피부두겹법'이 있다. [2]이 방법은 살을 •캘리퍼스로 집어서 피하지방의 두께를 잰 후 통계 공식에 넣어 체지방을 •산출한다. [3]하지만 이 방법은 측정 부위나 측정자의 숙련도에 따라 측정 오차가 발생할 수 있고, 내장지방을 측정할 수 없다는 한계가 있다.

❹ [1]'수중체중법'은 신체를 물에 완전히 잠근 후 수중 체중을 측정하고 물 밖 체중과 비교하여 체지방량을 계산하는 방법이다. [2]체중은 체지방과 •제지방의 합이다. [3]체지방은 밀도가 0.9g/cm^3로 물에 뜨고, 제지방은 밀도가 1.1g/cm^3로 물보다 높아 가라앉는다. [4]그러므로 체지방량이 많을수록 수중 체중이 줄어들어 물 밖 체중과의 차이가 커진다. [5]이 차이를 이용하여 체지방량을 얻어낼 수 있다. [6]이 방법은 체지방량을 구하는 표준 방법으로 쓰일 정도로 이론적으로는 정확성이 높다. [7]하지만 신체 부위별 체지방의 구성이나 비율은 정확하게 측정할 수 없다. [8]그리고 체내 공기량에 따라 측정치가 달라질 수 있으므로 이에 대한 보정이 필요하며, 고가의 장비가 필요한 점 등으로 인해 연구 목적 외에는 잘 사용되지 않는다.

• **캘리퍼스** 자로 재기 힘든 물체의 두께, 지름 등을 재는 기구. • **산출하다** 계산하여 내다. • **제지방** 근육과 뼈, 수분 등 지방 이외의 신체 구성 성분.

03 윗글을 읽고 알 수 있는 내용으로 적절하면 ○에, 적절하지 않으면 ×에 표시하시오.

(1) BMI로는 비만을 판정할 수 없다. ○ ×

(2) 체중이 같을 때, 신장이 더 작은 사람의 BMI가 더 높다. ○ ×

(3) 체중이 같을 때, 체지방량이 더 많은 사람은 제지방량도 더 많다. ○ ×

04 윗글을 이해한 내용으로 적절하지 않은 것은?

① 지방은 탄수화물과 단백질에 비해 열량이 높다.

② 체지방은 피하지방과 내장지방으로 나눌 수 있다.

③ 체지방은 몸 안에 저장되기도 하고 분해되기도 한다.

④ 피부두겹법은 캘리퍼스를 활용하여 피하지방과 내장지방을 산출한다.

⑤ 수중체중법은 체지방과 제지방의 밀도를 활용하여 체지방량을 계산한다.

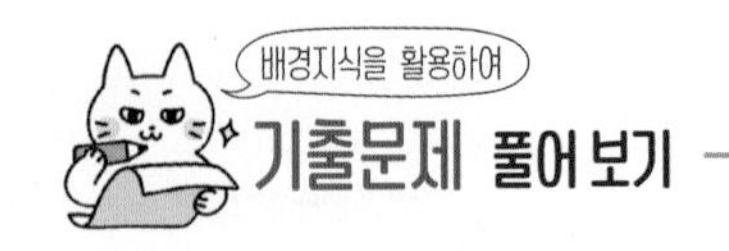

[05~06] 다음 글을 읽고 물음에 답하시오.

❶ [1]어떤 물체가 물이나 공기와 같은 •유체 속에서 자유 낙하할 때 물체에는 중력, 부력, 항력이 작용한다. [2]중력은 물체의 질량에 중력 가속도를 곱한 값으로 물체가 낙하하는 동안 일정하다. [3]부력은 어떤 물체에 의해서 배제된 부피만큼의 유체의 무게에 해당하는 힘으로, 항상 중력의 반대 방향으로 작용한다. [4]빗방울에 작용하는 부력의 크기는 빗방울의 부피에 해당하는 공기의 무게이다. [5]공기의 밀도는 물의 밀도의 1,000분의 1 수준이므로, 빗방울이 공기 중에서 떨어질 때 부력이 빗방울의 낙하 운동에 영향을 주는 정도는 미미하다. [6]그러나 스티로폼 입자와 같이 밀도가 매우 작은 물체가 낙하할 경우에는 부력이 물체의 낙하 속도에 큰 영향을 미친다.

❷ [1]물체가 유체 내에 정지해 있을 때와는 달리, 유체 속에서 운동하는 경우에는 물체의 운동에 저항하는 힘인 항력이 발생하는데, 이 힘은 물체의 운동 방향과 반대로 작용한다. [2]항력은 유체 속에서 운동하는 물체의 속도가 커질수록 이에 •상응하여 커진다. [3]항력은 마찰 항력과 압력 항력의 합이다. [4]마찰 항력은 유체의 점성 때문에 물체의 표면에 가해지는 항력으로, 유체의 점성이 크거나 물체의 표면적이 클수록 커진다. [5]압력 항력은 물체가 이동할 때 물체의 전후방에 생기는 압력 차에 의해 생기는 항력으로, 물체의 운동 방향에서 바라본 물체의 단면적이 클수록 커진다.

❸ [1]안개비의 빗방울이나 미세 먼지와 같이 작은 물체가 낙하하는 경우에는 물체의 전후방에 생기는 압력 차가 매우 작아 마찰 항력이 전체 항력의 대부분을 차지한다. [2]빗방울의 크기가 커지면 전체 항력 중 압력 항력이 차지하는 비율이 점점 커진다. [3]반면 스카이다이버와 같이 큰 물체가 빠른 속도로 떨어질 때에는 물체의 전후방에 생기는 압력 차에 의한 압력 항력이 매우 크므로 마찰 항력이 전체 항력에 •기여하는 비중은 무시할 만하다.

❹ [1]빗방울이 낙하할 때 처음에는 중력 때문에 빗방울의 낙하 속도가 점점 증가하지만, 이에 따라 항력도 커지게 되어 마침내 항력과 부력의 합이 중력의 크기와 같아지게 된다. [2]이때 물체의 가속도가 0이 되므로 빗방울의 속도는 일정해지는데, 이렇게 일정해진 속도를 종단 속도라 한다. [3]유체 속에서 상승하거나 지면과 수평으로 이동하는 물체의 경우에도 종단 속도가 나타나는 것은 이동 방향으로 작용하는 힘과 반대 방향으로 작용하는 힘의 평형에 의한 것이다.

- **유체** 기체와 액체를 아울러 이르는 말.
- **상응하다** 서로 응하거나 어울리다.
- **기여하다** 도움이 되도록 이바지하다.

과학

05 윗글을 통해 알 수 있는 내용으로 가장 적절한 것은?

① 스카이다이버가 낙하 운동할 때에는 마찰 항력이 전체 항력의 대부분을 차지하게 된다.
② 물체가 유체 속에서 운동할 때 물체 전후방에 생기는 압력 차는 그 물체의 속도를 증가시킨다.
③ 낙하하는 물체의 속도가 종단 속도에 이르게 되면 그 물체의 가속도는 중력 가속도와 같아진다.
④ 균일한 밀도의 액체 속에서 낙하하는 동전에 작용하는 부력은 항력의 크기에 상관없이 일정한 크기를 유지한다.
⑤ 균일한 밀도의 액체 속에 완전히 잠겨 있는 쇠 막대에 작용하는 부력은 서 있을 때보다 누워 있을 때가 더 크다.

06 윗글을 바탕으로 〈보기〉에 대해 탐구한 내용으로 가장 적절한 것은?

보기

크기와 모양은 같으나 밀도가 서로 다른 구 모양의 물체 A와 B를 공기 중에 고정하였다. 이때 물체 A와 B의 밀도는 공기보다 작으며, 물체 B의 밀도는 물체 A보다 더 크다. 물체 A와 B를 놓아 주었더니 두 물체 모두 속도가 증가하며 상승하다가, 각각 어느 정도 시간이 지난 후 각각 다른 일정한 속도를 유지한 채 계속 상승하였다. (단, 두 물체는 공기나 다른 기체 중에서 크기와 밀도가 유지되도록 제작되었고, 물체 운동에 영향을 줄 수 있는 기체의 흐름과 같은 외적 요인들이 모두 제거되었다고 가정함.)

① A와 B가 고정되어 있을 때에는 A에 작용하는 항력이 B에 작용하는 항력보다 더 작겠군.
② A와 B가 각각 일정한 속도를 유지할 때 A에 작용하고 있는 항력은 B에 작용하고 있는 항력보다 더 작겠군.
③ A에 작용하는 부력과 중력의 크기 차이는 A의 속도가 증가하고 있을 때보다 A가 고정되어 있을 때 더 크겠군.
④ A와 B 모두 일정한 속도에 도달하기 전에 속도가 증가하는 것으로 보아 A와 B에 작용하는 항력이 점점 감소하기 때문에 일정한 속도에 도달하는 것이겠군.
⑤ 공기보다 밀도가 더 큰 기체 내에서 B가 상승하여 일정한 속도를 유지할 때 B에 작용하는 항력은 공기 중에서 상승하여 일정한 속도를 유지할 때 작용하는 항력보다 더 크겠군.

08

2 화학

물리 변화와 화학 변화

기출 속 배경지식 키워드 | #물리 변화 #상태 변화 #열에너지 #화학 변화 #산화 #환원

교과 연계
중학교 과학1
Ⅴ. 물질의 상태 변화
고등학교 화학 Ⅰ
Ⅳ. 역동적인 화학 반응

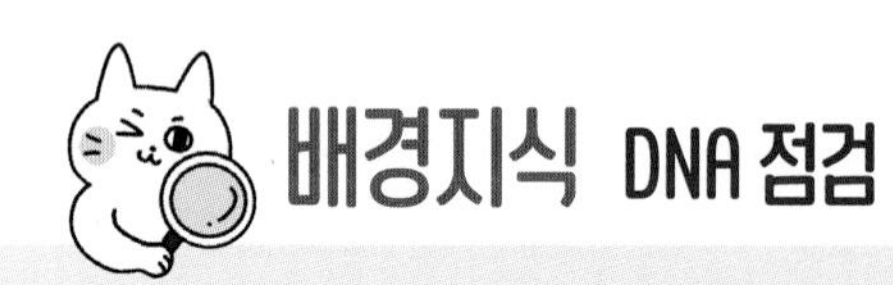

○ 다음 ㉠~㉤에 들어갈 적절한 단어를 보기 에서 찾아 적어 봅시다.

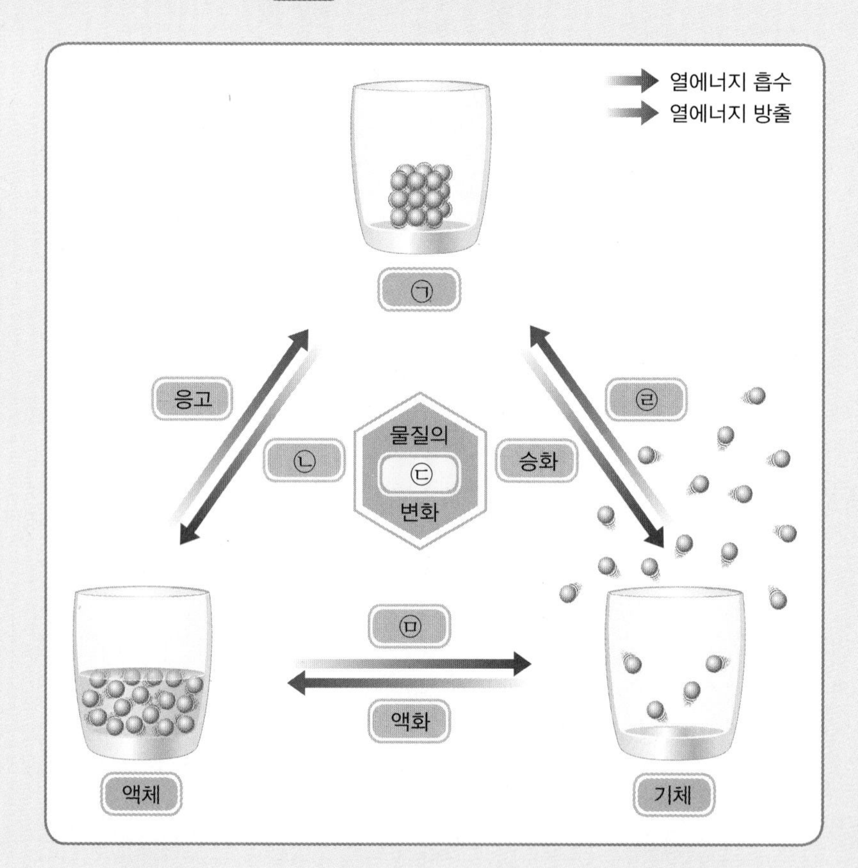

보기
승화 기화 고체 융해 산화 상태 화학

• ㉠: (   )   • ㉡: (   )   • ㉢: (   )
• ㉣: (   )   • ㉤: (   )

답 ㉠고체 ㉡융해 ㉢상태 ㉣승화 ㉤기화

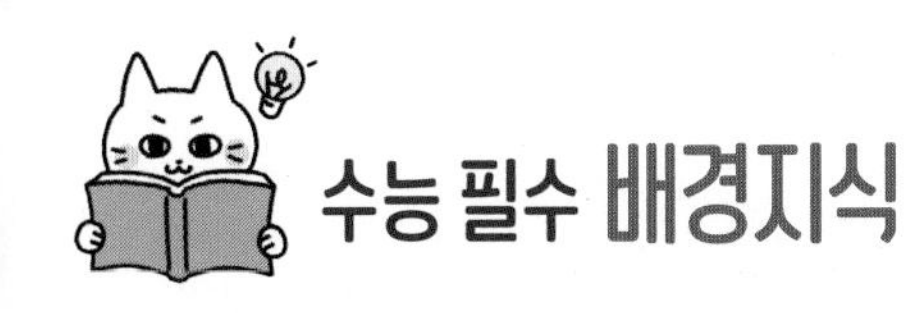

아이스크림을 포장할 때 함께 넣어 주는 드라이아이스를 자세히 본 적이 있니? 얼음처럼 생겼지만 녹아서 물이 되지 않고 조금씩 사라지기만 하지. 드라이아이스는 액체가 되지 않고 바로 기체로 변하거든. 또 드라이아이스 조각을 물에 넣으면 드라이아이스의 이산화 탄소(CO_2)와 물(H_2O)이 만나서 탄산(H_2CO_3)이 생기는 것을 관찰할 수 있어. 이때 전자는 물질의 물리 변화, 후자는 물질의 화학 변화가 나타난 거야. 두 변화의 차이는 무엇인지 살펴보자.

물리 변화 ● 어떤 물질의 겉모습만 달라질 뿐 그 물질이 가진 고유한 성질은 유지되는 변화

상태 변화

우리 주위의 대부분의 물질은 **고체, 액체, 기체** 중 한 가지 상태로 존재해. 예를 들면 얼음이나 책 등은 고체, 물이나 주스 등은 (1) ㅇㅊ, 공기나 이산화 탄소는 기체 상태이지. 이들은 각각 다음과 같은 특징을 가지고 있어.

물질의 상태	고체	액체	기체
분자의 배열			
특징	분자가 규칙적으로 서로 가깝게 배열되어 모양과 부피가 일정하다.	분자가 서로 가깝지만 불규칙적으로 배열되어 모양이 변하며, 부피는 일정하다.	분자 사이의 거리가 매우 멀어서 모양과 부피가 일정하지 않다.

더운 여름날 아이스바를 먹으면 굳어 있던 아이스바가 녹아서 흘러내리는 것을 관찰할 수 있어. 고체 상태였던 아이스바가 액체 상태로 변한 것이지. 이렇게 물질은 온도가 높아지거나 낮아지면 다른 상태로 변할 수 있는데 이를 물질의 **상태 변화**라고 해.

물질의 (2) ㅅㅌ ㅂㅎ가 일어나면 물질을 구성하는 분자의 배열이 달라져. 그렇지만 분자의 종류와 개수는 변하지 않기 때문에 물질의 성질 또한 변하지 않아서 상태 변화는 물리 변화에 해당해.

고체, 액체, 기체의 예

고체	
액체	
기체	

잠깐 체크

❶ 고체 상태의 물질은 다른 상태로 변할 수 있다. (○, ×)

❷ 물질이 액체에서 기체로 변하면 입자 사이의 거리가 더 가까워진다. (○, ×)

답 ❶ ○ ❷ ×

과학

상태 변화의 종류

아이스바가 녹는 것처럼 물질이 고체 상태에서 액체 상태로 변하는 현상을 **융해**라고 하고, 반대로 녹은 초콜릿이 굳는 것처럼 물질이 액체 상태에서 고체 상태로 변하는 현상을 **응고**라고 해.

또, 물을 가열하면 수증기로 변하는 것처럼 물질이 액체 상태에서 기체 상태로 변하는 현상을 **기화**라고 해. 반대로 물질이 기체 상태에서 액체 상태로 변하는 현상은 **액화**라고 하지.

한편 지퍼 백 속에 드라이아이스 조각을 넣으면 시간이 지남에 따라 크기가 점점 작아지고 지퍼 백은 부풀어 오르는데 이것은 고체 상태의 드라이아이스가 (3) ㄱㅊ 상태로 변했기 때문이야. 이처럼 물질이 고체 상태에서 액체 상태를 거치지 않고 기체 상태로 변하거나, 기체 상태에서 바로 고체 상태로 변하는 현상도 있는데 이를 가리켜 **승화**라고 해.

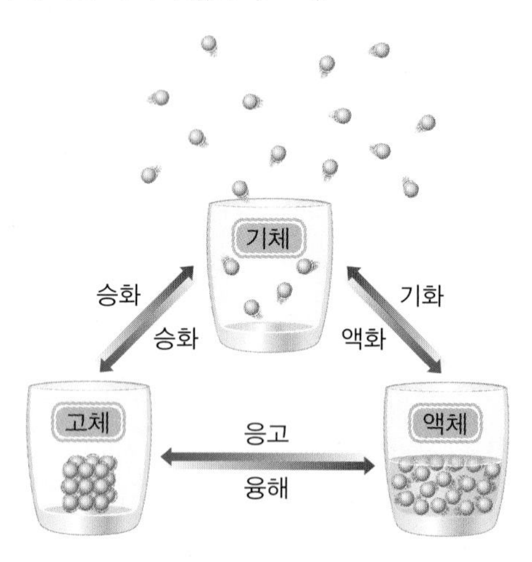

상태 변화와 열에너지

'**07** 물질의 특성' 단원에서 **끓는점**(액체 → 기체), **녹는점**(고체 → 액체), **어는점**(액체 → 고체)은 물질의 상태 변화가 일어나는 동안 일정하게 유지되는 온도라고 했지? 이때 끓는점과 녹는점에서 온도가 일정하게 유지되는 까닭은 물질에 가한 열에너지가 물질의 상태를 변화시키는 데 모두 사용되기 때문이야. 그리고 이 과정에서 물질이 주변의 **열에너지를 흡수**하기 때문에 주위 온도가 낮아져. 더운 여름날 땅에 물을 뿌리면 주변이 시원해지는데 이는 물이 기화하면서 주변의 열에너지를 (4) ㅎㅅ하는 현상을 활용한 거야.

열에너지
온도가 높은 물질에서 낮은 물질로 이동하는 에너지로, 물질의 온도나 상태를 변화시킨다.

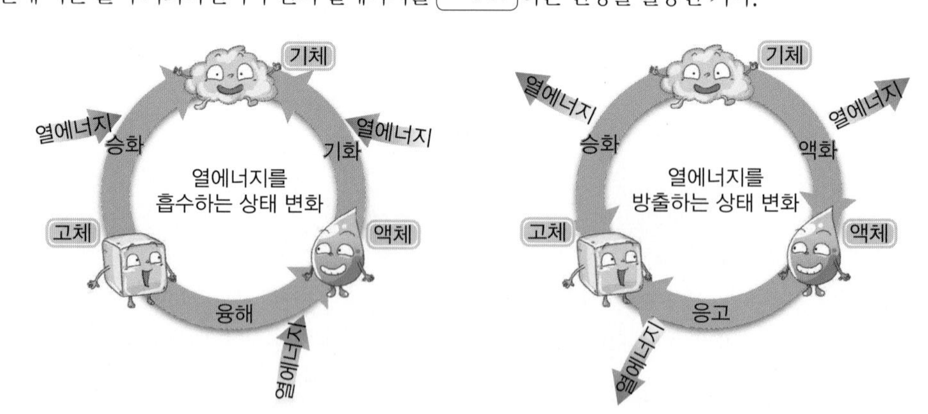

반대로 온도가 낮아지는 상황을 볼까? 액체가 얼어서 고체가 될 때 어는점에서 온도가 일정하게 유지되는 이유는, 물질이 상태 변화하면서 **열에너지를 방출**하기 때문이야. 따라서 주위 온도가 높아지게 되지. 오렌지를 키우는 농부는 날씨가 갑작스럽게 추워지면 오렌지에 물을 뿌리는데, 물이 얼면서 방출되는 열에너지를 활용하기 위해서야. 추운 날씨 때문에 물이 바로 응고되고, 이때 나온 열에너지는 오렌지가 어는 것을 막아 줘.

잠깐 체크

1. 고체가 기체로 승화하면 입자 사이의 거리가 멀어진다. (○, ×)
2. 물질이 액체 상태에서 고체 상태로 변하는 현상을 가리키는 개념은?
3. 융해는 열에너지를 흡수하는 상태 변화이다. (○, ×)
4. 이글루의 안쪽 벽에 물을 뿌리면 물이 (응고 / 액화)되면서 주변 온도가 (높아진다 / 낮아진다).

답 ❶ ○ ❷ 응고 ❸ ○ ❹ 응고, 높아진다

화학 변화 ● 어떤 물질이 전혀 다른 성질의 새로운 물질로 바뀌는 변화

앞서 다룬 물리 변화와 달리 어떤 물질이 전혀 다른 성질의 새로운 물질로 바뀌는 변화인 **화학 변화**가 일어날 때도 있어. 화학 변화가 일어나면 물질을 이루는 원자 사이의 결합에 변화가 생겨서 새로운 (5) ㅁㅈ 이 만들어지지. 예를 들어 물을 전기 분해하면 수소 기체와 산소 기체가 발생하는데 수소 분자와 산소 분자는 물과 성질이 다른 물질이야. 이처럼 화학 변화가 일어나 어떤 물질이 전혀 다른 성질의 새로운 물질로 변하는 반응을 **화학 반응**이라고 해.

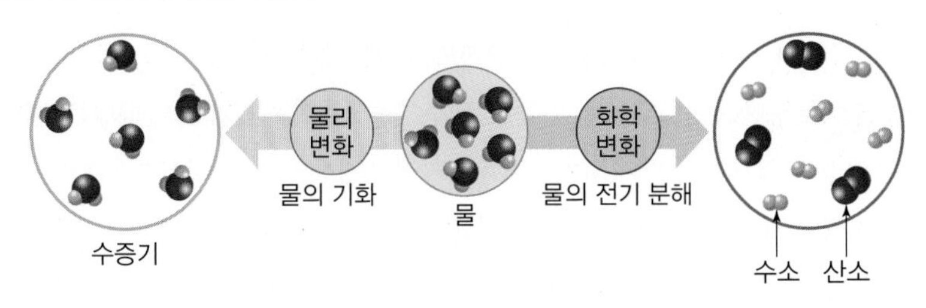

산화와 환원

산소는 거의 모든 물질과 결합을 할 만큼 화학 반응을 잘하는 원소야. 이러한 산소의 화학 반응은 산소의 이동뿐만 아니라 전자의 이동으로도 설명할 수 있어.

산화	• 어떤 물질이 산소와 결합하는 반응 • 어떤 원자나 이온이 전자를 잃는 반응
환원	• 어떤 물질이 산소를 잃는 반응 • 어떤 원자나 이온이 전자를 얻는 반응

전자를 잃는 산화 반응이 일어나려면 전자를 얻는 환원 반응도 일어나야 해. 반대로 환원 반응이 일어나려면 산화 반응도 일어나야 하지. 따라서 산화와 환원은 항상 동시에 일어나기 때문에 **산화 환원 반응**이라고 부르기도 해.

잠깐 체크

❶ 산화 반응은 물리 변화의 결과이다. (○, ×)

❷ 전자의 이동과 관계있는 산소의 화학 반응도 있다. (○, ×)

답 ❶ × ❷ ○

배경지식 Zip

물리 변화	어떤 물질의 겉모습만 달라질 뿐 그 물질이 가진 고유한 ❶ ( ) 은 유지되는 변화 예 상태 변화: 온도가 높아지거나 낮아지면서 물질이 다른 상태로 변하는 것. 물질의 상태 변화가 일어나는 과정에서 ❷ ( ) 를 흡수하거나 방출함.
화학 변화	어떤 물질이 전혀 다른 성질의 새로운 물질로 바뀌는 변화 예 물(H_2O)을 전기 분해하면 수소(H_2) 기체와 산소(O_2) 기체가 발생하는 것, 산화 ❸ ( ) 반응

답 ❶ 성질 ❷ 열에너지 ❸ 환원

본문 빈칸 답 (1) 액체 (2) 상태 변화 (3) 기체 (4) 흡수 (5) 물질

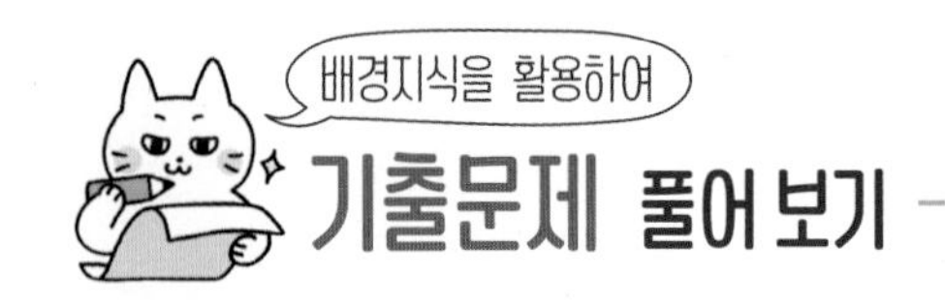

[01~02] 다음 글을 읽고 물음에 답하시오.

❶ [1]지역난방은 열병합 발전소에서 전기 생산을 위해 사용된 열을 회수하여 인근 지역의 난방에 활용하는 것이다. [2]지역난방에서는 회수된 열로 데워진 물을 배관을 통해 인근 지역으로 공급함으로써 열을 수송하는 방식을 주로 사용하는데, 근래에는 열 수송의 효율성을 높이기 위해 상변화 물질을 활용하는 방식을 개발하고 있다.

❷ [1]열 수송에 사용되는 상변화 물질이란, 상변화를 할 때 수반되는 ㉠잠열을 효율적으로 사용하기 위해 활용되는 물질을 말한다. [2]상변화란, 물질의 상태를 고체, 액체, 기체로 분류할 때, 주변의 온도나 압력 변화에 의해 어떤 물질이 이전과 다른 상태로 변하는 것을 의미한다. [3]이러한 변화에는 열이 수반되는데, 이를 '잠열'이라고 한다. [4]예를 들어 비커에 일정량의 얼음을 넣고 가열하면 얼음의 온도가 올라가게 되고, 0°C에 도달하면 얼음이 물로 변하기 시작하여 비커 속에는 얼음과 물이 공존하게 된다. [5]그런데 비커 속 얼음이 모두 물로 변할 때까지는 온도가 올라가지 않고 계속 0°C를 유지하는데, 이는 비커에 가해진 열이 물질의 온도 변화가 아닌 상변화에 사용되었기 때문이다. [6]이렇게 상변화에 사용된 열이 잠열인데, 이는 물질의 온도 변화로 나타나지 않는 숨어 있는 열이라는 뜻이다. [7]잠열은 물질마다 그 크기가 다르며, 일반적으로 물질이 고체에서 액체가 되거나 액체에서 기체가 될 때, 또는 고체에서 바로 기체가 될 때에는 잠열을 흡수하고 그 반대의 경우에는 잠열을 방출한다. [8]한편 비커를 계속 가열하여 얼음이 모두 녹아 물이 된 후에는 다시 온도가 올라가기 시작한다. [9]이렇게 얼음의 온도가 올라가거나 물의 온도가 올라가는 것처럼 온도 변화로 나타나는 열을 '현열'이라고 한다.

❸ [1]상변화 물질을 활용하여 열병합 발전소에서 인근 지역 공동주택으로 열을 수송하는 과정을 살펴보자. [2]열병합 발전소에서는 발전에 사용된 수증기를 열교환기로 보낸다. [3]열교환기로 이동한 수증기는 열 수송에 사용되는 물에 열을 전달하여 물을 데운다. [4]이 물 속에는 고체 상태의 상변화 물질이 담겨 있는 마이크로 단위의 캡슐이 섞여 있다. [5]이 상변화 물질의 녹는점은 물의 어는점과 끓는점 사이에 있기 때문에, 물이 데워져 물의 온도가 상변화 물질의 녹는점 이상이 되면 상변화 물질은 액체로 상변화하게 된다. [6]액체가 된 상변화 물질이 섞인 물은 열교환기에서 나와 온수 공급관을 통해 인근 지역 공동주택 기계실의 열교환기로 이동한다. [7]이 과정에서 상변화 물질이 고체로 상변화되지 않아야 하므로 이동하는 물의 온도는 상변화 물질의 녹는점 이상으로 유지되어야 한다. [8]공동주택 기계실의 열교환기로 이동한 물과 캡슐 속 상변화 물질은 공동주택의 찬물에 열을 전달하면서 온도가 내려간다. [9]이렇게 공동주택의 찬물을 데우는 과정에서 상변화 물질의 온도가 상변화 물질의 녹는점 이하로 내려가면 캡슐 속 상변화 물질은 액체에서 고체로 상변화하면서 잠열을 방출하게 되는데, 이 역시 찬물을 데우는 데 사용된다. [10]즉 온수 공급관을 통해 이동해 온 물의 현열과 캡슐 속 상변화 물질의 현열, 그리고 상변화 물질의 잠열이 공동주택의 찬물을 데우는 데 모두 사용되는 것이다.

01

윗글의 내용과 일치하면 ○에, 일치하지 않으면 ×에 표시하시오.

(1) 열병합 발전소에서는 전기 생산에 사용된 수증기의 열을 회수한다. ○ ×

(2) 캡슐 속 상변화 물질은 고체에서 액체로 상변화할 때 잠열을 방출한다. ○ ×

(3) 상변화 물질이 섞인 물이 열교환기로 이동하는 동안, 물의 온도는 상변화 물질의 녹는점 이하로 유지되어야 한다. ○ ×

02

㉠에 대한 설명으로 적절하지 않은 것은?

① 물질마다 크기가 각기 다르다.
② 물질의 온도 변화로 나타나지 않는다.
③ 숨어 있는 열이라는 뜻을 지니고 있다.
④ 물질의 상변화가 일어날 때 흡수되거나 방출된다.
⑤ 상변화하고 있는 물질의 현열을 증가시키는 역할을 한다.

[03~04] 다음 글을 읽고 물음에 답하시오.

❶ [1]우리는 생활에서 각종 유해 가스에 노출될 수 있다. [2]인간은 후각이나 호흡 기관을 통해 위험 가스의 존재를 인지할 수는 있으나, 그 종류를 감각으로 판별하기는 어려우며, 미세한 농도의 감지는 더욱 불가능하다. [3]따라서 가스의 종류나 농도 등을 감지할 수 있는 고성능 가스 센서를 사용하는 것이 위험 가스로 인한 사고를 미연에 방지할 수 있는 길이다.

❷ [1]가스 센서란 특정 가스를 감지하여 그것을 적당한 전기 신호로 변환하는 장치의 총칭이다. [2]각종 가스 센서 가운데 산화물 반도체 물질을 이용한 저항형 센서는 감지 속도가 빠르고 안정성이 높으며 휴대용 장치에 적용할 수 있도록 소형화가 용이하기 때문에 널리 사용되고 있다. [3]센서 장치에서 ㉠안정성이 높다는 것은 시간이 지남에 따라 반복 측정하여도 동일 조건 하에서는 센서의 출력이 거의 일정하다는 뜻이다.

❸ [1]저항형 가스 센서는 두께가 수백 나노미터(10^{-9}m)에서 수 마이크로미터(10^{-6}m)인 산화물 반도체 물질이 두 전극 사이를 연결하는 방식으로 되어 있다. [2]가스가 센서에 다다르면 시간이 지남에 따라 산화물 반도체 물질에 •흡착되는 가스의 양이 늘어나다가 흡착된 가스의 양이 일정하게 유지되는 정상 상태(定常狀態)에 도달하여 일정한 저항값을 나타내게 된다. [3]정상 상태에 도달하는 동안 이산화질소와 같은 산화 가스는 산화물 반도체로부터 전자를 받으면서 흡착하여 산화물 반도체의 저항값을 증가시킨다. [4]반면에 일산화탄소와 같은 환원 가스는 산화물 반도체 물질에 전자를 주면서 흡착하여 산화물 반도체의 저항값을 감소시킨다. [5]이러한 저항값 변화로부터 가스를 감지하고 농도를 산출하는 것이 센서의 작동 원리이다.

❹ [1]저항형 가스 센서의 성능을 평가하는 주된 요소는 응답 감도, 응답 시간, 회복 시간이다. [2]응답 감도는 특정 가스가 존재할 때 가스 센서의 저항이 얼마나 민감하게 변하는가에 대한 정도이며, 이 값이 클수록 가스 센서는 감도가 좋다고 할 수 있다. [3]또한 가스 센서가 특정 가스를 얼마나 빨리 감지하고 반응하느냐의 척도인 응답 시간은 응답 감도 값의 50% 혹은 90% 값에 도달하는 데 걸리는 시간으로 정의된다. [4]한편, 센서는 반복적으로 사용해야 하기 때문에 산화물 반도체 물질에 정상 상태로 흡착돼 있는 가스를 가능한 한 빠른 시간 내에 •탈착시켜 처음 상태로 되돌려야 한다. [5]따라서 흡착된 가스가 공기 중에서 탈착되는 데 필요한 시간인 회복 시간 역시 가스 센서의 성능을 평가하는 중요한 요소로 꼽힌다.

• **흡착** 고체 표면에 기체나 액체가 달라붙는 현상.
• **탈착** 흡착된 물질이 고체 표면으로부터 떨어지는 현상.

03

윗글의 내용과 일치하면 ○에, 일치하지 않으면 ×에 표시하시오.

(1) 산화물 반도체 물질은 가스 흡착 시 전자를 주거나 받을 수 있다. ○ ×

(2) 회복 시간이 길어수록 산화물 반도체 가스 센서의 성능이 좋다고 평가된다. ○ ×

(3) 저항형 가스 센서는 가스의 탈착으로 변화한 저항값으로부터 가스를 감지한다. ○ ×

04

㉠에 해당하는 예로 가장 적절한 것은?

① 어제 잠자리에 들기 전 음악을 듣고 마음의 안정을 찾았다.
② 체육 시간에 안정적인 자세로 물구나무를 서서 박수를 받았다.
③ 모형 항공기가 처음에는 맞바람에 요동쳤으나 곧 안정되어 활강하였다.
④ 자세를 여러 가지로 바꾸어 가며 공을 던졌으나 50m 이상 날아가지 않았다.
⑤ 매일 아침 운동장을 열 바퀴 걸은 직후 맥박을 재어 보니 항상 분당 128~130회였다.

과학

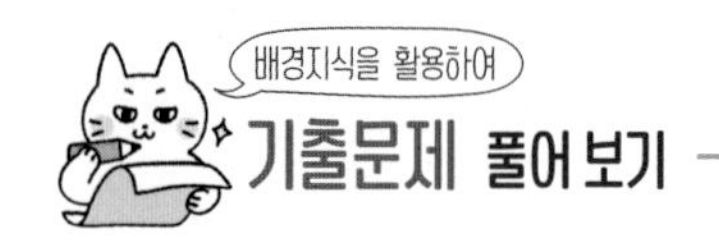

[05~08] 다음 글을 읽고 물음에 답하시오.

❶ [1]"이산화 탄소가 물에 녹는 현상은 물리 변화인가, 화학 변화인가?", "진한 황산을 물에 희석하여 묽은 황산을 만드는 과정은 물리 변화인가, 화학 변화인가?"

❷ [1]이러한 질문을 받으면 대다수의 사람들은 물리 변화라고 답하겠지만, 안타깝게도 정답은 화학 변화이다. [2]우리는 흔히 물리 변화의 정의를 '물질의 성질은 변하지 않고, 그 상태나 모양만이 변하는 현상'으로, 화학 변화의 경우는 ㉠'어떤 물질이 원래의 성질과는 전혀 다른 새로운 물질로 변하는 현상'이라고 알고 있다. [3]하지만 정작 '물질의 성질'이 무엇을 의미하는지에 대해서는 정확하게 알고 있지 못하다.

❸ [1]'물질의 성질'은 물질을 구성하는 분자나 이온의 구조에 의해 나타나는 성질을 의미한다. [2]따라서 분자나 이온의 구조가 달라지면 물질의 성질은 변하게 된다. [3]예를 들어, 이산화 탄소(CO_2)는 물과 결합해 탄산 이온(HCO_3^-)을 형성하여 탄산수가 된다. [4]이것은 이산화 탄소와 물과는 전혀 다른 성질을 가지기 때문에 이산화 탄소가 물에 녹는 현상은 화학 변화라고 말할 수 있다. [5]반면에 ⓐ설탕이 물에 녹는 경우는 설탕의 색과 모양만 변하므로 이러한 용해 현상은 물리 변화에 해당한다.

❹ [1]그래도 진한 황산이 묽은 황산으로 변하는 것은 황산의 농도 변화에 지나지 않으니 물리 변화가 아니냐고 묻고 싶은 사람도 있을 것이다. [2]그러나, 이 역시 그렇지 않다. [3]굳이 분자 구조의 변화 여부를 따지지 않더라도, 진한 황산은 탈수 성질이 있는 반면에 묽은 황산은 그렇지 않고, ⓑ진한 황산에 물을 섞을 경우 엄청나게 많은 열이 발생하기 때문이다. [4]ⓒ진한 황산과 물의 반응에서 물이 •염기로 작용한다는 사실도 또 하나의 증거로 추가할 수 있다.

❺ [1]그렇다면, 소금이 물에 녹는 현상은 과연 어떤 변화에 해당할까? [2]이번에도 역시 물리 변화라고 답하기 쉽다. [3]그러나 설탕이 물에 녹는 경우와 달리 이 경우는 ⓓ소금(NaCl)의 이온 결합이 끊어져서 나트륨 이온(Na^+)과 염화 이온(Cl^-)으로 분리되기 때문에 물리 변화라고 말하기 어렵다. [4]소금물을 가열하면 다시 소금이 •석출되는 •가역 반응이 일어나므로 소금이 물에 녹는 변화는 물리 변화라고 주장하는 사람도 있겠지만, 가역 반응은 화학 변화에서도 자주 일어나는 현상이다.

❻ [1]그렇다고 해서 소금이 물에 녹는 현상을 화학 변화라고 단정해서 말하기도 어렵다. [2]물론, 소금이 물에 녹으면 이온 결합이 깨지고, 그로 인해 ⓔ전류가 통하지 않던 부도체가 전류가 통하는 •전해질로 변화하기는 한다. [3]하지만 새로운 화학 결합이 일어나는 것은 아니다. [4]따라서 '물질을 구성하는 입자 사이의 화학 결합이 깨어지고 새로운 화학 결합으로 입자가 구성되는 것'으로 화학 변화를 정의한다면, 소금이 물에 녹는 현상도 물리 변화라고 할 수 있게 된다. [5]요컨대, 기준이 되는 관점이 달라지면 동일한 현상을 물리 변화로 볼 수도 있고, 화학 변화로 볼 수도 있다.

- **염기** 산과 반응하여 염을 만드는 물질.
- **석출되다** 액체 속에서 고체가 생기다.
- **가역 반응** 화학 반응에서, 정반응(화학 변화가 반응 물질에서 생성 물질의 방향으로 진행하는 반응)과 역반응(어떤 반응에 대하여 그와 반대 방향으로 되돌아가는 반응)이 동시에 일어나는 반응.
- **전해질** 물과 같은 용매에 녹아서, 이온화하여 음양의 이온이 생기는 물질. 전도성을 띠며, 전기 분해가 가능하다.

05 윗글의 내용과 일치하지 않는 것은?

① 탄산수에는 이산화 탄소의 성질이 들어 있다.
② 진한 황산과 묽은 황산의 성질은 서로 다르다.
③ 물리 변화와 화학 변화 모두 가역 반응이 일어날 수 있다.
④ 물리 변화와 화학 변화를 정확하게 구별할 수 없는 경우도 있다.
⑤ 물질을 구성하는 분자나 이온의 구조가 달라지면 물질의 성질도 변한다.

06 ㉠을 설명하기 위한 예로 가장 적절한 것은?

① 진흙에 물이 섞여 진흙탕이 되었다.
② 색종이를 접어 종이비행기를 만들었다.
③ 찬물과 더운물이 섞여 미지근하게 되었다.
④ 포도를 병에 넣어 두었더니 포도주가 되었다.
⑤ 흰색과 검은색 물감을 섞어 회색 물감을 만들었다.

07 ⓐ~ⓔ로부터 추론한 내용으로 적절하지 않은 것은?

① ⓐ: 설탕은 물에 용해되어도 분자 구조가 변하지 않는다.
② ⓑ: 엄청난 발열 반응은 화학 변화의 증거일 수 있다.
③ ⓒ: 산과 염기의 반응은 화학 변화이다.
④ ⓓ: 소금은 나트륨 이온과 염화 이온의 성질을 모두 나타낸다.
⑤ ⓔ: 소금은 전류가 통하지 않는데 소금물은 통한다.

08 윗글을 바탕으로 발표 수업을 하기 위한 시각 자료를 준비하려 한다. '소금의 용해 과정'에 관한 시각 자료로 적절한 것은?

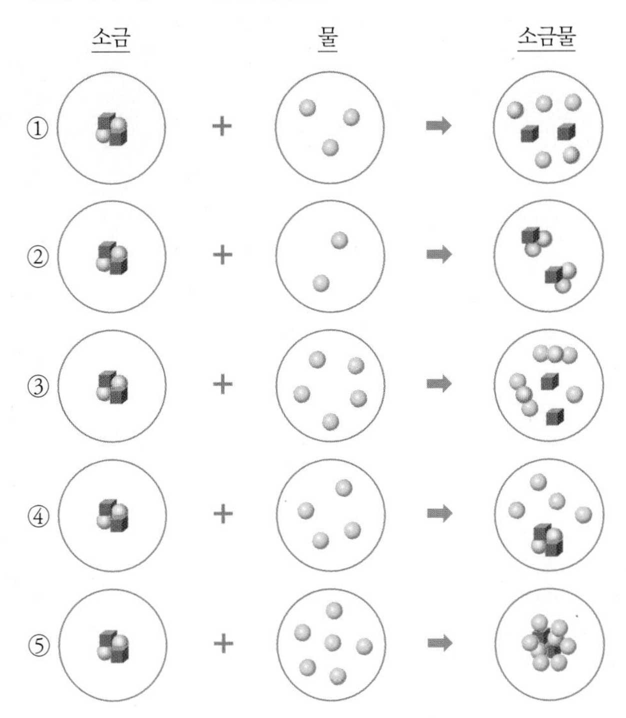

09

❸ 생명 과학

에너지와 물질대사

기출 속 배경지식 키워드 | #물질대사 #광합성 #증산 작용 #소화 #순환 #호흡 #배설

교과 연계
중학교 과학 2
Ⅳ. 식물과 에너지
Ⅴ. 동물과 에너지

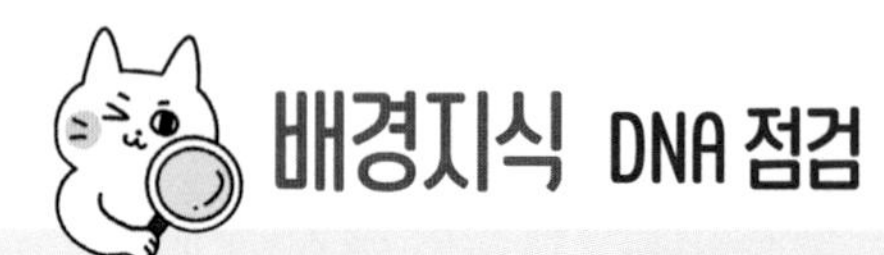

배경지식 DNA 점검

◎ 다음 내용이 맞으면 '예', 틀리면 '아니요'에 표시해 봅시다.

광합성은 잎의 엽록체에서 일어난다.	□ 예	□ 아니요
광합성에는 물과 산소가 필요하다.	□ 예	□ 아니요
우리 몸에서 탄수화물은 포도당으로 분해된다.	□ 예	□ 아니요
심장에서 나온 혈액은 동맥, 모세 혈관, 정맥을 거쳐 심장으로 되돌아온다.	□ 예	□ 아니요
콩팥은 혈액 속의 노폐물을 걸러서 오줌을 만든다.	□ 예	□ 아니요

답 예, 아니요, 예, 예, 예

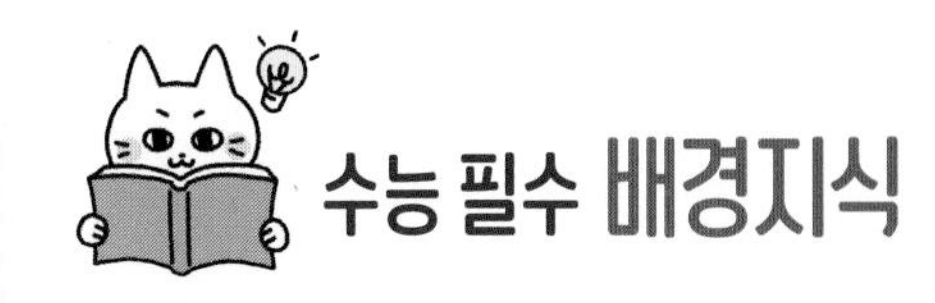
수능 필수 배경지식

동물은 왜 무언가를 먹어야만 살 수 있을까? 반대로 식물이 무언가를 먹지 않고도 자랄 수 있는 이유는 무엇일까? 그 답은 바로 생명체의 물질대사에 있어. **물질대사**는 생명체에서 일어나는 모든 화학 반응을 의미하는데, 생명체는 물질대사를 통해 생명 활동에 필요한 (1) ㅇㄴㅈ를 얻어. 그리고 이러한 물질대사에는 대부분 •효소의 •촉매 작용이 필요하단다. 지금부터 식물과 동물의 물질대사 과정 중 대표적인 것들을 살펴보자.

- **효소** 세포 안에서 합성되어 생명체에서 일어나는 거의 모든 화학 반응의 촉매 역할을 하는 고분자 화합물을 통틀어 이르는 말.
- **촉매** 자신은 변화하지 않으면서 다른 물질의 화학 반응을 매개하여 반응 속도를 빠르게 하거나 늦추는 일. 또는 그런 물질.

식물의 물질대사 • 광합성

식물의 빛에너지 활용법, 광합성

다른 생물을 먹이로 섭취하는 동물과 달리, 식물은 햇빛을 이용하여 필요한 양분을 직접 만드는데 이 과정을 **광합성**이라고 해. 식물의 광합성에는 빛과 물, 그리고 이산화 탄소가 필요해. 광합성은 잎의 엽록체에서 일어나는데, 엽록체에 들어 있는 초록색 색소인 **엽록소**가 광합성에 필요한 빛에너지를 흡수한단다.

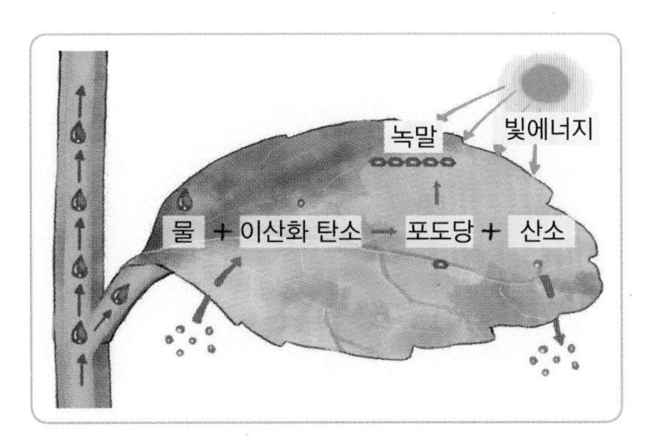

식물이 (2) ㄱㅎㅅ을 하면 •포도당과 산소가 만들어져. 포도당은 곧 녹말로 바뀌어 엽록체에 저장되고, 산소는 그 식물의 호흡에 사용되고 일부는 대기 중에 방출되어 다른 생물들의 호흡에 이용돼.

- **포도당** 단맛이 나고 물에 잘 녹으며 생물의 에너지원으로 쓰이는 탄수화물의 한 종류.

잎의 기공

식물 잎의 가장 바깥층에는 표면을 덮고 있는 조직인 표피가 있고, 표피에는 바깥과 통하는 작은 구멍이 많이 있는데 이를 기공이라고 해. **기공**은 입술 모양의 **공변세포** 2개로 둘러싸여 있는데 공변세포의 모양에 따라 기공이 열리고 닫히게 되지. 수증기뿐만 아니라 광합성과 호흡에 필요한 이산화 탄소, 산소가 바로 이 기공을 통해 식물 안팎으로 드나들어.

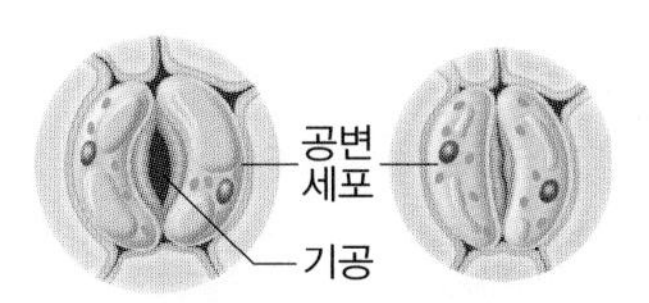

▲ 열린 기공 ▲ 닫힌 기공

광합성에 필요한 물의 여행, 증산 작용

햇빛이 비칠 때, 식물 안의 물 일부는 수증기가 되어 잎의 기공을 통해 빠져나가게 돼. 이처럼 기공에서 물이 수증기 형태로 빠져나가는 것을 **증산 작용**이라고 해. 증산 작용이 일어나 기공에서 공기 중으로 물이 빠져나가면, 잎에서는 부족한 물을 보충하기 위하여 잎맥과 줄기, 뿌리 속의 (3) ㅁ을 연속적으로 끌어 올리게 되지. 식물이 땅속 깊이 있는 뿌리에서 흡수한 물을 잎까지 끌어올릴 수 있는 것은 바로 이 증산 작용 덕분이야.

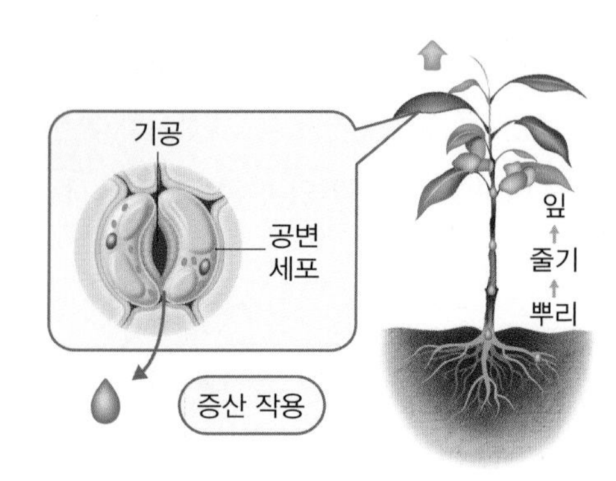

잠깐 체크

❶ 광합성이 일어나면 (물 / 포도당)과 산소가 만들어진다.

❷ 증산 작용은 식물의 (기공 / 줄기)에서 물이 수증기 형태로 빠져나가는 것이다.

답 ❶ 포도당 ❷ 기공

동물의 물질대사 • 소화와 순환, 호흡과 배설

영양소를 분해하는 소화

우리는 음식물을 섭취하여 우리 몸에 필요한 다양한 영양소를 얻고 있어. 그런데 음식에 들어 있는 대부분의 영양소는 크기가 매우 커서 세포 안으로 흡수되기가 어렵기 때문에, 세포막을 통과할 수 있는 작은 크기의 영양소로 분해되어야 해. 이렇게 몸 안에 들어온 영양소를 흡수 가능한 크기로 분해하는 과정을 **소화**라고 한단다.

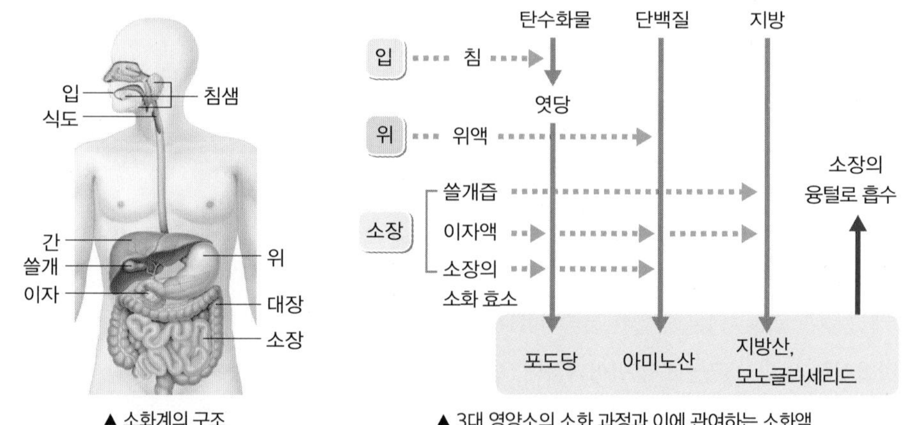

▲ 소화계의 구조

▲ 3대 영양소의 소화 과정과 이에 관여하는 소화액

소화 작용을 담당하는 **소화계**는 입, 식도, 위, 소장, 대장과 같이 음식물이 직접 지나가는 소화관과, 여기에 연결되어 소화액을 분비하는 침샘, 간, 쓸개, 이자로 구성되어 있어. 우리 몸은 탄수화물, (4) ㄷㅂㅈ, 지방을 각각 포도당, 아미노산, 지방산과 모노글리세리드로 분해한 다음 소장에서 흡수해. 위에서 오른쪽 그림은 3대 영양소의 소화 과정과 이에 관여하는 소화액을 정리한 그림이야.

혈액이 돌고 도는 순환

심장은 한순간도 쉬지 않고 움직여 혈액을 온몸으로 순환시키고 있어. 혈액은 혈관을 따라 우리 몸을 순환하면서 생명 활동에 필요한 물질과 생명 활동의 결과 생성된 •노폐물을 운반하지. 이와 같은 과정을 **순환**이라고 하고, 이러한 일에 관여하는 심장, 혈관, 혈액을 **순환계**라고 해.

•**노폐물** 생명체 내에서 생성된 대사산물 중 생명체에서 필요 없는 것.

심장은 폐 사이에 있는 주먹만 한 크기의 기관으로, 수축과 이완을 반복하면서 혈액을 순환시켜. 심장은 두꺼운 근육으로 되어 있고 두 개의 심방과 두 개의 심실로 이루어져 있어. **심방**은 심장으로 혈액이 들어오는 부분으로 정맥과 연결되어 있고, **심실**은 심장에서 혈액이 나가는 부분으로 동맥과 연결되어 있지.

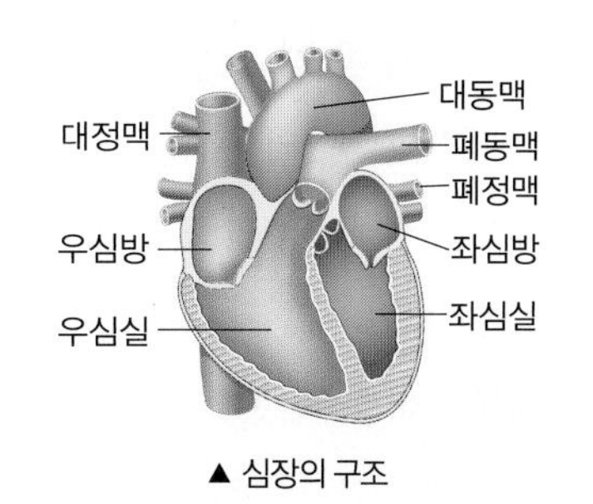

▲ 심장의 구조

혈관은 혈액이 흐르는 길인데 크게 **동맥**, **정맥**, **모세 혈관**이 있어.

동맥	심장에서 나온 혈액이 지나가는 혈관
정맥	심장으로 들어가는 혈액이 지나가는 혈관
모세 혈관	동맥과 정맥을 연결하며 몸 전체에 퍼져 있는 혈관

이때 심장에서 나온 혈액은 동맥, 모세 혈관, 정맥을 거쳐 다시 심장으로 되돌아오는데 혈액이 순환하는 경로는 크게 **폐순환**과 **온몸 순환**으로 나뉜단다.

폐순환	심장에서 나온 혈액이 폐를 거쳐 심장으로 돌아오는 경로
온몸 순환	심장에서 나온 혈액이 온몸의 (5) ㅁㅅ ㅎㄱ을 거쳐 심장으로 돌아오는 경로

폐순환과 온몸 순환

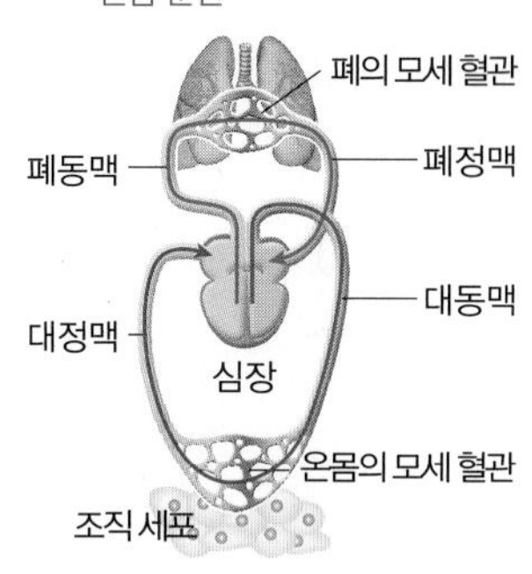

마지막으로 혈액은 액체 성분인 **혈장**과 세포 성분인 **혈구**로 이루어져 있어.

혈장	대부분 물로 이루어졌으며 여러 영양소를 녹여 조직 세포로 운반하고, 조직 세포에서 나온 이산화 탄소와 노폐물을 운반함.
혈구	모양과 기능에 따라 적혈구, 백혈구, 혈소판으로 구분됨. • 적혈구: 조직 세포에 산소를 공급함. • 백혈구: 몸에 들어온 세균을 잡아먹는 식균 작용을 함. • 혈소판: 상처 부위의 혈액을 굳게 만들어 출혈을 멈추게 함.

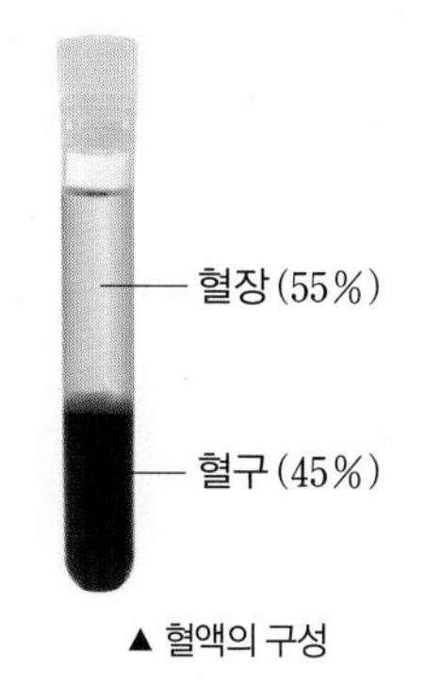

▲ 혈액의 구성

잠깐 체크

❶ 탄수화물은 소화를 거쳐 아미노산으로 분해된다. (○, ×)

❷ 혈구 중에서 출혈을 멈추게 하는 기능을 하는 것은?

답 ❶ × ❷ 혈소판

산소를 받아들이고 이산화 탄소를 내보내는 호흡

호흡을 하지 않고 살 수 있는 생명체는 거의 없을 거야. 호흡은 식물은 물론이고 동물에게도 아주 중요한 과정이란다.

우리 몸은 생명 활동을 위해 공기 중의 산소를 받아들이고 몸 안에서 생긴 이산화 탄소를 내보내는 **호흡**을 해. 이때 이러한 기능을 담당하는 기관을 **호흡 기관**이라고 하지. 사람의 호흡 기관은 코, 기관, 기관지, 폐 등으로 이루어져 있어.

공기는 코로 들어와서 기관, 기관지를 거쳐 폐의 폐포까지 들어간 후 모세 혈관을 통해 온몸의 세포로 전달돼. 세포로 들어온 산소는 우리 몸이 에너지를 얻는 데 이용되고, 이 과정에서 생성된 이산화 탄소는 다시 폐의 폐포로 이동하여 호흡 운동을 통해 몸 밖으로 나간단다.

(폐포: 폐를 구성하는, 많은 수의 작은 주머니 모양의 구조)

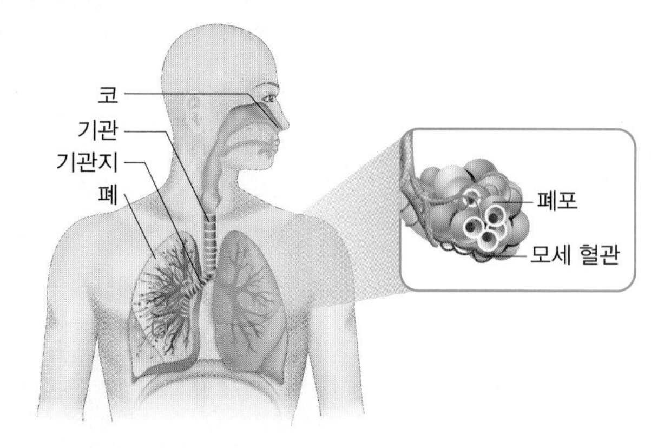

▲ 호흡 기관의 구조

노폐물을 몸 밖으로 내보내는 배설

앞에서 혈액의 순환을 배울 때 혈액은 우리 몸의 생명 활동의 결과 생성된 노폐물을 운반한다고 했지? 혈액은 이 노폐물을 어디로 운반하는 걸까? 노폐물은 세포에서 영양소가 분해되면서 만들어지는데, 그중 단백질이 분해될 때 만들어지는 암모니아는 간에서 독성이 약한 •요소로 바뀐 후 콩팥에서 물과 함께 (6) ㅇㅈ 으로 나가지. 이처럼 세포에서 생긴 노폐물을 몸 밖으로 내보내는 작용을 **배설**이라고 해. 배설을 담당하는 **배설 기관**에는 콩팥, 오줌관, 방광, 요도 등이 있어.

콩팥(신장)은 강낭콩처럼 생겼고 허리 부분의 양옆에 한 쌍이 있어. 콩팥은 혈액 속의 (7) ㄴㅍㅁ 을 걸러 내어 우리 몸에 필요한 성분은 재흡수하고, 깨끗해진 혈액을 다시 몸속으로 보내. 걸러지지 못한 노폐물은 오줌이 되어 오줌관, 방광, 요도를 거쳐 몸 밖으로 내보내진단다.

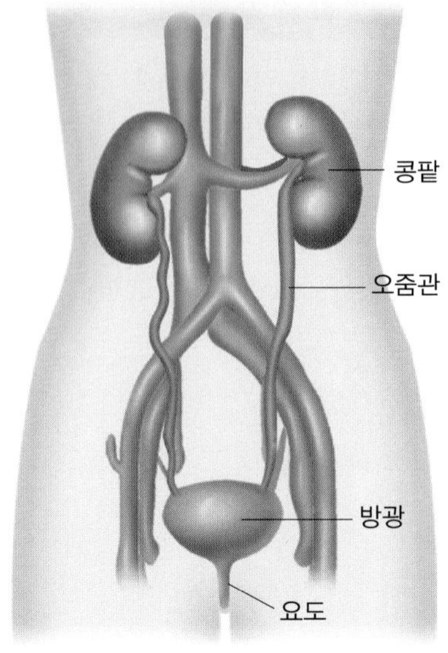

▲ 배설 기관의 구조

•**요소** 단백질이 분해하여 생성되는 화합물. 포유류의 오줌에 들어 있다.

잠깐 체크

❶ 우리 몸은 호흡을 통해 (산소 / 이산화 탄소)를 받아들이고 (산소 / 이산화 탄소)를 내보낸다.

❷ 강낭콩처럼 생겼으며 우리 몸의 노폐물을 걸러 내는 기능을 하는 배설 기관은?

❸ 오줌은 오줌관, 방광, 요도를 거쳐 배설된다. (○, ×)

답 ❶ 산소, 이산화 탄소 ❷ 콩팥(신장) ❸ ○

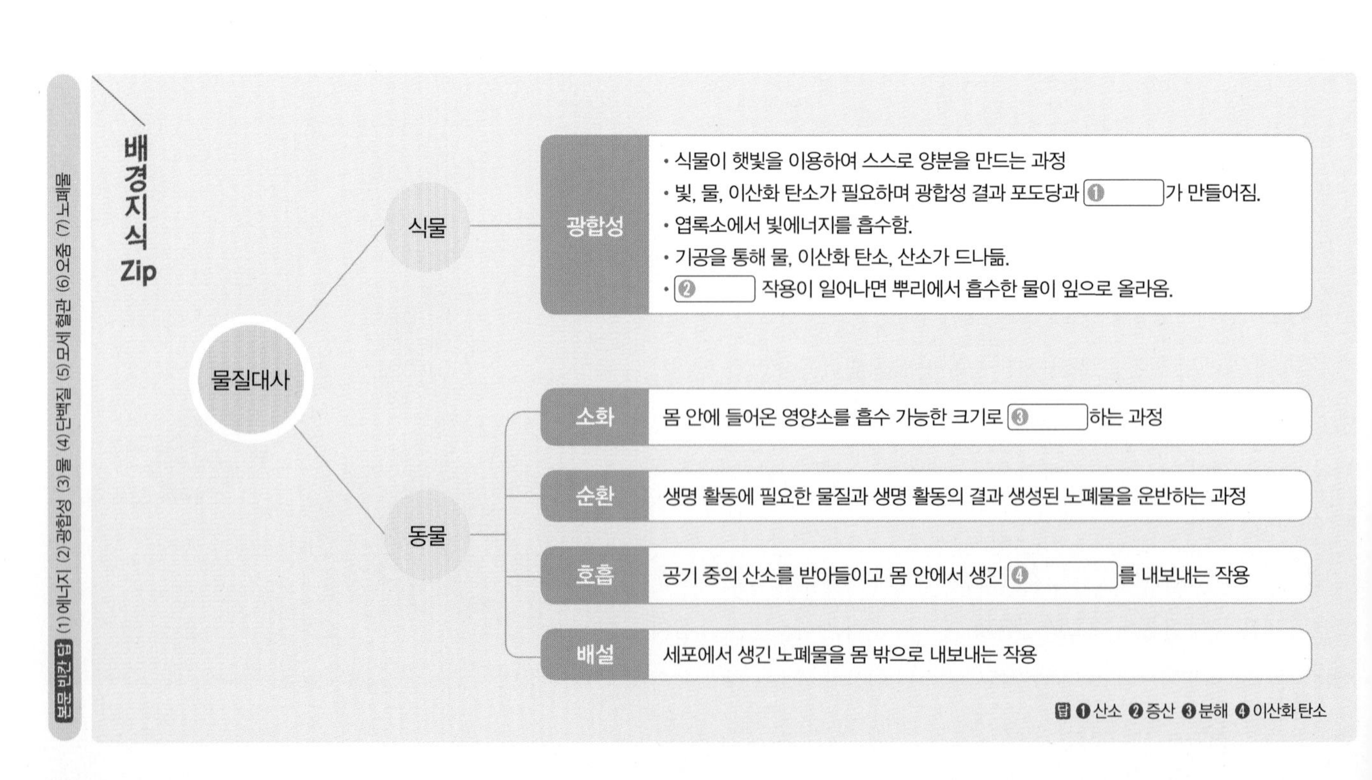

본문 빈칸 답 (1) 에너지 (2) 광합성 (3) 물 (4) 단백질 (5) 모세 혈관 (6) 오줌 (7) 노폐물

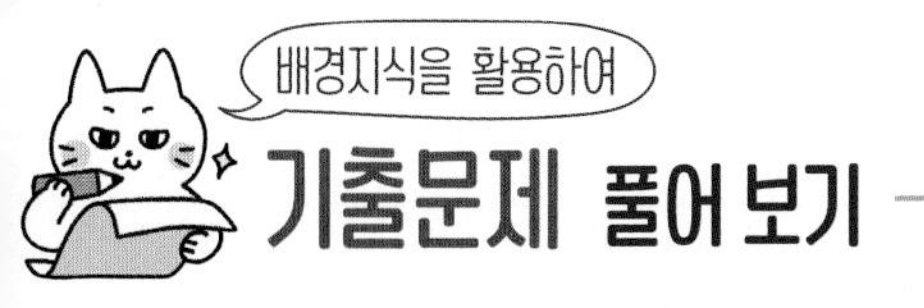

정답과 해설 28쪽

[01~02] 다음 글을 읽고 물음에 답하시오.

❶ [1]일반적으로 대기 중에서 만들어질 수 있는 물기둥의 최대 높이는 10m 정도이다. [2]그런데 지구상의 나무 중에는 그 높이가 110m를 넘는 것들도 있다. [3]어떻게 뿌리에서 흡수된 물이 높이 110m의 나무 꼭대기에까지 전달될 수 있는 것일까?

❷ [1]대기 중의 수분 농도는 잎의 수분 농도보다 낮기 때문에 물이 잎의 표피에 있는 기공을 통하여 대기 중으로 확산되는데, 이를 증산 작용이라고 한다. [2]기공을 통해 물이 빠져나가면 물의 통로가 되는 조직인 물관부 내부에 물을 끌어올리는 장력이 생기며, 이에 따라 물관부의 물기둥이 위로 끌려 올라가게 된다. [3]이때 물기둥이 끊어지지 않고 끌려 올라갈 수 있는 것은 물의 강한 응집력 때문이다. [4]물의 응집력이 물관부에서 발생하는 장력보다 크기 때문에 물기둥이 뿌리에서부터 잎까지 끊어지지 않고 마치 끈처럼 연결되어 올라가는 것이다. [5]물관부에서 물 수송이 이루어지도록 하는 이러한 작용을 '증산 – 장력 – 응집력' 메커니즘이라한다.

❸ [1]㉠이 메커니즘은 수분 퍼텐셜로 설명할 수 있다. [2]수분 퍼텐셜은 토양이나 식물체가 포함하고 있는 물의 양을 에너지 개념으로 바꾼 것으로, 물이 이동할 수 있는 능력을 나타낸다. [3]단위로는 파스칼(Pa, 1MPa = 10^6Pa)을 사용한다. [4]물은 수분 퍼텐셜이 높은 쪽에서 낮은 쪽으로 별도의 에너지 소모 없이 이동한다. [5]순수한 물의 수분 퍼텐셜은 0MPa인데, 압력이 낮아지거나 •용질이 첨가되어 이온 농도가 높아지면 수분 퍼텐셜이 낮아진다. [6]토양의 수분 퍼텐셜은 −0.01~−3MPa, 대기의 수분 퍼텐셜은 −95MPa 정도이다. [7]일반적으로 토양에서 뿌리, 줄기, 잎으로 갈수록 수분 퍼텐셜이 낮아지고, 그에 따라 물은 뿌리에서 줄기를 거쳐 잎에 도달한 후 기공을 통해 대기 중으로 확산된다.

❹ [1]기공의 개폐는 잎 표면에 있는 한 쌍의 공변세포에 의해 이루어진다. [2]빛의 작용으로 공변세포 내부의 이온 농도가 높아지면 수분 퍼텐셜이 낮아지고, 그에 따라 물이 공변세포로 들어와 기공이 열린다. [3]그러면 식물은 대기 중의 이산화 탄소를 흡수하여 광합성을 통해 포도당을 생산할 수 있다. [4]문제는 식물이 이산화 탄소를 흡수하기 위해 기공을 열면 물이 손실되고, 반대로 물 손실을 막기 위해 기공을 닫으면 이산화 탄소를 포기해야 하는 데 있다. [5]물과 포도당이 모두 필요한 식물은, 이러한 딜레마를 해결하기 위해 광합성에 필요한 햇빛이 있는 낮에는 기공을 열고 그렇지 않은 밤에는 기공을 닫아서 이산화 탄소의 흡수와 물의 배출을 조절하는 시스템을 만들어 냈다. [6]그 결과 기공의 개폐는 일정한 주기를 가지게 된다.

• **용질** 용액에 녹아 있는 물질.

01

㉠의 내용으로 옳으면 ○에, 옳지 않으면 ×에 표시하시오.

(1) 뿌리의 수분 퍼텐셜이 토양의 수분 퍼텐셜보다 높다. ○ ×

(2) 줄기의 물이 잎으로 이동하면 줄기의 수분 퍼텐셜이 낮아진다. ○ ×

(3) 광합성이 일어나는 동안에는 잎의 수분 퍼텐셜이 대기의 수분 퍼텐셜보다 낮아진다. ○ ×

02

윗글의 내용과 일치하지 않는 것은?

① 기공의 개폐는 빛의 영향을 받는다.
② 광합성의 결과로 포도당이 만들어진다.
③ 기공이 열리면 식물 내부의 이산화 탄소가 손실된다.
④ 증산 작용으로 물관부 내의 물기둥에 장력이 발생한다.
⑤ 물의 응집력으로 인해 물관부 내의 물기둥이 끊어지지 않는다.

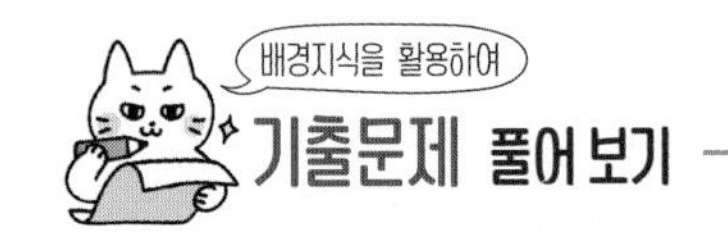

[03~06] 다음 글을 읽고 물음에 답하시오.

❶ [1]우리 몸은 단백질의 합성과 분해를 끊임없이 반복한다. [2]단백질 합성은 아미노산을 연결하여 긴 사슬을 만드는 과정인데, 20여 가지의 아미노산이 체내 단백질 합성에 이용된다. [3]단백질 합성에서 아미노산들은 DNA 염기 서열에 담긴 정보에 따라 정해진 순서대로 결합된다. [4]단백질 분해는 아미노산 간의 결합을 끊어 개별 아미노산으로 분리하는 과정이다. [5]체내 단백질 분해를 통해 오래되거나 손상된 단백질이 축적되는 것을 막고, 우리 몸에 부족한 에너지 및 포도당을 보충할 수 있다.

❷ [1]단백질 분해 과정의 하나인, 프로테아솜이라는 효소 복합체에 의한 단백질 분해는 세포 내에서 이루어진다. [2]프로테아솜은 유비퀴틴이라는 물질이 일정량 이상 결합되어 있는 단백질을 아미노산으로 분해한다. [3]단백질 분해를 통해 생성된 아미노산의 약 75%는 다른 단백질을 합성하는 데 이용되며, 나머지 아미노산은 분해된다. [4]아미노산이 분해될 때는 아미노기가 아미노산으로부터 분리되어 암모니아로 바뀐 다음, 요소(尿素)로 합성되어 체외로 배출된다. [5]그리고 아미노기가 떨어지고 남은 부분은 에너지나 포도당이 부족할 때는 이들을 생성하는 데 이용되고, 그렇지 않으면 지방산으로 합성되거나 체외로 배출된다.

❸ [1]단백질이 지속적으로 분해됨에도 불구하고 체내 단백질의 총량이 유지되거나 증가할 수 있는 것은 세포 내에서 단백질 합성이 끊임없이 일어나기 때문이다. [2]단백질 합성에 필요한 아미노산은 세포 내에서 합성되거나, 음식으로 섭취한 단백질로부터 얻거나, 체내 단백질을 분해하는 과정에서 생성된다. [3]단백질 합성에 필요한 아미노산 중 체내에서 합성할 수 없어 필요량을 스스로 충족할 수 없는 것을 필수아미노산이라고 한다. [4]어떤 단백질 합성에 필요한 각 필수아미노산의 비율은 정해져 있다. [5]체내 단백질 분해를 통해 생성되는 필수아미노산도 다시 단백질 합성에 이용되기도 하지만, 부족한 양이 외부로부터 공급되지 않으면 전체의 체내 단백질 합성량이 줄어들게 된다. [6]그러므로 필수아미노산은 반드시 음식물을 통해 섭취되어야 한다. [7]다만 성인과 달리 성장기 어린이의 경우, 체내에서 합성할 수는 있으나 그 양이 너무 적어서 음식물로 보충해야 하는 아미노산도 필수아미노산에 포함된다.

❹ [1]각 식품마다 포함된 필수아미노산의 양은 다르며, 필수아미노산이 균형을 이룰수록 공급된 필수아미노산의 총량 중 단백질 합성에 이용되는 양의 비율, 즉 필수아미노산의 이용 효율이 ㉠높다. [2]일반적으로 육류, 계란 등 동물성 단백질은 필수아미노산을 균형 있게 함유하고 있어 필수아미노산의 이용 효율이 높은 반면, 쌀이나 콩류 등에 포함된 식물성 단백질은 제한아미노산을 가지며 필수아미노산의 이용 효율이 상대적으로 낮다.

❺ [1]제한아미노산은 단백질 합성에 필요한 각각의 필수아미노산의 양에 비해 공급된 어떤 식품에 포함된 해당 필수아미노산의 양의 비율이 가장 낮은 필수아미노산을 말한다. [2]가령, 가상의 P 단백질 1●몰을 합성하기 위해서는 필수아미노산 A와 B가 각각 2몰과 1몰이 필요하다고 하자. [3]P를 2몰 합성하려고 할 때, A와 B가 각각 2몰씩 공급되었다면 A는 필요량에 비해 2몰이 부족하게 되어 P는 결국 1몰만 합성된다. [4]이때 A가 부족하여 합성할 수 있는 단백질의 양이 제한되기 때문에 A가 제한아미노산이 된다.

●몰 물질의 양을 나타내는 단위.

03 윗글의 내용과 일치하지 않는 것은?

① 체내 단백질의 분해를 통해 오래되거나 손상된 단백질의 축적을 막는다.
② 유비퀴틴이 결합된 단백질을 아미노산으로 분해하는 것은 프로테아솜이다.
③ 아미노산에서 분리되어 요소로 합성되는 것은 아미노산에서 아미노기를 제외한 부분이다.
④ 세포 내에서 합성되는 단백질의 아미노산 결합 순서는 DNA 염기 서열에 담긴 정보에 따른다.
⑤ 성장기의 어린이에게 필요한 필수아미노산 중에는 체내에서 합성할 수 있는 것도 포함되어 있다.

04 윗글을 읽고 이해한 내용으로 적절하지 않은 것은?

① 필수아미노산을 제외한 다른 아미노산도 제한아미노산이 될 수 있겠군.
② 체내 단백질을 분해하여 얻어진 필수아미노산의 일부는 단백질 합성에 다시 이용되겠군.
③ 체내 단백질 합성에 필요한 필수아미노산은 음식물의 섭취나 체내 단백질 분해로부터 공급되겠군.
④ 제한아미노산이 없는 식품은 단백질 합성에 필요한 필수아미노산이 균형 있게 골고루 함유되어 있겠군.
⑤ 체내 단백질 합성과 분해의 반복 과정에서, 외부로부터 필수아미노산의 공급이 줄어들면 체내 단백질 총량은 감소하겠군.

05 윗글을 바탕으로 할 때, 〈보기〉의 실험에 대한 이해로 적절하지 않은 것은?

보기

가상의 단백질 Q를 1몰 합성하는 데 필수아미노산 A, B, C가 각각 2몰, 3몰, 1몰이 필요하다고 가정하자. 단백질 Q를 2몰 합성하려고 할 때 (가), (나), (다)에서와 같이 A, B, C의 공급량을 달리하고, 다른 조건은 모두 동일한 상황에서 최대한 단백질을 합성하는 실험을 하였다.

(가) : A 4몰, B 6몰, C 2몰
(나) : A 6몰, B 3몰, C 3몰
(다) : A 4몰, B 3몰, C 3몰

(단, 단백질과 아미노산의 분해는 없다고 가정한다.)

① (가)에서는 단백질 합성을 제한하는 필수아미노산이 없겠군.
② (가)에서는 (다)에 비해 단백질 합성에 이용된 필수아미노산의 총량이 많겠군.
③ (나)에서는 (다)에 비해 합성된 단백질의 양이 많겠군.
④ (나)와 (다) 모두에서는 단백질 합성을 제한하는 필수아미노산이 B가 되겠군.
⑤ (나)에서는 (다)에 비해 단백질 합성에 이용되지 않고 남은 필수아미노산의 총량이 많겠군.

06 ㉠의 문맥적 의미와 가장 가까운 것은?

① 가을이 되면 그 어느 때보다 하늘이 높다.
② 우리나라는 원자재의 수입 의존도가 높다.
③ 친구는 이 분야의 전문가로서 이름이 높다.
④ 이번에 새로 지은 건물은 높이가 매우 높다.
⑤ 잘못을 시정하라는 주민들의 목소리가 높다.

10

3 생명 과학

생장과 생식

기출 속 배경지식 키워드 | #염색체 #유전자 #핵산 #DNA #RNA #생장 #체세포 분열 #생식 #생식세포 분열

교과 연계
중학교 과학 3
V. 생식과 유전
고등학교 생명과학 I
VI. 유전

배경지식 DNA 점검

다음 내용이 맞으면 '예', 틀리면 '아니요'에 표시해 봅시다.

염색체는 생물의 유전 정보를 담아 전달하는 기능을 한다.	□ 예	□ 아니요
염색체는 세포의 핵 안에 있다.	□ 예	□ 아니요
DNA나 RNA는 각각 핵산이라고 하는 고분자 물질의 한 종류이다.	□ 예	□ 아니요
생물이 자라나는 것을 생식, 자손을 만들어 종족을 유지하는 것을 생장이라고 한다.	□ 예	□ 아니요
체세포 분열과 생식세포 분열은 모두 두 번에 걸쳐 세포 분열이 일어난다.	□ 예	□ 아니요

답 예, 예, 예, 아니요, 아니요

수능 필수 배경지식

아이가 태어나면 부모를 닮게 돼. 그 이유는 부모의 생김새와 성질 등의 •형질을 담고 있는 •유전 정보가, 생명체를 이루는 기본 단위인 **세포**의 **염색체**를 통해 아이에게 전달되기 때문이야. 그러면 부모의 염색체가 만나 생긴 아이의 염색체 수는 부모의 염색체 수의 두 배일까? 답부터 말하자면, 부모와 아이의 염색체 수는 모두 같아. 왜 그런지 한번 살펴볼까?

• **형질** 동물과 식물이 본래 지니고 있는 모양, 크기, 성질 등의 특징.
• **유전 정보** 부모로부터 자식에게 전달되며 생물의 특징을 결정하는 정보.

염색체 • 세포의 핵 속에 있는, 유전 정보가 담긴 물질
유전자 • 생물의 형질을 결정하는 유전 정보의 단위
유전체 • 한 생명체에 있는 모든 유전 정보

세포의 중심에 위치한 **핵**에 들어 있는 **염색체**는 생물체가 간직한 유전 정보를 담아 전달하는 역할을 하는 것으로 DNA와 단백질의 복합체야. 세포를 염색했을 때 관찰되는 막대 모양의 물체가 바로 (1) ㅇㅅㅊ 에 해당해. 이때 막대 모양으로 관찰되는 염색체는 보통 두 개의 가닥으로 이루어져 있는데, 각각의 가닥을 **염색 분체**라고 해.

염색체는 유전 물질인 **DNA**와 단백질로 이루어져 있어. DNA는 긴 사슬 모양의 물질로 두 개의 가닥이 꼬인 이중 나선 형태로 되어 있고, 생물의 생김새나 성질에 대한 (2) ㅇㅈ ㅈㅂ 가 염기 서열로 저장되어 있어. 이렇게 저장된 각각의 유전 정보를 **유전자**라고 하고, 한 생명체에 있는 모든 유전 정보는 **유전체**라고 해.

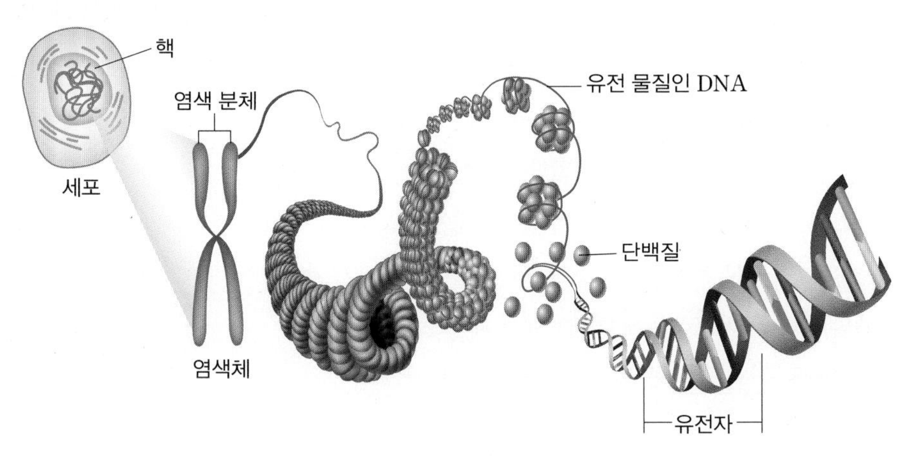

잠깐 체크
❶ 염색체는 유전 정보를 전달한다. (○, ×)
❷ 유전 정보는 염색체의 단백질에 저장되어 있다. (○, ×)

답 ❶ ○ ❷ ×

상동 염색체

상동 염색체

모계로부터 물려받은 염색체 / 부계로부터 물려받은 염색체

생물마다 염색체 수는 정해져 있는데, 예를 들면 사람의 세포는 46개, 침팬지 세포는 48개의 염색체를 지니고 있어. 사람이 가진 염색체에는 똑같은 모양과 크기의 염색체가 한 쌍씩 총 23쌍이 있는데 이렇게 모양과 크기가 같은 한 쌍의 염색체를 **상동 염색체**라고 해. 한 쌍의 상동 염색체를 구성하는 두 개의 염색체 중 하나는 어머니에게서, 다른 하나는 아버지에게서 물려받은 것이지.

핵산 • 뉴클레오타이드가 긴 사슬 모양으로 결합되어 이어진 물질

DNA • 데옥시리보스를 가진 핵산

RNA • 리보스를 가진 핵산

염기 서열
유전자를 구성하는 염기의 배열이다. DNA를 구성하는 염기는 아데닌(A), 타이민(T), 구아닌(G), 사이토신(C)이다.

염색체를 구성하는 DNA를 조금만 더 알아보고 갈게. 당, 인산, 염기로 구성된 **뉴클레오타이드**가 긴 사슬 모양으로 중합된 고분자 물질을 **핵산**(Nucleic Acid)이라고 하는데 구조는 오른쪽 그림과 같아. 뉴클레오타이드를 구성하는 당에는 데옥시리보스와 리보스 두 가지가 있어. 핵산은 이 중 어떤 (3) ㄷ 을 갖느냐에 따라 DNA(Deoxyribo-Nucleic Acid)와 RNA(Ribo-Nucleic acid)로 나뉘어.

인산 / 당 / 염기

▲ 뉴클레오타이드

DNA	• 데옥시리보스를 가짐. • 이중 나선 구조로 아데닌, 타이민, 구아닌, 사이토신 4종류의 염기를 지니고 있으며, 염기의 배열 순서에 유전 정보가 들어 있음.
RNA	• 리보스를 가짐. • 대부분 단일 가닥으로 되어 있으며 단백질 합성에 중요한 역할을 함.

잠깐 체크
1. 핵산은 당의 종류에 따라 DNA와 RNA로 나뉜다. (○, ×)
2. (DNA / RNA)는 리보스를 갖는 핵산이다.

답 1 ○ 2 RNA

생장 • 생물이 자라는 현상

체세포 분열 • 세포의 수가 늘어나면서 생장을 하게 되는 세포 분열

봄에 심은 씨앗이 큰 식물로 자라고, 갓 태어난 아기가 어른으로 되는 것과 같이 생물이 자라는 현상을 **생장**이라고 해. 세포는 생명 활동을 유지하기 위해서 외부로부터 필요한 물질을 받아들이고 노폐물은 밖으로 내보내야 하는데, 이를 위해서는 세포가 계속 커지는 것보다 여러 개로 나뉘는 것이 더 좋아. 큰 세포가 하나인 것보다 작은 세포가 여러 개일 때 세포 바깥과 접촉하는 면이 더 많아지기 때문이야. 그래서 세포는 일정 크기 이상이 되면 둘로 나누어지는 과정을 반복하지. 이처럼 세포가 둘로 나누어지는 과정을 **세포 분열**이라고 해.

체세포 분열은 생물의 생장과 조직의 재생 과정에서 일어나는 분열이야. 이때 분열 전 세포를 **모세포**, 분열하여 생긴 두 개의 세포를 **딸세포**라고 해. 체세포 분열 과정으로 생성된 딸세포는 (4) ㅁㅅㅍ 와 똑같은 유전 정보를 갖고 있어.

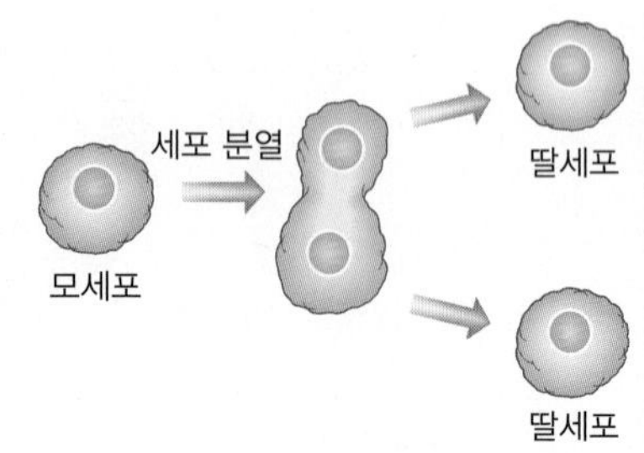

잠깐 체크
1. 생물은 생장할 때 체세포 분열을 한다. (○, ×)
2. 체세포 분열에서, 분열하여 생긴 두 개의 세포를 (모세포 / 딸세포)라고 한다.

답 1 ○ 2 딸세포

생식 • 살아 있는 동안 자신과 닮은 자손을 만들어 종족을 유지하는 일

생식세포 분열 • 생식세포를 형성하는 세포 분열

모든 생물은 살아 있는 동안 자신과 닮은 자손을 만들어 종족을 유지하는데, 이를 **생식**이라고 해. •단세포 생물을 제외한 생물은 암수의 두 •개체가 각각 •생식세포를 만들고 그 생식세포가 결합하여 새로운 개체를 만들지. 생식세포를 형성하는 과정에서도 세포 분열이 일어나는데, 이를 **생식세포 분열**이라고 해.

생식세포 분열은 생식 기관에서 생식세포가 만들어질 때 두 번에 걸쳐 세포 분열이 일어나. 첫 번째 분열을 **감수 1분열**, 두 번째 분열을 **감수 2분열**이라고 하지. 아래 그림은 체세포 분열과 생식세포 분열의 염색체 이동과 그 결과를 비교한 그림이야.

- **단세포 생물** 하나의 개체가 하나의 세포로 이루어진 생물. 가장 단순한 생물로 아메바, 짚신벌레, 박테리아 등이 있다.
- **개체** 하나의 독립된 생물체.
- **생식세포** 생식에 관계하는 세포. 수컷의 정세포 또는 정자, 암컷의 난세포 또는 난자로, 체세포와 염색체 수가 다르다.

과학

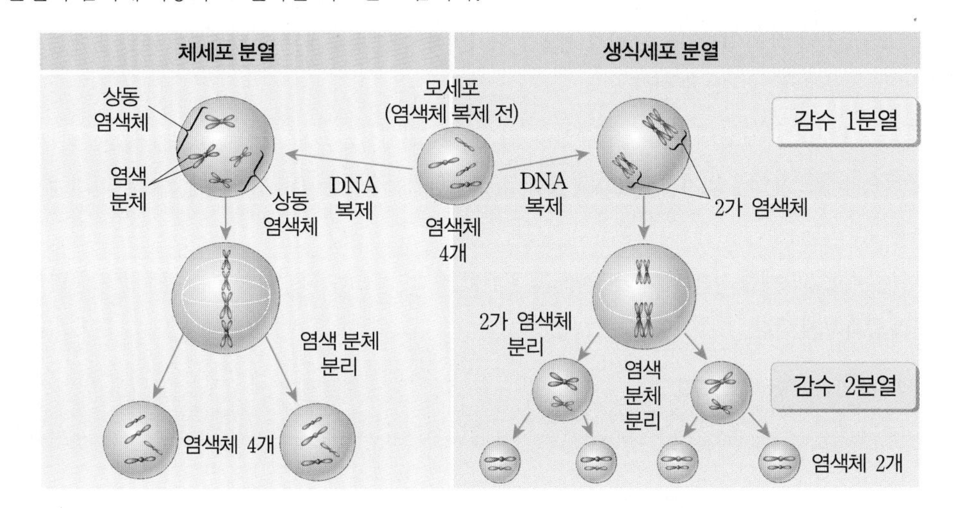

감수 1분열에서는 상동 염색체끼리 쌍을 이루는데 이것을 **2가 염색체**라고 해. 2가 염색체는 세포 중앙에 정렬했다가 분리되고, 이때 [(5) ㅇㅅㅊ] 수가 절반으로 줄어들게 돼. 따라서 분열 후 생성된 세포에는 모세포의 절반의 염색체가 들어가게 되지. 이후 감수 1분열로 형성된 두 개의 세포는 감수 2분열을 통해 각각 두 개의 딸세포로 나누어져.

이제 처음의 질문으로 돌아가 볼까? 엄마의 생식세포와 아빠의 생식세포가 만나면 엄마의 염색체 절반, 아빠의 염색체 절반이 만나서 아기가 생기는 것이기 때문에, 결과적으로 엄마, 아빠, 아기의 염색체 수는 모두 똑같은 거야.

잠깐 체크

❶ 생식세포 분열은 외부로부터 필요한 물질을 받아들이고 노폐물을 내보내기 위한 분열이다. (○, ×)

❷ 감수 1분열의 결과 염색체 수가 절반으로 줄어든다. (○, ×)

답 ❶× ❷○

배경지식 Zip

염색체
- ❶ [　　] 와 단백질로 이루어져 있음.
- 유전 물질인 DNA는 이중 나선 형태로, 생물의 특징을 결정하는 정보인 유전 정보를 담고 있음.
- DNA에 배열되어 있는 각각의 유전 정보를 ❷ [　　] 라고 함.

→

생장
- 생물이 자라는 현상
- ❸ [　　] 분열을 통해 이루어짐.
- 체세포 분열 과정으로 생성된 딸세포는 모세포와 똑같은 유전 정보를 가짐.

생식
- 자손을 만들어 종족을 유지하는 일
- ❹ [　　] 분열을 통해 만들어진 생식세포가 결합하면 새로운 개체가 만들어짐.
- 감수 분열 후 만들어진 딸세포에는 모세포의 절반의 염색체가 들어가 있음.

답 ❶DNA ❷유전자 ❸체세포 ❹생식세포

본문 빈칸 답 (1)염색체 (2)유전 정보 (3)답 (4)모세포 (5)염색체

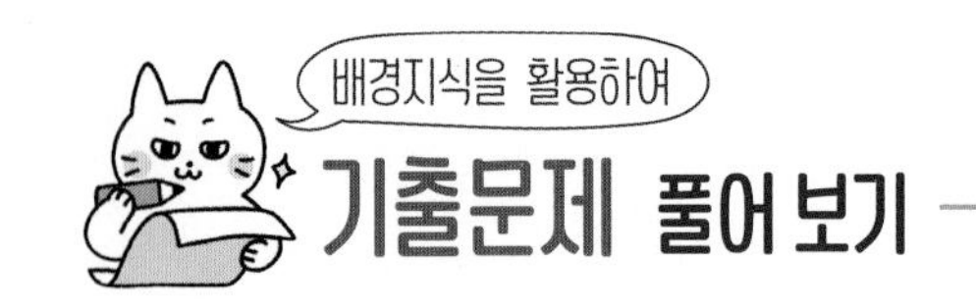

[01~02] 다음 글을 읽고 물음에 답하시오.

❶ [1]질병 진단을 위하여 혈액에서 얻은 소량의 DNA, 박테리아나 바이러스 DNA 등의 분석을 위해서는 DNA의 양을 증폭시킬 필요가 있다. [2]이와 같은 목적으로 DNA 양을 증폭시키는 방법이 PCR(중합 효소 연쇄 반응)이다. [3]캐리 멀리스에 의해 처음 이론적으로 완성된 이 방법은 3단계로 정리될 수 있다.

❷ [1]우선 첫째 단계는 이중 나선 구조가 풀리는 단계로 이 단계를 위해서는 섭씨 95도 정도의 높은 온도를 이용한다. [2]DNA 이중 나선 구조는 단순히 온도만 올림으로써 풀어지는데, 이를 DNA의 변성이라고 부른다.

❸ [1]둘째 단계는 원본 가닥에 •프라이머가 붙는 단계로 이 단계를 위해서는 시발체인 프라이머 가닥들을 첨가하고 온도를 섭씨 54도 정도로 낮춘다. [2]프라이머 가닥들은 원본 DNA 가닥 끝에 결합하도록 염기 서열을 디자인하여 실험 전에 미리 제조하여 놓았기 때문에, 단순히 온도만 낮춰도 원본 DNA 가닥의 끝부분에 가서 붙게 된다.

❹ [1]셋째 단계는 DNA 중합 효소가 염기들을 원본 가닥에 붙여 나가는 단계인데, 이 단계를 위해서는 DNA 중합 효소와 DNA의 4가지 구성 요소(A, T, G, C)가 포함된 뉴클레오타이드 용액을 첨가하고, DNA 중합 효소가 염기들을 원본 DNA 가닥에 붙여 나가기에 적합하도록 온도를 섭씨 74도 정도로 올린다.

❺ [1]이와 같이 온도를 올리고 내리고 다시 올리는 3단계를 한 주기로 반복하도록 고안한 방법이 PCR이다. [2]이와 같은 과정을 거치면서 DNA 가닥의 수는 매 주기마다 두 배씩 증폭하게 된다.

• **프라이머** 어느 종(種)이 효소 반응에서 반응 개시의 계기를 만드는 작용이 있는 물질.

01

윗글의 내용과 일치하면 ○에, 일치하지 않으면 ×에 표시하시오.

(1) DNA의 변성은 온도를 조절함으로써 이루어진다. ○ ×

(2) PCR 증폭의 둘째 단계에서 프라이머 가닥은 원본 DNA 가닥과 분리된다. ○ ×

(3) PCR 증폭 3주기가 반복되면 DNA 가닥의 수는 6배로 증폭된다. ○ ×

02

윗글을 바탕으로 〈보기〉의 ⓐ~ⓒ에 대해 이해한 것으로 적절하지 않은 것은?

보기

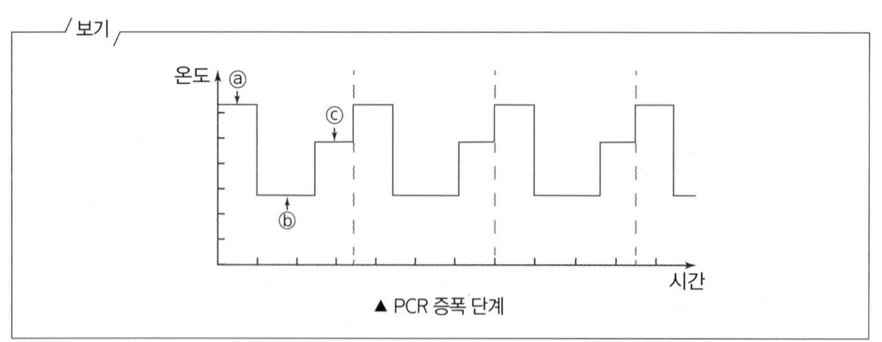

▲ PCR 증폭 단계

① ⓐ는 DNA 이중 나선 구조가 풀어지는 단계로 온도는 섭씨 95도가 되겠군.
② ⓑ에서 사용하게 될 시발체는 실험을 시작하기 전에 미리 만들어 놓아야겠군.
③ ⓑ에서 온도를 섭씨 54도로 낮추는 이유는 프라이머 가닥들이 원본 DNA 가닥 끝에 결합하게 하기 위해서군.
④ ⓒ에서는 ⓑ가 끝난 후 어떤 물질도 첨가하지 않고 온도를 높여 주면 DNA 복제가 자연스럽게 일어나겠군.
⑤ ⓐ → ⓑ → ⓒ가 완료되는 것이 중합 효소 연쇄 반응의 한 주기로군.

[03~04] 다음 글을 읽고 물음에 답하시오.

❶ [1]우리는 한 대의 자동차는 개체라고 하지만 바닷물을 개체라고 하지는 않는다. [2]어떤 부분들이 모여 하나의 개체를 이룬다고 할 때 이를 개체라고 부를 수 있는 조건은 무엇일까? [3]일단 부분들 사이의 유사성은 개체성의 조건이 될 수 없다. [4]가령 일란성 쌍둥이인 두 사람은 DNA 염기 서열과 외모도 같지만 동일한 개체는 아니다. [5]그래서 부분들의 강한 유기적 상호 작용이 그 조건으로 흔히 제시된다. [6]하나의 개체를 구성하는 부분들은 외부 존재가 개체에 영향을 주는 것과는 비교할 수 없이 강한 방식으로 서로 영향을 주고 받는다.

❷ [1]상이한 시기에 존재하는 두 대상을 동일한 개체로 판단하는 조건도 물을 수 있다. [2]그것은 두 대상 사이의 인과성이다. [3]과거의 '나'와 현재의 '나'를 동일하다고 볼 수 있는 것은 강한 인과성이 존재하기 때문이다. [4]과거의 '나'와 현재의 '나'는 세포 분열로 세포가 교체되는 과정을 통해 인과적으로 연결되어 있다.

❸ [1]개체성에 대한 이러한 철학적 질문은 생물학에서도 중요한 연구 주제가 된다. [2]생명체를 구성하는 단위는 세포이다. [3]세포는 생명체의 고유한 유전 정보가 담긴 DNA를 가지며 이를 복제하여 증식하고 번식하는 과정을 통해 자신의 DNA를 후세에 전달한다. [4]세포는 사람과 같은 진핵생물의 진핵세포와, 박테리아나 고세균과 같은 원핵생물의 원핵세포로 구분된다. [5]진핵세포는 세포질에 막으로 둘러싸인 핵이 있고 그 안에 DNA가 있지만, 원핵세포는 핵이 없다. [6]또한 진핵세포의 세포질에는 막으로 둘러싸인 여러 종류의 세포 소기관이 있으며, 그중 미토콘드리아는 세포 활동에 필요한 생체 에너지를 생산하는 기관이다. [7]대부분의 진핵세포는 미토콘드리아를 필수적으로 가지고 있다. [8]그런데 전자 현미경의 등장으로 미토콘드리아의 내부까지 세밀히 관찰하게 되고, 미토콘드리아 안에는 세포핵의 DNA와는 다른 DNA가 있으며 단백질을 합성하는 자신만의 리보솜을 가지고 있다는 사실이 밝혀졌다.

❹ [1]이에 대해 학계에서는 미토콘드리아가 원래 박테리아의 한 종류였으나, 지금은 개체성을 잃고 세포 소기관이 되었다고 본다. [2]미토콘드리아는 여전히 고유한 DNA를 가진 채 복제와 증식이 이루어지는데도, 미토콘드리아를 하나의 개체로 보지는 않는 이유는 무엇일까? [3]미토콘드리아와 진핵세포 간의 유기적 상호 작용이 둘을 다른 개체로 볼 수 없을 만큼 매우 강하기 때문이다. [4]미토콘드리아가 개체성을 잃고 세포 소기관이 되었다고 보는 근거는, 진핵세포가 미토콘드리아의 증식을 조절하고, 자신을 복제하여 증식할 때 미토콘드리아도 함께 복제하여 증식시킨다는 것이다. [5]또한 미토콘드리아의 유전자의 많은 부분이 세포핵의 DNA로 옮겨 가 미토콘드리아의 DNA 길이가 현저히 짧아졌다는 것이다. [6]미토콘드리아에서 일어나는 대사 과정에 필요한 단백질은 세포핵의 DNA로부터 합성되고, 미토콘드리아의 DNA에 남은 유전자 대부분은 생체 에너지를 생산하는 역할을 한다.

03 윗글을 이해한 내용으로 적절하면 ○에, 적절하지 않으면 ×에 표시하시오.

(1) 유사성이 강한 두 개체는 하나의 개체로 볼 수 있다. [○|×]

(2) 바닷물을 개체라고 말하기 어려운 이유 중 하나는 부분들 사이의 유기적 상호 작용이 약하다는 것이다. [○|×]

(3) 미토콘드리아는 진핵세포의 소기관이지만 여전히 고유한 DNA를 가지고 있다. [○|×]

04 윗글의 내용 전개 방식으로 가장 적절한 것은?

① 개체성과 관련한 다양한 견해를 비교하고 있다.
② 개체에 대한 정의가 확립되는 과정을 서술하고 있다.
③ 개체성의 조건을 제시한 후 세포 소기관의 개체성에 대해 설명하고 있다.
④ 개체의 유형을 분류한 후 세포의 소기관이 분화되는 과정을 설명하고 있다.
⑤ 개체와 관련된 개념들을 설명한 후 세포가 하나의 개체로 변화하는 과정을 서술하고 있다.

[05~07] 다음 글을 읽고 물음에 답하시오.

❶ [1]1993년 노벨 화학상은 중합 효소 연쇄 반응(PCR)을 개발한 멀리스에게 수여된다. [2]염기 서열을 아는 DNA가 한 분자라도 있으면 이를 다량으로 증폭할 수 있는 길을 열었기 때문이다. [3]PCR는 주형 DNA, 프라이머, DNA 중합 효소, 4종의 뉴클레오타이드가 필요하다. [4]주형 DNA란 시료로부터 추출하여 PCR에서 DNA 증폭의 바탕이 되는 이중 가닥 DNA를 말하며, 주형 DNA에서 증폭하고자 하는 부위를 표적 DNA라 한다. [5]프라이머는 표적 DNA의 일부분과 동일한 염기 서열로 이루어진 짧은 단일 가닥 DNA로, 2종의 프라이머가 표적 DNA의 시작과 끝에 각각 결합한다. [6]DNA 중합 효소는 DNA를 복제하는데, 단일 가닥 DNA의 각 염기 서열에 대응하는 뉴클레오타이드를 순서대로 결합시켜 이중 가닥 DNA를 생성한다.

❷ [1]PCR 과정은 우선 열을 가해 이중 가닥의 DNA를 2개의 단일 가닥으로 분리하는 것으로 시작한다. [2]이후 각각의 단일 가닥 DNA에 프라이머가 결합하면, DNA 중합 효소에 의해 복제되어 2개의 이중 가닥 DNA가 생긴다. [3]일정한 시간 동안 진행되는 이러한 DNA 복제 과정이 한 사이클을 이루며, 사이클마다 표적 DNA의 양은 2배씩 증가한다. [4]그리고 DNA의 양이 더 이상 증폭되지 않을 정도로 충분히 사이클을 수행한 후 PCR를 종료한다. [5]전통적인 PCR는 PCR의 최종 산물에 형광 물질을 결합시켜 발색을 통해 표적 DNA의 증폭 여부를 확인한다.

❸ [1]PCR는 시료의 표적 DNA 양도 알 수 있는 실시간 PCR라는 획기적인 개발로 이어졌다. [2]실시간 PCR는 전통적인 PCR와 동일하게 PCR를 실시하지만, 사이클마다 발색 반응이 일어나도록 하여 누적되는 발색을 통해 표적 DNA의 증폭을 실시간으로 확인할 수 있다. [3]이를 위해 실시간 PCR에서는 PCR 과정에 발색 물질이 추가로 필요한데, '이중 가닥 DNA 특이 염료' 또는 '형광 표식 탐침'이 이에 이용된다. [4]㉠ 이중 가닥 DNA 특이 염료는 이중 가닥 DNA에 결합하여 발색하는 형광 물질로, 새로 생성된 이중 가닥 표적 DNA에 결합하여 발색하므로 표적 DNA의 증폭을 알 수 있게 한다. [5]다만, 이중 가닥 DNA 특이 염료는 모든 이중 가닥 DNA에 결합할 수 있기 때문에 2개의 프라이머끼리 결합하여 이중 가닥의 •이합체(二合體)를 형성한 경우에는 이와 결합하여 의도치 않은 발색이 일어난다.

❹ [1]㉡ 형광 표식 탐침은 형광 물질과 이 형광 물질을 억제하는 •소광 물질이 붙어 있는 단일 가닥 DNA 단편으로, 표적 DNA에서 프라이머가 결합하지 않는 부위에 특이적으로 결합하도록 설계된다. [2]PCR 과정에서 이중 가닥 DNA가 단일 가닥으로 되면, 형광 표식 탐침은 프라이머와 마찬가지로 표적 DNA에 결합한다. [3]이후 DNA 중합 효소에 의해 이중 가닥 DNA가 형성되는 과정 중에 탐침은 표적 DNA와의 결합이 끊어지고 분해된다. [4]탐침이 분해되어 형광 물질과 소광 물질의 분리가 일어나면 비로소 형광 물질이 발색되며, 이로써 표적 DNA가 증폭되었음을 알 수 있다. [5]형광 표식 탐침은 표적 DNA에 특이적으로 결합하는 장점을 지니나 상대적으로 비용이 비싸다.

❺ [1]실시간 PCR에서 발색도는 증폭된 이중 가닥 표적 DNA의 양에 비례하며, 일정 수준의 발색도에 도달하는 데 필요한 사이클은 표적 DNA의 초기 양에 따라 달라진다. [2]사이클의 진행에 따른 발색도의 변화가 연속적인 선으로 표시되며, 표적 DNA를 검출했다고 판단하는 발색도에 도달하는 데 소요된 사이클을 Ct값이라 한다. [3]표적 DNA의 농도를 알지 못하는 미지 시료의 Ct값과 표적 DNA의 농도를 알고 있는 표준 시료의 Ct값을 비교하면 미지 시료에 포함된 표적 DNA의 농도를 계산할 수 있다.

❻ [1]PCR는 시료로부터 얻은 DNA를 가지고 유전자 복제, 유전병 진단, 친자 감별, 암 및 감염성 질병 진단 등에 광범위하게 활용된다. [2]특히 실시간 PCR를 이용하면 바이러스의 감염 여부를 초기에 정확하고 빠르게 진단할 수 있다.

• **이합체** 고분자 화합물을 만들 때 단위가 되는 물질 두 개가 결합하여 만들어진 화합물.
• **소광 물질** 발광 분자가 발광하지 않는 분자의 상태로 변하게 하는 반응을 일으키는 물질.

05 **윗글에서 알 수 있는 내용으로 적절하지 않은 것은?**

① 2종의 프라이머 각각의 염기 서열과 정확히 일치하는 염기 서열을 주형 DNA에서 찾을 수 없다.

② PCR에서 표적 DNA 양이 초기 양을 기준으로 처음의 2배가 되는 시간과 4배에서 8배가 되는 시간은 같다.

③ 전통적인 PCR는 표적 DNA 농도를 아는 표준 시료가 있어도 미지 시료의 표적 DNA 농도를 PCR 과정 중에 알 수 없다.

④ 실시간 PCR는 가열 과정을 거쳐야 시료에 포함된 표적 DNA의 양을 증폭할 수 있다.

⑤ 실시간 PCR를 실시할 때에 표적 DNA의 증폭이 일어나려면 DNA 중합 효소와 프라이머가 필요하다.

06 **㉠과 ㉡에 대한 설명으로 가장 적절한 것은?**

① ㉠은 ㉡과 달리 프라이머와 결합하여 이합체를 이룬다.

② ㉠은 ㉡과 달리 표적 DNA에 붙은 채 발색 반응이 일어난다.

③ ㉡은 ㉠과 달리 형광 물질과 결합하여 이합체를 이룬다.

④ ㉡은 ㉠과 달리 한 사이클의 시작 시점에 발색 반응이 일어난다.

⑤ ㉠과 ㉡은 모두 이중 가닥 표적 DNA에 결합하는 물질이다.

07 **어느 바이러스 감염증의 진단 검사에 PCR를 이용하려고 한다. 윗글을 읽고 이해한 반응으로 가장 적절한 것은?**

① 전통적인 PCR로 진단 검사를 할 때, 시료에 바이러스의 양이 적은 감염 초기에는 감염 여부를 진단할 수 없겠군.

② 전통적인 PCR로 진단 검사를 할 때, DNA 증폭 여부 확인에 발색 물질이 필요 없으니 비용이 상대적으로 싸겠군.

③ 전통적인 PCR로 진단 검사를 할 때, 실시간 증폭 여부를 확인할 필요가 없어 진단에 걸리는 시간을 줄일 수 있겠군.

④ 실시간 PCR로 진단 검사를 할 때, 표적 DNA의 염기 서열이 알려져 있어야 감염 여부를 분석할 수 있겠군.

⑤ 실시간 PCR로 진단 검사를 할 때, 감염 여부는 PCR가 끝난 후에야 알 수 있지만 실시간 증폭은 확인할 수 있겠군.

3 생명 과학

항상성과 몸의 조절

기출 속 배경지식 키워드 | #신경계 #뉴런 #호르몬 #항상성 #질병 #병원체 #방어 작용 #림프구 #항원 #항체

교과 연계
중학교 과학 3
Ⅳ. 자극과 반응
고등학교 생명 과학 Ⅰ
Ⅲ. 항상성과 몸의 조절

◎ 다음 그림을 참고하여 빈칸에 들어갈 알맞은 말을 골라 봅시다.

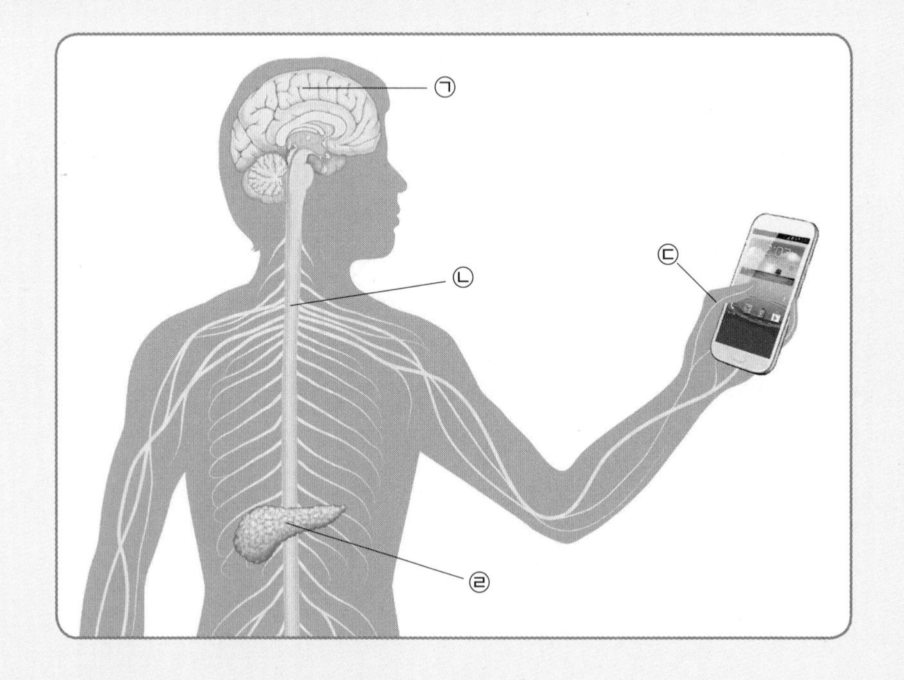

1 ㉠은 고차원적 정신 작용을 담당하는 [대뇌 / 소뇌]이다.

2 ㉡은 뇌와 말초 신경 사이에서 정보를 전달하는 [간뇌 / 척수]이다.

3 ㉢은 다양한 자극을 받아들이는 [중추 / 말초] 신경계로, 몸의 각 부분에 그물처럼 퍼져 있다.

4 ㉣은 내분비샘인 이자로, 인슐린이라는 [호르몬 / 항원]을 분비하여 혈당을 조절한다.

답 1 대뇌 2 척수 3 말초 4 호르몬

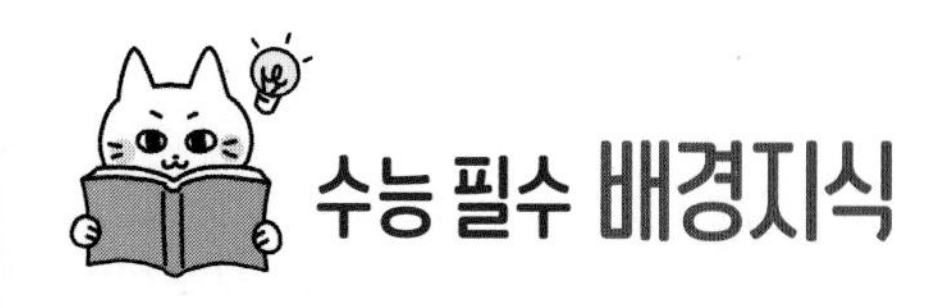

우리는 배가 고프면 먹고, 졸리면 자고, 몸이 아프면 푹 쉬면서 회복하지. 이런 것들은 몸의 기능을 일정하게 유지하기 위한 활동이야. 그래서 몸이 보내는 배고프다는 신호, 졸리다는 신호, 아프다는 신호 등에 잘 반응하는 것이 중요해. 우리 몸은 이런 신호를 어떻게 보내고 어떤 원리로 몸의 변화에 대응하고 있을까?

신경계 • 감각 기관에서 보내는 정보에 반응하고 명령을 내린다

신경계를 구성하는 세포, 뉴런

우리 몸이 눈이나 피부에서 받아들인 자극을 인식하기 위해서는 뇌까지 신호를 전달해야 하는데, 이때 감각 기관으로부터 뇌로, 뇌로부터 운동 기관으로 신호를 전달하는 세포를 **뉴런(신경 세포)**이라고 해.

(1) ㄴㄹ은 가지 돌기, 신경 세포체, 축삭 돌기로 구성된 긴 모양의 세포로, 신호를 전달하기에 적합한 구조로 되어 있어. 신호는 감각 세포나 다른 뉴런으로부터 뉴런의 **가지 돌기**와 **신경 세포체**로 들어오고, **축삭 돌기**를 통해 다른 뉴런이나 기관으로 전달되지.

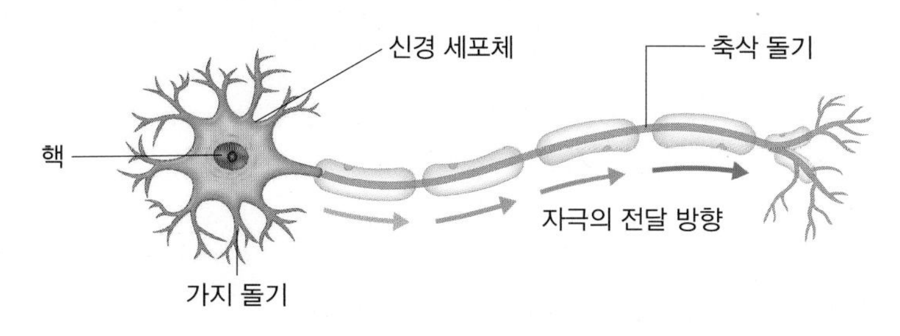

뉴런은 기능에 따라 다음과 같이 구분돼.

연합 뉴런	감각 뉴런이 전달한 자극을 종합하고 판단하여 적절한 명령을 내림.
감각(구심성) 뉴런	감각 기관을 통해 수용된 자극을 연합 뉴런에 전달함.
운동(원심성) 뉴런	연합 뉴런의 명령을 반응 기관에 전달함.

잠깐 체크

❶ 뉴런은 신호를 전달하는 기능을 하는 세포이다. (○, ×)

❷ 뉴런은 (가지 돌기 / 축삭 돌기)를 통해 신호를 다른 뉴런이나 기관으로 전달한다.

답 ❶ ○ ❷ 축삭 돌기

과학

중추 신경계와 말초 신경계

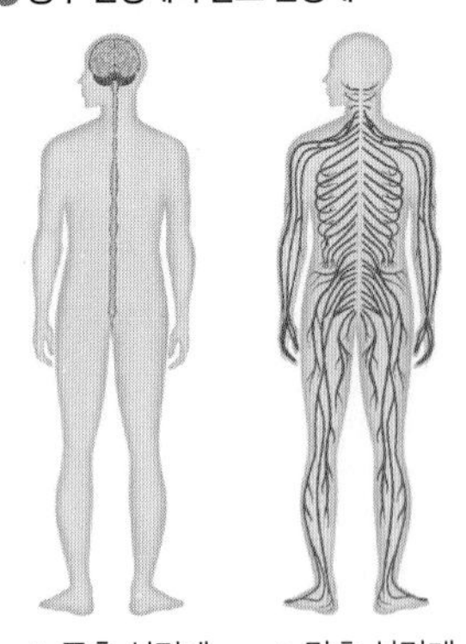

▲ 중추 신경계 ▲ 말초 신경계

중추 신경계와 말초 신경계

여러 종류의 뉴런은 각각 다발을 이루어 연결되어 있는데, 이렇게 뉴런이 모여서 생긴 **신경 다발**은 감각 기관을 거쳐 들어온 자극을 (2) ㄴ 로 전달하고 판단하며 적절한 명령을 운동 기관에 전달해. 이처럼 뇌와 척수를 중심으로 감각 기관과 운동 기관을 연결하면서 자극과 운동 명령을 전달하는 체계를 **신경계**라고 해. 신경계에는 크게 **중추 신경계**와 **말초 신경계**가 있어.

중추 신경계	• 뇌와 척수로 이루어져 있음. • 많은 연합 뉴런이 빽빽하게 모여 있음.
말초 신경계	• 중추 신경계에서 뻗어 나온 감각 신경과 운동 신경 • 몸의 각 부분에 그물처럼 퍼져 있음. • 중추 신경계와 몸의 각 부분 사이에서 신호를 전달하며 다양한 자극을 받아들이고, 운동 명령을 전달하는 역할을 함.

신경계의 중심부, 중추 신경계

중추 신경계를 이루는 뇌는 대뇌, 소뇌, 간뇌, 중간뇌, 연수로 구분하고 연수 아래에 척수가 연결되어 있어. 뇌와 척수는 각각 두개골과 척추로 싸여 있어서 외부 충격으로부터 보호돼. 아래 그림에서 중추 신경계의 각 기관이 하는 기능을 알아보자.

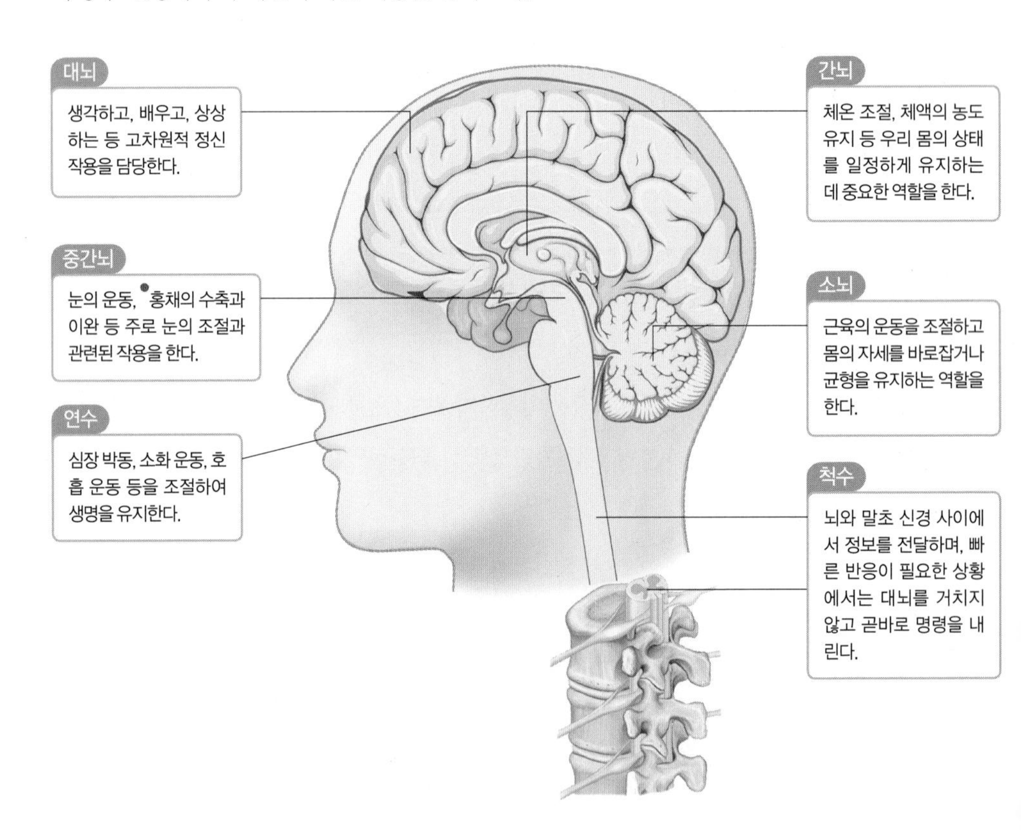

• **홍채** 눈의 각막과 수정체 사이에 있는 얇은 막으로, 눈동자에 들어오는 빛의 양을 조절하는 기관.

구석구석 퍼져 있는 말초 신경계

말초 신경계는 중추 신경계에서 뻗어 나와 몸의 각 부분에 그물처럼 퍼져 있는 감각 신경과 운동 신경을 말하는데, 이 중 **자율 신경계**는 소화, 순환, 호흡 기관 등에 퍼져서 심장이 뛰거나 소화 효소를 분비하는 것과 같이 대뇌 활동과 관계없는 몸의 활동을 자율적으로 조절해. 자율 신경계에서 **교감 신경**은 흥분하거나 긴장했을 때 작용하고, **부교감 신경**은 휴식 중이거나 안정되었을 때 작용해.

잠깐 체크

❶ 신경계는 중추 신경계와 말초 신경계로 나뉜다. (○, ×)

❷ 중추 신경계에서 근육의 운동을 조절하고 균형을 유지하는 역할을 하는 기관은?

❸ 우리 몸이 긴장하게 되면 자율 신경 중 (교감 / 부교감) 신경이 활성화된다.

답 ❶ ○ ❷ 소뇌 ❸ 교감

호르몬과 항상성 • 우리의 몸은 호르몬과 신경의 작용으로 유지된다

우리 몸을 구성하는 여러 기관은 서로 정보를 주고받으며 기능을 조절하고, 적절하게 반응하여 외부 환경이 변하더라도 체내 상태를 일정하게 유지하지. 이는 신경계와 내분비계의 작용 덕분이야.

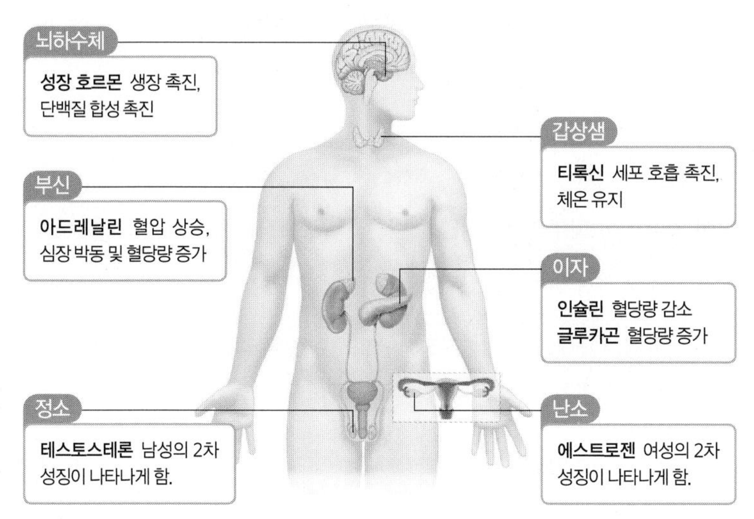

▲ 사람의 주요 내분비샘과 분비 호르몬

내분비계는 호르몬을 생산하고 분비하는 **내분비샘**으로 구성되어 있는데, 사람의 내분비샘에는 시상 하부, 뇌하수체, 갑상샘, 부신, 이자, 난소, 정소 등이 있어. **호르몬**은 특정 조직이나 기관의 •생리 작용을 조절하는 화학 물질로, 혈액을 통해 특정 세포나 기관에 이르러 고유한 작용을 해. 예를 들어 공포 영화를 봤을 때 심장이 빠르게 뛰는 이유는 부신에서 **아드레날린**을 분비하기 때문이야.

우리가 에어컨과 같은 온도 조절기로 실내 온도를 일정하게 유지하는 것처럼, 사람의 몸도 외부 환경이 변하더라도 상태를 일정하게 유지하려는 특성이 있는데 이를 **항상성**이라고 해. (3) ㅎㅅㅅ 은 우리 몸의 정상적인 생명 활동을 위해 매우 중요하지. 우리 몸은 감각 기관을 통해 환경 변화가 감지되면 호르몬과 신경이 함께 작용하여 여러 기능을 조절함으로써 항상성을 유지해. 이처럼 우리 몸은 호르몬과 신경의 작용으로 체온, 혈당량, 몸의 수분 등을 일정하게 유지하고 있어.

내분비샘과 외분비샘

내분비샘	혈액으로 호르몬을 분비하는 조직이나 기관
외분비샘	소화샘, 침샘, 땀샘 등과 같이 침이나 소화액 등을 몸 표면이나 소화관 안으로 분비하는 조직이나 기관

• **생리 작용** 혈액 순환, 호흡, 소화, 배설, 생식 등 생물이 생활하는 모든 작용.

호르몬과 신경 작용의 예

우리 몸은 혈당량을 항상 일정한 수준으로 유지하는 것이 중요하다. 식사 전후나 운동 시에는 혈당량이 변하는데, 신경계의 간뇌는 이러한 변화를 감지하여 혈당량 조절을 위한 여러 가지 명령을 내린다. 이때 이자는 인슐린과 같은 혈당량 조절 호르몬을 분비하여 혈당량을 일정하게 유지한다.

질병과 병원체 • 병원체에 감염되면 질병에 걸린다

이번에는 인간의 건강을 위협하는 **질병**을 공부해 보자. 질병은 비감염성 질병과 감염성 질병으로 나눌 수 있어. 예를 들어서 호르몬이 제대로 분비되지 않아 나타나는 병인 **내분비계 질환**은 비감염성 질병에 해당해.

비감염성 질병	• 병원체에 감염되지 않아도 발병하는 질병 • 환경, 유전, 생활 방식 등 여러 가지 원인이 복합적으로 작용하여 발병함. • 고혈압, 당뇨병 등
감염성 질병	• 병원체에 감염되어 발병하는 질병 • 결핵, 후천성 면역 결핍증(AIDS), 독감 등

이때 감염성 질병을 일으킬 수 있는 것을 **병원체**라고 하는데, 병원체에는 (4) ㅅㄱ, 바이러스, •원생생물, 곰팡이 등이 있어.

• **원생생물** 뚜렷한 핵을 가진 생물 중 식물, 동물, 균류에 속하지 않는 생물. 주로 단세포 생물이다.

잠깐 체크

❶ 혈액에 의해 운반되어 특정 조직이나 기관의 생리 작용을 조절하는 화학 물질은 무엇인가?

❷ 호르몬은 우리 몸의 항상성을 유지하는 작용을 한다. (○, ×)

❸ 바이러스에 의한 질병은 비감염성 질병이다. (○, ×)

답 ❶ 호르몬 ❷ ○ ❸ ×

우리 몸의 방어 작용 • 이물질이나 병원체로부터 몸을 보호한다

우리 몸에 이물질이나 병원체가 침입하면 어떻게 될까? 이에 대항하는 방어 작용이 일어나 우리 몸을 보호하려고 해. 이러한 (5) ㅂㅇ ㅈㅇ 은 신속하고 광범위하게 일어나는 **비특이적 방어 작용**과, 특정 병원체를 인식하여 강력하게 작용하는 **특이적 방어 작용**으로 구분할 수 있어.

비특이적 방어 작용

비특이적 방어 작용에는 **피부와 점막**, **염증 반응**, **식세포 작용**이 있어. 이러한 비특이적 방어 작용은 특이적 방어 작용을 시작하도록 촉진하는 역할을 해.

피부와 점막	• 병원체가 체내의 세포나 조직에 침입하는 것을 막아 주는 물리적, 화학적 방어벽
염증 반응	• 피부나 점막이 손상되어 병원체가 체내로 칩입했을 때 나타나는 열, 부어오름, 통증 등의 증상 • 염증 반응이 일어나면 감염 부위에 •백혈구가 모여 식세포 작용을 통해 병원체와 손상된 세포를 제거함.
식세포 작용 (식균 작용)	• 백혈구가 손상된 세포나 세균을 세포 안으로 들여와 제거하는 작용 • 병원체를 제거함과 동시에 침입한 병원체의 정보를 알 수 있는 작용

• **백혈구** 혈액의 성분 가운데 하나. 식세포 작용, 면역 작용 등의 기능이 있다.

특이적 방어 작용

특이적 방어 작용에서 중요한 역할을 하는 것은 림프구와 항체야. **림프구**는 백혈구의 일종이고, 외부에서 침입한 물질 중 •면역 반응을 일으키는 이물질이나 병원체를 **항원**, 항원을 제거하기 위해 만들어지는 단백질을 **항체**라고 해.

• **면역** 몸속에 들어온 항원에 대항하는 항체를 생산하여 다음에는 그 병에 걸리지 않도록 된 상태. 또는 그런 작용.

특이적 방어 작용은 그 방식에 따라 **세포성 면역**과 **체액성 면역**으로 나뉘어.

세포성 면역	바이러스 등에 감염된 세포와 암세포를 직접 공격하는 세포독성 T 림프구가 활성화되고 증식, 분화하여 일어나는 방어 작용
체액성 면역	• B 림프구가 항체를 생성하여 일어나는 방어 작용. 백혈구의 도움으로 항원을 인식하는 보조 T 림프구가 활성화되고, 보조 T림프구의 작용으로 항원과 결합한 B 림프구가 활성화되면 B 림프구는 형질 세포와 (6) ㄱㅇ 세포로 분화함. • 형질 세포: 항체를 생성함. • 기억 세포: 항원의 특성을 기억함.

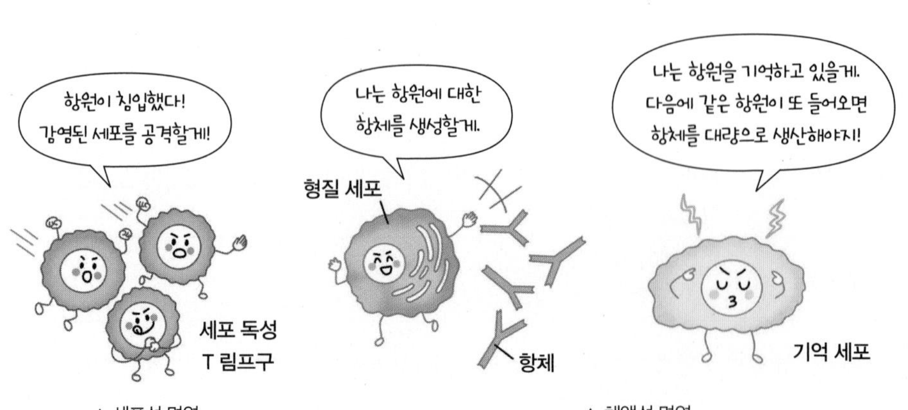

▲ 세포성 면역 ▲ 체액성 면역

잠깐 체크

❶ 방어 작용은 우리 몸에 침입한 항원으로부터 우리 몸을 보호하기 위해 일어난다. (○, ×)

❷ B 림프구는 (항체 / 항원)을/를 생성하는 형질 세포와 (항체 / 항원)을/를 기억하는 기억 세포로 분화한다.

답 ❶ ○ ❷ 항체, 항원

백신의 원리

그렇다면 독감 백신을 맞았을 때 독감에 잘 걸리지 않는 이유는 뭘까? 이는 바로 우리 몸의 기억 능력 때문이야. 우리 몸은 이전에 감염되었던 항원과 같은 항원이 다시 침입했을 때 더 강력한 방어 작용을 일으키거든.

백신에는 약화하거나 죽인 병원체 또는 병원체의 일부분이 담겨 있어. 백신을 맞으면 우리 몸의 면역 체계는 백신에 포함된 항원을 공격하고 항원의 특성을 기억하는 기억 세포를 형성하지. 그래서 이후에 백신으로 예방한 (7) ㅂㅇㅊ 에 감염되면 기억 세포가 빠르게 형질 세포로 분화하여 다량의 항체를 생성하고, 생성된 항체가 항원과 •**항원 항체 반응**을 해서 병원체를 효과적으로 제거해.

•**항원 항체 반응** 항원을 제거하기 위해 항체가 항원과 결합해 일어나는 반응.

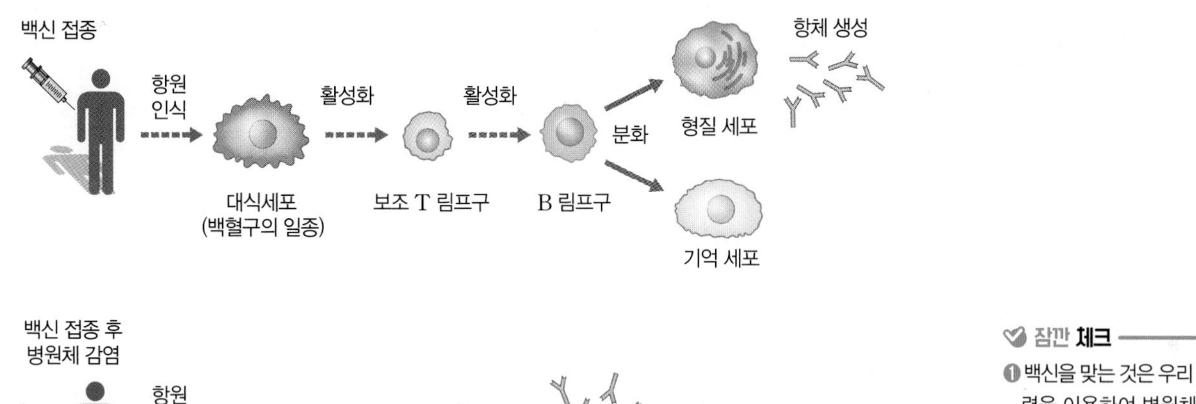

잠깐 체크

❶ 백신을 맞는 것은 우리 몸의 면역 능력을 이용하여 병원체로부터 몸을 보호하기 위해서이다. (○, ×)

❷ 백신에는 항체가 들어 있다. (○, ×)

답 ❶ ○ ❷ ×

배경지식 Zip

신경계	• 뉴런: 감각 기관으로부터 뇌, 뇌로부터 운동 기관으로 신호를 전달하는 세포 • 중추 신경계: 뇌와 척수로 이루어져 있음. • ❶ ____ 신경계: 중추 신경계에서 뻗어 나온 감각 신경과 운동 신경. 몸에 그물처럼 퍼져 있음.
호르몬과 항상성	• 호르몬은 내분비샘에서 분비되어 혈액을 통해 특정 세포나 기관에 이름. • 호르몬과 신경의 작용으로 몸의 ❷ ____ 이 유지됨.
질병과 병원체	• 비감염성 질병: 병원체에 감염되지 않아도 발병하는 질병 예 고혈압, 당뇨병 • 감염성 질병: ❸ ____ 에 감염되어 발병하는 질병 예 결핵, 후천성 면역 결핍증(AIDS) • 병원체: 감염성 질병을 일으킬 수 있는 것 예 세균, 바이러스
우리 몸의 방어 작용	• 우리 몸에 항원이 침입하면 방어 작용이 일어남. 백신은 이러한 방어 작용의 기억 능력을 이용함. • 림프구: 백혈구의 일종 • 항원: 면역 반응을 일으키는 이물질이나 병원체 • 항체: ❹ ____ 을 제거하기 위해 만들어지는 단백질

답 ❶ 말초 ❷ 항상성 ❸ 병원체 ❹ 항원

본문 빈칸 답 (1) 뉴런 (2) 뇌 (3) 항상성 (4) 세균 (5) 방어 작용 (6) 기억 (7) 병원체

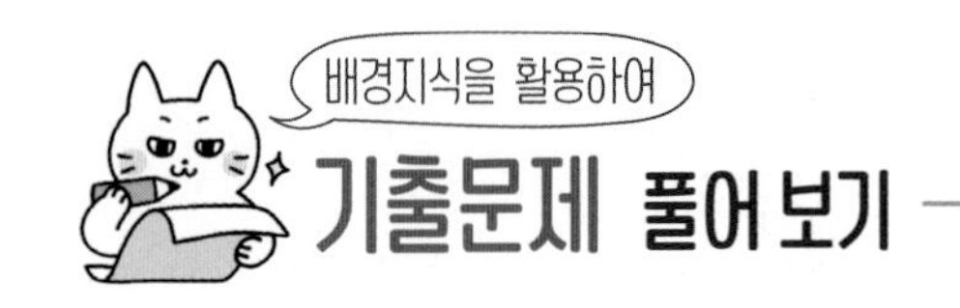

[01~02] 다음 글을 읽고 물음에 답하시오.

❶ [1]'식욕'은 음식을 먹고 싶어 하는 욕망으로, 인간이 살아가는 데 필요한 영양분을 얻기 위해서 반드시 필요하다. [2]식욕은 기본적으로 뇌의 •시상 하부에 있는 식욕 •중추의 영향을 받는데, 이 중추에는 배가 고픈 느낌이 들게 하는 '섭식 중추'와 배가 부른 느낌이 들게 하는 '포만 중추'가 함께 있다. [3]우리 몸이 영양분을 필요로 하는 상태가 되면 섭식 중추는 뇌 안의 다양한 곳에 신호를 보낸다. [4]그러면 식욕이 느껴져 침의 분비와 같이 먹는 일과 관련된 무의식적인 행동이 촉진된다. [5]그러다 영양분의 섭취가 늘어나면, 포만 중추가 작용해서 식욕이 억제된다.

❷ [1]그렇다면 뇌에 있는 섭식 중추나 포만 중추는 어떻게 몸속 영양분의 상태에 따라 식욕을 조절하는 것일까? [2]여기에서 중요한 역할을 하는 것이 혈액 속을 흐르는 영양소인데, 특히 탄수화물에서 분해된 '포도당'과 지방에서 분해된 '지방산'이 중요하다. [3]먼저 탄수화물은 식사를 통해 섭취된 후 소장에서 분해되면, 포도당으로 변해 혈액 속으로 흡수된다. [4]그러면 혈중 포도당의 농도가 높아지고, 이를 줄이기 위해 췌장에서 '인슐린'이라는 호르몬이 분비된다. [5]이 포도당과 인슐린이 혈액을 타고 시상 하부로 이동하여 포만 중추의 작용은 촉진하고 섭식 중추의 작용은 억제한다. [6]반면에 지방은 피부 아래의 조직에 중성지방의 형태로 저장되어 있다가 공복 상태가 길어지면 혈액 속으로 흘러가 간(肝)으로 운반된다. [7]그러면 부족한 에너지를 보충하기 위해 간에서 중성지방이 분해되고, 이 과정에서 생긴 지방산이 혈액을 타고 시상 하부로 이동하여 섭식 중추의 작용은 촉진하고 포만 중추의 작용은 억제한다. [8]이와 같은 작용 원리에 따라 우리의 식욕이 조절된다.

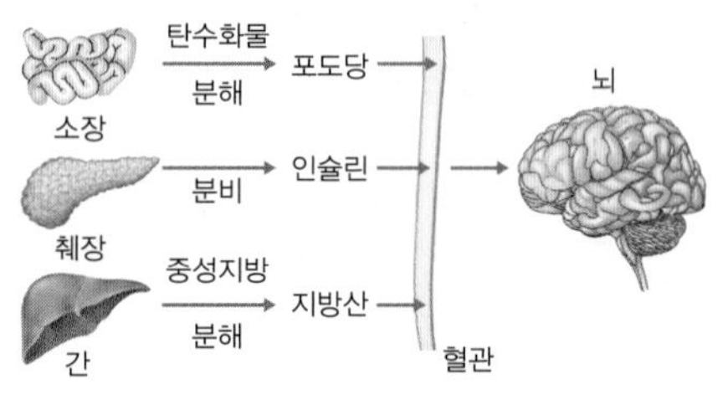

▲ 탄수화물이 포함된 식사 전후에 혈액 속을 흐르는 물질이 식욕 중추에 끼치는 영향 관계

❸ [1]그런데 우리는 온전히 영양분 섭취만을 목적으로 식욕을 느끼는 것은 아니다. [2]예를 들어, '스트레스를 받으니까 매운 음식이 먹고 싶어.'처럼 영양분의 섭취와 상관없이 취향이나 기분에 좌우되는 식욕도 있다. [3]이와 같은 식욕은 대뇌의 앞부분에 있는 '전두 연합 영역'에서 조절되는데, 본래 이 영역은 정신적이고 지적인 활동을 담당하는 곳이지만 식욕에도 큰 영향을 미친다. [4]이곳에서는 음식의 맛, 냄새 등 음식에 관한 다양한 감각 정보를 정리해 종합적으로 기억한다. [5]또한 맛이 없어도 건강을 위해 음식을 섭취하는 것과 같이, 먹는 행동을 이성적으로 조절하는 일도 이곳에서 담당하는데, 전두 연합 영역의 지령은 신경 세포의 신호를 통해 섭식 중추와 포만 중추로 전해진다.

• **시상 하부** 사람이 의식적으로 통제하지 못하는 다양한 신체 시스템을 감시하고 조절하는 뇌의 영역.
• **중추** 신경 기관 가운데, 신경 세포가 모여 있는 부분.

01

윗글의 내용과 일치하면 ○에, 일치하지 않으면 ×에 표시하시오.

(1) 혈관 속에 포도당의 양이 줄어들면 인슐린이 분비된다. ○ ×
(2) 혈관 속에 포도당과 인슐린의 양이 많아지면 배가 고픈 느낌이 든다. ○ ×
(3) 공복 상태가 길어지면 혈관 속 포도당의 양은 줄고 지방산의 양은 늘어난다. ○ ×

02

윗글을 이해한 내용으로 적절하지 않은 것은?

① 식욕은 인간이 살아가는 데 반드시 필요한 욕망이다.
② 인간의 뇌에 있는 시상 하부는 인간의 식욕에 영향을 끼친다.
③ 간은 부족한 에너지 보충을 위해 중성지방을 분해해서 식욕을 조절한다.
④ 전두 연합 영역은 정신적이고 지적인 활동뿐만 아니라 식욕에도 관여한다.
⑤ 시상 하부에서는 음식의 맛, 냄새 등에 관한 다양한 감각 정보를 기억한다.

[03~04] 다음 글을 읽고 물음에 답하시오.

❶ [1]바이러스는 체내에 들어와 문제를 일으킬 수 있어 주의해야 할 대상이다. [2]생명체와 달리, 바이러스는 세포가 아니기 때문에 스스로 생장이 불가능하다. [3]그래서 바이러스는 살아 있는 •숙주 세포에 •기생하고, 그 안에서 증식함으로써 살아간다. [4]바이러스는 바깥을 둘러싸는 •피막의 유무에 따라 구조가 달라진다. [5]피막이 있는 바이러스는 피막의 바깥에 부착 단백질이 박혀 있고 피막 안에는 캡시드라는 단백질이 있다. [6]캡시드 안에는 핵산이 있는데, 핵산은 DNA와 RNA 중 하나로만 구성된다. [7]이러한 구조를 갖는 바이러스는 숙주 세포에 어떻게 감염하는 것일까?

❷ [1]바이러스의 감염 가능 여부는 숙주 세포 수용체의 특성에 따라 결정된다. [2]바이러스는 감염이 가능한 숙주 세포와 접촉한 후 바이러스 피막의 부착 단백질을 이용해 숙주 세포 수용체에 달라붙는다. [3]달라붙은 부위를 통해 바이러스가 숙주 세포 내부로 침투하고, 바이러스의 핵산이 캡시드로부터 분리되어 숙주 세포 내부로 빠져나온다. [4]이후 핵산은 효소를 이용하여 복제된다. [5]핵산이 DNA일 경우 숙주 세포에 있는 효소를 그대로 이용하고, 반면 RNA일 경우 숙주 세포에 있는 효소를 이용해 자신에 맞는 효소를 합성한다. [6]또한 핵산은 mRNA라는 전달 물질을 통해 단백질을 합성한다. [7]합성된 단백질의 일부는 캡시드가 되어 복제된 핵산을 둘러싸고 다른 일부는 숙주 세포막에 부착되어 바이러스의 부착 단백질이 될 준비를 한다. [8]그 후 단백질이 부착된 숙주 세포막이 캡시드를 감싸 피막이 되면서 증식된 바이러스가 숙주 세포 밖으로 배출된다.

❸ [1]우리 몸은 주로 위의 과정을 통해 지속 감염이 일어나기도 하고 위와는 다른 과정을 거쳐 급성 감염이 일어나기도 한다. [2]㉠급성 감염은 일반적으로 짧은 기간 안에 일어나는데, 바이러스는 감염된 숙주 세포를 증식 과정에서 죽이고 바이러스가 또 다른 숙주 세포에서 증식하며 질병을 일으킨다. [3]시간이 흐르면서 체내의 방어 체계에 의해 바이러스를 제거해 나가면 체내에는 더 이상 바이러스가 남아 있지 않게 된다. [4]반면 ㉡지속 감염은 급성 감염에 비해 상대적으로 오랜 기간 동안 바이러스가 체내에 잔류한다. [5]지속 감염에서는 바이러스가 장기간 숙주 세포를 파괴하지 않으면서도 체내의 방어 체계를 회피하며 생존한다.

- **숙주** 기생 생물에게 영양을 공급하는 생물.
- **기생하다** 서로 다른 종류의 생물이 함께 생활하며, 한쪽이 이익을 얻고 다른 쪽이 해를 입다.
- **피막** 겉껍질과 속껍질을 통틀어 이르는 말.

03 윗글의 내용과 일치하면 ○에, 일치하지 않으면 ×에 표시하시오.

(1) 피막이 있는 바이러스의 가장 바깥에는 부착 단백질이 있다. ○ ×

(2) 피막이 있는 바이러스의 핵산이 DNA라면 캡시드 안에 RNA는 존재하지 않는다. ○ ×

(3) 피막이 있는 바이러스는 숙주 세포막의 효소와 결합하여 숙주 세포 내부로 침투한다. ○ ×

04 ㉠과 ㉡에 대한 설명으로 적절한 것은?

① ㉠은 ㉡과 달리 바이러스가 장기간 숙주 세포를 파괴하지 않는다.
② ㉠은 ㉡에 비해 바이러스가 체내의 방어 체계를 오랫동안 회피한다.
③ ㉡은 ㉠과 달리 바이러스가 증식하는 과정에서 숙주 세포를 소멸한다.
④ ㉡은 ㉠에 비해 감염한 바이러스가 체내에 장기간 남아 있게 된다.
⑤ ㉠과 ㉡은 체내의 바이러스가 질병을 •발현하는지 여부에 따라 구분된다.

- **발현하다** 속에 있거나 숨은 것이 밖으로 나타나다. 또는 나타나게 하다.

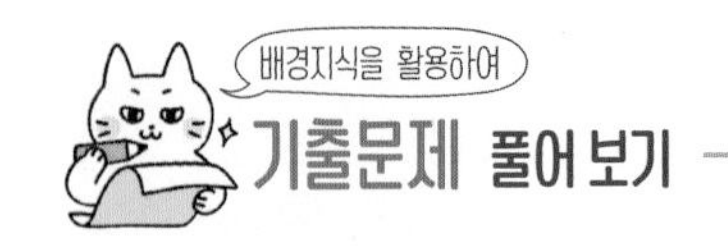

[05~08] 다음 글을 읽고 물음에 답하시오.

❶ [1]신체의 세포, 조직, 장기가 손상되어 더 이상 제 기능을 하지 못할 때에 이를 대체하기 위해 이식을 실시한다. [2]이때 이식으로 옮겨 붙이는 세포, 조직, 장기를 이식편이라 한다. [3]자신이나 일란성 쌍둥이의 이식편을 이용할 수 없다면 다른 사람의 이식편으로 '동종 이식'을 실시한다. [4]그런데 우리의 몸은 자신의 것이 아닌 물질이 체내로 유입될 경우 면역 반응을 일으키므로, 유전적으로 동일하지 않은 이식편에 대해 항상 거부 반응을 일으킨다. [5]면역적 거부 반응은 면역 세포가 표면에 발현하는 주조직적합 복합체(MHC) 분자의 차이에 의해 유발된다. [6]개체마다 MHC에 차이가 있는데 서로 간의 유전적 거리가 멀수록 MHC에 차이가 커져 거부 반응이 강해진다. [7]이를 막기 위해 면역 억제제를 사용하는데, 이는 면역 반응을 억제하여 질병 감염의 위험성을 높인다.

❷ [1]이식에는 많은 비용이 소요될 뿐만 아니라 이식이 가능한 동종 이식편의 수가 매우 부족하기 때문에 이를 대체하는 방법이 개발되고 있다. [2]우선 인공 심장과 같은 '전자 기기 인공 장기'를 이용하는 방법이 있다. [3]하지만 이는 장기의 기능을 일시적으로 대체하는 데 사용되며, 추가 전력 공급 및 정기적 부품 교체 등이 요구되는 단점이 있고, 아직 인간의 장기를 완전히 대체할 만큼 정교한 단계에 이르지는 못했다.

❸ [1]다음으로는 사람의 조직 및 장기와 유사한 다른 동물의 이식편을 인간에게 이식하는 '이종 이식'이 있다. [2]그런데 이종 이식은 동종 이식보다 거부 반응이 훨씬 심하게 일어난다. [3]특히 사람이 가진 자연 항체는 다른 종의 세포에서 발현되는 항원에 반응하는데, 이로 인해 이종 이식편에 대해서 초급성 거부 반응 및 급성 혈관성 거부 반응이 일어난다. [4]이런 거부 반응을 일으키는 유전자를 제거한 •형질 전환 미니돼지에서 얻은 이식편을 이식하는 실험이 성공한 바 있다. [5]미니돼지는 장기의 크기가 사람의 것과 유사하고 번식력이 높아 단시간에 많은 개체를 생산할 수 있다는 장점이 있어, 이를 이용한 이종 이식편을 개발하기 위한 연구가 진행되고 있다.

❹ [1]이종 이식의 또 다른 문제는 ㉠ 내인성 •레트로바이러스이다. [2]내인성 레트로바이러스는 생명체의 DNA의 일부분으로, 레트로바이러스로부터 유래된 것으로 여겨지는 부위들이다. [3]이는 바이러스의 활성을 가지지 않으며 사람을 포함한 모든 포유류에 존재한다. [4]㉡ 레트로바이러스는 자신의 유전 정보를 RNA에 담고 있고 •역전사 효소를 갖고 있는 바이러스로서, 특정한 종류의 세포를 감염시킨다. [5]유전 정보가 담긴 DNA로부터 RNA가 생성되는 전사 과정만 일어날 수 있는 다른 생명체와는 달리, 레트로바이러스는 다른 생명체의 세포에 들어간 후 역전사 과정을 통해 자신의 RNA를 DNA로 바꾸고 그 세포의 DNA에 끼어들어 감염시킨다. [6]이후에는 다른 바이러스와 마찬가지로 자신이 속해 있는 생명체를 숙주로 삼아 숙주 세포의 시스템을 이용하여 복제, 증식하고 일정한 조건이 되면 숙주 세포를 파괴한다.

❺ [1]그런데 정자, 난자와 같은 생식세포가 레트로바이러스에 감염되고도 살아남는 경우가 있었다. [2]이런 세포로부터 유래된 자손의 모든 세포가 갖게 된 것이 내인성 레트로바이러스이다. [3]내인성 레트로바이러스는 세대가 지나면서 돌연변이로 인해 염기 서열의 변화가 일어나며 해당 세포 안에서는 바이러스로 활동하지 않는다. [4]그러나 내인성 레트로바이러스를 떼어 내어 다른 종의 세포 속에 주입하면 이는 레트로바이러스로 변환되어 그 세포를 감염시키기도 한다. [5]따라서 미니돼지의 DNA에 포함된 내인성 레트로바이러스를 효과적으로 제거하는 기술이 개발 중에 있다.

❻ [1]그동안의 대체 기술과 관련된 연구 성과를 토대로 ⓐ 이상적인 이식편을 개발하기 위해 많은 연구가 수행되고 있다.

• **형질** 동식물의 모양, 크기, 성질 등의 고유한 특징.
• **레트로바이러스** 백혈병 바이러스, 육종 바이러스와 같이 아르엔에이(RNA)를 유전자로 가지는 종양 바이러스 무리.
• **역전사** 아르엔에이(RNA)를 주형(디엔에이를 복제할 때 바탕으로 쓰이는 분자)으로 디엔에이(DNA)가 만들어지는 과정.

05

윗글에서 알 수 있는 내용으로 적절하지 않은 것은?

① 동종 간보다 이종 간이 MHC 분자의 차이가 더 크다.
② 면역 세포의 작용으로 인해 장기 이식의 거부 반응이 일어난다.
③ 이종 이식을 하는 것만으로도 바이러스 감염의 원인이 될 수 있다.
④ 포유동물은 과거에 어느 조상이 레트로바이러스에 의해 감염된 적이 있다.
⑤ 레트로바이러스는 숙주 세포의 역전사 효소를 이용하여 RNA를 DNA로 바꾼다.

06

ⓐ가 갖추어야 할 조건으로 적절하지 않은 것은?

① 이식편의 비용을 낮추어서 정기 교체가 용이해야 한다.
② 이식편은 대체를 하려는 장기와 크기가 유사해야 한다.
③ 이식편과 수혜자 사이의 유전적 거리를 극복해야 한다.
④ 이식편은 짧은 시간에 대량으로 생산이 가능해야 한다.
⑤ 이식편이 체내에서 거부 반응을 유발하지 않아야 한다.

07

다음은 신문 기사의 일부이다. 윗글을 참고할 때, 기사의 ㉮에 대한 반응으로 적절하지 않은 것은?

> 최근에 줄기 세포 연구와 3D 프린팅 기술이 급속도로 발전하고 있다. 줄기 세포는 인체의 모든 세포나 조직으로 분화할 수 있다. 그러므로 수혜자 자신의 줄기 세포만을 이용하여 3D 바이오 프린팅 기술로 제작한 ㉮세포 기반 인공 이식편을 만들 수 있을 것으로 전망된다. 이미 미니 폐, 미니 심장 등의 개발 성공 사례가 보고되었다.

① 전자 기기 인공 장기와 달리 전기 공급 없이도 기능을 유지할 수 있겠군.
② 동종 이식편과 달리 이식 후 면역 억제제를 사용할 필요가 없겠군.
③ 동종 이식편과 달리 내인성 레트로바이러스를 제거할 필요가 없겠군.
④ 이종 이식편과 달리 유전자를 조작하는 과정이 필요하지는 않겠군.
⑤ 이종 이식편과 달리 자연 항체에 의한 초급성 거부 반응이 일어나지 않겠군.

08

㉠과 ㉡에 대한 설명으로 가장 적절한 것은?

① ㉠은 ㉡과 달리 자신이 속해 있는 생명체의 모든 세포의 DNA에 존재한다.
② ㉡은 ㉠과 달리 자신의 유전 정보를 DNA에 담을 수 없다.
③ ㉡은 ㉠과 달리 자신이 속해 있는 생명체에 면역 반응을 일으키지 않는다.
④ ㉠과 ㉡은 둘 다 자신이 속해 있는 생명체의 유전 정보를 가지고 있다.
⑤ ㉠과 ㉡은 둘 다 자신이 속해 있는 생명체의 세포를 감염시켜 파괴한다.

12

4 지구 과학

태양계

기출 속 배경지식 키워드 | #태양계 #항성 #행성 #위성 #자전 #공전 #일식 #월식

교과 연계
중학교 과학 2
Ⅲ. 태양계

○ 다음 그림을 참고하여 빈칸에 들어갈 알맞은 말을 골라 봅시다.

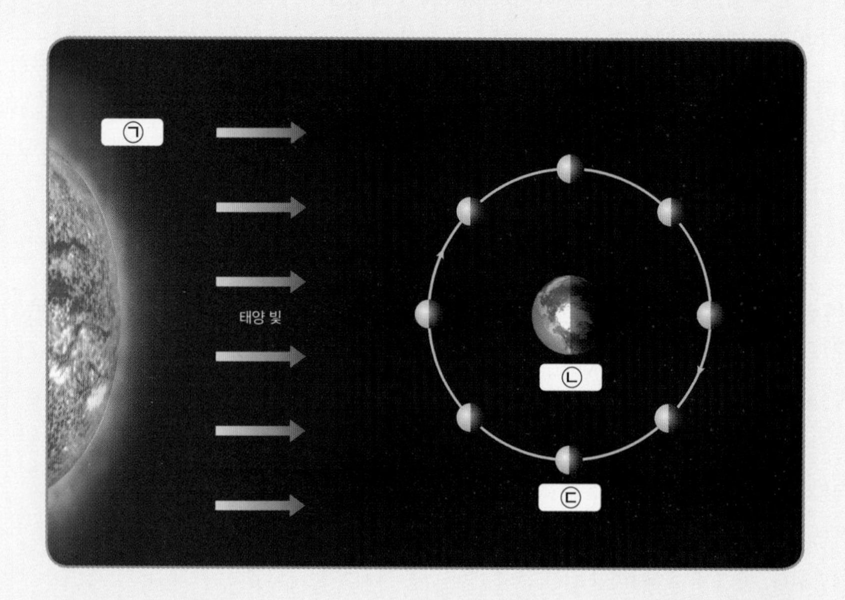

1 ㉠은 태양계의 [항성 / 위성]이다.

2 ㉡은 24시간을 주기로 [자전 / 공전]하는 행성이다.

3 ㉡이 ㉠의 주위를, ㉢이 ㉡의 주위를 주기적으로 도는 길을 [공전 궤도 / 공전 주기]라고 한다.

4 '㉠ – ㉡ – ㉢' 순으로 일직선상에 놓이면 [일식 / 월식]이 일어난다.

5 [개기 일식 / 부분 일식]이 일어나면 ㉠이 ㉢에 완전히 가려져 보이지 않는다.

답 1 항성 2 자전 3 공전 궤도 4 월식 5 개기 일식

수능 필수 배경지식

중세 시대 사람들은 우주의 중심은 지구이고 모든 •천체가 지구의 주위를 돈다는 천동설을 믿었어. 이러한 상황에서 갈릴레이는 우주의 중심은 태양이고 지구를 포함한 나머지 행성들이 그 주위를 돈다는 지동설을 주장했다는 이유로 종교 재판을 받게 됐지. 교회의 강압 때문에 자신의 생각이 잘못되었다고 인정할 수밖에 없었던 갈릴레이는 재판장을 나오면서 혼잣말로 중얼거렸다고 해. "그래도 지구는 돈다." 이제는 상식이 된 갈릴레이의 주장을 자세히 공부해 보자.

● **천체** 우주에 존재하는 모든 물체. 항성, 행성, 위성, 혜성, 인공위성 등을 통틀어 이르는 말이다.

태양계의 천체 ● 태양계는 항성, 행성, 위성 등으로 이루어져 있다

먼저 태양계부터 알아보자. **태양계**는 태양과 그것을 중심으로 •공전하는 천체(天體)의 집합이야. 태양계 천체는 주위의 별에 대하여 일정한 방향으로 움직이는 운동인 **태양계 운동**을 하는데, 이 천체들은 다음과 같이 분류할 수 있어.

항성	스스로 빛과 열을 내며 별자리를 기준으로 천구상의 한 점에 고정된 것으로 관측되는 천체 예 태양계의 중심인 태양
행성	중심 별의 강한 •인력(引力)의 영향으로 타원 궤도를 그리며 중심 별의 주위를 도는 천체. 태양계 행성들은 (1) ㅌㅇ 의 주위를 돎. • 내행성: 지구보다 안쪽에서 태양 주위를 공전하는 수성, 금성 • 외행성: 지구보다 바깥쪽에서 태양 주위를 공전하는 화성, 목성, 토성, 천왕성, 해왕성
위성	행성의 인력에 의하여 그 주위를 도는 천체 예 지구의 위성인 달

● **공전** 한 천체가 다른 천체의 주위를 주기적으로 도는 일.

● **인력** 공간적으로 떨어져 있는 물체끼리 서로 끌어당기는 힘.

잠깐 체크

❶ 태양은 태양계의 중심 별이다. (○, ×)

❷ 달은 (지구 / 태양)의 위성이다.

답 ❶ ○ ❷ 지구

자전 • 천체가 스스로 고정된 축을 중심으로 회전하는 운동

일주 운동 • 천체가 지구의 자전 방향과 반대 방향으로 도는 것처럼 보이는 운동

공전 • 한 천체가 다른 천체의 주위를 주기적으로 회전하는 운동

고정된 축을 중심으로 도는 자전

자전은 천체가 스스로 고정된 축을 중심으로 회전하는 운동으로, 지구는 •자전축을 중심으로 하루에 한 바퀴씩 서에서 동으로 회전하는 자전 운동을 해. 하루 동안 낮과 밤이 바뀌는 이유는 지구가 자전하기 때문이란다.

▲ 지구의 자전

지구에서 하늘을 보면 지구를 둘러싼 넓은 구 안쪽에 별들이 붙어 있는 것처럼 보이지? 이렇게 우리가 보는 둥근 하늘을 •**천구**라고 하는데, 지구가 자전하고 있기 때문에 지구의 관측자에게는 천구에 있는 천체들이 지구 자전과 반대 방향으로 회전하는 것처럼 보여. 이러한 현상을 천체의 **일주 운동**이라고 하는데, 천체의 일주 운동은 지구의 자전 때문에 나타나는 **겉보기 운동**이야.

또 지구의 자전은 전향력이라는 힘에도 영향을 미치는데, **전향력**은 지구상에서 운동하는 물체의 운동 방향이 한쪽으로 치우치는 현상의 원인이 되는 가상적인 힘이야. 이때 지구상에서 운동하는 물체의 운동 방향이 치우치는 이유는 위도에 따라 지구의 자전 (2) ㅅㄹ 이 다르기 때문이야.

• **자전축** 천체가 자전할 때 중심이 되는 축.

• **천구** 관측자가 중심에 위치하고 반지름이 매우 큰 가상의 구.

겉보기 운동

태양계의 행성은 태양 주위를 공전하고 있다. 행성의 공전 방향은 모두 같은 방향이며, 태양에 가까운 행성일수록 태양의 인력이 크게 작용하고 더 빠르게 공전한다. 이런 차이 때문에 천구상에서 행성이 별들 사이를 서로 다른 각속도로 움직이는데, 이것을 행성의 겉보기 운동이라고 한다.

위도와 경도

위도

- 적도(위도 0°)를 기준으로 얼마나 북쪽 또는 남쪽에 있는지를 나타내는 수치 (0°~90°). 적도에서 멀어질수록 커짐.
- 적도보다 북쪽은 북위, 남쪽은 남위
- 위선: 위도가 같은 지점선을 지나며 적도와 평행한 가상의 가로선

경도

- 본초 자오선(경도 0°)을 기준으로 얼마나 동쪽 또는 서쪽에 있는지를 나타내는 수치(0°~180°)
- 본초 자오선의 동쪽은 동경, 서쪽은 서경
- 경선: 북극점과 남극점을 연결한 가상의 세로선

다른 천체를 중심으로 도는 공전

공전은 한 천체가 다른 천체의 둘레를 주기적으로 회전하는 운동이야. 지구는 항성인 태양을 중심으로 1년에 한 바퀴씩 서에서 동으로 회전하는 공전 운동을 하지. 계절이 바뀌는 이유도 지구가 자전축이 기울어진 채로 공전하기 때문이야. 지구의 위성인 (3) ㄷ 또한 약 한 달을 주기로 지구 주위를 서에서 동으로 회전하는 공전 운동을 해. 이때 공전하는 천체가 다른 천체의 둘레를 주기적으로 도는 길을 **공전 궤도**라고 해.

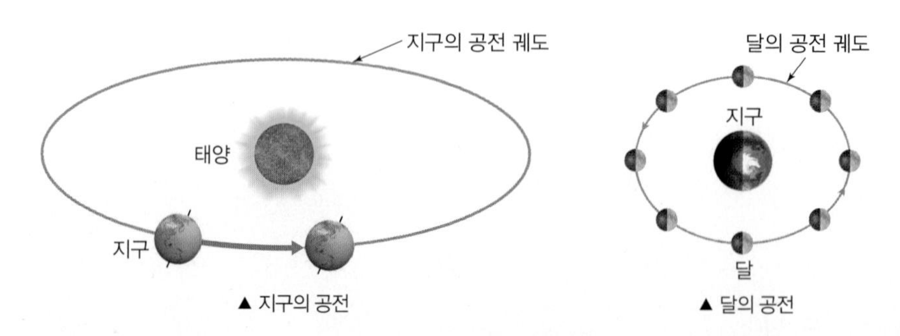

▲ 지구의 공전 ▲ 달의 공전

지구가 공전할 때 지구의 관측자에게는 태양이 하루에 약 1°씩 서에서 동으로 별자리 사이를 이동하여 1년 후에 처음 위치로 돌아오는 것처럼 보여. 이러한 **태양의 겉보기 운동**을 **태양의 연주 운동**이라고 해. 지구가 공전함에 따라 천구상에서 태양의 위치가 조금씩 달라지면 태양 반대편에 있는 별자리도 바뀌기 때문에 계절에 따라 지구에서 관측되는 별자리가 달라진단다.

일식 • 달이 태양을 가려 태양의 전체 또는 일부가 보이지 않는 현상

월식 • 달이 지구의 그림자 속에 들어가 전부 또는 일부가 가려지는 현상

태양이 달에 가려지는 일식

일식은 달이 태양을 가려 태양의 전체 또는 일부가 보이지 않는 현상으로, 태양이 달에 완전히 가려지면 **개기 일식**, 일부만 가려지면 **부분 일식**이라고 해. 일식은 아래 그림처럼 태양, 달, 지구 순으로 일직선상에 놓일 때 일어나.

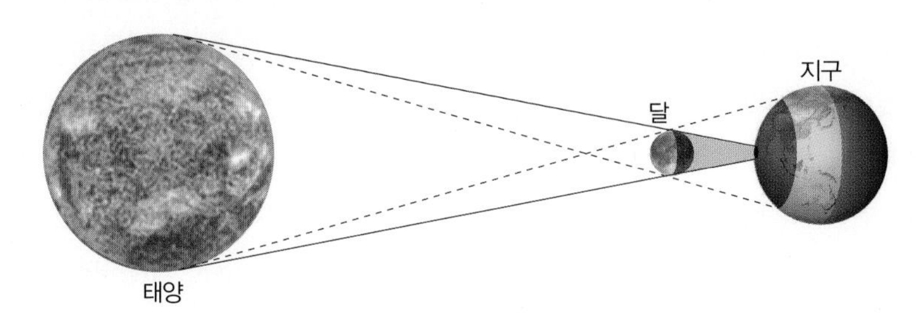

개기 일식
개기 일식 때 태양은 달에 가려져 검은 원으로 보이고, 원 둘레에 태양의 대기층인 코로나가 보인다.

달이 지구에 가려지는 월식

월식은 달이 지구의 그림자 속에 들어가 달의 일부 또는 전체가 가려지는 현상으로, 달 전체가 지구 그림자 속으로 들어갈 때는 **개기 월식**, 일부가 들어갈 때는 **부분 월식**이라고 해. 월식은 태양, 지구, 달 순으로 (4) ㅇㅈㅅ 상에 놓일 때 일어나.

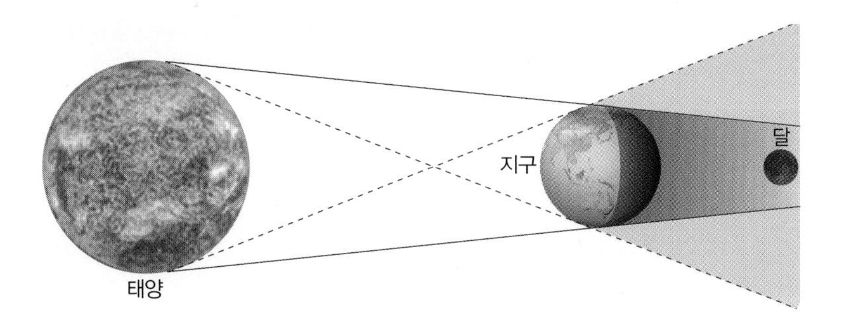

개기 월식
달 전체가 지구 그림자에 들어가도, 지구 대기에 굴절된 빛의 일부가 달에 비춰지므로 달이 붉게 보인다.

잠깐 체크

❶ 천체가 스스로 고정된 축을 중심으로 회전하는 것을 (자전 / 공전)이라고 한다.

❷ 월식이 일어나면 달이 태양을 가려 태양의 전체 또는 일부가 보이지 않는다. (○, ×)

답 ❶ 자전 ❷ ×

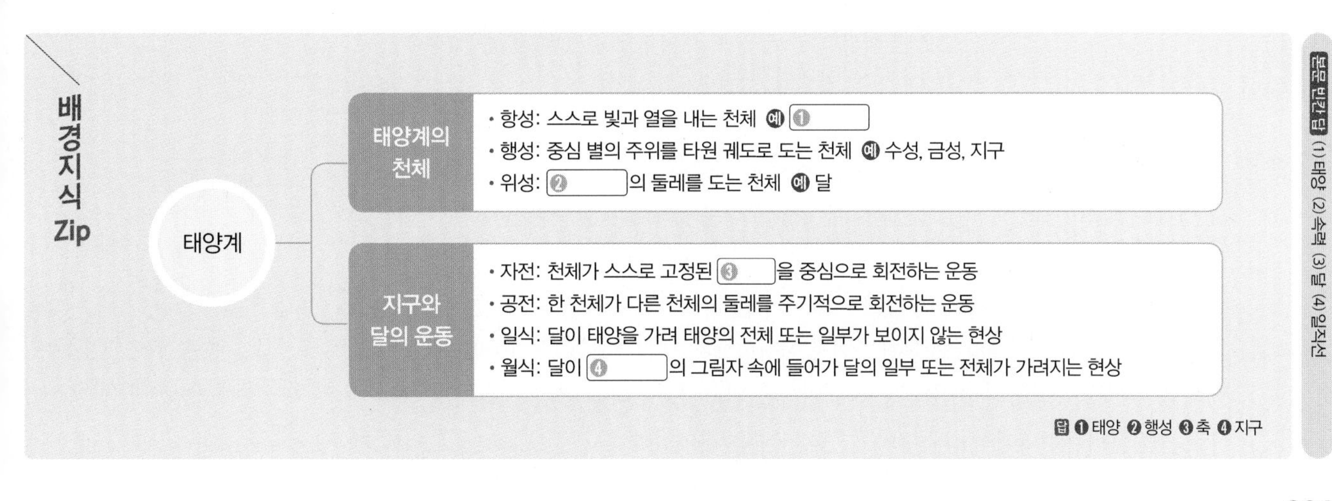

본문 빈칸 답 (1) 태양 (2) 속력 (3) 달 (4) 일직선

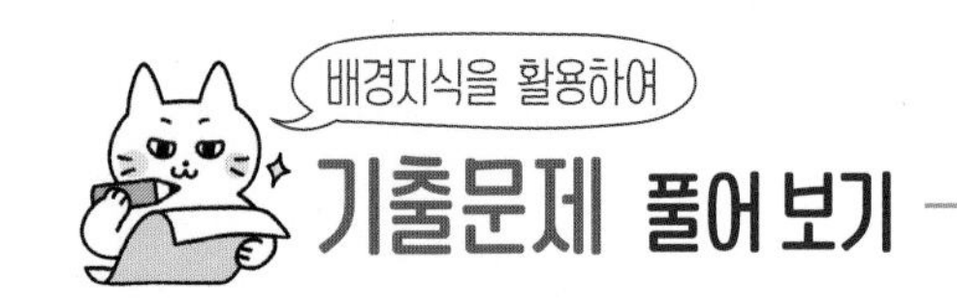

[01~02] 다음 글을 읽고 물음에 답하시오.

❶ [1]16세기 전반에 서양에서 태양 중심설을 지구 중심설의 대안으로 제시하며 시작된 천문학 분야의 개혁은 경험주의의 확산과 수리 과학의 발전을 통해 •형이상학을 뒤바꾸는 변혁으로 이어졌다. [2]복잡한 문제를 단순화하여 푸는 수학적 전통을 이어받은 코페르니쿠스는 천체의 운행을 단순하게 기술할 방법을 찾고자 하였고, 그것이 일으킬 형이상학적 문제에는 별 관심이 없었다. [3]고대의 아리스토텔레스와 프톨레마이오스는 우주의 중심에 고정되어 움직이지 않는 지구의 주위를 달, 태양, 다른 행성들의 천구들과, 항성들이 붙어 있는 항성 천구가 회전한다는 지구 중심설을 내세웠다. [4]그와 달리 코페르니쿠스는 태양을 우주의 중심에 고정하고 그 주위를 지구를 비롯한 행성들이 공전하며 지구가 자전하는 우주 모형을 만들었다. [5]그러자 프톨레마이오스보다 훨씬 적은 수의 원으로 행성들의 가시적인 운동을 설명할 수 있었고 행성이 태양에서 멀수록 공전 주기가 길어진다는 점에서 단순성이 충족되었다. [6]그러나 아리스토텔레스의 형이상학을 고수하는 다수 지식인과 종교 지도자들은 그의 이론을 받아들이려 하지 않았다. [7]왜냐하면 그것은 지상계와 천상계를 대립시키는 아리스토텔레스의 이분법적 구도를 무너뜨리고, 신의 형상을 지닌 인간을 •한갓 행성의 거주자로 전락시키는 것으로 여겨졌기 때문이다.

❷ [1]16세기 후반에 브라헤는 코페르니쿠스 천문학의 장점은 인정하면서도 아리스토텔레스 형이상학과의 •상충을 피하고자 우주의 중심에 지구가 고정되어 있고, 달과 태양과 항성들은 지구 주위를 공전하며, 지구 외의 행성들은 태양 주위를 공전하는 모형을 제안하였다. [2]그러나 케플러는 우주의 수적 질서를 신봉하는 형이상학인 신플라톤주의에 매료되었기 때문에, 태양을 우주 중심에 배치하여 단순성을 추구한 코페르니쿠스의 천문학을 받아들였다. [3]하지만 그는 경험주의자였기에 브라헤의 천체 관측치를 활용하여 태양 주위를 공전하는 행성의 운동 법칙들을 수립할 수 있었다. [4]우주의 단순성을 새롭게 보여 주는 이 법칙들은 아리스토텔레스 형이상학을 더 이상 •온존할 수 없게 만들었다.

- **형이상학** 사물의 본질, 존재의 근본 원리를 사유나 직관에 의하여 탐구하는 학문.
- **한갓** 다른 것 없이 겨우.
- **상충** 맞지 아니하고 서로 어긋남.
- **온존하다** 소중하게 보존하다. 또는 고치지 아니하고 그대로 두다.

01

윗글의 내용과 일치하면 ○에, 일치하지 않으면 ×에 표시하시오.

(1) 태양 중심설은 천문학 분야의 변혁을 이끌었다. ○ ×

(2) 아리스토텔레스의 형이상학을 지지하는 사람들은 코페르니쿠스의 생각에 동의하지 않았다. ○ ×

(3) 브라헤와 케플러는 우주의 단순성을 경험주의의 방식으로 입증했다. ○ ×

02

윗글에 대한 이해로 가장 적절한 것은?

① 항성 천구가 고정되어 있다고 보는 아리스토텔레스의 우주론은 천상계와 지상계를 대립시킨 형이상학을 바탕으로 한 것이었다.

② 많은 수의 원을 써서 행성의 가시적 운동을 설명한 프톨레마이오스의 우주론은 행성이 태양에서 멀수록 공전 주기가 길어진다는 점에서 단순성을 갖는 것이었다.

③ 지구와 행성이 태양 주위를 공전한다는 코페르니쿠스의 우주론은 이전의 지구 중심설보다 단순할 뿐 아니라 아리스토텔레스의 형이상학과 양립이 가능한 것이었다.

④ 지구가 우주 중심에 고정되어 있고 다른 행성을 거느린 태양이 지구 주위를 돈다는 브라헤의 우주론은 아리스토텔레스의 형이상학에서 자유롭지 못한 것이었다.

⑤ 태양 주위를 공전하는 행성의 운동 법칙들을 관측치로부터 수립한 케플러의 우주론은 신플라톤주의에서 경험주의적 근거를 찾은 것이었다.

과학

[03~04] 다음 글을 읽고 물음에 답하시오.

❶ [1]우주에서 지구의 북극을 내려다보면 지구는 시계 반대 방향으로 빠르게 자전하고 있지만 우리는 그 사실을 잘 인지하지 못한다. [2]지구의 자전 때문에 일어나는 현상 중 하나는 지구상에서 운동하는 물체의 운동 방향이 •편향되는 것이다. [3]이러한 현상의 원인이 되는 가상적인 힘을 전향력이라 한다.

❷ [1]전향력은 지구가 자전하기 때문에 나타난다. [2]구 모양인 지구의 둘레는 적도가 가장 길고 위도가 높아질수록 짧아진다. [3]지구의 자전 주기는 위도와 상관없이 동일하므로 자전하는 속력은 적도에서 가장 빠르고, 고위도로 갈수록 속력이 느려져서 남극과 북극에서는 0이 된다.

❸ [1]적도 상의 특정 지점에서 동일한 경도 상에 있는 북위 30도 지점을 목표로 어떤 물체를 발사한다고 하자. [2]이때 물체에 영향을 주는 마찰력이나 다른 힘은 없다고 가정한다. [3]적도 상의 발사 지점은 약 1,600km/h의 속력으로 자전하고 있다. [4]북쪽으로 발사된 물체는 발사 속력 외에 약 1,600km/h로 동쪽으로 진행하는 속력을 동시에 갖게 된다. [5]한편 북위 30도 지점은 약 1,400km/h의 속력으로 자전하고 있다. [6]목표 지점은 발사 지점보다 약 200km/h가 더 느리게 동쪽으로 움직이고 있는 것이다. [7]따라서 발사된 물체는 겨냥했던 목표 지점보다 더 동쪽에 있는 지점에 도달하게 된다. [8]이때 지구 표면의 발사 지점에서 보면, 발사된 물체의 이동 경로는 처음에 목표로 했던 북쪽 방향의 오른쪽으로 휘어져 나타나게 된다.

❹ [1]이번에는 북위 30도에서 자전 속력이 약 800km/h인 북위 60도의 동일 경도 상에 있는 지점을 목표로 설정하고 같은 실험을 실행한다고 하자. [2]두 지점의 자전하는 속력의 차이는 약 600km/h이므로 이 물체는 적도에서 북위 30도를 향해 발사했을 때보다 더 오른쪽으로 떨어지게 된다. [3]이렇게 운동 방향이 좌우로 편향되는 정도는 저위도에서 고위도로 갈수록 더 커진다. [4]결국 위도에 따른 자전 속력의 차이가 고위도로 갈수록 더 커지기 때문에 좌우로 편향되는 정도는 북극과 남극에서 최대가 되고, 적도에서는 0이 된다. [5]이러한 편향 현상은 북쪽뿐 아니라 다른 방향으로 운동하는 모든 물체에 마찬가지로 나타난다.

❺ [1]전향력의 크기는 위도뿐만 아니라 물체의 이동하는 속력과도 관련이 있다. [2]지표를 기준으로 한 이동 속력이 빠를수록 전향력이 커지며, 지표 상에 정지해 있는 물체에는 전향력이 나타나지 않는다. [3]한편, 전향력은 운동하는 물체의 진행 방향이 북반구에서는 오른쪽으로, 남반구에서는 왼쪽으로 편향되게 한다.

• **편향되다** 한쪽으로 치우치게 되다.

03 윗글의 내용과 일치하면 ○에, 일치하지 않으면 ×에 표시하시오.

(1) 지구는 동에서 서 방향으로 자전한다. [○ | ×]

(2) 위도와 위도 간의 자전 속력 차이는 물체의 운동 방향이 편향되게 만든다. [○ | ×]

(3) 지표를 기준으로 한 이동 속력이 빠를수록 운동하는 물체의 운동 방향이 편향되는 정도가 커진다. [○ | ×]

04 윗글을 통해 알 수 있는 내용으로 적절하지 않은 것은?

① 북위 30도 지점과 북위 60도 지점의 자전 주기는 동일하다.

② 운동장에 정지해 있는 축구공에는 위도에 상관없이 전향력이 나타나지 않는다.

③ 남위 50도 지점은 남위 40도 지점보다 자전 방향으로 움직이는 속력이 더 빠르다.

④ 남위 30도에서 정남쪽의 목표 지점으로 발사한 물체는 목표 지점보다 동쪽에 떨어진다.

⑤ 우리나라의 야구장에서 타자가 쳐서 날아가는 공의 이동 방향은 전향력에 의해 영향을 받는다.

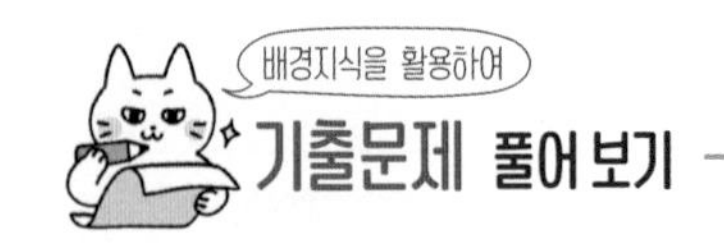

[05~08] 다음 글을 읽고 물음에 답하시오.

❶ [1]우주 •탐사선이 지구에서 태양계 끝까지 날아가기 위해서는 일정 속도 이상에 이르러야 한다. [2]그러나 탐사선의 •추진력만으로는 이러한 속도에 도달하기 어렵다. [3]추진력을 마음껏 얻을 수 있을 정도로 큰 추진체가 달린 탐사선을 만들 수 없기 때문이다. [4]대신에 탐사선을 다른 행성에 접근시키는 '스윙바이(Swing-by)'를 통해 속도를 얻는다. [5]스윙바이란, 말 그대로 탐사선이 행성에 잠깐 다가갔다가 다시 멀어지는 것이다. [6]탐사선이 행성에 다가갔다가 멀어지는 것만으로 어떻게 속도를 얻을 수 있는지 그 원리에 대해 알아보자.

❷ [1]스윙바이의 원리를 이해하기 위해서는 행성이 정지한 채로 있지 않고 태양 주위를 공전한다는 점을 떠올려야 한다. [2]그리고 뒤에서 바람이 불면 달리기 속도가 빨라지듯이 외부의 영향으로 물체의 속도가 변한다는 점도 기억해야 한다. [3]탐사선을 행성에 접근시켜 행성의 공전을 이용하는 스윙바이는 〈그림〉과 같이 나타낼 수 있다. [4]탐사선이 공전하는 행성에 접근하여 중력의 영향권인 중력장에 진입할 때에는 행성의 공전 방향과 탐사선의 진입 방향이 서로 달라 탐사선의 속도 증가는 크지 않다. [5]그런데 탐사선이 곡선 궤도를 그리며 방향을 바꾸어 행성의 공전 방향에 가까워지면 탐사선의 속도는 크게 증가된다. [6]왜냐하면 탐사선이 행성에서 멀어지는 방향이 행성의 공전 방향에 가까울수록 스윙바이를 통한 속도 증가의 효과는 크기 때문이다.

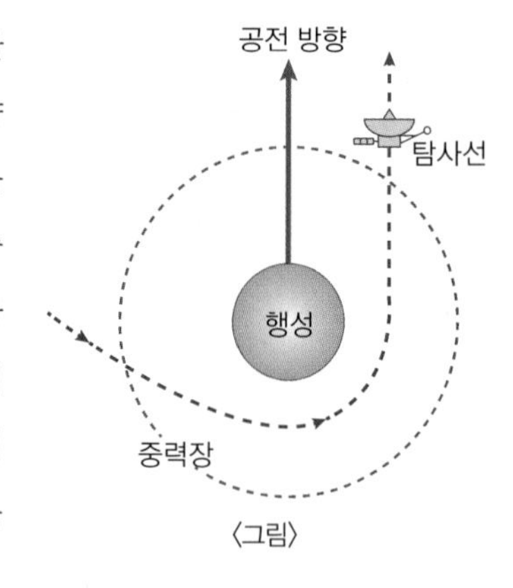

〈그림〉

❸ [1]탐사선의 속도 증가에 행성의 중력도 영향을 미친다고 생각할 수도 있다. [2]탐사선이 행성에 다가가다 보면 행성이 끌어당기는 중력의 영향으로 탐사선의 속도가 증가하기 때문이다. [3]그러나 스윙바이를 마친 후 탐사선의 '속도의 크기' 변화에 행성의 중력이 영향을 미치지는 못한다. [4]왜냐하면 탐사선이 행성 중력의 영향권에서 벗어나면서 중력의 영향으로 얻은 만큼의 속도를 잃기 때문이다. [5]탐사선을 롤러코스터에 비유한다면 쉽게 이해할 수 있다. [6]롤러코스터는 높은 곳에서 낮은 곳으로 내려갈 때 속도가 증가하지만, 가장 낮은 지점을 지나 다시 위로 올라가면서 속도가 감소한다.

❹ [1]㉠스윙바이는 행성의 공전 속도를 훔쳐 오는 것이다. [2]그런데 운동량 보존 법칙에 따라 스윙바이를 통해 탐사선과 행성이 주고받은 운동량은 같다. [3]이 말은 탐사선의 속도가 빨라진 것처럼 행성의 속도는 느려졌다는 것을 의미한다. [4]서로 주고받은 운동량은 질량과 속도 변화량을 곱한 것이므로 행성에 비해 질량이 작은 탐사선은 속도가 크게 증가하지만, 질량이 매우 큰 행성은 속도가 거의 줄어들지 않는다. [5]실제로 지구와의 스윙바이를 통해 초속 8.9km의 속도를 얻은 '갈릴레오 호'로 인해 지구의 공전 속도는 1억 년 동안 1.2cm 쯤 늦어지게 되었다.

• **탐사선** 우주 공간에서 지구나 다른 행성들을 탐사하기 위해 쏘아 올린 비행 물체.
• **추진력** 물체를 앞으로 밀어 내보내는 힘.

05 윗글을 읽고 답할 수 있는 질문이 아닌 것은?

① 탐사선이 스윙바이를 하는 까닭은?
② 스윙바이 동안에 행성의 중력이 변하는 이유는?
③ 스윙바이를 할 때 행성의 공전이 중요한 이유는?
④ 스윙바이를 통해 속도를 효과적으로 얻는 방법은?
⑤ 스윙바이 후 행성의 공전 속도 변화가 매우 작은 이유는?

06 윗글을 바탕으로 〈보기〉를 이해할 때, 적절하지 않은 것은?

보기

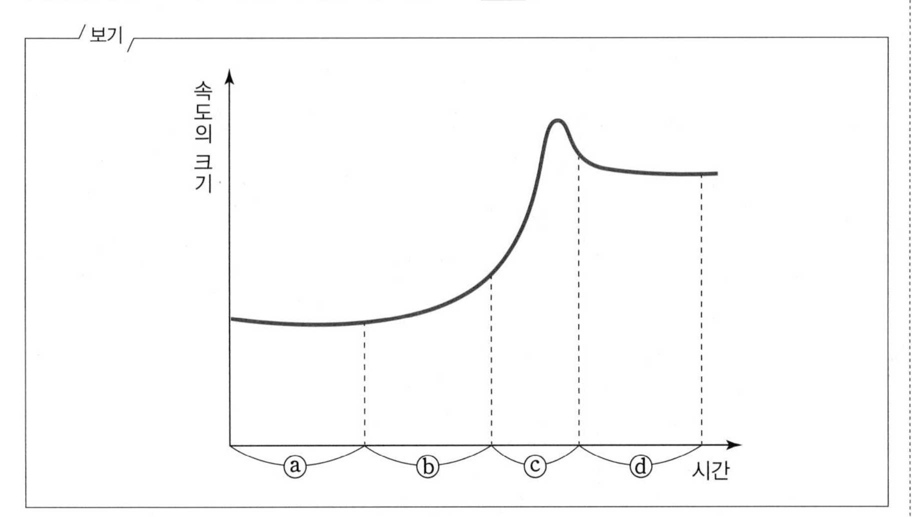

① ⓐ에서 탐사선은 행성의 중력에 영향을 받지 않는다.
② ⓑ에서 탐사선은 행성에 점점 가까워진다.
③ 스윙바이로 속도가 빨라진 탐사선은 ⓓ에서 행성으로부터 멀어져 간다.
④ ⓑ에서 속도의 크기 변화는 ⓒ에서 속도의 크기 변화와 같다.
⑤ 탐사선은 ⓑ~ⓒ에서 방향을 바꾸어 행성의 공전 방향에 가까워진다.

07 〈보기〉는 스윙바이의 이해를 돕기 위한 사례이다. 윗글의 공전하는 행성과 가장 유사한 것은?

보기

어떤 사람이 궁수가 탄 말을 출발시켰다. 시속 30km로 **달리는 말** 위에서 궁수가 말의 진행 방향으로 시속 150km의 **화살**을 쏘아, **정면에 있는 과녁**에 맞힌다면 궁수에게 화살은 시속 150km로 날아가는 것으로 보인다. 그런데 **옆에 서 있는 사람**에게는 그 화살이 시속 180km로 날아가는 것으로 관찰된다.

① 어떤 사람 ② 달리는 말 ③ 화살
④ 정면에 있는 과녁 ⑤ 옆에 서 있는 사람

08 ㉠을 이해한 것으로 적절한 것은?

① 탐사선이 얻은 속도와 행성이 잃은 공전 속도가 같다.
② 탐사선이 얻은 속도가 행성이 잃은 공전 속도보다 작다.
③ 탐사선이 얻은 운동량이 행성이 잃은 운동량과 같다.
④ 탐사선이 얻은 운동량이 행성이 잃은 운동량보다 작다.
⑤ 탐사선이 잃은 운동량이 행성이 얻은 운동량보다 크다.

13

❹ 지구 과학

복사 에너지와 온실 효과

기출 속 배경지식 키워드 | #복사 에너지 #온실 효과 #온실 기체 #지구 온난화

교과 연계
중학교 과학 3
Ⅱ. 기권과 날씨
고등학교 통합과학
Ⅷ. 생태계와 환경
고등학교 지구과학 Ⅰ
Ⅳ. 대기와 해양의 상호 작용

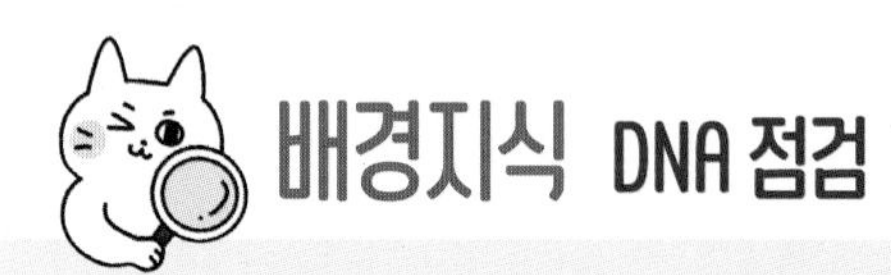

◎ 다음 그림을 참고하여 ㉠~㉢에 들어갈 단어를 보기 에서 찾아 적어 봅시다.

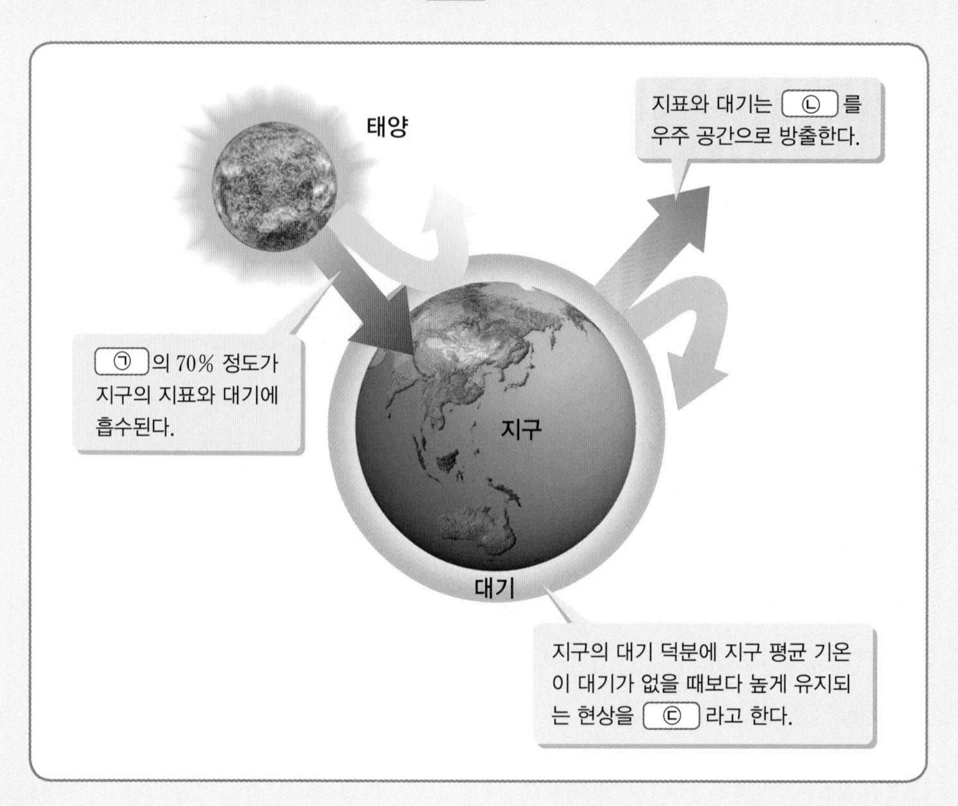

보기

온실 효과　　지구 복사 에너지　　태양 복사 에너지　　지구 온난화

• ㉠: (　　　　　)　• ㉡: (　　　　　)　• ㉢: (　　　　　)

답 ㉠ 태양 복사 에너지 ㉡ 지구 복사 에너지 ㉢ 온실 효과

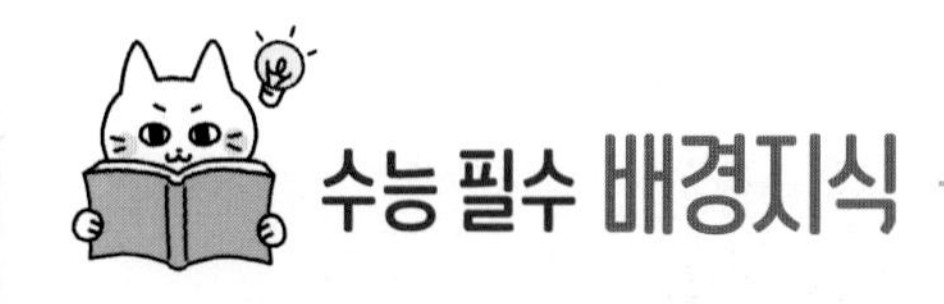

'탄소 중립'이라는 말 들어 본 적 있니? 이산화 탄소 배출을 줄이고, 배출한 이산화 탄소를 흡수해서 실질적인 배출량을 0으로 만드는 일을 의미하는 용어야. 지구 온난화에 따른 기후 변화를 막기 위해 많은 국가가 탄소 중립에 주목하고 있지. 지구의 기온이 높아지는 이유와 지구의 기온이 높아질 때의 문제점은 무엇일까? 이제부터 지구 온난화의 원인과 그 영향을 함께 살펴보자.

복사 에너지 • 물체가 복사의 형태로 방출하는 에너지

모든 물체는 자신의 온도에 해당하는 에너지를 •복사의 형태로 방출하는데, 이렇게 방출되는 에너지를 **복사 에너지**라고 해. 물체가 단위 면적에서 방출하는 복사 에너지의 양은 물체의 온도에 따라 다른데, 온도가 높을수록 더 많은 (1) ㅂㅅ ㅇㄴㅈ를 방출해.

태양은 막대한 양의 복사 에너지를 우주 공간으로 내보내는데, 이 **태양 복사 에너지** 중 일부가 지구에 도달해. 그런데 지구가 계속해서 태양 복사 에너지를 받고 있는데도 온도가 계속 올라가지 않는 이유는 무엇일까? 그것은 바로 •**복사 평형** 때문이야. 지구 역시 지표와 대기를 통해 **지구 복사 에너지**를 방출하는데, 지구가 흡수하는 태양 복사 에너지양과 방출하는 지구 복사 에너지양이 같아서 ✚지구가 복사 평형을 이루고 있거든.

•**복사** 물체로부터 열이나 전자기파가 사방으로 방출됨. 또는 그 열이나 전자기파.

•**복사 평형** 복사 에너지를 흡수하는 양과 방출하는 양이 같아서 서로 균형을 이루는 상태.

✚ **지구의 복사 평형**

태양에서 방출하는 복사 에너지의 일부가 지구에 들어오고, 지구는 모든 방향으로 복사 에너지를 방출한다. 이때 지구가 흡수하는 태양 복사 에너지양과 방출하는 지구 복사 에너지양이 같다.

온실 효과 • 지구의 평균 기온이 대기가 없을 때보다 높게 유지되는 현상
지구 온난화 • 지구의 평균 기온이 지속적으로 상승하는 현상

지구와 달은 태양으로부터 거의 같은 거리에 있는데, 지구가 달보다 따뜻한 이유는 무엇일까? 그건 바로 지구에 두꺼운 대기층이 있기 때문이야. 지구로 들어오는 태양 복사 에너지양 중 30% 가량은 지표와 대기에서 반사되어 우주 공간으로 되돌아가고, 70% 가량이 지표와 대기에서 흡수돼. 한편 지구는 지구 복사 에너지를 우주 공간으로 방출하는데, 이 에너지 중 일부를 대기가 흡수했다가 다시 우주와 지표로 방출해. 따라서 에너지를 다시 흡수한 지표는 대기가 없을 때보다 높은 온도에서 (2) ㅂㅅ ㅍㅎ을 이루지.

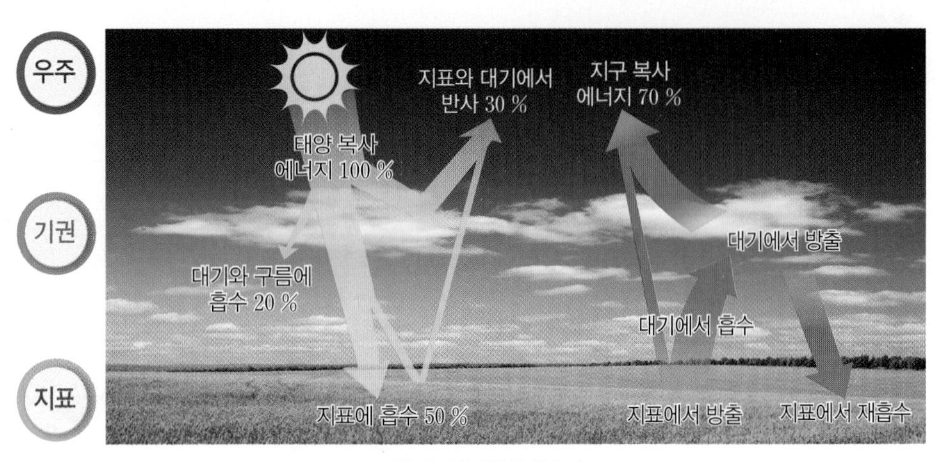

▲ 지구 대기에 의한 온실 효과

이렇게 지구의 평균 기온이 대기가 없을 때보다 높게 유지되는 현상을 **온실 효과**라고 해. 그리고 지구 대기를 이루는 기체 중 온실 효과를 일으키는 수증기, 이산화 탄소, 메테인, 오존 등을 **온실 기체**라고 한단다.

그런데 대기 중 (3) ㅇㅅ ㄱㅊ 의 농도가 증가하면 온실 효과가 강화되어 더 높은 온도에서 복사 평형이 이루어지므로 지구의 평균 기온이 상승하게 돼. 이처럼 대기 중으로 배출되는 온실 기체의 양이 증가하여 지구의 평균 기온이 지속적으로 상승하는 현상을 **지구 온난화**라고 해.

지구의 평균 기온이 계속해서 상승하면 어떤 문제가 생길까? 먼저 다양한 동·식물이 멸종해서 생태계 다양성이 훼손돼. 또 건조한 지역에서는 •사막화가 확대되고, 빙하가 녹아 해수면이 상승하면서 물에 잠기는 지역이 늘어나. 겨울철 한파나 여름철 폭염 등의 •**이상 기후**도 지구 온난화의 영향이야. 이렇게 지구 온난화는 지구를 살아가는 모든 생물의 삶에 악영향을 미치기 때문에 전 세계에서 온실 기체 배출을 줄이려고 노력하는 거야.

- **사막화** 건조한 기후가 장기간 계속되면서 토지가 황폐해지는 현상.
- **이상 기후** 과거 30년 동안의 평균값보다 현저히 높거나 낮은 수치의 기온 등, 그동안 나타나지 않았던 기상 현상이 나타나는 대기 상태.

잠깐 체크

❶ 지구로 들어오는 태양 복사 에너지는 지구의 대기와 지표에 모두 흡수된다. (○, ×)
❷ 지구의 지표는 대기의 온실 효과 때문에 대기가 없을 때보다 높은 온도에서 복사 평형을 이룬다. (○, ×)
❸ 지구의 평균 기온이 지속적으로 상승하는 현상을 가리키는 개념은?

답 ❶ × ❷ ○ ❸ 지구 온난화

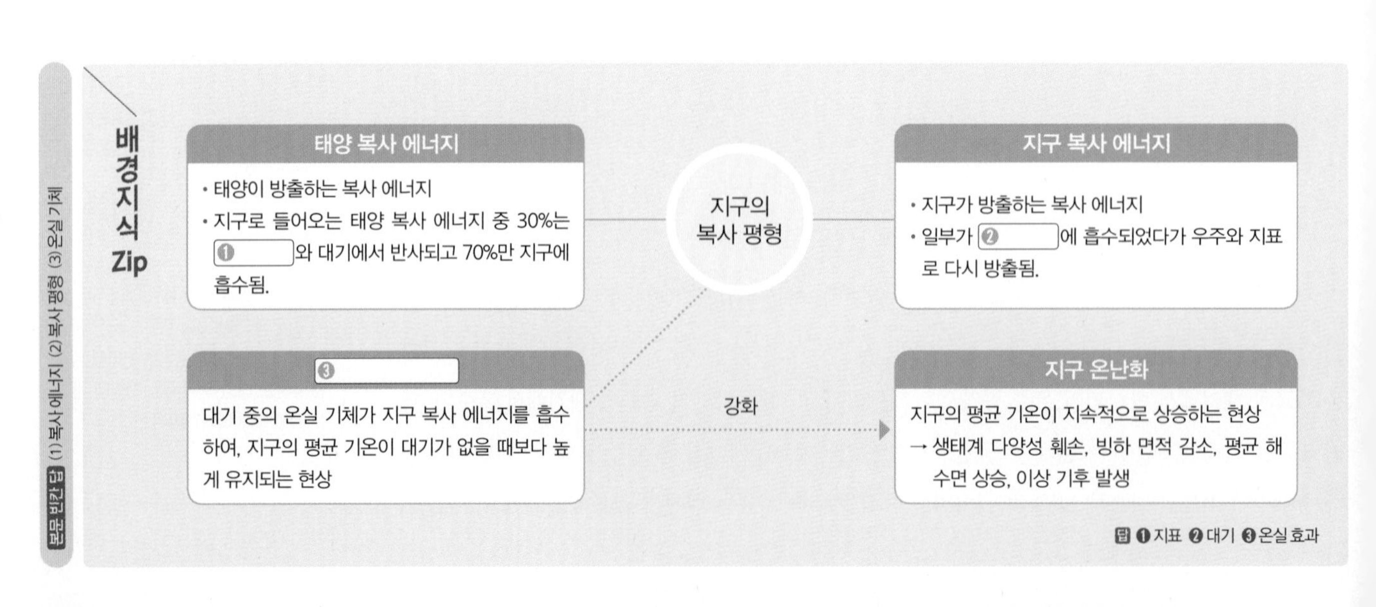

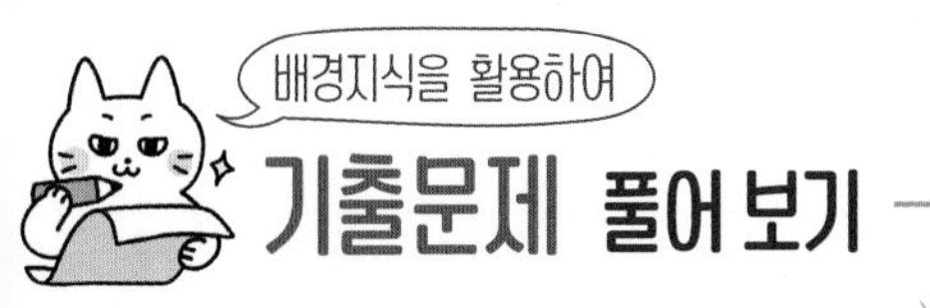

정답과 해설 32쪽

[01~02] 다음 글을 읽고 물음에 답하시오.

❶ [1]이글루는 눈을 벽돌 모양으로 잘라서 •반구 모양으로 쌓은 것이다. [2]눈 벽돌로 만든 집이 어떻게 얼음집으로 될까? [3]이글루에서는 어떻게 난방을 할까?

❷ [1]일단 눈 벽돌로 이글루를 만든 후에, 이글루 안에서 불을 피워 온도를 높인다. [2]온도가 올라가면 눈이 녹으면서 벽의 빈틈을 메워 준다. [3]어느 정도 눈이 녹으면 출입구를 열어 물이 얼도록 한다. [4]이 과정을 반복하면서 눈 벽돌집을 얼음집으로 변하게 한다. [5]이 과정에서 눈 사이에 들어 있던 공기는 빠져나가지 못하고 얼음 속에 갇히게 된다. [6]이글루가 뿌옇게 보이는 것도 미처 빠져나가지 못한 기체에 부딪힌 빛의 산란 때문이다.

❸ [1]이글루 안은 밖보다 온도가 높다. [2]그 이유 중 하나는 이글루가 단위 면적당 태양 에너지를 지면보다 많이 받기 때문이다. [3]이것은 적도 지방이 극지방보다 태양 빛을 더 많이 받는 것과 같은 이치이다. [4]다른 이유로 일부 과학자들은 온실 효과를 든다. [5]지구에 들어오는 태양 복사 에너지의 대부분은 •자외선, •가시광선 영역의 단파이지만, 지구가 열을 외부로 방출하는 복사 에너지는 •적외선 영역의 장파이다. [6]단파는 지구의 대기를 통과하지만, 복사파인 장파는 지구의 대기에 의해 흡수된다. [7]이 때문에 지구의 온도가 일정하게 유지된다. [8]이를 온실 효과라고 하는데, 온실 유리가 복사파를 차단하는 것과 같다는 데서 유래되었다. [9]이글루도 내부에서 외부로 나가는 장파인 복사파가 얼음에 의해 차단되어 이글루 안이 따뜻한 것이다.

❹ [1]이글루 안이 추울 때 이누이트는 바닥에 물을 뿌린다. [2]마당에 물을 뿌리면 시원해지는 것을 경험한 사람은 이에 대해 의문을 품을 것이다. [3]여름철 마당에 뿌린 물은 증발되면서 열을 흡수하기 때문에 시원해지는 것이지만, 이글루 바닥에 뿌린 물은 곧 얼면서 열을 방출하기 때문에 실내 온도가 올라간다. [4]물의 물리적 변화 과정에서는 열의 흡수와 방출이 일어나기 때문이다.

❺ [1]이누이트가 융해와 응고, 복사, 기화 등의 과학적 원리를 이해하고 이글루를 짓지는 않았을 것이다. [2]그러나 그들은 ㉠ 접착제를 사용하지 않고도 눈으로 구조물을 만들었으며, 또한 물을 이용하여 난방을 하였다.

- **반구** 구(球)의 절반. 또는 그런 모양의 물체.
- **자외선** 파장이 엑스선보다 길고, 가시광선보다 짧은 전자기파.
- **가시광선** 사람의 눈으로 볼 수 있는 빛. 등적색, 등색, 황색, 녹색, 청색, 남색, 자색의 일곱 가지가 있음.
- **적외선** 파장이 가시광선보다 길며 극초단파보다 짧은 전자기파.

01 윗글의 내용과 일치하면 ○에, 일치하지 않으면 ×에 표시하시오.

(1) 태양 빛은 이글루의 실내 온도를 높이는 데 영향을 미친다. ○ ×

(2) 극 지방의 지면과 이글루는 같은 면적에서 받는 태양 에너지의 양이 같다. ○ ×

(3) 이글루의 얼음과 지구의 대기는 모두 방출되는 복사파를 차단하는 역할을 한다. ○ ×

02 윗글의 내용으로 미루어 보아 이글루 건축 과정에서 ㉠의 구실을 하는 것으로 가장 적절한 것은?

① 이글루 안에 피운 불

② 이글루 바닥에 뿌린 물

③ 얼음벽을 통과한 태양 빛

④ 불의 열에 의해 융해되는 눈

⑤ 이글루 안에서 발생한 복사파

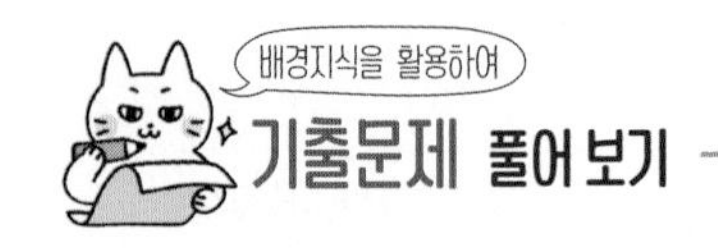

[03~05] 다음 글을 읽고 물음에 답하시오.

❶ [1]지구의 여러 곳에서 장기간에 걸친 가뭄, 폭염, 홍수, 폭우 등과 같은 이상 기후가 발생하여 인간에게 큰 피해를 주고 있다. [2]이러한 이상 기후가 나타나는 원인 중에는 ㉠엘니뇨와 ㉡라니냐가 있다.

❷ [1]평상시에는 오른쪽 그림과 같이 적도 부근의 동태평양에 있는 남아메리카 페루 •연안으로부터 서쪽으로 •무역풍이 지속적으로 분다. [2]이 무역풍은 동쪽에 있는 따뜻한 표층수를 서쪽 방향으로 운반하기 때문에 따뜻한 해수층의 두께는 서태평양 쪽에서는 두껍고 동태평양 쪽에서는 얇아진다. [3]이와 함께 남아메리카 페루 연안에서는 서쪽으로 쓸려 가는 표층수의 자리를 메우기 위해 차가운 심층 해수가 아래로부터 올라오는 용승이 일어나게 된다.

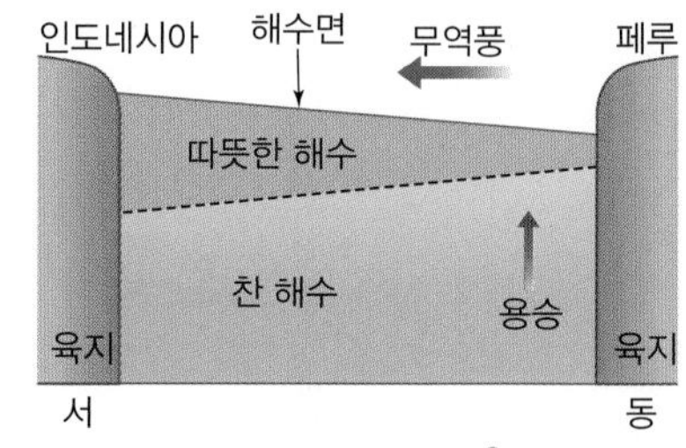

▲ 평상시 적도 부근 태평양의 •연직 단면

❸ [1]이 결과 적도 부근 동태평양 페루 연안의 해수면 온도는 같은 위도의 다른 해역보다 낮아지고, 적도 부근 서태평양에서의 표층 해수의 온도는 높아지게 된다. [2]표층 해수의 온도가 높아지면 해수가 증발하여 공기 중에 수증기의 양이 많아지고, 따뜻한 해수가 공기를 데워 •상승 기류를 발생시켜 •저기압이 발달하고 구름이 생성된다. [3]이로 인해 해수 온도가 높은 서태평양에 위치한 동남아시아와 오스트레일리아에는 강수량이 많아진다. [4]반대로 남아메리카의 페루 연안에는 •하강 기류가 발생하여 •고기압이 발달하고 맑고 건조한 날씨가 나타난다

❹ [1]적도 부근 태평양의 무역풍은 2~6년 사이로 그 세기가 변하는데, 이에 따라 적도 부근 태평양의 기후 환경은 달라진다. [2]무역풍이 평상시보다 약해지면 태평양 동쪽의 따뜻한 표층수를 서쪽으로 밀어내는 힘이 약해진다. [3]이로 인해, 적도 부근 동태평양의 용승이 약해지며 해수면의 온도는 평상시보다 높아진다. [4]따뜻한 표층수가 동쪽에 머무르면, 적도 부근 서태평양은 평상시에 비해 해수면의 온도와 해수면의 높이가 낮아지고, 적도 부근 동태평양은 해수면의 온도와 해수면의 높이가 상승하는데 이 현상이 엘니뇨이다. [5]엘니뇨가 발생하면 인도네시아, 오스트레일리아 등에서는 평상시에 비해 강수량이 감소하여 가뭄이 발생하고, 대규모 산불이 일어나기도 한다. [6]반면에 페루, 칠레 등에서는 평상시보다 많은 강수량을 보이면서 홍수가 자주 발생하는 등 이상 기후가 나타나게 된다.

❺ [1]한편, 무역풍이 평상시보다 강해지면 적도 부근 동태평양의 해수면의 온도와 해수면의 높이가 평상시보다 더 낮아지고 적도 부근 서태평양의 해수면의 온도와 해수면의 높이가 평상시보다 더 높아진다. [2]이런 현상을 라니냐라고 한다. [3]라니냐가 발생하면 동남아시아와 오스트레일리아에서는 홍수가 잦아지거나 이상 고온 현상이 나타나기도 하고, 반대로 페루, 칠레 등에서는 평상시보다 더 건조해져 가뭄이 발생할 수 있다. [4]라니냐가 발생하면 적도 부근 동태평양의 기압은 평상시보다 상승하고 서태평양의 기압은 평상시보다 하강하여 두 지역의 기압차는 평상시보다 더 커진다.

- **연안** 육지와 면한 바다·강·호수 등의 물가.
- **무역풍** 중위도 고압대에서 열대 수렴대로 부는 바람. 북반구에서는 동북풍, 남반구에서는 동남풍이 되며, 일 년 내내 끊임없이 분다.
- **연직** 중력의 방향.
- **상승 기류** 대기 중에서 위로 올라가는 공기의 흐름. 단열 팽창으로 인하여 공기 중의 수증기가 응결됨에 따라 구름이 만들어지고 비가 내리게 되는 경우가 많다.
- **저기압** 대기 중에서 높이가 같은 주위보다 기압이 낮은 영역.
- **하강 기류** 대기 중에서 아래로 내려가는 공기의 흐름. 대체로 기온이 상승하고 구름이 없어져 날이 맑은 경우가 많다.
- **고기압** 대기 중에서 높이가 같은 주위보다 기압이 높은 영역.

정답과 해설 32쪽

과학

03 윗글에 대한 설명으로 가장 적절한 것은?

① 현상들을 제시하고 그 현상들의 영향을 설명하고 있다.
② 가설을 설정하고 구체적인 사례를 들어 검증하고 있다.
③ 현상의 원인을 분석하여 다양한 해결책을 제시하고 있다.
④ 현상의 공통점을 바탕으로 유용성을 자세히 설명하고 있다.
⑤ 현상과 관련된 이론을 소개하고 그 이론의 한계를 지적하고 있다.

04 윗글을 통해 알 수 있는 내용으로 적절하지 않은 것은?

① 적도 부근 서태평양에서 표층 해수의 온도가 높아지면 상승 기류가 발생한다.
② 평상시에 무역풍은 적도 부근 태평양의 표층수를 동쪽에서 서쪽 방향으로 이동시킨다.
③ 동태평양 페루 연안에서 용승이 일어나면 같은 위도의 다른 해역보다 페루 연안의 해수면 온도가 높아진다.
④ 평상시 적도 부근 서태평양에 저기압이 발달하면 적도 부근 서태평양에 위치한 동남아시아의 강수량이 많아진다.
⑤ 평상시에 적도 부근 동태평양의 따뜻한 표층수가 서쪽으로 이동하여 동태평양의 따뜻한 해수층의 두께가 얇아진다.

05 윗글을 바탕으로, 〈보기〉의 그림을 활용하여 ㉠, ㉡을 이해한 내용으로 적절하지 않은 것은?

보기

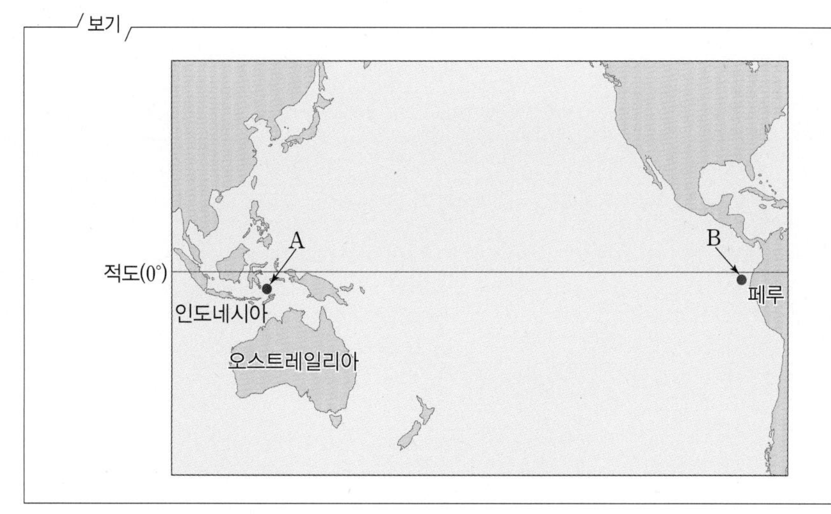

① A 해역의 표층 해수의 온도는 ㉠일 때보다 ㉡일 때 더 높다.
② B 해역의 따뜻한 해수층은 ㉠일 때보다 ㉡일 때 더 두껍다.
③ ㉠일 때, A 해역의 해수면의 높이는 평상시보다 낮아진다.
④ ㉠일 때, A 해역 부근 지역에서는 가뭄, 산불 등의 피해가 발생할 수 있다.
⑤ ㉡일 때, A와 B의 기압 차는 평상시보다 더 크다.

배경지식 플러스+

고기압과 저기압에서의 날씨

날씨는 대기의 압력인 '기압'과 밀접한 관련이 있다. 지면에서 바람은 압력이 높은 고기압에서 압력이 낮은 저기압 쪽으로 분다.
어느 지역에 저기압이 위치하면 공기가 모여든다. 모여든 공기는 상승하고 구름이 생성되어 날씨가 흐리고 비가 온다. 반면, 고기압 중심에서는 지표 부근의 공기가 주변으로 불어 나가고 상층의 공기가 내려오면서 구름이 없는 맑은 날씨를 보인다.

깜짝이야!
나한테 GPS 달았어?

너 여기 있었구나!

IV 기술

컴퓨팅 시스템

기출 속 배경지식 키워드 | #컴퓨팅 #컴퓨팅 시스템 #하드웨어 #소프트웨어 #운영 체제

교과 연계
고등학교 정보
Ⅳ. 컴퓨팅 시스템

배경지식 DNA 점검

◎ 다음 항목의 예시를 바르게 연결해 봅시다.

주기억 장치	(1) •	• ㉠	마우스, 키보드, 웹캠
보조 기억 장치	(2) •	• ㉡	HDD, SSD, USB 메모리
입력 장치	(3) •	• ㉢	문서 작성 프로그램, 스마트폰 애플리케이션
출력 장치	(4) •	• ㉣	윈도우, 맥OS, 안드로이드
시스템 소프트웨어	(5) •	• ㉤	모니터, 프린터, 스피커
응용 소프트웨어	(6) •	• ㉥	RAM, ROM

답 (1)㉥ (2)㉡ (3)㉠ (4)㉤ (5)㉣ (6)㉢

컴퓨팅이란 컴퓨터를 이용하여 수행하고자 하는 모든 활동을 말하고, **컴퓨팅 시스템**은 컴퓨터나 스마트폰과 같이 다양한 형태로 존재하는 하드웨어와 이를 동작하게 하는 소프트웨어의 모음을 말해. 즉 컴퓨팅 시스템은 컴퓨팅이 원활하게 이루어지도록 돕는 역할을 한다고 볼 수 있지. 스마트 손목시계를 통해 심박수를 재는 등 건강 관리를 하는 것이 바로 컴퓨팅 시스템을 활용하는 사례야. 이때 컴퓨팅 시스템은 하나 또는 그 이상의 컴퓨터 하드웨어와 그와 연관된 소프트웨어로 구성돼.

하드웨어 • 컴퓨팅 시스템을 구성하는 물리적 장치

하드웨어는 컴퓨팅 시스템을 구성하는 물리적 장치로, 하드웨어 장치는 담당하는 기능에 따라 다양하게 구분돼.

처리 장치	저장된 데이터나 입력된 정보를 처리하고, •프로그램의 실행을 위해 각 장치의 동작을 지시하고 제어함. 예 • 중앙 처리 장치(CPU): 하드웨어의 두뇌 역할을 함. • 그래픽 처리 장치(GPU): 그래픽을 빠르게 처리함.
(1) ㄱㅇ ㅈㅊ	프로그램과 데이터를 저장함. 예 • 주기억 장치: 프로그램과 데이터를 일시적으로 저장함. (RAM, ROM) • 보조 기억 장치: 프로그램과 데이터를 영구적으로 보존함. (HDD, SSD, CD/DVD, USB 메모리)
입력 장치	컴퓨터 외부의 문자·소리·그림 등의 자료를 컴퓨터 내부로 읽어 들임. 예 마우스, 키보드, 웹캠
출력 장치	컴퓨터가 입력받은 자료를 처리한 뒤 그 결과를 문서·화면·소리 등 다양한 신호로 변환하여 컴퓨터 외부로 내보냄. 예 모니터, 프린터, 스피커
통신 장치	유무선 통신망으로 서로 연결된 다른 컴퓨팅 기기들과 데이터를 공유하고 전송할 수 있도록 도움. 예 랜 카드

•**프로그램** 컴퓨터를 실행하기 위한 명령어의 모음.

HDD와 SSD의 특징

HDD (Hard Disk Drive)	대용량의 정보를 저장하는 자기 디스크 장치
SSD (Solid State Drive)	HDD에 비해 속도가 빠르고 저용량인 반도체 기반 저장 장치

잠깐 체크

❶ 컴퓨팅 시스템을 구성하는 두 가지 요소는?

❷ 모니터와 프린터는 (입력 장치 / 출력 장치)이다.

답 ❶ 하드웨어, 소프트웨어 ❷ 출력 장치

소프트웨어 • 컴퓨팅 시스템으로 처리되는 모든 정보와 프로그램

소프트웨어의 분류

소프트웨어는 하드웨어와 함께 컴퓨팅 시스템을 구성하는 요소로, 컴퓨터가 해야 할 일을 지시해 놓은 프로그램 등의 집합을 말해. 이러한 소프트웨어는 다음과 같이 시스템 소프트웨어와 응용 소프트웨어로 나뉘어.

시스템 소프트웨어	사용자가 컴퓨터를 편리하게 이용할 수 있도록 돕고 (2) ㅎㄷㅇㅇ 를 관리하는 소프트웨어 예 운영 체제(OS): 윈도우(Windows), 맥OS(Mac OS), iOS, 안드로이드
응용 소프트웨어	사용자가 컴퓨터를 이용하여 특정 분야의 작업을 수행할 수 있게 돕는 소프트웨어. 사용 용도에 따라 다양하게 나뉨. 예 • 문서 작성: 프레젠테이션(PPT), 한글(HWP), 워드(WORD) • 웹 브라우저: 크롬, 사파리, 파이어폭스 • 스마트폰 애플리케이션

운영 체제

운영 체제(OS)(Operating System)는 하드웨어와 사용자 간에 중개 역할을 하는 소프트웨어로, 컴퓨팅 시스템의 자원을 효율적으로 운영하고 관리함으로써 사용자가 컴퓨터를 편리하게 사용할 수 있도록 해. 우리가 컴퓨터나 스마트폰을 사용할 때 어떤 프로그램이나 애플리케이션을 이용할 수 있는 건 다 운영 체제 덕분이라고 할 수 있지.

예를 들어 컴퓨터를 할 때 여러 개의 프로그램을 실행한다고 생각해 보자. 우리는 여러 개의 프로그램이 동시에 실행된다고 생각하지만, 사실 프로그램의 실행을 담당하는 (3) ㅈㅇ ㅊㄹ ㅈㅊ (CPU)는 한 번에 하나의 프로그램만을 실행할 수 있어. 이때 운영 체제는 여러 개의 프로그램이 번갈아 실행되도록 실행 시간과 순서를 할당해서 사용자의 프로그램 실행을 도와. 이외에도 운영 체제는 **사용자 인터페이스**를 제공하거나 주기억 장치의 용량을 관리하고 보조 기억 장치에 저장되는 파일을 관리하는 등 다양한 기능을 해.

사용자 인터페이스(UI, User Interface)
사용자 인터페이스란 사람과 컴퓨팅 시스템 사이에서 의사소통할 수 있도록 돕는 물리적인 장치나 화면 표현을 말한다. 사용자는 운영 체제가 제공하는 사용자 인터페이스를 통해 마우스나 키보드를 이용하여 컴퓨팅 시스템을 조작하고 화면에 손을 갖다 대어 소프트웨어를 동작시킨다.

잠깐 체크

❶ (시스템 소프트웨어 / 응용 소프트웨어)는 하드웨어를 관리한다.

❷ 운영 체제는 주기억 장치의 용량을 관리한다. (○, ×)

답 ❶ 시스템 소프트웨어 ❷ ○

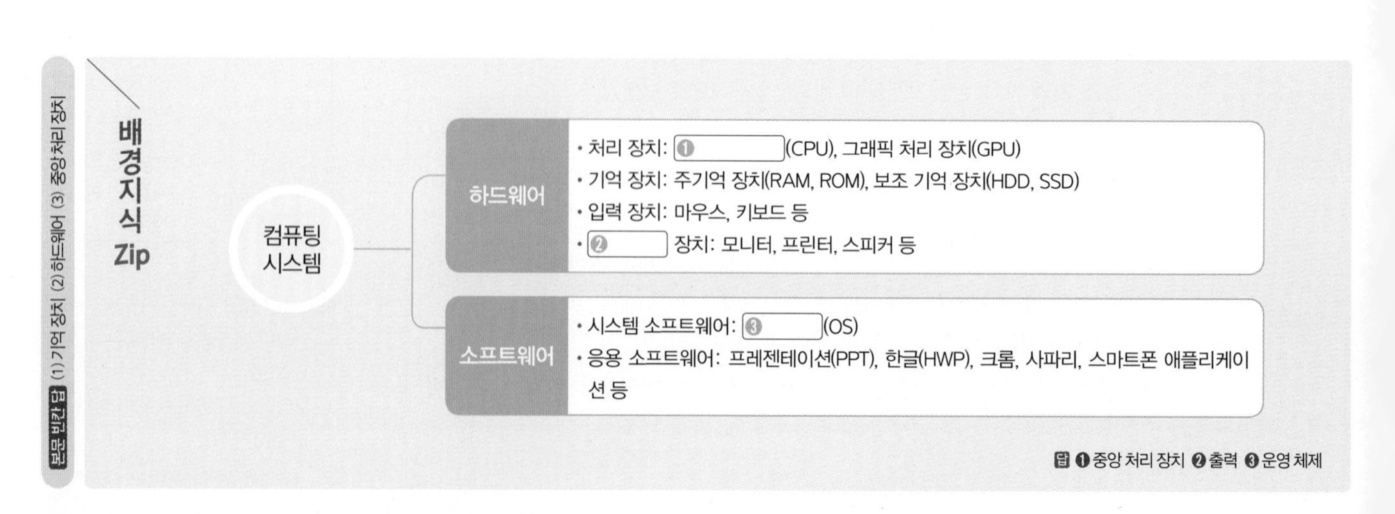

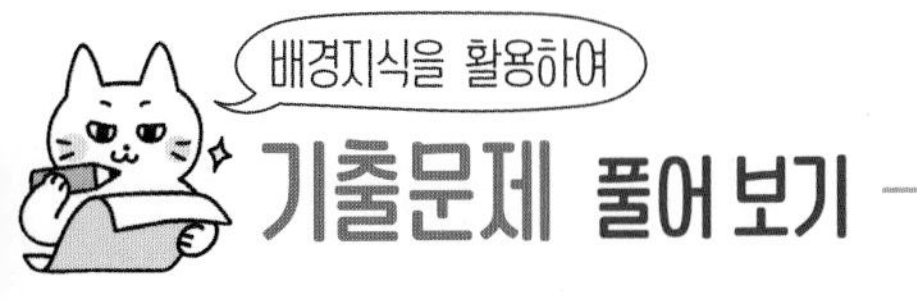

정답과 해설 33쪽

[01~02] 다음 글을 읽고 물음에 답하시오.

❶ [1]최근의 3D 애니메이션은 섬세한 입체 영상을 구현하여 실물을 촬영한 것 같은 느낌을 준다. [2]이와 같은 3D 합성 영상을 생성, 출력하기 위해서는 모델링과 렌더링을 거쳐야 한다.

❷ [1]모델링은 3차원 가상 공간에서 물체의 모양과 크기, 공간적인 위치, 표면 특성 등과 관련된 고유의 값을 설정하거나 수정하는 단계이다. [2]모양과 크기를 설정할 때 주로 3개의 정점으로 형성되는 삼각형을 활용한다. [3]작은 삼각형의 조합으로 이루어진 그물과 같은 형태로 물체 표면을 표현하는 방식이다. [4]물체 표면을 구성하는 각 삼각형 면에는 고유의 색과 질감 등을 나타내는 표면 특성이 하나씩 지정된다.

❸ [1]공간에서의 입체에 대한 정보인 이 데이터를 활용하여, 물체를 어디에서 바라보는가를 나타내는 관찰 시점을 기준으로 2차원의 화면을 생성하는 것이 렌더링이다. [2]전체 화면을 잘게 나눈 점이 화소인데, 정해진 개수의 화소로 화면을 표시하고 각 화소별로 밝기나 색상 등을 나타내는 화솟값이 부여된다. [3]화면을 구성하는 모든 화소의 화솟값이 결정되면 하나의 프레임이 생성된다. [4]이를 화면 출력 장치를 통해 모니터에 표시하면 정지 영상이 완성된다.

❹ [1]모델링과 렌더링을 반복하여 생성된 프레임들을 순서대로 표시하면 동영상이 된다. [2]프레임을 생성할 때, 모델링과 관련된 계산을 완료한 후 그 결과를 이용하여 렌더링을 위한 계산을 한다. [3]이때 정점의 개수가 많을수록, 해상도가 높아 출력 화소의 수가 많을수록 연산 양이 많아져 연산 시간이 길어진다. [4]컴퓨터의 중앙 처리 장치(CPU)는 데이터 연산을 하나씩 순서대로 수행하기 때문에 과도한 양의 데이터가 집중되면 미처 연산되지 못한 데이터가 차례를 기다리는 병목 현상이 생겨 프레임이 완성되는 데 오랜 시간이 걸린다. [5]CPU의 그래픽 처리 능력을 보완하기 위해 개발된 그래픽처리장치(GPU)는 연산을 비롯한 데이터 처리를 독립적으로 수행할 수 있는 장치인 코어를 수백에서 수천 개씩 탑재하고 있다. [6]GPU의 각 코어는 그래픽 연산에 특화된 연산만을 할 수 있고 CPU의 코어에 비해서 저속으로 연산한다. [7]하지만 GPU는 동일한 연산을 여러 번 수행해야 하는 경우, 고속으로 출력 영상을 생성할 수 있다. [8]왜냐하면 GPU는 한 번의 연산에 쓰이는 데이터들을 순차적으로 각 코어에 전송한 후, 전체 코어에 하나의 연산 명령어를 전달하면, 각 코어는 모든 데이터를 동시에 연산하여 연산 시간이 짧아지기 때문이다.

01

윗글에 대한 이해로 적절하면 ○에, 적절하지 않으면 ×에 표시하시오.

(1) 3D 영상을 재현하는 화면의 해상도가 높을수록 연산 양이 많아진다. [○ | ×]

(2) 병목 현상은 연산할 데이터의 양이 처리 능력을 초과할 때 발생한다. [○ | ×]

(3) 렌더링에서 사용되는 물체 고유의 표면 특성은 화솟값에 의해 결정된다. [○ | ×]

02

CPU와 GPU에 대한 설명으로 적절하지 않은 것은?

① CPU는 데이터 연산을 하나씩 순서대로 수행한다.

② GPU는 연산 시간이 길어지는 CPU의 단점을 보완하기 위해 개발되었다.

③ GPU는 동일한 연산을 여러 번 수행할 때 출력 영상을 생성하는 속도가 빨라진다.

④ GPU는 하나의 연산 명령어를 통해 각 코어가 동일한 명령을 수행할 수 있게 한다.

⑤ 1개의 코어만 작동할 때 정점 위치를 구하기 위한 GPU의 연산 시간은 1개의 코어를 가진 CPU의 연산 시간과 같다.

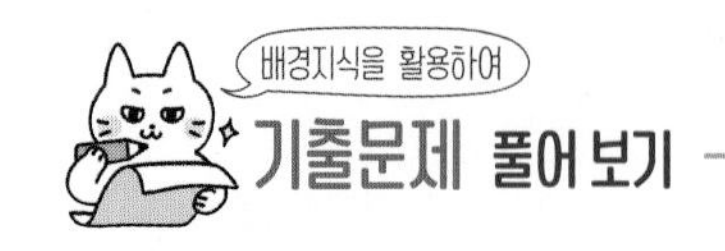

[03~05] 다음 글을 읽고 물음에 답하시오.

❶ [1]컴퓨터를 구성하고 있는 여러 가지 장치 중에서 가장 핵심적인 역할을 담당하고 있는 3가지 요소는 중앙 처리 장치(CPU), 주기억 장치, 보조 기억 장치이다. [2]보통 주기억 장치로 '램'을, 보조 기억 장치로 'HDD(Hard Disk Drive)'를 쓴다. [3]이 세 장치의 성능이 컴퓨터의 전반적인 속도를 좌우한다고 할 수 있다.

❷ [1]CPU나 램은 내부의 미세 회로 사이를 오가는 전자의 움직임만으로 데이터를 처리하는 반도체 •재질이기 때문에 고속으로 동작이 가능하다. [2]그러나 HDD는 원형의 자기 디스크를 물리적으로 회전시키며 데이터를 읽거나 저장하기 때문에 자기 디스크를 아무리 빨리 회전시킨다 해도 반도체의 처리 속도를 따라갈 수 없다. [3]게다가 디스크의 회전 속도가 빨라질수록 소음이 심해지고 전력 소모량이 급속도로 높아지는 단점이 있다. [4]이 때문에 CPU와 램의 동작 속도가 하루가 다르게 향상되고 있는 반면, HDD의 동작 속도는 그렇지 못했다.

❸ [1]그래서 HDD의 대안으로 제시된 것이 바로 'SSD(Solid State Drive)'이다. [2]SSD의 용도나 •외관, 설치 방법 등은 HDD와 유사하다. [3]하지만 SSD는 HDD가 자기 디스크를 사용하는 것과 달리 반도체를 이용해 데이터를 저장한다는 차이가 있다. [4]그리고 물리적으로 움직이는 부품이 없기 때문에 작동 소음이 작고 전력 소모가 적다. [5]이런 특성 때문에 휴대용 컴퓨터에 SSD를 사용하면 전지 유지 시간을 늘릴 수 있다는 이점이 있다.

❹ [1]SSD는, 컴퓨터 시스템과 SSD 사이에 데이터를 주고받을 수 있도록 연결하는 부분인 '인터페이스', 데이터를 저장하는 '메모리', 그리고 인터페이스와 메모리 사이의 데이터 교환 작업을 제어하는 '컨트롤러', 외부 장치와 SSD 간의 처리 속도 차이를 줄여 주는 '버퍼 메모리'로 이루어져 있다. [2]이 중에 주목해야 할 것이 데이터를 저장하는 메모리다. [3]이 메모리를 무엇으로 쓰는지에 따라 '램 기반 SSD'와 '플래시 메모리 기반 SSD'로 나뉜다.

❺ [1]램 기반 SSD는 매우 빠른 속도를 발휘하는데, 이것을 •장착한 컴퓨터는 전원을 켠 후 1~2초 만에 윈도우 운영 체제의 부팅을 끝낼 수 있을 정도다. [2]다만 램은 전원이 꺼지면 저장 데이터가 모두 사라지기 때문에 컴퓨터의 전원을 끈 상태에서도 SSD에 계속해서 전원을 공급해 주는 전용 전지가 반드시 필요하다. [3]이런 단점 때문에 램 기반 SSD는 많이 쓰이지 않는다.

❻ [1]그래서 일반적으로 SSD는 플래시 메모리 기반 SSD를 지칭한다. [2]플래시 메모리는 전원이 꺼지더라도 기록된 데이터가 보존되기 때문에 HDD를 쓰던 것처럼 쓰면 된다. [3]그리고 플래시 메모리 기반 SSD를 장착한 컴퓨터는 램 기반 SSD를 장착한 컴퓨터보다 느리긴 하지만 HDD를 장착한 동급 사양의 컴퓨터보다 최소 2~3배 이상 빠른 부팅 속도와 프로그램 실행 속도를 기대할 수 있다.

• **재질** 재료의 성질.
• **외관** 겉으로 보이는 모양.
• **장착하다** 옷, 기구, 장비 등에 장치를 달거나 붙이다.

03 윗글에서 확인할 수 있는 내용으로 적절하지 않은 것은?

① SSD의 구성 요소
② HDD의 발전 과정
③ 컴퓨터 속도를 결정하는 주요 장치
④ 램과 HDD의 데이터 처리 방식 차이
⑤ SSD를 휴대용 컴퓨터에 쓰면 좋은 이유

04 윗글에 대한 이해로 적절한 것은?

① HDD를 설치하는 것보다 SSD를 설치하는 방법이 복잡하다.
② HDD는 데이터 처리 방식의 한계 때문에 속도의 향상이 더딘 편이었다.
③ SSD의 소음이 큰 이유는 데이터를 읽을 때 자기 디스크가 회전하기 때문이다.
④ 운영 체제를 빠르게 쓰고 싶다면, SSD보다 HDD를 보조 기억 장치로 쓰는 것이 낫다.
⑤ 전자를 움직여 데이터를 읽는 것보다 자기 디스크를 움직여 데이터를 읽는 것이 전력을 적게 쓴다.

05 윗글을 바탕으로 〈보기〉를 설명한 내용으로 적절하지 않은 것은?

보기

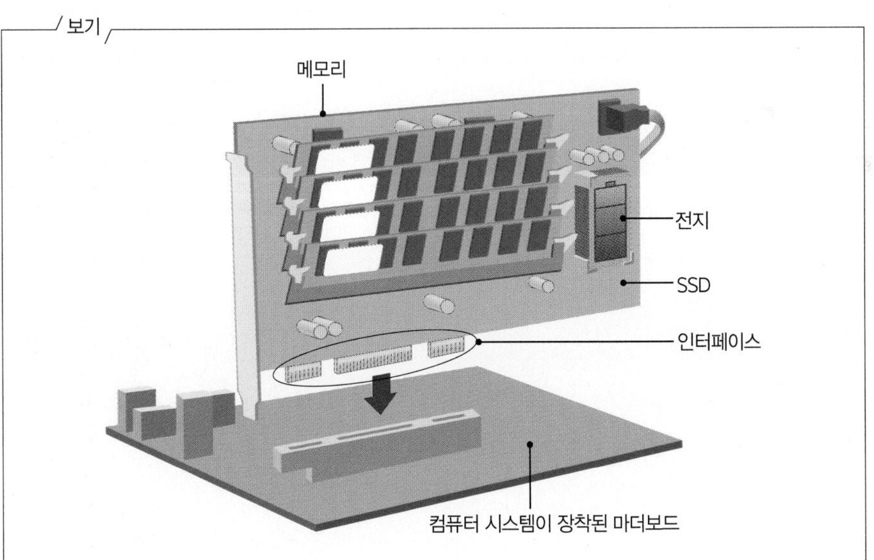

* 위 그림은 CPU와 램 등의 컴퓨터 시스템이 장착된 마더보드(Mother Board)에 SSD를 꽂으려는 모습이다.

① 〈보기〉의 SSD에는 컨트롤러와 버퍼 메모리 장치가 있다.
② 인터페이스는 SSD가 컴퓨터 시스템과 데이터를 주고받는 부분이다.
③ 〈보기〉의 SSD는 전지가 있는 것으로 보아 일반적으로 쓰이는 것이다.
④ 〈보기〉의 SSD는 다른 종류의 SSD에 비해 데이터 처리 속도가 빠르다.
⑤ 〈보기〉의 SSD에 전지가 없다면 컴퓨터 전원이 꺼졌을 때 메모리에 있는 데이터가 다 지워질 것이다.

정보 통신 기술

기출 속 배경지식 키워드 | #GPS #빅 데이터 #인공 지능 #암호 기술 #블록체인

교과 연계
고등학교 기술·가정
V. 첨단 기술

배경지식 DNA 점검

다음 내용이 맞으면 '예', 틀리면 '아니요'에 표시해 봅시다.

GPS 위성이 없으면 GPS를 활용하기 어렵다.	□ 예	□ 아니요
빅 데이터는 생성 주기가 짧은 대규모 데이터이다.	□ 예	□ 아니요
인공 신경망은 기계 학습 알고리즘의 한 종류이다.	□ 예	□ 아니요
암호 키를 활용해서 해시 함수의 해시값을 입력값으로 복원할 수 있다.	□ 예	□ 아니요
블록체인은 해킹이나 위조를 당할 위험성이 높은 기술이다.	□ 예	□ 아니요

답 예, 예, 예, 아니요, 아니요

우리가 스마트폰을 이용해서 친구와 메시지를 주고받거나, 매일의 날씨와 교통 정보를 바로바로 확인할 수 있는 것은 모두 정보 통신 기술의 발달 덕분이야. **정보 통신 기술(ICT)**(Information and Communication Technology)이란 정보 기술과 통신 기술을 융합하여 정보를 주고받으며 운영, 관리하고 이용하기 위한 기술을 통틀어 이르는 말이야. 현대 사회에서 주목할 만한 정보 통신 기술에는 어떤 것들이 있을까?

GPS • 인공위성을 이용하여 위치를 정확히 알아낼 수 있는 시스템

GPS(Global Positioning System)는 GPS 위성에서 보내는 신호를 수신해 사용자의 현재 위치를 계산하는 시스템으로, 위치의 위도, 경도, 고도를 정확한 수치로 표현해 주는 시스템이라고 생각하면 돼. 우리가 스마트폰을 활용해서 자신이 있는 곳의 (1) ㅇㅊ 를 확인하거나 목적지까지 경로를 찾을 수 있는 건 바로 GPS 덕분이란다.

GPS의 원리는 다음과 같아. 지구 위를 돌고 있는 GPS 위성이 자신의 시간·위치 정보가 담긴 전파를 지상의 GPS 수신기로 보내면, GPS 수신기는 이를 통해 GPS (2) ㅇㅅ 과의 거리를 알아내어 자신의 위치를 파악해. 이때 정확한 위치를 파악하기 위해서는 4개 이상의 GPS 위성이 필요해. 아래 그림을 볼까? 먼저 GPS 위성 3개의 위치와, 각 위성에서 지상의 GPS 수신기까지의 거리 A, B, C를 이용하면 GPS 수신기의 위치를 측정할 수 있지. 그런데 GPS 위성에 장착된 시계와 GPS 수신기에 장착된 시계가 일치하지 않아서 전파의 도달 시간을 바탕으로 한 계산에 오차가 생기게 돼. 그래서 1개의 GPS 위성을 더 활용해서 시간의 오차를 보정한단다.

GPS 위성B
GPS 위성C
GPS 위성A
GPS 위성D
거리 B
거리 C
거리 A
시간 오차 보정
GPS 수신기

● **인공위성** 지구와 같은 행성 둘레를 돌도록 로켓을 이용하여 쏘아 올린 인공의 장치.

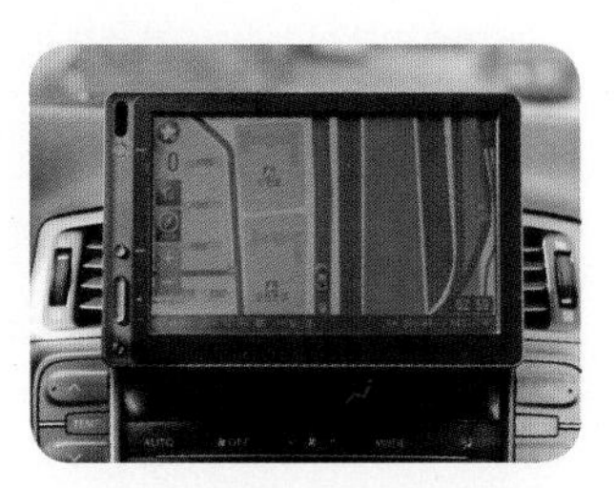
▲ GPS가 활용되는 내비게이션

잠깐 체크

❶ GPS는 GPS 위성에서 보낸 전파를 활용한다. (○, ×)

❷ GPS를 활용해서 정확한 위치를 파악하기 위해서는 (3개 / 4개) 이상의 GPS 위성이 필요하다.

답 ❶ ○ ❷ 4개

기술

빅 데이터 • 디지털 환경에서 생성되는 방대한 규모의 데이터

▲ 빅 데이터를 활용한 동영상 추천

빅 데이터(Big Data)란 디지털 환경에서 생성되는 데이터로, 규모가 매우 방대하고 생성 주기가 짧으며 문자와 이미지, 영상 데이터 등 다양한 형태의 데이터를 포함하는 대규모 데이터를 말해. 이때 빅 데이터는 대규모 데이터뿐만 아니라 그 데이터를 효과적으로 처리하고 분석할 수 있는 기술에 초점을 둔 용어라고 볼 수 있어. 이러한 빅 데이터는 다양한 분야에서 활용되고 있지.

예를 들어 영상 사이트에 '고양이'를 검색한 다음 검색 결과로 나온 영상을 몇 개 시청했다고 해 보자. 그럼 내가 검색한 '고양이'라는 키워드와 시청 목록이 (3) ㄷㅇㅌ 화되어 저장돼. 영상 사이트는 이렇게 저장된 나의 데이터와, 똑같이 '고양이'를 검색한 사람들이 본 영상 데이터와 반응을 종합하고 분석해서 나에게 '고양이'와 관련한 새로운 동영상을 추천해 주지.

이 외에도 기업은 고객의 성향을 분석하고 고객의 반응을 실시간으로 파악하기 위해 빅 데이터를 활용해. 공공 기관 또한 빅 데이터를 통해 시민이 요구하는 서비스를 파악해서 제공하기도 한단다.

인공 지능 • 인간의 지능적 행동을 모방하는 컴퓨터 시스템

인공 지능(AI)

Artificial Intelligence

2016년 3월, 대한민국을 들썩이게 한 일이 있었어. 이세돌 9단과 인공 지능 바둑 프로그램인 '알파고'의 바둑 대결이 펼쳐진 거야. 이 대결은 인공 지능이 아직 인간의 수준을 따라올 수 없다고 생각했던 사람들에게 큰 충격을 줬어. 인공 지능인 알파고가 이세돌 9단을 큰 차이로 이겨 버렸거든.

인공 지능은 컴퓨터가 학습, 추리, 적응, 논증과 같은 인간의 지능적인 행동을 모방할 수 있도록 컴퓨터 프로그램으로 실현한 기술이야. 자동 번역 시스템이나 영상 인식, 음성 인식 기술 등에서 활발하게 활용되고 있지. 음성 인식 스피커가 대표적인 예야. (4) ㅇㄱ ㅈㄴ 의 발전에는 빅 데이터의 역할을 빼놓을 수 없는데, 빅 데이터를 활용한 •기계 학습 덕분에 인공 지능이 수많은 데이터를 분석하고 스스로 학습할 수 있게 되었어.

- **기계 학습** 인간이 자연적으로 수행하는 학습 능력과 같은 기능을 컴퓨터에서 실현하려는 기술이나 방법.
- **알고리즘** 어떤 문제를 해결하기 위해, 입력된 자료를 바탕으로 하여 원하는 출력을 유도해 내는 규칙의 집합.
- **퍼셉트론** 시각과 뇌의 기능을 모델화한 학습 기계. 학습 기능과 지적 동작 기능을 가져 패턴을 인식할 수 있다.

인공 신경망

인공 신경망은 사람의 두뇌와 비슷한 방식으로 정보를 처리하기 위한 기계 학습 •알고리즘이야. 먼저 인간의 뇌에서 일어나는 정보 처리 과정을 살펴보자. 감각 기관에서 받아들인 정보는 신경 세포(뉴런)를 통해 뇌로 전달되는데, 뇌는 이를 종합하고 판단해서 명령을 내려. 이때 여러 개의 신경 세포가 연결되면서 복잡한 연산 등을 수행하는데, 이러한 뇌의 정보 처리 과정을 모방해서 만든 알고리즘이 바로 인공 신경망이야. 인간의 뇌에서 신경 세포와 신경 세포가 연결되어 일을 처리하는 것처럼, 인공 신경망에서는 수학적 모델로서의 (5) ㅅㄱ ㅅㅍ 가 상호 연결되어 신경망을 형성하고 연산을 처리해. •퍼셉트론은 인공 신경망을 실제로 구현한 최초의 모델이란다.

잠깐 체크

❶ 빅 데이터는 방대한 양의 문자 데이터만을 의미한다. (○, ×)
❷ 인공 지능은 인간의 지능이 갖춘 기능을 컴퓨터 프로그램으로 실현한 기술이다. (○, ×)
❸ 인공 신경망은 인간 (두뇌 / 감각 기관)의 정보 처리 과정을 모방하여 만든 알고리즘이다.

답 ❶ × ❷ ○ ❸ 두뇌

암호 기술 ● 정보를 변환하여 제3자가 볼 수 없도록 하는 기술

[요청하신 인증 번호는 ○○○○입니다.] 인터넷에서 본인 인증을 할 때 이런 문자 메시지를 받아 본 적이 있을 거야. 이러한 인증 문자에도 사실은 암호 기술이 적용되어 있단다.

암호 기술은 중요한 정보를 읽기 어려운 값으로 변환하여 제3자가 볼 수 없도록 하는 기술이야. 이때 암호 기술로 보호하려는 원본 데이터를 **평문**, 평문에 암호 기술을 적용한 것을 **암호문**이라고 해. 또 평문에 암호 기술을 적용하여 암호문으로 변환하는 과정을 **암호화**라고 하고, 반대로 암호문을 평문으로 복원하는 과정을 **복호화**라고 하지.

평문 ⇄ 암호문 (암호화 → / ← 복호화)

▲ 암호화와 복호화

암호 기술은 그 방식에 따라 •암호 키가 필요한 **대칭 키 암호**와 **비대칭 키 암호**, 암호 키가 필요하지 않은 **해시 함수**로 나뉘어.

● **암호 키(key)** 암호화 또는 복호화를 위하여 하나의 알고리즘과 함께 쓰이는 값.

대칭 키 암호와 비대칭 키 암호

대칭 키 암호	• 암호화·복호화에 같은 암호 키를 사용하는 알고리즘 • 장점: 내부 구조가 간단한 조합으로 되어 있어 연산 속도가 빠름. • 단점: 송신자와 수신자 간에 동일한 키를 공유해야 해서 많은 사람과 정보를 교환하게 되면 많은 키를 관리해야 하는 어려움이 있음.
비대칭 키 암호 (공개 키 암호)	• 암호화·복호화에 서로 다른 암호 키를 사용하는 알고리즘 • 송신자는 수신자의 공개 키를 이용해서 암호화하고, 수신자는 자신의 공개 키로 암호화된 암호문을 자신의 개인 키로 (6) ㅂㅎㅎ 함. • 장점: 여러 송신자가 하나의 공개 키로 암호화를 수행하기 때문에 사용자가 많더라도 키 관리에 용이함. • 단점: 암호화와 복호화에 복잡한 수학 연산을 사용하여 대칭 키 암호에 비해 효율이 떨어짐.

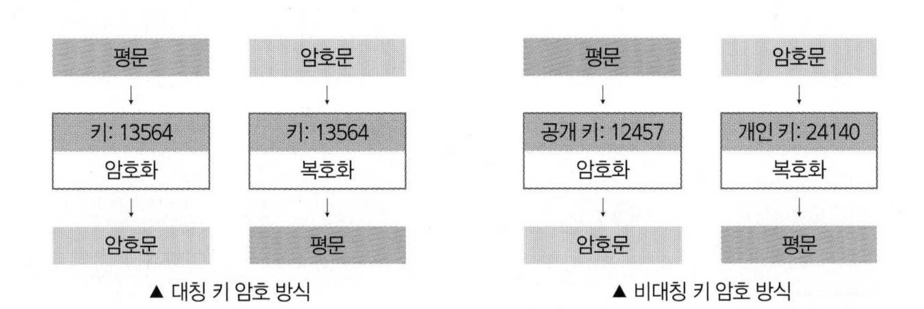

▲ 대칭 키 암호 방식 ▲ 비대칭 키 암호 방식

해시 함수

해시 함수란 임의의 길이의 메시지를 입력으로 받아 고정된 길이의 •해시값을 출력하는 함수를 말해. 해시 함수는 해시값만으로 원래 입력값을 복원할 수 없다는 특성이 있어. 또 같은 해시값을 갖는 서로 다른 입력값이 나타나기 어렵고, 입력값이 조금만 바뀌어도 (7) ㅎㅅㄱ 이 완전히 변한다는 특징이 있지. 그래서 해시 함수는 데이터가 통신 중에 변조되지 않았다는 •무결성을 검증하기 위한 목적으로 사용돼. 주로 메시지 인증 코드나 전자 서명에 활용된단다.

● **해시값** 해시 함수의 출력으로 나온 비트 문자열.

● **무결성** 허락되지 않은 사용자 또는 객체가 정보를 함부로 수정할 수 없도록 하는 성질.

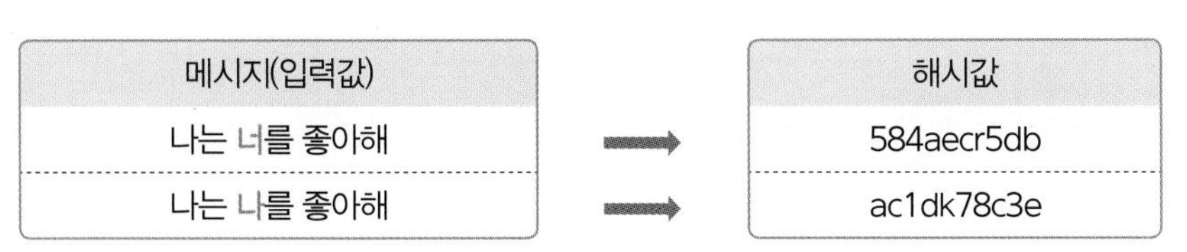

▲ 입력값이 조금만 바뀌어도 해시값이 크게 변하는 해시 함수

잠깐 체크

❶ (대칭 / 비대칭) 키 암호는 암호화와 복호화에 같은 암호 키를 사용하는 기술이다.

❷ 해시 함수는 같은 입력에 대해서 항상 같은 해시값을 출력한다. (○, ×)

❸ 해시 함수의 입력값을 수정해도 해시값은 변하지 않는다. (○, ×)

답 ❶ 대칭 ❷ ○ ❸ ×

블록체인 • 데이터를 블록으로 구분하고, 각 블록을 고리 형태로 서로 연결하는 형식의 데이터 목록

4차 산업 혁명? 블록체인? 어디서 들어 본 적이 있다고? 맞아. 한때 뉴스에서는 이러한 단어들을 나열하며 새로운 산업 혁명의 도래를 이야기했어. 이러한 블록체인 기술은 암호 화폐 거래 방식에도 접목되면서 더더욱 주목받게 되었지. **블록체인(Blockchain)**이란 데이터 위·변조 방지 기술로, 관리 대상 데이터를 •분산 관리 하기 위하여 데이터를 블록(Block)으로 구분하고, 각 블록을 고리(Chain) 형태로 서로 연결하는 형식의 데이터 목록이야.

●**분산** 갈라져 흩어짐.

기존 거래 방식과 블록체인 거래 방식을 비교해서 볼까? 우리가 은행에 가서 송금을 한다고 생각해 보자. 내가 돈을 맡긴 거래 내역은 오로지 은행만 보유하고 있기 때문에 은행의 보안이 핵심이고, 거래를 할 때 은행이라는 중개자를 거쳐야 해. 그런데 블록체인에서는 이러한 거래 내역을 네트워크 상의 모든 사용자가 같이 보관하고 관리하지.

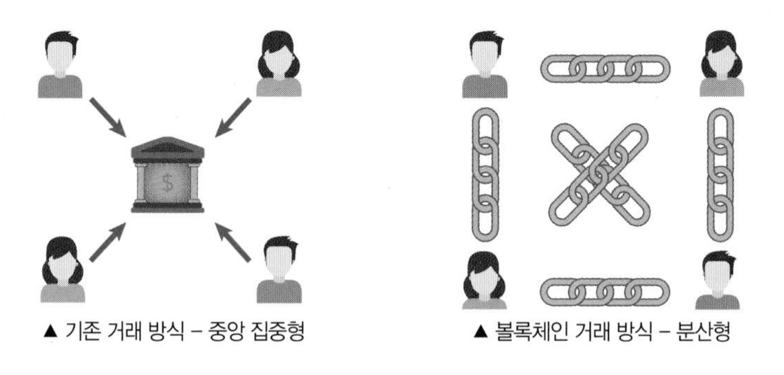
▲ 기존 거래 방식 – 중앙 집중형 ▲ 블록체인 거래 방식 – 분산형

예를 들어 A가 B에게 송금을 하면, 해당 거래 정보가 담긴 블록이 형성되고 이 (8) ㅂㄹ 은 네트워크상의 모든 참여자에게 전송돼. 그런 다음 참여자들은 거래 정보의 •유효성을 상호 검증하지. 유효성 검증이 완료된 블록은 이전 블록에 연결되고, 그 사본은 각 사용자의 컴퓨터에 분산 저장돼. 그럼 A가 B에게 전달한 자금이 실제로 송금되면서 거래가 이루어지는 원리야.

●**유효성** 효력이나 효과를 발휘하는 성질.

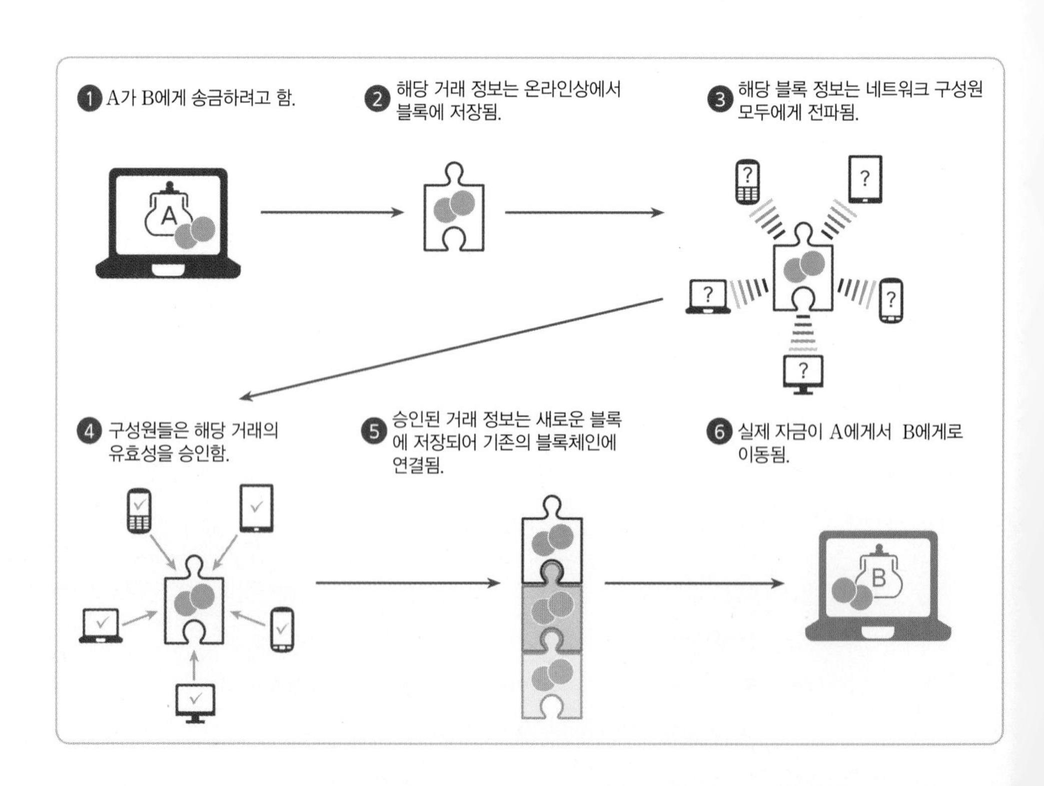

이러한 블록체인에서 중요한 기술은 앞에서 공부한 (9) ㅎㅅ ㅎㅅ 야. 블록체인에서는 블록의 해시값을 출력해서 해당 블록에 서명하고 그다음에 생성되는 블록에도 기록해. 해시값만으로 입력값을 복원하기 어렵고, 입력값이 조금이라도 달라지면 결과값도 크게 달라지는 해시값의 특성 덕분에 특정 블록의 거래 내역이 위·변조되더라도 금방 알 수 있어. 또 특정 블록을 해킹하려면 그 블록에 연결된 다른 블록들도 수정해야 하기 때문에 데이터의 위·변조가 아주 어려워.

여러 사람이 거래 내역을 갖고 있으니 보안에 취약하지 않느냐고? 그렇지 않아. 거래 정보를 위조하거나 변조하게 되면 그 사람만 다른 정보를 가지고 있는 셈이니, 정보의 신뢰성이 떨어져서 금방 들통나게 되거든. 성공적으로 데이터를 위·변조하려면 참여자 과반수 이상이 갖고 있는 거래 정보를 동시에 수정해야 하는데, 이는 사실상 불가능한 일이야. 이런 특성 덕분에 블록체인은 신뢰성이 요구되는 다양한 분야에 활용될 수 있어.

잠깐 체크

❶ 블록체인은 데이터를 (분산 / 중앙 집중)형으로 관리한다.

❷ 블록체인은 데이터의 수정이나 위조가 어렵기 때문에 안전성이 높다. (○, ×)

답 ❶ 분산 ❷ ○

기술

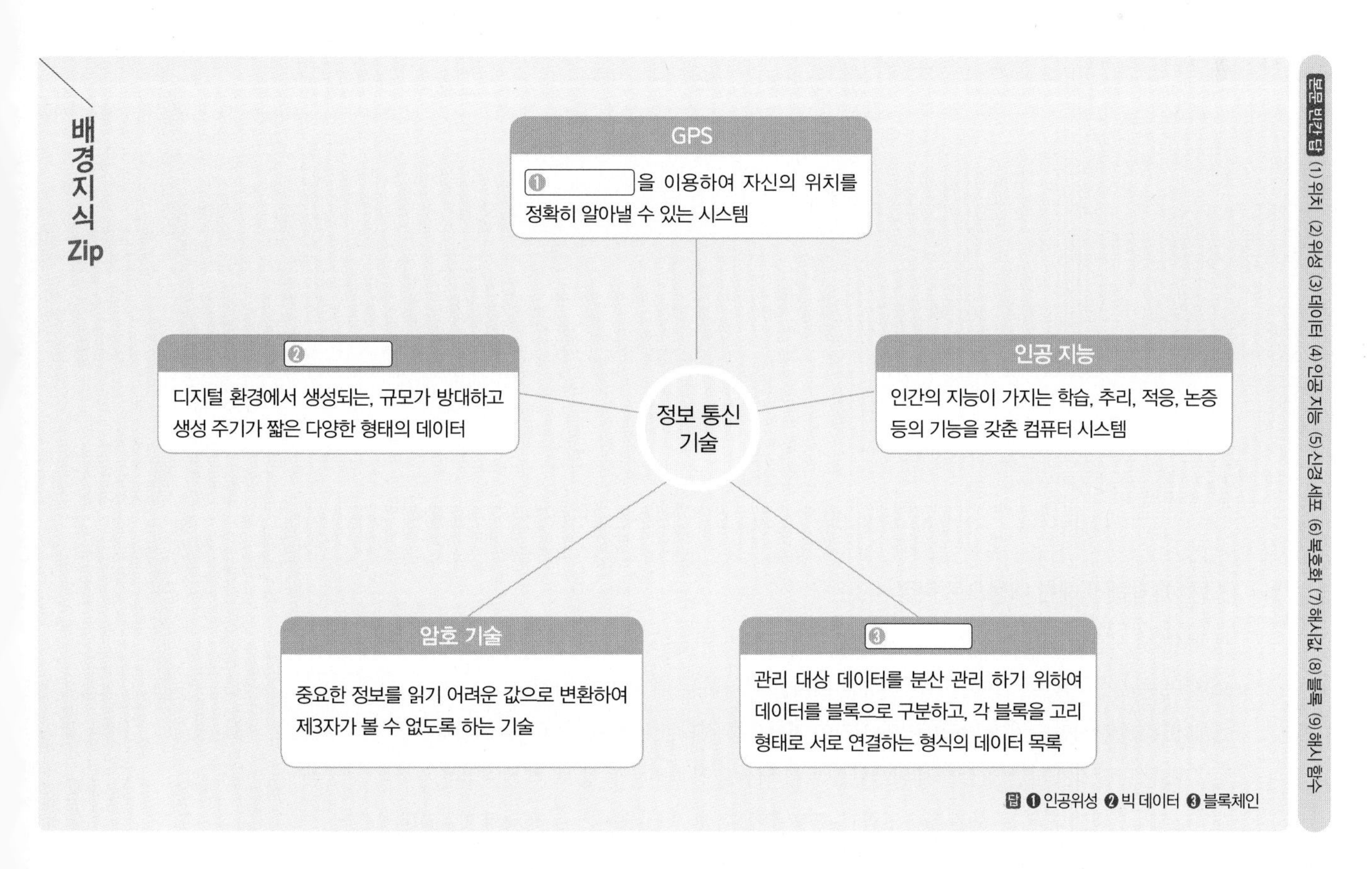

본문 빈칸 답 (1) 위치 (2) 위성 (3) 데이터 (4) 인공 지능 (5) 신경 세포 (6) 복호화 (7) 해시값 (8) 블록 (9) 해시 함수

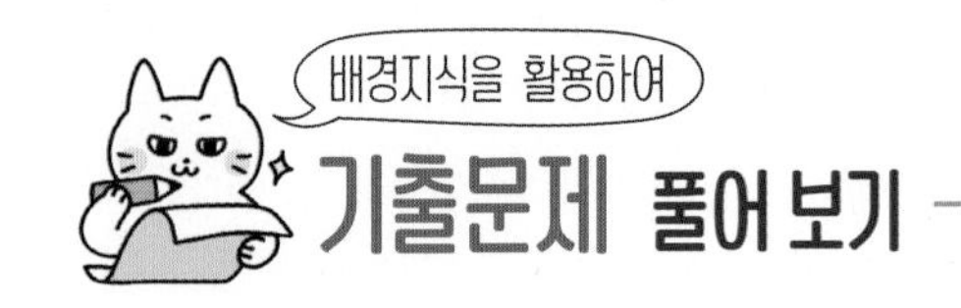

[01~02] 다음 글을 읽고 물음에 답하시오.

❶ [1]스마트폰은 다양한 위치 측정 기술을 활용하여 여러 지형 환경에서 위치를 측정한다. [2]위치에는 절대 위치와 상대 위치가 있다. [3]절대 위치는 위도, 경도 등으로 표시된 위치이고, 상대 위치는 특정한 위치를 기준으로 한 상대적인 위치이다.

❷ [1]실외에서는 주로 스마트폰 단말기에 내장된 GPS(위성 항법 장치)나 IMU(관성 측정 장치)를 사용한다. [2]GPS는 위성으로부터 오는 신호를 이용하여 절대 위치를 측정한다. [3]GPS는 위치 오차가 시간에 따라 누적되지 않는다. [4]그러나 전파 지연 등으로 접속 초기에 짧은 시간 동안이지만 큰 오차가 발생하고 실내나 터널 등에서는 GPS 신호를 받기 어렵다. [5]IMU는 내장된 센서로 가속도와 속도를 측정하여 위치 변화를 계산하고 초기 위치를 기준으로 하는 상대 위치를 구한다. [6]단기간 움직임에 대한 측정 성능이 뛰어나지만 센서가 측정한 값의 오차가 누적되기 때문에 시간이 지날수록 위치 오차가 커진다. [7]이 두 방식을 함께 사용하면 서로의 단점을 보완하여 오차를 줄일 수 있다.

❸ [1]한편 실내에서 위치 측정에 사용 가능한 방법으로는 블루투스 기반의 비콘을 활용하는 기술이 있다. [2]비콘은 실내에 고정 설치되어 비콘마다 정해진 식별 번호와 위치 정보가 포함된 신호를 주기적으로 보내는 기기이다. [3]비콘들은 동일한 세기의 신호를 사방으로 보내지만 비콘으로부터 거리가 멀어질수록, 벽과 같은 장애물이 많을수록 신호의 세기가 약해진다. [4]단말기가 비콘 신호의 도달 거리 내로 진입하면 단말기 안의 수신기가 이 신호를 인식한다. [5]이 신호를 이용하여 2차원 평면에서의 위치를 측정하는 방법으로는 근접성 기법, 삼변측량 기법, 위치 지도 기법이 있다.

01

윗글의 내용에 대한 이해로 적절하면 ○에, 적절하지 않으면 ×에 표시하시오.

(1) GPS를 이용하여 측정한 위치는 기준이 되는 위치가 어디냐에 따라 달라진다. ○ ×

(2) 비콘들이 서로 다른 세기의 신호를 송신해야 단말기의 위치를 측정할 수 있다. ○ ×

(3) IMU는 단말기가 초기 위치로부터 얼마나 떨어져 있는지를 계산하여 단말기의 위치를 구한다. ○ ×

02

오차에 대해 이해한 내용으로 적절한 것은?

① IMU는 시간이 지날수록 전파 지연으로 인한 오차가 커진다.
② GPS는 사용 시간이 길어질수록 위성의 위치를 파악하는 데 오차가 커진다.
③ IMU는 순간적인 오차가 발생하지만 시간이 지날수록 정확한 위치 측정이 가능해진다.
④ GPS는 단말기가 터널에 진입 시 발생한 오차를 터널을 통과하는 동안 보정할 수 있다.
⑤ IMU의 오차가 커지는 것은 가속도와 속도를 측정할 때 생긴 오차가 누적되기 때문이다.

[03~04] 다음 글을 읽고 물음에 답하시오.

❶ [1]인간의 신경 조직을 수학적으로 모델링하여 컴퓨터가 인간처럼 기억·학습·판단할 수 있도록 구현한 것이 인공 신경망 기술이다. [2]신경 조직의 기본 단위는 뉴런인데, ㉠ 인공 신경망에서는 뉴런의 기능을 수학적으로 모델링한 퍼셉트론을 기본 단위로 사용한다.
❷ [1]㉡ 퍼셉트론은 입력값들을 받아들이는 여러 개의 ㉢ 입력 단자와 이 값을 처리하는 부분, 처리된 값을 내보내는 한 개의 출력 단자로 구성되어 있다. [2]퍼셉트론은 각각의 입력 단자에 할당된 ㉣ 가중치를 입력값에 곱한 값들을 모두 합하여 가중합을 구한 후, 고정된 ㉤ 임계치보다 가중합이 작으면 0, 그렇지 않으면 1과 같은 방식으로 ㉥ 출력값을 내보낸다.
❸ [1]이러한 퍼셉트론은 출력값에 따라 두 가지로만 구분하여 입력값들을 판정할 수 있을 뿐이다. [2]이에 비해 복잡한 판정을 할 수 있는 인공 신경망은 다수의 퍼셉트론을 여러 계층으로 배열하여 한 계층에서 출력된 신호가 다음 계층에 있는 모든 퍼셉트론의 입력 단자에 입력값으로 입력되는 구조로 이루어진다. [3]이러한 인공 신경망에서 가장 처음에 입력값을 받아들이는 퍼셉트론들을 입력층, 가장 마지막에 있는 퍼셉트론들을 출력층이라고 한다.
❹ [1]인공 신경망의 작동은 크게 학습 단계와 판정 단계로 나뉜다. [2]학습 단계는 학습 데이터를 입력층의 입력 단자에 넣어 주고 출력층의 출력값을 구한 후, 이 출력값과 정답에 해당하는 값의 차이가 줄어들도록 가중치를 갱신하는 과정이다. [3]어떤 학습 데이터가 주어지면 이때의 출력값을 구하고 학습 데이터와 함께 제공된 정답에 해당하는 값에서 출력값을 뺀 값 즉 오차 값을 구한다. [4]이 오차 값의 일부가 출력층의 출력 단자에서 입력층의 입력 단자 방향으로 되돌아가면서 각 계층의 퍼셉트론별로 출력 신호를 만드는 데 관여한 모든 가중치들에 더해지는 방식으로 가중치들이 갱신된다. [5]이러한 과정을 다양한 학습 데이터에 대하여 반복하면 출력값들이 각각의 정답 값에 수렴하게 되고 판정 성능이 좋아진다. [6]오차 값이 0에 근접하게 되거나 가중치의 갱신이 더 이상 이루어지지 않게 되면 학습 단계를 마치고 판정 단계로 전환한다. [7]이때 판정의 오류를 줄이기 위해서는 학습 단계에서 대상들의 변별적 특징이 잘 반영되어 있는 서로 다른 학습 데이터를 사용하는 것이 좋다.

03 윗글의 내용과 일치하면 ○에, 일치하지 않으면 ×에 표시하시오.

(1) 퍼셉트론의 출력 단자는 하나이다. ○ ×

(2) 퍼셉트론은 인간의 신경 조직의 기본 단위의 기능을 수학적으로 모델링한 것이다. ○ ×

(3) 인공 신경망에서 가중치의 갱신은 입력층의 입력 단자에서 출력층의 출력 단자 방향으로 진행된다. ○ ×

04 윗글에 따를 때, ㉠~㉥에 대한 설명으로 적절하지 않은 것은?

① ㉡은 ㉠의 기본 단위이다.
② ㉢은 ㉡을 구성하는 요소 중 하나이다.
③ ㉣이 변하면 ㉤도 따라서 변한다.
④ ㉤은 ㉥을 결정하는 기준이 된다.
⑤ ㉠이 학습하는 과정에서 ㉥은 ㉣의 변화에 영향을 미친다.

[05~07] 다음 글을 읽고 물음에 답하시오.

❶ [1]온라인을 통한 통신, 금융, 상거래 등은 우리에게 편리함을 주지만 보안상의 문제도 안고 있는데, 이런 문제를 해결하기 위하여 암호 기술이 동원된다. [2]예를 들어 전자 화폐의 일종인 비트코인은 해시 함수를 이용하여 화폐 거래의 안전성을 유지한다. [3]해시 함수란 입력 데이터 x에 대응하는 하나의 결과 값을 일정한 길이의 문자열로 표시하는 수학적 함수이다. [4]그리고 입력 데이터 x에 대하여 해시 함수 H를 적용한 수식을 H(x)=k라 할 때, k를 해시값이라 한다. [5]이때 해시값은 입력 데이터의 내용에 미세한 변화만 있어도 크게 달라진다. [6]현재 여러 해시 함수가 이용되고 있는데, 해시값을 표시하는 문자열의 길이는 각 해시 함수마다 다를 수 있지만 특정 해시 함수에서의 그 길이는 고정되어 있다.

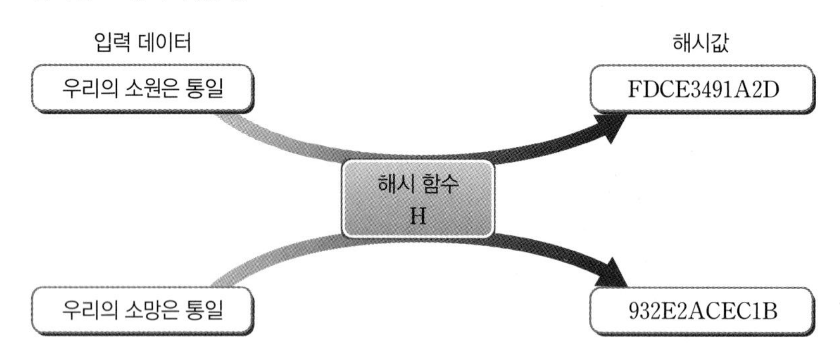

[해시 함수의 입·출력 동작의 예]

❷ [1]이러한 특성을 갖고 있기 때문에 해시 함수는 데이터의 내용이 변경되었는지 여부를 확인하는 데 이용된다. [2]가령, 상호 간에 동일한 해시 함수를 사용한다고 할 때, 전자 문서와 그 문서의 해시값을 함께 전송하면 상대방은 수신한 전자 문서에 동일한 해시 함수를 적용하여 결과 값을 얻은 뒤 전송받은 해시값과 비교함으로써 문서가 변경되었는지 확인할 수 있다.

❸ [1]그런데 해시 함수가 ㉠일방향성과 ㉡충돌회피성을 만족시키면 암호 기술로도 활용된다. [2]일방향성이란 주어진 해시값에 대응하는 입력 데이터의 복원이 불가능하다는 것을 말한다. [3]특정 해시값 k가 주어졌을 때 H(x)=k를 만족시키는 x를 계산하는 것이 매우 어렵다는 것이다. [4]그리고 충돌회피성이란 특정 해시값을 갖는 서로 다른 데이터를 찾아내는 것이 현실적으로 불가능하다는 것을 의미한다. [5]서로 다른 데이터 x, y에 대해서 H(x)와 H(y)가 각각 도출한 값이 동일하면 이것을 충돌이라 하고, 이때의 x와 y를 충돌쌍이라 한다. [6]충돌회피성은 이러한 충돌쌍을 찾는 것이 현재 사용할 수 있는 모든 컴퓨터의 계산 능력을 동원하더라도 그것을 완료하기가 사실상 불가능하다는 것이다.

[가] ❹ [1]해시 함수는 온라인 경매에도 이용될 수 있다. 예를 들어 ○○ 온라인 경매 사이트에서 일방향성과 충돌회피성을 만족시키는 해시 함수 G가 모든 경매 참여자와 운영자에게 공개되어 있다고 하자. [2]이때 각 입찰 참여자는 자신의 입찰가를 감추기 위해 •논스의 해시값과, 입찰가에 논스를 더한 것의 해시값을 함께 게시판에 게시한다. [3]해시값 게시 기한이 지난 후 각 참여자는 본인의 입찰가와 논스를 운영자에게 전송하고 운영자는 최고 입찰가를 제출한 사람을 낙찰자로 선정한다. [4]이로써 온라인 경매 진행 시 발생할 수 있는 다양한 보안상의 문제를 해결할 수 있다.

• 논스 입찰가를 추측할 수 없게 하기 위해 입찰가에 더해지는 임의의 숫자.

05 윗글의 '해시 함수'에 대한 이해로 적절하지 않은 것은?

① 전자 화폐를 사용한 거래의 안전성을 위해 해시 함수가 이용될 수 있다.
② 특정한 해시 함수는 하나의 입력 데이터로부터 두 개의 서로 다른 해시값을 도출하지 않는다.
③ 입력 데이터 x를 서로 다른 해시 함수 H와 G에 적용한 H(x)와 G(x)가 도출한 해시값은 언제나 동일하다.
④ 입력 데이터 x, y에 대해 특정한 해시 함수 H를 적용한 H(x)와 H(y)가 도출한 해시값의 문자열의 길이는 언제나 동일하다.
⑤ 발신자가 자신과 특정 해시 함수를 공유하는 수신자에게 어떤 전자 문서와 그 문서의 해시값을 전송하면 수신자는 그 문서의 변경 여부를 확인할 수 있다.

06 윗글의 ㉠과 ㉡에 대하여 추론한 내용으로 가장 적절한 것은?

① ㉠을 지닌 특정 해시 함수를 전자 문서 x, y에 각각 적용하여 도출한 해시값으로부터 x, y를 복원할 수 없다.
② 입력 데이터 x, y에 특정 해시 함수를 적용하여 도출한 문자열의 길이가 같은 것은 해시 함수의 ㉠ 때문이다.
③ ㉡을 지닌 특정 해시 함수를 전자 문서 x, y에 각각 적용하여 도출한 해시값의 문자열의 길이는 서로 다르다.
④ 입력 데이터 x, y에 특정 해시 함수를 적용하여 도출한 해시값이 같은 것은 해시 함수의 ㉡ 때문이다.
⑤ 입력 데이터 x, y에 대해 ㉠과 ㉡을 지닌 서로 다른 해시 함수를 적용하였을 때 도출한 결과 값이 같으면 이를 충돌이라고 한다.

07 [가]에 따라 〈보기〉의 사례를 이해한 내용으로 가장 적절한 것은?

보기

온라인 미술품 경매 사이트에 회화 작품 △△이 출품되어 A와 B만이 경매에 참여하였다. A, B의 입찰가와 해시값은 다음과 같다. 단, 입찰 참여자는 논스를 임의로 선택한다.

입찰 참여자	입찰가	논스의 해시값	'입찰가+논스'의 해시값
A	a	r	m
B	b	s	n

① A는 a, r, m 모두를 게시 기한 내에 운영자에게 전송해야 한다.
② m과 n이 같으면 r과 s가 다르더라도 A와 B의 입찰가가 같다는 것을 의미한다.
③ 운영자는 해시값을 게시하는 기한이 마감되기 전에 최고가 입찰자를 알 수 없다.
④ A와 B 가운데 누가 높은 가격으로 입찰하였는지는 r과 s를 비교하여 정할 수 있다.
⑤ B가 게시판의 m과 r을 통해 A의 입찰가 a를 알아낼 수도 있으므로 게시판은 비공개로 운영되어야 한다.

03 반도체 기술

기출 속 배경지식 키워드 | #n형 반도체 #p형 반도체 #p-n 접합 다이오드 #트랜지스터

∞ 교과 연계
고등학교 물리학 Ⅰ
Ⅱ. 물질과 전자기장
고등학교 물리학 Ⅱ
Ⅱ. 전자기장

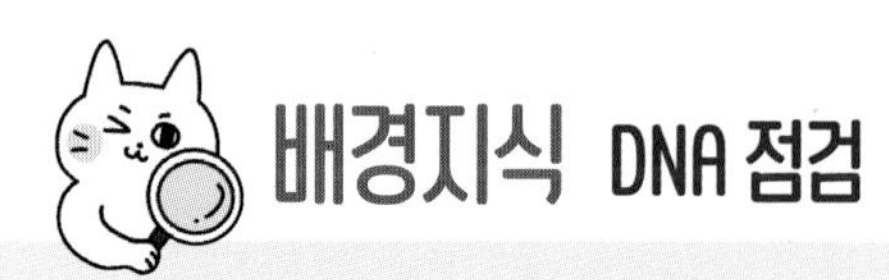

◎ 다음 빈칸에 들어갈 알맞은 말을 보기 에서 찾아 적어 봅시다.

보기
트랜지스터 p형 n형 반도체 전자 전극 양공

1 (   )는 조건에 따라 전기가 통할 수도 있고, 통하지 않을 수도 있는 물질이다.

2 (   ) 반도체는 불순물을 첨가하여 여분의 전자가 존재하게 된 반도체이다.

3 p형 반도체는 불순물을 첨가하여 (   )이 존재하게 된 반도체이다.

4 p-n 접합 다이오드는 p형 반도체와 n형 반도체를 접촉시킨 뒤 양 끝에 (   )을 붙인 것이다.

5 (   )는 p-n 접합 다이오드에 p형 반도체나 n형 반도체를 하나 더 접합하여 만든 반도체 소자이다.

답 1 반도체 2 n형 3 양공 4 전극 5 트랜지스터

수능 필수 배경지식

실리콘 밸리(Silicon Valley)라는 말을 들어 본 적이 있니? 실리콘 밸리는 미국 캘리포니아주의 한 지역으로, 실리콘 반도체를 제조하는 업체가 많이 모여 있는 곳이야. 실리콘 밸리의 지명은 반도체의 재료인 실리콘(Si, 규소)의 이름을 따서 지어졌지. 오늘날 •첨단 산업의 중심이 된 반도체를 좀 더 자세히 알아보자.

●**첨단 산업** 기술 집약도가 높고, 관련 산업에 미치는 효과가 큰 산업. 항공기, 우주 개발, 전자, 원자력, 컴퓨터 등 첨단적 기술을 중심으로 하는 산업을 이른다.

반도체 ● 전기가 통할 수도 있고, 통하지 않을 수도 있는 물질

반도체는 조건에 따라 전기가 통할 수도 있고, 통하지 않을 수도 있는 물질을 말해. 순수한 반도체는 규소(Si)나 저마늄(Ge)처럼 4개의 •**원자가 전자**를 갖는 원자로 이루어져 있는데, 이때 반도체에 불순물을 섞으면 반도체의 •전기 전도성을 높일 수 있어. 이렇게 만들어진 반도체를 **불순물 반도체**라 하는데 반도체에 섞어 주는 (1) ㅂㅅㅁ의 종류에 따라 n형과 p형으로 나뉘어.

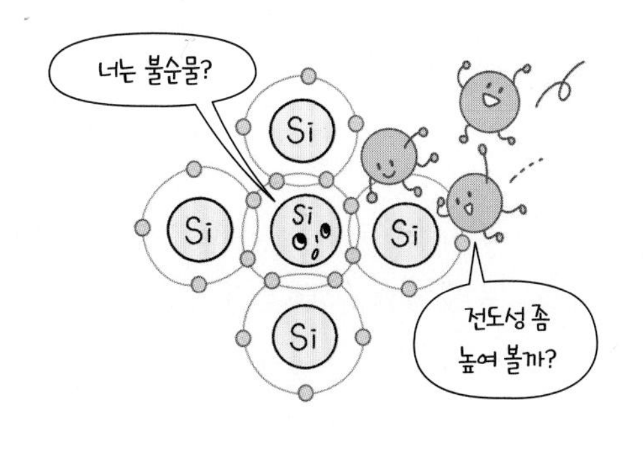

+ 도체와 부도체

도체 (전도체)	전기 또는 열에 대한 저항이 매우 작아 전기나 열을 잘 전달하는 물체 예 은, 구리, 알루미늄
부도체 (절연체)	전기 또는 열에 대한 저항이 매우 커서 전기나 열을 잘 전달하지 못하는 물체 예 종이, 나무, 고무 등

●**원자가 전자** 원자의 가장 바깥쪽 궤도를 돌고 있는 전자.

●**전기 전도성** 전기가 물체 속을 이동하는 성질.

●**속박되다** 얽매이거나 제한되다. 물리에서, 물체의 운동이 다른 물체나 전자기장에 제한을 받아 어떤 공간에 갇힌다는 뜻으로 쓰인다.

n형 반도체

n형 반도체는 불순물을 첨가하여 여분의 전자가 존재하게 되는 반도체야. 4개의 원자가 전자를 갖는 원자로 이루어진 순수한 반도체에 원자가 전자가 5개인 인(P), 비소(As) 등을 섞으면, 전자 1개가 공유 결합에 참여하지 못하고 남게 돼. 이렇게 남은 전자는 원자에 약하게 •속박되어서 자유롭게 이동할 수 있기 때문에 반도체의 (2) ㅈㄱ ㅈㄷㅅ이 높아져.

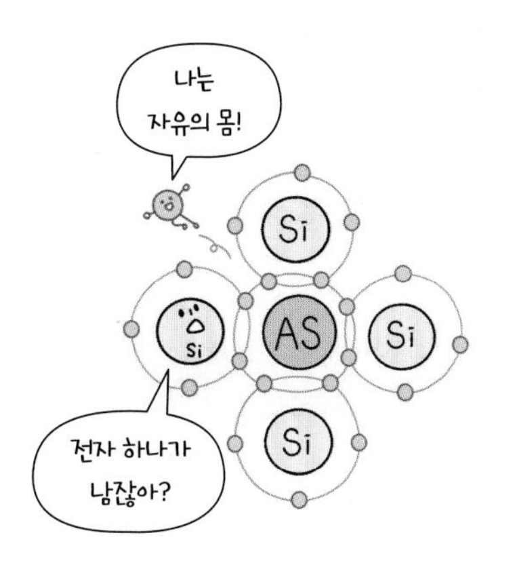

잠깐 체크

❶ 순수한 반도체에 불순물을 섞으면 전기 전도성이 낮아진다. (○, ×)

❷ n형 반도체에서는 여분의 전자가 자유롭게 이동한다. (○, ×)

답 ❶ × ❷ ○

기술

p형 반도체

p형 반도체는 불순물을 첨가하여 **양공**이 존재하게 되는 반도체를 말해. 순수한 반도체에 원자가 전자가 3개인 붕소(B), 알루미늄(Al) 등을 섞으면 공유 결합 과정에서 전자 1개가 부족해서 (3) ㅈㅈ가 들어갈 수 있는 빈자리인 양공이 생겨. 전자가 부족한 빈자리는 실제로는 아무것도 없지만 꼭 양(+)전하처럼 음(−)전하를 가진 전자를 끌어들이려고 하지. 전자는 이 양공을 통해 자유롭게 이동하면서 전류가 더 잘 흐르게 해.

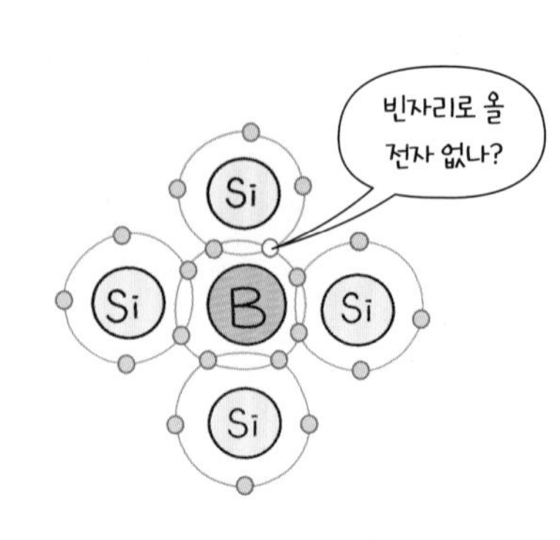

- **양공** 양(+)전하의 성질을 띤 구멍. 양전하는 양의 전기를 띤 전하이다.

p−n 접합 다이오드

p형 반도체와 n형 반도체를 접촉시킨 뒤 양 끝에 **전극**을 붙인 것을 **p−n 접합 다이오드**라고 해. p−n 접합 다이오드는 한 방향으로만 전류를 흐르게 하는 성질이 있는데, 이 전류의 흐름에 따라 **순방향 바이어스**와 **역방향 바이어스**로 나눌 수 있어.

- **전극** 전기가 드나드는 곳. 전지, 발전기 등의 전원에서 전류가 나오는 곳을 양극, 전류가 들어가는 곳을 음극이라 한다.

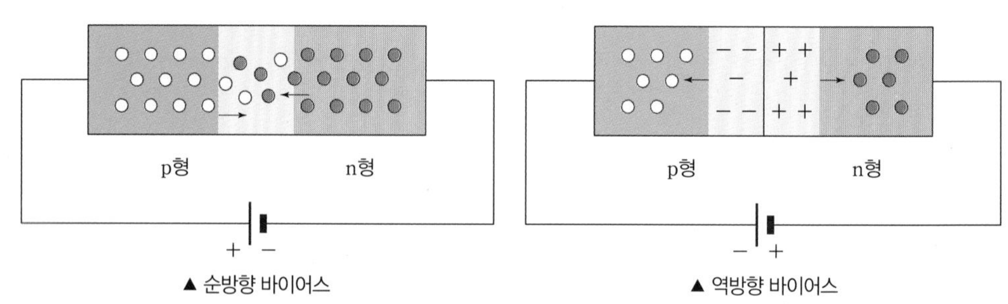

▲ 순방향 바이어스　　▲ 역방향 바이어스

	p형 반도체	n형 반도체	전류
순방향 바이어스	(+)전원 연결	(−)전원 연결	흐름.
역방향 바이어스	(−)전원 연결	(+)전원 연결	거의 흐르지 않음.

일반 가정에는 **교류**가 공급되는데, 전기 기구는 **직류**를 이용하는 것이 많아. 그래서 전자 제품의 전원 장치에는 교류를 직류로 전환하는 **정류 회로**가 필요하지. 이때 한 방향으로만 전류를 흐르게 하는 p−n 접합 다이오드에 순방향 바이어스를 걸면 교류를 직류로 (4) ㅈㅎ하는 정류 회로를 만들 수 있어. p−n 접합 다이오드는 우리가 일상생활에서 자주 사용하는 전자 제품에 활발하게 활용되고 있단다.

- **교류** 흐르는 방향이 계속 바뀌는 전류.
- **직류** 한 방향으로만 흐르는 전류.
- **정류** 교류를 직류로 바꾸는 일.

이외에도 p−n 다이오드는 전류가 흐를 때 빛을 방출하는 **발광 다이오드(LED)**(Light Emitted Diode)와 특정 파장의 빛이 들어올 때 전류가 흐르는 **광 다이오드** 등 여러 가지 종류로 나뉘고, 각종 영상 표시 장치나 조명 장치, TV 리모컨 수신부, 화재경보기 등에서 널리 쓰이고 있어.

잠깐 체크

1. p형 반도체의 양공은 (양 / 음)전하의 성질을 띠고 있다.
2. p−n 접합 다이오드를 활용해서 순방향 바이어스를 걸면 교류를 직류로 전환할 수 있다. (○, ×)

답 ❶ 양 ❷ ○

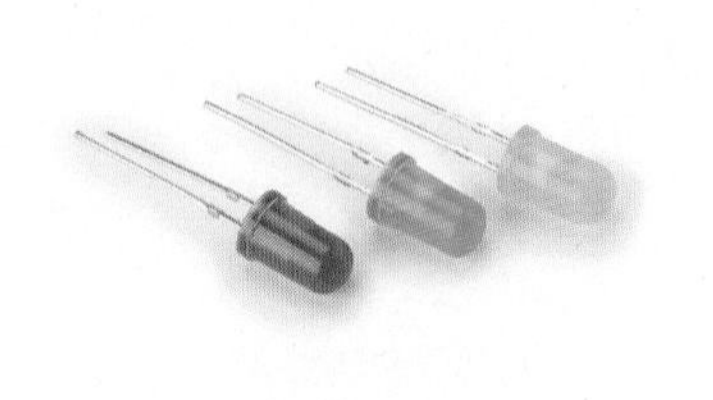

▲ 발광 다이오드(LED)

▲ 발광 다이오드(LED)가 활용된 신호등

트랜지스터

현대 전자 문명을 일으킨 게 무엇이냐고 물으면 대부분의 과학자는 '트랜지스터'라고 답할지도 몰라. 만약 트랜지스터가 없었다면 휴대폰이나 노트북 등 소형 전자 기기는 발명되지 못했을 거야. 윈도우 운영 체제를 개발한 빌 게이츠는 타임머신이 발명된다면 가장 가 보고 싶은 과거로 트랜지스터가 개발된 순간을 꼽기도 했대.

▲ 트랜지스터

트랜지스터는 p-n 접합 다이오드에 p형 반도체나 n형 반도체를 하나 더 접합하여 만든 반도체 •소자야. p형 반도체와 n형 반도체를 접합하는 순서에 따라 p-n-p형 트랜지스터와 n-p-n형 트랜지스터로 구분할 수 있어.

● **소자** 독립된 고유의 기능을 가진 낱낱의 부품.

그럼 이 작은 트랜지스터가 전자 문명을 일으킨 이유는 무엇이었을까? 바로 (5) ㅈㅍ **작용**을 하기 때문이야. 트랜지스터를 활용하면 작은 입력 전류를 활용해서 큰 출력 전류를 얻을 수 있거든. 소자 자체의 크기는 작지만 이를 통해 작은 전류만으로 큰 전류를 얻을 수 있으니, 전자 공학에서 굉장히 유용하게 활용될 수 있었지.

또 트랜지스터는 디지털 회로에서 전류 흐름 신호 '1'과 전류 흐르지 않음 신호 '0'을 조절하는 스위치처럼 이용될 수도 있어. 이를 트랜지스터의 **스위칭 작용**이라고 한단다.

잠깐 체크

❶ 트랜지스터는 전자 기기의 성능 향상과 소형화에 기여했다. (○, ×)

❷ 트랜지스터의 작용 두 가지는?

답 ❶ ○ ❷ 증폭 작용, 스위칭 작용

기술

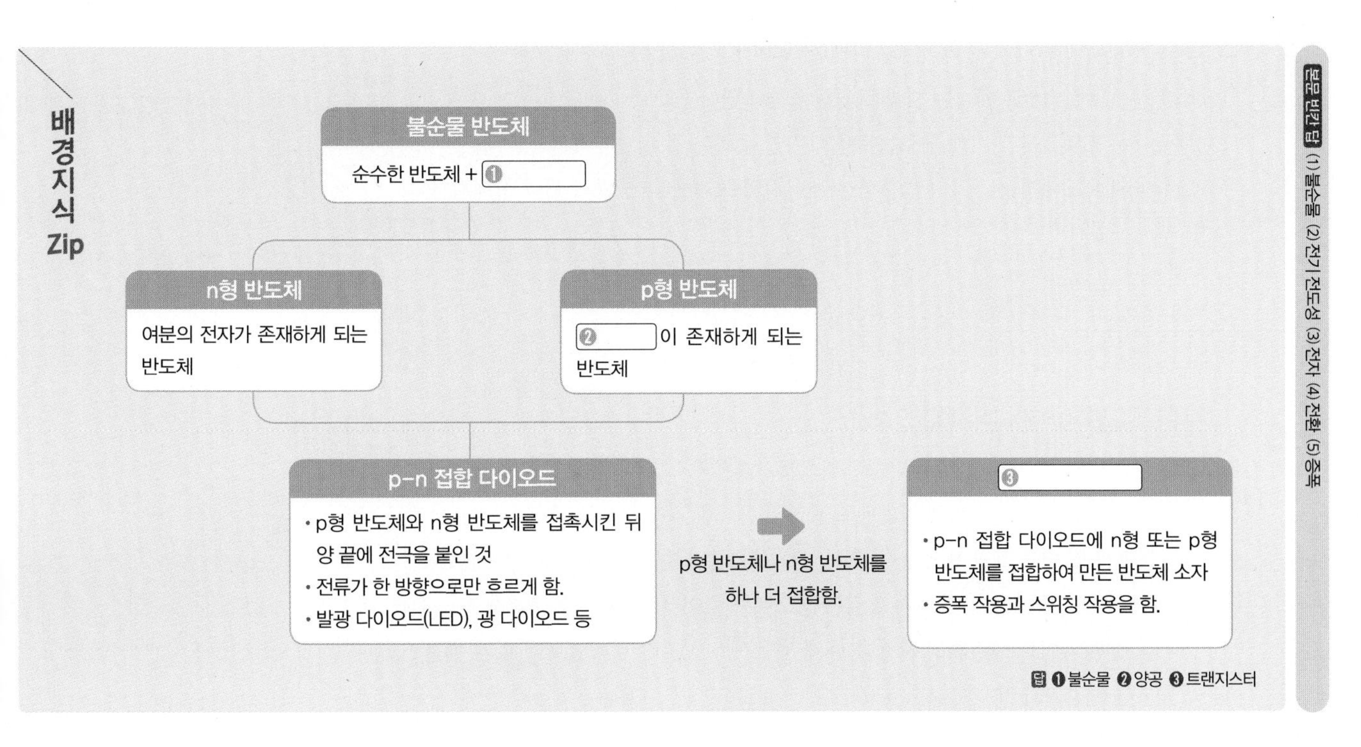

본문 빈칸 답 (1) 불순물 (2) 전기 전도성 (3) 전자 (4) 전환 (5) 증폭

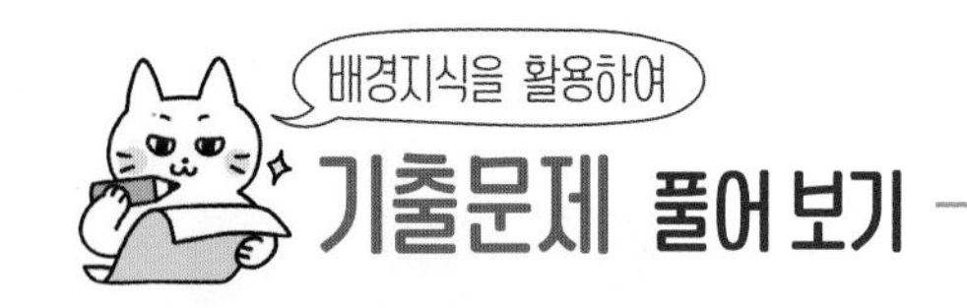

[01~02] 다음 글을 읽고 물음에 답하시오.

❶ [1]전기 에너지를 사용하는 조명 기구는 백열전구의 발명 이후로 발광 효율을 높이고 기구의 수명을 늘리는 방향으로 개선되어 왔다. [2]㉠발광 효율은 소비 전력이 빛으로 변환되는 비율을 말한다. [3]여기서 빛이란 전자기파의 일종으로 적외선과 자외선 사이에 있는 가시광선을 의미한다.

❷ [1]백열전구는 둥근 유리구 안에 필라멘트를 넣고 불활성 기체를 넣은 단순한 구조이다. [2]필라멘트에 전압을 가하면 뜨거워진 필라멘트에서 일부 에너지가 전자기파의 형태로 방출된다. [3]이 전자기파의 파장은 연속 스펙트럼을 갖는데 이 중 빛은 10% 정도이고 나머지는 열의 형태인 적외선이다. [4]전구에 투입되는 전력의 대부분이 열로 방출되므로 발광 효율이 아주 낮고, 필라멘트가 고온으로 가열되므로 끊어지기 쉬워 백열전구의 수명도 짧다. [5]전구에 가해지는 전압을 높여 필라멘트의 온도를 높이면 빛의 비율은 높아지지만 수명은 짧아진다.

❸ [1]형광등은 원통형 유리관 내에 수은과 불활성 기체가 들어 있고 양 끝에 필라멘트가 붙어 있는 구조이다. [2]필라멘트에서 방출된 열전자가 수은 입자에 충돌하면 자외선이 발생한다. [3]이 자외선이 형광등 안쪽에 발라진 형광 물질에 닿으면 빛으로 바뀐다. [4]이때 형광 물질의 종류에 따라 빛의 색이 달라지기도 하고 자외선을 빛으로 바꾸는 변환 효율이 다르므로 형광등의 발광 효율에도 영향을 준다. [5]형광등은 필라멘트에서 직접 빛을 얻는 것이 아니므로 가열 온도를 낮출 수 있어서 백열전구에 비해 30% 정도의 전력 소비로 같은 밝기의 빛을 낼 수 있다. [6]또한 백열전구에 비해 적외선 방출도 적고 수명도 5~6배 정도 길다.

❹ [1]발광 다이오드(LED)는 p형, n형 두 종류의 반도체를 접합하여 만드는데 전압을 가하면 두 반도체 사이에는 일정한 전압의 차이가 발생한다. [2]이때 이 사이를 움직이는 전자는 그 전압 차만큼의 에너지를 빛으로 방출한다. [3]접합된 두 반도체를 구성하는 화합물에 따라 필요한 전압의 크기나 방출되는 에너지의 크기가 다르다. [4]이 에너지의 크기에 따라 방출되는 빛의 파장이 정해지면서 발광 다이오드에서 나오는 빛은 하나의 색을 띠게 된다.

❺ [1]발광 다이오드를 조명용 발광 소자로 사용하려면 가시광선의 전 영역에 해당하는 빛이 방출될 수 있도록 해야 한다. [2]그래서 단색 빛을 내는 발광체에 형광 물질을 입혀 형광등처럼 빛이 방출되도록 만든다. [3]하지만 발광 다이오드는 필라멘트와 같은 가열체가 없으므로 형광등에 비해 수명이 길고 에너지 손실이 작다.

01 윗글의 내용에 대한 이해로 적절하면 ○에, 적절하지 않으면 ×에 표시하시오.

(1) 백열전구의 필라멘트에서는 빛과 자외선이 방출된다. ○ ×

(2) 형광등은 백열전구에 비해 구조는 복잡하지만 수명은 길다. ○ ×

(3) 발광 다이오드에서는 전자가 방출하는 에너지의 크기에 따라 빛의 색이 정해진다. ○ ×

02 ㉠에 대한 설명으로 적절하지 않은 것은?

① 백열전구는 형광등보다 적외선 방출이 많으므로 형광등에 비해 발광 효율이 낮겠군.
② 백열전구 수명을 늘리기 위해 필라멘트의 가열 온도를 낮추면 발광 효율은 낮아지겠군.
③ 형광등에서 빛 변환 효율이 높은 형광 물질을 사용하면 발광 효율을 높일 수 있겠군.
④ 두 조명 기구에서 나온 빛 에너지가 같다면 소비 전력이 작은 쪽이 발광 효율이 높겠군.
⑤ 조명용 발광 다이오드는 형광 물질을 통해 빛을 생산하지만 필라멘트가 없기 때문에 형광등보다 발광 효율이 낮겠군.

[03~04] 다음 글을 읽고 물음에 답하시오.

❶ [1]플래시 메모리는 수많은 스위치들로 이루어지는데, 각 스위치에 0 또는 1을 저장한다. [2]디지털 카메라에서 사진 한 장은 수백만 개 이상의 스위치를 켜고 끄는 방식으로 플래시 메모리에 저장된다. [3]메모리에서는 1비트의 정보를 기억하는 이 스위치를 셀이라고 한다. [4]플래시 메모리에서 셀은 그림과 같은 구조의 트랜지스터 1개로 이루어져 있다. [5]플로팅 게이트에 전자가 들어 있는 상태를 1, 들어 있지 않은 상태를 0이라고 정의한다.

❷ [1]플래시 메모리에서 데이터를 읽을 때는 그림의 반도체 D에 3V의 양(+)의 전압을 가한다. [2]그러면 다른 한쪽의 반도체인 S로부터 전자들이 D 쪽으로 이끌리게 된다. [3]플로팅 게이트에 전자가 들어 있을 때는 S로부터 오는 전자와 플로팅 게이트에 있는 전자가 마치 자석의 같은 극처럼 서로 반발하기 때문에 전자가 흐르기 힘들다. [4]한편 플로팅 게이트에 전자가 없는 상태에서는 S와 D 사이에 전자가 흐르기 쉽다. [5]이렇게 전자의 흐름 여부, 즉 S와 D 사이에 전류가 흐르는가로 셀의 값이 1인지 0인지를 판단한다.

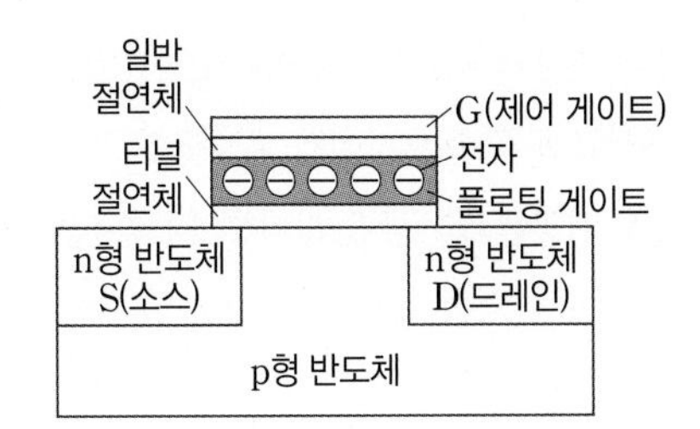

❸ [1]플래시 메모리에서는 두 가지 과정을 거쳐 데이터가 저장된다. [2]일단 데이터를 지우는 과정이 필요하다. [3]데이터 지우기는 여러 개의 셀이 연결된 블록 단위로 이루어진다. [4]블록에 포함된 모든 셀마다 G에 0V, p형 반도체에 약 20V의 양의 전압을 가하면, 플로팅 게이트에 전자가 있는 경우, 그 전자가 터널 절연체를 넘어 p형 반도체로 이동한다. [5]반면 전자가 없는 경우는 플로팅 게이트에 변화가 없다. [6]따라서 해당 블록의 모든 셀은 0의 상태가 된다. [7]터널 절연체는 전류 흐름을 항상 차단하는 일반 절연체와는 다르게 일정 이상의 전압이 가해졌을 때는 전자를 통과시킨다.

❹ [1]이와 같은 과정을 거친 후에야 데이터 쓰기가 가능하다. [2]데이터를 저장하려면 1을 쓰려는 셀의 G에 약 20V, p형 반도체에는 0V의 전압을 가한다. [3]그러면 p형 반도체에 있던 전자들이 터널 절연체를 넘어 플로팅 게이트로 들어가 저장된다. [4]이것이 1의 상태이다.

03

윗글을 읽고 추론한 내용으로 적절하면 ○에, 적절하지 않으면 ×에 표시하시오.

(1) D에 3V의 양의 전압을 가하면 플로팅 게이트의 전자가 사라진다. ○ ×

(2) 셀의 값은 S와 D 사이의 전자의 흐름 여부에 따라 판단할 수 있다. ○ ×

(3) 터널 절연체 대신 일반 절연체를 사용하면 데이터를 반복해서 지우고 쓸 수 없다. ○ ×

04

윗글과 〈보기〉에 따라 플래시 메모리의 데이터 〈10〉을 〈01〉로 수정하려고 할 때, 단계별로 전압이 가해질 위치가 옳은 것은?

보기

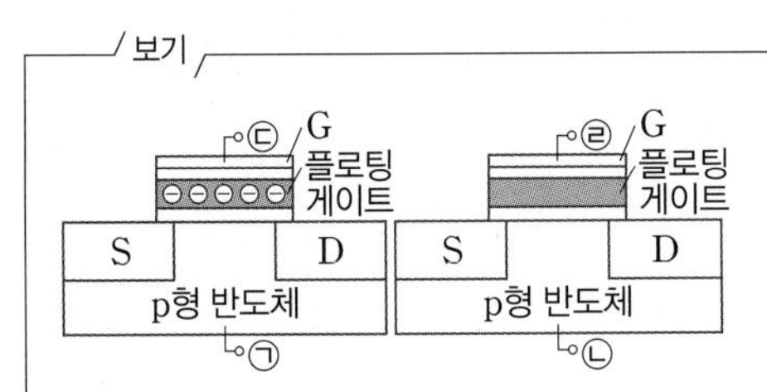

* 두 개의 셀이 하나의 블록을 이룬다.
* 그림은 데이터 〈10〉을 저장하고 있는 현재 상태이고, ㉠~㉣은 20V의 양의 전압이 가해지는 위치이다.

	1단계	2단계
①	㉠	㉣
②	㉢	㉡
③	㉠, ㉡	㉣
④	㉡, ㉢	㉣
⑤	㉢, ㉣	㉡

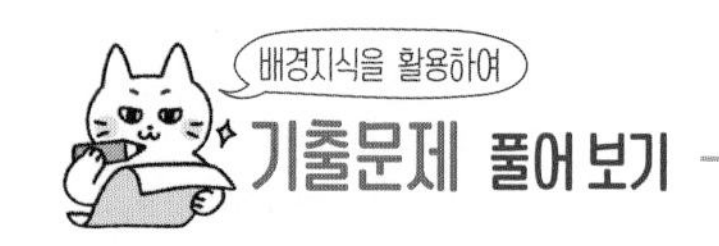

[05~07] 다음 글을 읽고 물음에 답하시오.

❶ [1]1883년 백열전구를 개발하고 있던 에디슨은 우연히 진공에서 전류가 흐르는 현상을 발견했다. [2]이것은 플레밍이 2극 진공관을 발명하는 토대가 되었다. [3]2극 진공관은 진공 상태의 유리관과 그 속에 들어 있는 필라멘트와 금속판으로 이루어져 있다. [4]진공관 내부의 필라멘트는 고온으로 가열되면 표면에서 전자(−)가 방출된다. [5]이때 금속판에 (+)전압을 걸어 주면 전류가 흐르고, 반대로 금속판에 (−)전압을 걸어 주면 전류가 흐르지 않게 된다. [6]이렇게 전류를 한 방향으로만 흐르게 하는 작용을 정류라 한다. [7]이후 개발된 3극 진공관은 2극 진공관의 필라멘트와 금속판 사이에 '그리드'라는 전극을 추가한 것으로, 그리드의 전압을 약간만 변화시켜도 필라멘트와 금속판 사이의 전류를 큰 폭으로 변화시킬 수 있었다. [8]이것이 3극 진공관의 증폭 기능이다.

❷ [1]진공관의 개발은 라디오, 텔레비전, 컴퓨터의 출현 및 발전에 지대한 역할을 하였으나 진공관 자체는 문제가 많았다. [2]진공관은 부피가 컸으며, 유리관은 깨지기 쉬웠고, 필라멘트는 •예열이 필요하고 끊어지기도 쉬웠다. [3]그러다가 1940년대에 이르러 저마늄(Ge)과 규소(Si)에 불순물을 첨가하면 전류가 잘 흐르게 된다는 사실을 과학자들이 발견하게 되면서 문제 해결의 계기가 마련되었다. [4]순수한 규소는 원자의 결합에 관여하는 전자인 •최외각 전자가 4개이며 최외각 전자들은 원자에 속박되어 있어 전류가 흐르기 힘들다. [5]그러나 그림 (가)와 같이 최외각 전자가 5개인 비소(As)를 규소에 소량 첨가하면 결합에 참여하지 않는 1개의 잉여 전자가 전류를 더 잘 흐르게 해 준다. [6]이를 n형 반도체라고 한다.

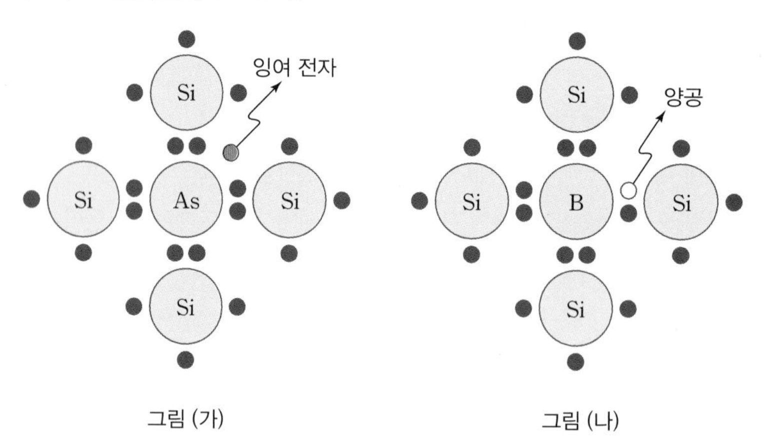

그림 (가)　　　　그림 (나)

❸ [1]한편 그림 (나)와 같이 규소에 최외각 전자가 3개인 붕소(B)를 소량 첨가하면 빈자리인 양공(+)이 생기게 된다. [2]이 양공은 정공이라고도 하는데, 자유롭게 움직일 수 있어 전류를 더 잘 흐르게 해 준다. [3]이를 p형 반도체라고 한다.

❹ [1]p형과 n형 반도체를 각각 하나씩 접합하여 pn 접합 •소자를 만들면 이 소자는 정류 기능을 할 수 있다. [2]즉 p형에 (+)전압을, n형에 (−)전압을 걸어 주면 전류가 흐르는 반면, 이와 반대로 전압을 걸어 주면 전류가 거의 흐르지 않는다. [3]한편 n형이나 p형을 3개 접합하면 트랜지스터라 불리는 pnp 혹은 npn 접합 소자를 만들 수 있다. [4]이때 가운데 위치한 반도체가 진공관의 그리드와 같은 역할을 하여 트랜지스터는 증폭 기능을 한다. [5]이렇듯 반도체 소자는 진공을 만들거나 필라멘트를 가열하지 않고도 진공관의 기능을 대체했을 뿐 아니라 소형화도 이룰 수 있었다. [6]이로써 전자 공학 기술의 비약적 발전이 가능해졌다.

- **예열** 미리 가열하거나 덥히는 일.
- **최외각 전자** 원자를 이루고 있는 전자들 가운데 바깥 전자껍질에 있는 궤도 전자.
- **소자** 독립된 고유의 기능을 가진 낱낱의 부품.

05 윗글의 내용과 일치하지 않는 것은?

① pnp 접합 소자는 그리드를 사용한다.
② 진공관은 컴퓨터의 출현에 기여하였다.
③ 2극 진공관은 3극 진공관보다 먼저 출현하였다.
④ pn 접합 소자는 2극 진공관과 같이 정류 기능을 한다.
⑤ 진공관 내의 필라멘트를 고온으로 가열하면 전자가 방출된다.

06 그림 (가)와 (나)에 대한 설명으로 적절한 것은?

① (가)에서 잉여 전자는 원자 간 결합에 참여한다.
② 순수한 규소는 (나)에 비해 전류가 더 잘 흐른다.
③ 순수한 규소를 (가)로 변형시킨 것이 p형 반도체이다.
④ (가), (나), (가)를 차례로 접합하여 증폭 기능을 하는 소자를 만들 수 있다.
⑤ (가)와 (나)를 접합한 후 (가)에 (−)전압을, (나)에 (+)전압을 걸어 주면 전류가 흐르지 않는다.

07 윗글과 〈보기〉를 읽고 '반도체 소자를 적용한 보청기'에 대해 보인 반응으로 적절하지 않은 것은?

보기

- 보청기는 음향을 전기적 신호로 바꾸어 주는 마이크로폰, 전기 신호를 크게 만드는 증폭기, 증폭된 전기 신호를 음향으로 환원하는 수화기로 구성되어 있다.
- 진공관을 사용한 보청기는 1920년대에 개발되었고, 반도체 소자를 적용한 보청기는 1950년대에 개발되었다.

① 예열이 필요 없게 되었겠군.
② 진공관 보청기에 비해 부피가 줄어들었겠군.
③ 트랜지스터가 증폭 기능을 위해 사용되었겠군.
④ 내구성을 위해 보청기 내부를 진공으로 만들었겠군.
⑤ 순수한 규소나 저마늄만 가지고는 만들 수 없었겠군.

베토벤이
울고 가겠군.

내 연주 좀
들어 봐.

V 예술

미학과 비평

기출 속 배경지식 키워드 | #미학 #미적 대상 #미적 체험 #미감 #비평 #사조

교과 연계
고등학교 미술 감상과 비평
고등학교 음악 감상과 비평

배경지식 DNA 점검

다음 십자말풀이를 완성해 봅시다.

❶❶		■	❷
	■	■	
	■	■	■
■	■	❷	

가로 열쇠

❶ 한 시대의 일반적인 사상의 흐름을 □□라고 한다.

❷ □□은 자연이나 인생, 예술 등에 담긴 미의 본질과 구조를 해명하는 학문이다.

세로 열쇠

❶ 모방론적 관점은 미술 작품이 세계를 얼마나 □□□으로 묘사했는지를 중시한다.

❷ 예술 □□은 예술 작품이 지니고 있는 의미, 특성, 가치를 분석하고 검토하여 비판하는 일이다.

답 가로 ❶ 사조 ❷ 미학 세로 ❶ 사실적 ❷ 비평

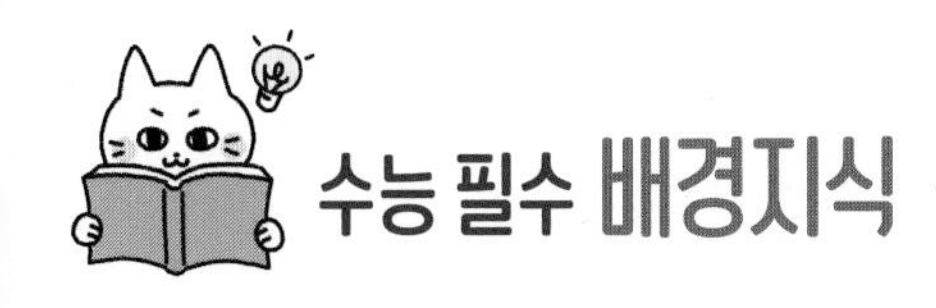

미술 작품이나 음악을 감상하면서 아름답다는 느낌을 받아 본 적 있지? 그런데 아름다움을 느낀 이유가 모두 같지는 않을 거야. 이처럼 세상에는 아름다움과 관련된 다양한 의견이 있어. 그렇다면 과연 아름다움이란 무엇일까? 이번에는 미(美)의 본질을 탐구한 미학을 알아보자.

예술

미학 • 자연이나 인생, 예술 등에 담긴 미의 본질과 구조를 해명하는 학문

미학(美學)이란 자연이나 인생, 예술 등에 담긴 미의 본질과 구조를 •해명하는 학문으로 철학의 한 분야야. 미학에서는 예술의 정의나 가치로서의 미, 현상으로서의 미, 미의 체험 등을 탐구하지. 예술과 예술에서의 (1) ㅇㄹㄷㅇ 과 관련된 주제를 •고찰한다고 이해하면 돼.

미학 분야에 자주 나오는 단어가 몇 개 있어. 대표적으로 **미적(美的)**이라는 말인데, 주로 '미적 대상', '미적 체험' 등 특정 단어 앞에 붙어서 나와. 넓은 의미에서 미(美)와 비슷한 의미라고 보면 쉬워.

미적 대상은 미학에서 미의식에 의해 인정되는 예술 작품으로, 감상의 대상인 예술 작품을 의미한다고 알고 있으면 돼. 또 **미적 체험**은 **미의식(美意識)**과 거의 동일한 말로, 미적인 것을 수용하거나 •산출하는 정신 활동에 작용하는 의식이야. 우리가 미적 대상을 감상하거나 창조할 때의 정신 활동에 작용하는 의식이라고 생각하면 돼. 그리고 **미감(美感)**은 아름다움에 대한 느낌, 또는 아름다운 느낌을 말해.

- **해명하다** 까닭이나 내용을 풀어서 밝히다.
- **고찰하다** 어떤 것을 깊이 생각하고 연구하다.
- **산출하다** 물건을 생산하여 내거나 인물·사상 등을 내다.

잠깐 체크

❶ 미학은 미의 본질과 구조를 탐구하는 학문이다. (○, ×)

❷ 아름다움에 대한 느낌 또는 아름다운 느낌을 가리키는 용어는?

답 ❶ ○ ❷ 미감

비평 • 사물의 옳고 그름, 아름다움과 추함 등을 분석하여 가치를 논함.

(2) ㅂㅍ 은 옳고 그름, 아름다움과 추함, 좋고 싫음 등을 분석하여 가치를 논하는 평가 행위야. 이때 **예술 비평**이란 예술 작품이 지니고 있는 의미, 특성, 가치 등을 분석하고 검토하여 비판하는 일을 말해. 비슷한 말로는 평론이 있는데, **평론(評論)**은 사물의 가치, 우열, 선악 등을 평가하여 논하는 행위나 그런 글을 뜻하니까 참고로 알아 둬.

비평의 관점에는 여러 가지가 있는데, 대표적인 세 가지를 살펴보자.

모방론적 관점	미술이 현실의 아름다움을 정밀하게 모방하는 기술이라는 생각을 바탕으로 함. 미술 작품이 세계를 얼마나 사실적으로 표현하고 정확하게 묘사했는지가 비평의 기준으로 작용함.
표현주의적 관점	사실적 •재현이나 정확성보다는 상상력과 풍부한 감정 표현을 중시함. 작가의 이념과 강렬한 감정의 분출, 주관적이고 극적인 표현 등이 비평의 기준으로 작용함.
형식주의적 관점	작품의 (3) ㅎㅅ 에 집중하여 비평하는 관점으로, 화면의 구성과 시각적 효과가 작품의 가치를 따지는 중요한 기준으로 작용함. 작가의 감정 표현이나 사회적 의미 등 외적인 요소를 배제하고 표현 기법에서 드러나는 독창성, •조형 요소와 원리에 따른 전체의 조화 등에 주목함.

● **재현** 다시 나타남. 또는 다시 나타냄.

● **조형** 여러 가지 재료를 이용하여 구체적인 형태나 형상을 만듦.

사조 ● 한 시대의 일반적인 사상의 흐름

사조(思潮)란 한 시대의 일반적인 사상의 흐름을 말해. 여러 분야에서 두루 쓰이는 말인데, 그중에서도 예술 분야에는 사실주의나 표현주의 등 다양한 (4) ㅅㅈ 가 있어. 일반적으로 '○○주의'라는 형태로 제시될 텐데, 이때는 '주의' 앞에 붙은 '○○'에 주목하면 돼. 보통은 앞에 붙은 단어인 '○○'가 사조의 특성을 잘 드러내 주거든. 예를 들어 **사실주의**는 일반적으로 현실을 있는 그대로, 즉 사실적으로 묘사·재현하려고 하는 창작 태도를 말해. 사조는 비평과 밀접한 관련이 있는 개념이니 잊지 말자.

(思: 생각, 潮: 흐름)

잠깐 체크

❶ 예술 비평은 예술 작품의 아름다움과 추함 등을 분석하여 그 가치를 논하는 행위이다. (○, ×)

❷ 한 시대의 일반적인 사상의 흐름을 가리키는 용어는?

답 ❶ ○ ❷ 사조

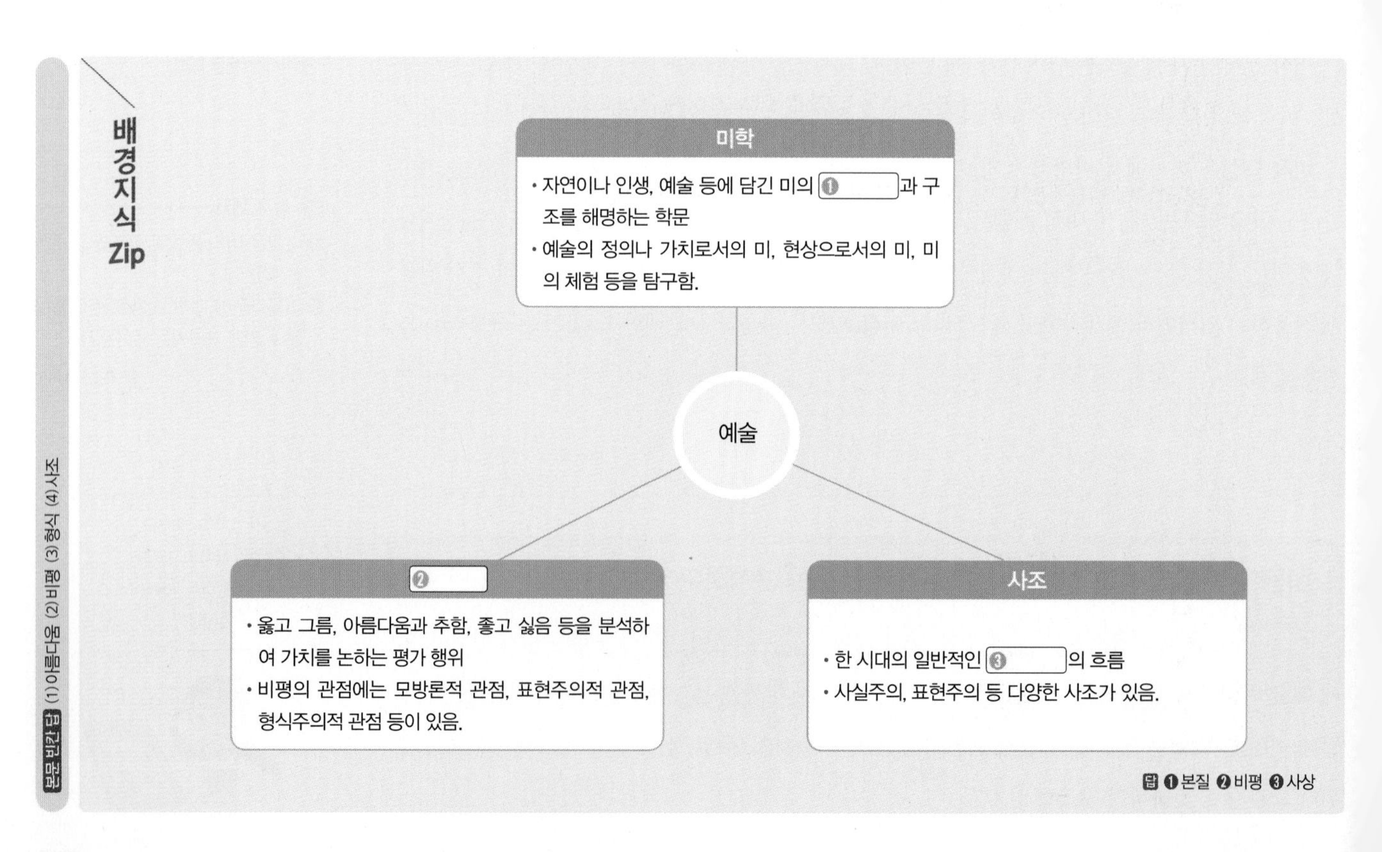

문맥 파악 답 (1) 아름다움 (2) 비평 (3) 형식 (4) 사조

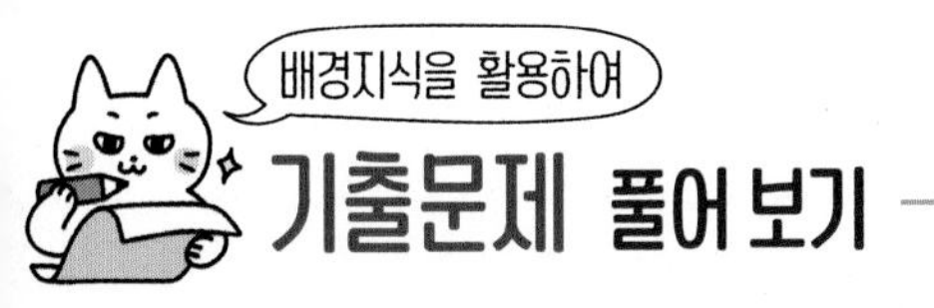

정답과 해설 37쪽

[01~02] 다음 글을 읽고 물음에 답하시오.

❶ [1]1950년대 프랑스의 영화 비평계에는 작가주의라는 비평 이론이 새롭게 등장했다. [2]작가주의란 감독을 단순한 연출자가 아닌 '작가'로 간주하고, 작품과 감독을 동일시하는 관점을 말한다. [3]이 이론이 대두될 당시, 프랑스에는 유명한 문학 작품을 별다른 손질 없이 영화화하거나 화려한 의상과 세트, 인기 연극배우에 의존하는 제작 •관행이 •팽배해 있었다. [4]작가주의는 이렇듯 프랑스 영화에 만연했던 문학적, 연극적 색채에 대한 반발로 주창되었다.

❷ [1]작가주의는 •상투적인 영화가 아닌 감독 개인의 영화적 세계와 독창적인 스타일을 일관되게 투영하는 작품들을 옹호한다. [2]감독의 창의성과 개성은 작품 세계를 관통하는 감독의 세계관 혹은 주제 의식, 그것을 표출하는 나름의 이야기 방식, 고집스럽게 되풀이되는 특정한 상황이나 배경 혹은 표현 기법 같은 일관된 문체상의 특징으로 나타난다는 것이다.

❸ [1]한편, 작가주의적 비평은 영화 비평계에 중요한 영향을 끼쳤는데, 그중에서도 주목할 점은 ㉠할리우드 영화를 재발견한 것이다. [2]할리우드에서는 일찍이 미국의 대량 생산 기술을 상징하는 포드 시스템과 흡사하게 제작 인력들의 능률을 높일 수 있는 표준화·분업화한 방식으로 영화를 제작했다. [3]이에 따라 재정과 행정의 총괄자인 제작자가 감독의 작업 과정에도 관여하게 되었고, 감독은 제작자의 생각을 화면에 구현하는 역할에 머물렀다. [4]이는 계량화가 불가능한 창작자의 재능, 관객의 변덕스런 기호 등의 변수로 야기될 수 있는 흥행의 불안정성을 최소화하면서 일정한 품질의 영화를 생산하기 위함이었다.

❹ [1]그러나 ㉡작가주의적 비평가들은 할리우드라는 가장 산업화된 조건에서 생산된 상업적인 영화에서도 감독 고유의 •표지를 찾아낼 수 있다고 보았다. [2]작가주의적 비평가들은 제한적인 제작 여건이 오히려 감독의 도전 의식과 창의성을 끌어낸 사례들에 주목한 것이다. [3]그에 따라 •B급 영화와 그 감독들마저 수혜자가 되기도 했다.

- **관행** 오래전부터 해 오는 대로 함. 또는 관례에 따라서 함.
- **팽배하다** 어떤 기세나 사조 등이 매우 거세게 일어나다.
- **상투적** 늘 써서 버릇이 되다시피 한 것.
- **표지** 표시나 특징으로 어떤 사물을 다른 것과 구별하게 함. 또는 그 표시나 특징.
- **B급 영화** 적은 예산으로 단시일에 제작되어 완성도가 낮은 상업적인 영화.

01

윗글의 내용으로 적절하면 ○에, 적절하지 않으면 ×에 표시하시오.

(1) 할리우드에서는 흥행의 안정성을 고려하여 감독의 권한을 강화했다. ○ ×

(2) 작가주의는 프랑스 영화의 문학적, 연극적 색채에 대한 반발로 등장했다. ○ ×

(3) 할리우드에서는 제작의 효율성을 위해 제작 인력들 간의 역할과 임무를 구분했다. ○ ×

02

㉠, ㉡에 대한 설명으로 적절한 것은?

① ㉠의 제작에서는 관객의 기호를 흥행의 변수로 보지 않았다.
② ㉠은 감독이 창의성을 마음껏 발휘할 수 있는 환경에서 제작되었다.
③ ㉡은 상업적인 영화보다는 상투적인 영화를 옹호하고자 했다.
④ ㉡은 ㉠에서도 감독의 개성을 발견할 수 있다고 보았다.
⑤ ㉡은 ㉠을 재평가하는 과정에서 B급 영화를 평가 대상에서 제외했다.

배경지식 플러스

분업화
분업은 생산의 모든 과정을 여러 전문적인 부문으로 나누어 여러 사람이 분담하여 일을 완성하는 노동 형태로, 분업화란 노동의 형태가 분업 형태로 된 것을 말한다. 분업화를 시행하면 작업 과정에서 효율성을 높일 수 있다.

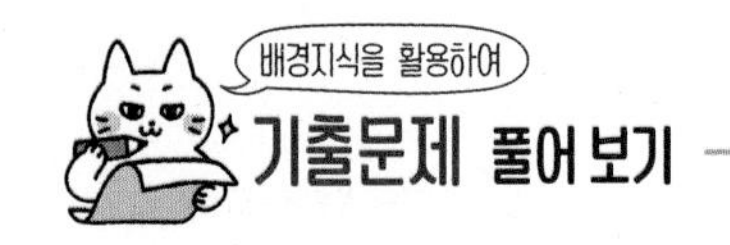

[03~05] 다음 글을 읽고 물음에 답하시오.

❶ [1]미학은 예술과 미적 경험에 관한 개념과 이론에 대해 논의하는 철학의 한 분야로서, 미학의 문제들 가운데 하나가 바로 예술의 정의에 대한 문제이다. [2]예술이 자연에 대한 모방이라는 아리스토텔레스의 말에서 비롯된 모방론은, 대상과 그 대상의 재현이 닮은꼴이어야 한다는 재현의 투명성 이론을 전제한다. [3]그러나 예술가의 독창적인 감정 표현을 중시하는 한편 외부 세계에 대한 왜곡된 표현을 허용하는 낭만주의 사조가 18세기 말에 등장하면서, 모방론은 많이 쇠퇴했다. [4]이제 모방을 필수 조건으로 삼지 않는 낭만주의 예술가의 작품을 예술로 인정해 줄 수 있는 새로운 이론이 필요했다.

❷ [1]20세기 초에 콜링우드는 진지한 관념이나 감정과 같은 예술가의 마음을 예술의 조건으로 규정하는 표현론을 제시하여 이 문제를 해결하였다. [2]그에 따르면, 진정한 예술 작품은 물리적 소재를 통해 구성될 필요가 없는 정신적 대상이다. [3]또한 이와 비슷한 시기에 외부 세계나 작가의 내면보다 작품 자체의 고유 형식을 중시하는 형식론도 발전했다. [4]벨의 형식론은 예술 감각이 있는 비평가들만이 직관적으로 식별할 수 있고 정의는 불가능한 어떤 성질을 일컫는 '의미 있는 형식'을 통해 그 비평가들에게 미적 정서를 유발하는 작품을 예술 작품이라고 보았다.

❸ [1]20세기 중반에, 뒤샹이 변기를 가져다 전시한 〈샘〉이라는 작품은 예술 작품으로 인정되지만 그것과 형식적인 면에서 차이가 없는 일반적인 변기는 예술 작품으로 인정되지 않는 이유를 설명하지 못하게 되자 두 가지 대응 이론이 나타났다. [2]하나는 우리가 흔히 예술 작품으로 분류하는 미술, 연극, 문학, 음악 등이 서로 •이질적이어서 그것들 전체를 아울러 예술이라 정의할 수 있는 공통된 요소를 갖지 않는다는 웨이츠의 예술 정의 불가론이다. [3]그의 이론은 예술의 정의에 대한 기존의 이론들이 겉보기에는 명제의 형태를 취하고 있으나 사실은 참과 거짓을 판정할 수 없는 •사이비 명제이므로, 예술의 정의에 대한 논의 자체가 불필요하다는 견해를 대변한다.

❹ [1]다른 하나는 예술계라는 어떤 사회 제도에 속하는 한 사람 또는 여러 사람에 의해 감상의 후보 자격을 수여받은 인공물을 예술 작품으로 규정하는 디키의 제도론이다. [2]하나의 작품이 어떤 특정한 기준에서 훌륭하므로 예술 작품이라고 부를 수 있다는 평가적 이론들과 달리, 디키의 견해는 일정한 절차와 관례를 거치기만 하면 모두 예술 작품으로 볼 수 있다는 분류적 이론이다. [3]예술의 정의와 관련된 이 논의들은 예술로 분류할 수 있는 작품들의 공통된 본질을 찾는 시도이자 예술의 •필요충분조건을 찾는 시도이다.

- **이질적** 성질이 다른 것.
- **사이비** 겉으로는 비슷하나 속은 완전히 다름. 또는 그런 것.
- **필요충분조건** 어떤 명제가 성립하는 데 필요하고 충분한 조건. 두 개의 명제 'A이면 B이다.'와 'B이면 A이다.'가 모두 참일 때, A에 대한 B, B에 대한 A를 이르는 말로 명제 A와 명제 B가 근본적으로 같다는 뜻이다.

03

형식론에 대한 이해로 가장 적절한 것은?

① 미적 정서를 유발할 수 있는 어떤 성질을 근거로 예술 작품의 여부를 판단한다.
② 모든 관람객이 직관적으로 식별할 수 있는 형식을 통해 예술 작품의 여부를 판단한다.
③ 감정을 표현하는 모든 작품은 그 작품이 정신적 대상이더라도 예술 작품이라고 주장한다.
④ 외부 세계의 형식적 요소를 작가 내면의 관념으로 표현하는 것을 예술의 조건이라고 주장한다.
⑤ 특정한 사회 제도에 속하는 모든 예술가와 비평가가 자격을 부여한 작품을 예술 작품으로 판단한다.

04 윗글에 등장하는 이론가와 예술가들이 상대의 견해나 작품을 평가할 수 있는 말로 적절하지 않은 것은?

① 모방론자가 뒤샹에게: 당신의 작품 〈샘〉은 변기를 닮은 것이 아니라 변기 그 자체라는 점에서 예술 작품이 되기 위한 필요충분조건을 갖추고 있습니다.

② 낭만주의 예술가가 모방론자에게: 대상을 재현하기만 하면 예술가의 감정을 표현하지 않은 작품도 예술 작품으로 인정하는 당신의 견해는 받아들일 수 없습니다.

③ 표현론자가 낭만주의 예술가에게: 당신의 작품은 예술가의 마음을 표현했으니 대상을 있는 그대로 표현하지 않았더라도 예술 작품입니다.

④ 뒤샹이 제도론자에게: 예술계에서 일정한 절차와 관례를 거치면 예술 작품이라는 당신의 주장은 저의 작품 〈샘〉 외에 다른 변기들도 예술 작품이 될 수 있음을 인정하는 것입니다.

⑤ 예술 정의 불가론자가 표현론자에게: 당신이 예술가의 관념을 예술 작품의 조건으로 규정할 때 사용하는 명제는 참과 거짓을 판단할 수 없기 때문에 받아들일 수 없습니다.

05 다음은 비평문을 쓰기 위해 미술 전람회에 다녀온 학생이 윗글을 읽은 후 작성한 메모의 일부이다. 메모의 내용으로 적절한 내용을 모두 묶은 것은?

■ 작품 정보 요약
- 작품 제목: 〈그리움〉
- 팸플릿의 설명:
  - 화가 A가, 화가였던 자기 아버지가 생전에 신던 낡고 색이 바랜 신발을 보고 그린 작품임.
  - 화가 A의 예술가 정신은 궁핍하게 살면서도 예술혼을 잃지 않고 작품 활동을 했던 아버지의 삶에서 영향을 받았음.

■ 비평문 작성을 위한 착안점
- 아리스토텔레스의 관점을 적용하면, 화가 A가 그린 그림이 아버지의 낡은 신발과 닮았다면 이 그림을 예술 작품으로 인정할 수 있겠군. ………… ㉠
- 콜링우드의 관점을 적용하면, 화가 A가 낡은 신발을 그린 것에서 아버지에 대한 그리움을 갖고 있었으리라는 점을 제시할 수 있겠군. ………… ㉡
- 디키의 관점을 적용하면, 평범한 신발이 특별한 이유는 신발의 원래 주인이 화가였다는 사실에 있음을 언급하여 이 그림을 예술 작품으로 평가할 수 있겠군. ………… ㉢

① ㉠ ② ㉡ ③ ㉠, ㉡ ④ ㉠, ㉢ ⑤ ㉡, ㉢

미술

기출 속 배경지식 키워드 | #조형 #조소 #회화 #서양 미술의 흐름

교과 연계
고등학교 미술 감상과 비평

배경지식 DNA 점검

○ 다음 빈칸에 들어갈 알맞은 말을 보기 에서 찾아 적어 봅시다.

보기

조형　　추상화　　팝 아트　　낭만주의

1 여러 가지 재료를 이용하여 구체적인 형태나 형상을 만드는 것을 (　　　)이라고 한다.

2 (　　　)는 사물의 사실적 재현이 아니라, 순수한 점·선·면·색채에 의한 표현을 목표로 한 그림이다.

3 18세기 무렵, (　　　) 화가들은 분업과 전문화에 반발하여 인간의 마음을 드러내고 열정을 분출하려고 했다.

4 20세기에 등장한 (　　　)는 대중문화를 미술에 활용하여 순수 예술과 대중 예술의 경계를 무너뜨렸다.

답 1 조형 2 추상화 3 낭만주의 4 팝 아트

수능 필수 배경지식

"아는 만큼 보인다." 미술관에 가서 작품 해설을 읽다 보면 이것만큼 공감이 가는 말도 없을 거야. 미술에 관해 많이 알고 있을수록 작품을 더 풍부하게 감상할 수 있거든. 이번에는 미술 영역의 지문에 자주 나오는 용어와 서양 미술의 흐름을 공부해 보자.

예술

시험에 자주 나오는 미술 용어

조형

조형이란 여러 가지 재료를 이용하여 구체적인 형태나 형상을 만드는 것을 말하고, **조형물**은 여러 가지 재료를 이용하여 구체적인 형태나 형상으로 만든 물체를 말해. 공원에 세워진 인물 동상이나 기념비가 바로 (1) ㅈㅎㅁ 에 해당하지. 조형 미술의 종류에는 **조소**가 있어.

▲ 건물에 설치된 조형물

조소

조소란 재료를 깎고 새기거나 빚어서 입체 형상을 만드는 조형 미술로, 조각과 소조(찰흙, 석고 등을 빚거나 덧붙여서 만드는 조형 미술)를 아울러 이른다. 조소는 재료에 따라 다음과 같이 분류할 수 있다.

석조	돌에 조각함. 또는 그런 물건.
목조	나무에 어떤 모양을 새기거나 깎거나 쪼아서 만드는 일. 또는 그런 작품.

조형 요소

조형 요소란 작품을 시각적으로 구성하는 기본 요소야. **점**, **선**, **면**, **형**, **색**, **명암**, **양감**, **질감** 등이 있지. 점이 모여 선이 되고, 선이 모여 면이 되고, 이들이 모여 '형', 즉 형태가 돼.

색은 빛을 흡수하고 반사하는 결과로 나타나는 사물의 밝고 어두움이나 빨강, 파랑, 노랑 등의 물리적 현상이야. **양감**은 대상의 부피나 무게를 느끼게 하는 요소이고, **질감**은 부드럽거나 거친 표면의 성질을 말하지. 미술 작품은 이러한 조형 (2) ㅇㅅ 를 통해 다른 작품과 구별되는 고유한 특징을 지니게 돼.

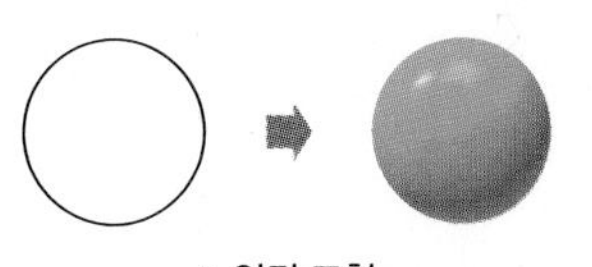

▲ 양감 표현

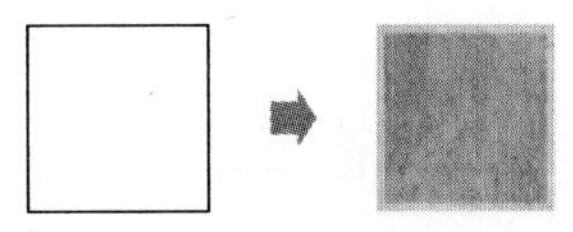

▲ 질감 표현

색의 3요소

색상	색을 빨강, 노랑, 파랑 등으로 구분하게 하는, 색 자체가 갖는 고유의 특성
명도	색의 밝고 어두운 정도
채도	색의 선명한 정도

▲ 수묵화 – 정선, 〈인왕제색도〉

회화

회화는 조형 미술의 일종으로, 여러 가지 선이나 색으로 평면에 그림을 그려 내는 미술이야. 흔히 그림이라고 부르지. 회화에는 많은 종류가 있는데, 그중에서도 자주 언급되는 몇 가지만 알아볼게.

[그림으로 표현한 대상에 따른 분류]

정물화	꽃, 과일, 그릇 등 움직이지 못하는 물체를 놓고 그린 그림
초상화	사람의 얼굴이나 모습을 그린 그림
추상화	사물을 사실적으로 그리지 않고 점, 선, 면, 색 등으로 표현한 그림
풍속화	그 시대의 생활 전반에 걸친 습관이나 유행 등을 그린 그림
산수화	동양화에서, 산과 물이 어우러진 자연의 아름다움을 그린 그림

●**사군자** 동양화에서, 매화·난초·국화·대나무를 그린 그림. 또는 그 소재. 고결함을 상징함.

잠깐 체크

❶ 광화문 광장의 이순신 동상은 조형물이다. (○, ×)

❷ (명도 / 채도)는 색의 밝고 어두운 정도를 말한다.

❸ (초상화 / 산수화)는 아름다운 자연의 경치를 그린 그림이다.

답 ❶ ○ ❷ 명도 ❸ 산수화

[그림에 사용된 재료와 기법에 따른 분류]

수채화	서양화에서, 물감을 물에 풀어서 그린 그림
유화	서양화에서, 물감을 기름에 개어 그린 그림
수묵화(묵화)	동양화에서, 먹으로 짙고 옅음을 이용하여 그린 그림. ●사군자(四君子)를 주요 소재로 사용하기도 함.

서양 미술의 흐름

15세기~16세기

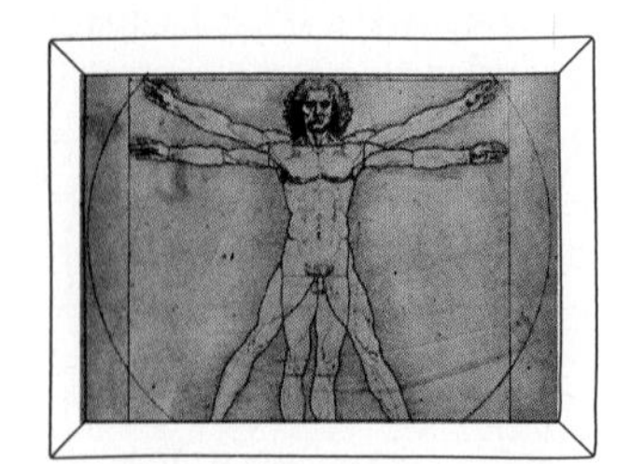
▲ 다빈치, 〈인체 비례도〉

르네상스 미술 14세기부터 16세기까지 중세 유럽에서는 미술·문학·자연 과학 등 여러 방면에 영향을 미친 **르네상스**(Renaissance)라는 문화 혁신 운동이 일어났어. 르네상스는 '재생'을 뜻하는 말인데, 15세기~16세기의 예술가들은 고대 그리스와 로마 문화에 주목해서 인간성을 회복하고 자연의 사실적인 아름다움을 재현하고자 했단다. (3) ㄹㄴㅅㅅ 미술에는 비례, 대칭, 조화, 균형과 같이 형식미를 중시하는 경향이 나타나. 다빈치와 미켈란젤로가 바로 이 시기의 사람이야.

17세기~18세기

바로크 미술 르네상스 미술과는 달리 바로크 미술에는 이성보다 감정에 호소하는, 극적이고 과장된 표현 경향이 나타났어. 화려한 색채를 사용하거나 인물의 동작과 표정을 격렬하고 과장된 모습으로 묘사했지. 이 시기에는 화려한 궁전도 많이 지어졌는데 대표적으로 베르사유 궁전이 있어. 궁전 내부가 바로크 양식의 그림과 장식으로 가득해서 건물 전체가 하나의 미술 작품처럼 느껴진단다.

▲ 샤르댕, 〈파이프와 물병〉

로코코 미술 로코코 미술은 귀족의 문화를 중심으로 발달했어. 우아하고 장식성이 강하면서도 세련된 감각이 드러나는 것이 특징이지. 부드러운 색채로 일상적인 주제를 섬세하게 표현한 작품이 많은데, 대표 작가로는 샤르댕, 프라고나르가 있어.

19세기

낭만주의 18세기 후반에 일어난 산업 혁명 이후 산업화에 따라 분업과 전문화가 이루어지자, 낭만주의는 이에 반발하여 인간의 마음을 드러내고 (4) ㅇㅈ 을 분출하려고 했어. 대표적인 낭만주의 화가는 제리코와 들라크루아야. 이들은 주로 강렬한 색채와 동적인 구도로 신화나 극적인 장면 등을 표현했지.

▲ 제리코, 〈메두사호의 뗏목〉

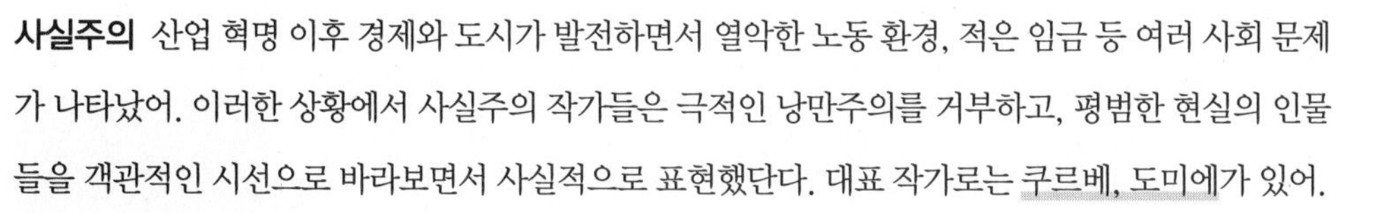

사실주의 산업 혁명 이후 경제와 도시가 발전하면서 열악한 노동 환경, 적은 임금 등 여러 사회 문제가 나타났어. 이러한 상황에서 사실주의 작가들은 극적인 낭만주의를 거부하고, 평범한 현실의 인물들을 객관적인 시선으로 바라보면서 사실적으로 표현했단다. 대표 작가로는 쿠르베, 도미에가 있어.

▲ 도미에, 〈삼등 열차〉

인상주의 인상주의는 19세기 중반 이후 빛을 연구하는 광학(光學)과 색채학의 발달, 사실주의 미술의 현실적인 화풍에 영향을 받아 등장했어. 인상주의를 추구한 화가들을 인상파 화가라고도 해. 이들은 빛 때문에 시시각각 미묘하게 달라지는 경치를 포착해서 화폭에 담기 위해 야외로 나가 그림을 그렸어. 대표적인 (5) ㅇㅅㅍ 화가는 모네와 르누아르야.

▲ 모네, 〈인상, 해돋이〉

후기 인상주의 후기 인상주의는 빛에 대한 집착을 보인 인상주의에 반발하여 작가의 개성과 내면 표현을 강조했어. 고흐와 고갱, 세잔이 바로 후기 인상주의 화가의 대표적인 인물들이야.

▲ 고흐, 〈까마귀가 나는 밀밭〉

▲ 고갱, 〈아를의 농가〉

20세기

입체주의 입체주의는 고정된 시점에서 대상을 묘사하는 서양 미술의 전통에서 벗어나, 여러 시점에서 본 대상의 모습을 한 화면에 표현한 양식이야. 입체주의 화가들은 대상의 형태를 해체하고 재구성하는 일에 집중했어. 우리가 잘 알고 있는 피카소가 바로 입체주의 화가야. 그의 그림에는 여러 각도에서 바라본 인물의 모습이 하나의 화폭에 담겨 있어.

표현주의 표현주의는 후기 인상주의의 영향을 받아 등장했는데, 내면의 감정을 주관적으로 표현하는 데 주목했어. 대상의 형태를 변형하고 강렬한 색을 사용해서 작가의 내면이나 사회 문제를 드러냈지. 대표 작가로 뭉크와 놀데가 있어.

▲ 뭉크, 〈절규〉

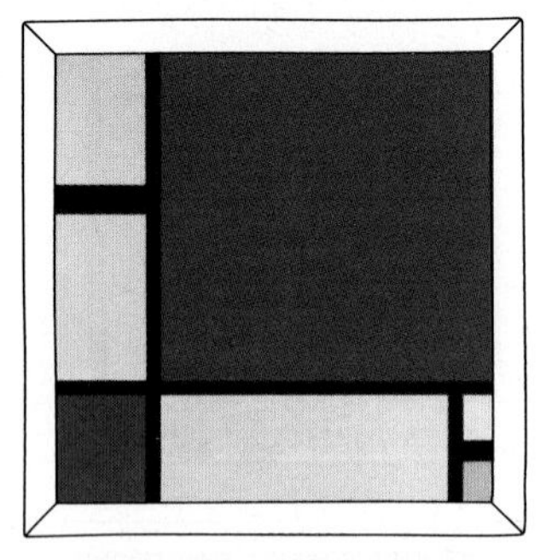

▲ 몬드리안, 〈빨강, 파랑, 노랑의 구성〉

추상 미술 추상이란 일정한 형태와 성질을 갖추고 있지 않은 것을 가리켜. 추상 미술은 점, 선, 면, 색과 같은 순수한 (6) ㅈㅎ 요소만으로 화면을 구성하는 미술이야. 잘 알려진 작가로는 몬드리안과 칸딘스키가 있어.

다다이즘 전 세계를 뒤흔든 제1차 세계 대전 이후, 과학의 진보와 이성적 사고에 허무함을 느낀 예술가들은 전통과 관습을 부정하고 우연성과 자유로움을 강조하는 다다이즘을 탄생시켰어. 다다이즘은 전통적인 작업 방식을 거부하고 •콜라주나 •퍼포먼스, •오브제를 활용한 •레디메이드 등 다양한 방식을 활용해서 작가의 생각을 드러냈지. 대표적인 다다이즘 작가는 바로 뒤샹이야. 그는 변기에 서명을 한 후 〈샘〉이라는 작품명을 달고 이를 전시회에 출품해서 미술계에 논란을 불러일으켰어. 그는 일상적으로 판매되고 사용되는 물건이, 작가의 서명이나 전시 행위라는 요소만으로 예술 작품이 될 수 있다고 본 거야.

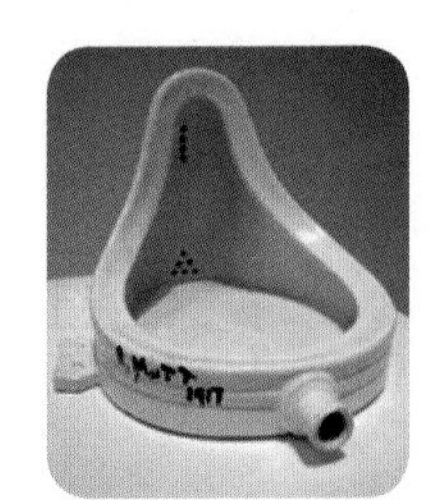

▲ 뒤샹, 〈샘〉

- **콜라주(collage)** 근대 미술에서, 화면에 종이·인쇄물·사진 등을 오려 붙이고, 일부에 붓을 대어 보태거나 지워서 고치는 방식으로 작품을 만드는 일.
- **퍼포먼스(performance)** 현장성과 체험성을 중시하는 공연이나 전시 행위.
- **오브제(objet)** 어떤 대상이 작품의 소재가 되어 그 본래의 용도나 기능은 사라지고 새로운 느낌을 일으켜 예술 작품화될 때의 사물을 이르는 말.
- **레디메이드(ready-made)** 예술가의 선택에 의해 예술 작품이 된 기성품.

팝 아트 20세기에 접어들어 상업이 발달하고 대량 생산이 가능해지면서 현대 사회에는 대중문화의 한 경향인 소비문화가 나타나기 시작했어. 소비문화는 돈과 물건을 대량으로 (7) ㅅㅂ하는 생활을 중시한다는 특징이 있지. 팝 아트 작가들은 상품을 광고하는 그림이나 가게 간판, 제품 디자인 등 대중문화의 이미지를 활용해서 미술 작품을 만들었는데, 이 때문에 순수 예술과 대중 예술의 경계를 무너뜨렸다는 평가를 받아. 대표적인 작가로는 워홀과 리히텐슈타인이 있어.

잠깐 체크

❶ 사실주의는 (낭만주의 / 입체주의) 에 대한 반발로 나타났다.

❷ 뒤샹은 전통적인 작업 방식을 거부한 다다이즘 경향의 작가이다. (○, ×)

답 ❶ 낭만주의 ❷ ○

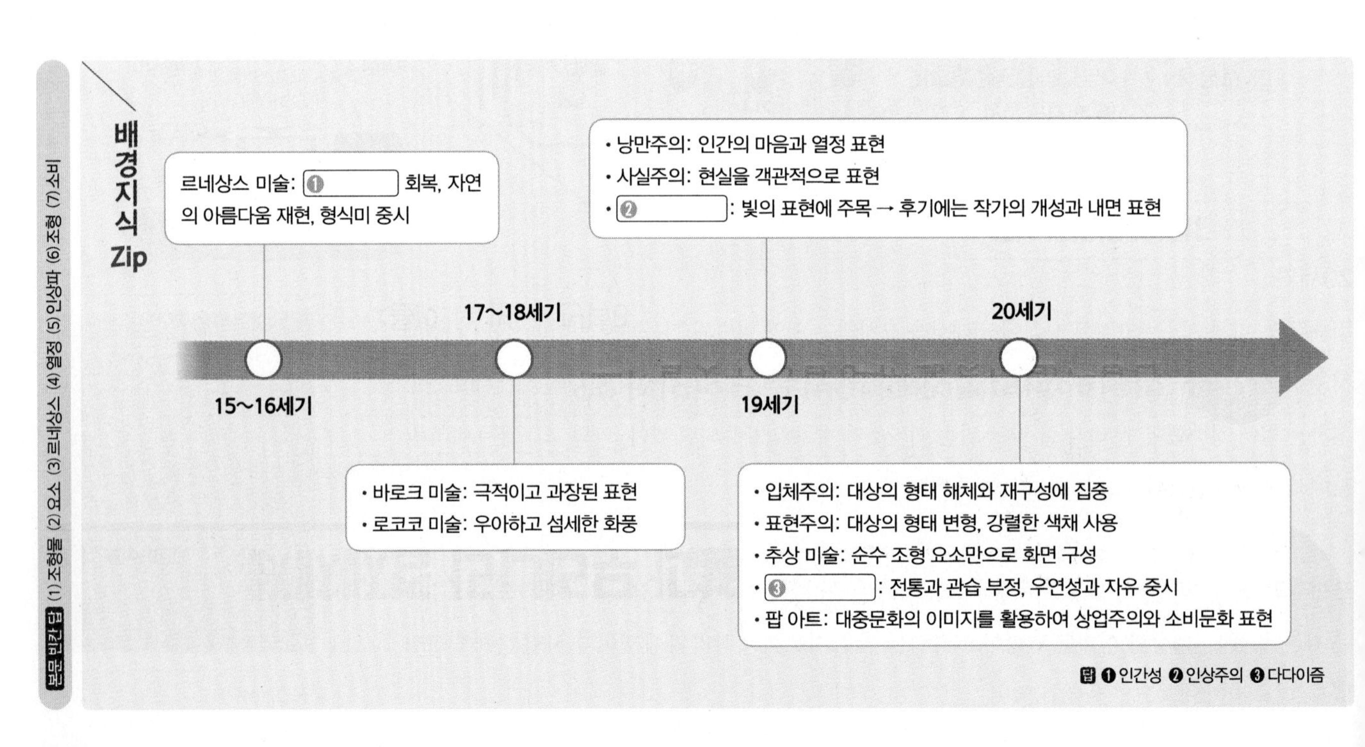

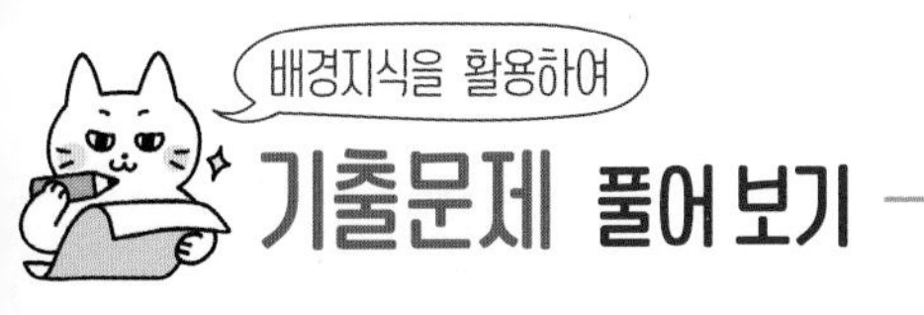

정답과 해설 38쪽

[01~02] 다음 글을 읽고 물음에 답하시오.

❶ [1]먹으로 난초를 그린 묵란화는 사군자의 하나인 난초에 관념을 투영하여 형상화한 그림으로, 여느 사군자화와 마찬가지로 군자가 마땅히 지녀야 할 품성을 담고 있다. [2]묵란화는 중국 북송 시대에 그려지기 시작하여 우리나라를 포함한 동북아시아 문인들에게 널리 퍼졌다. [3]문인들에게 시, 서예, 그림은 나눌 수 없는 하나였다. [4]이런 인식은 묵란화에도 이어져 난초를 칠 때는 글씨의 획을 그을 때와 같은 붓놀림을 구사했다. [5]따라서 묵란화는 문인들이 인문적 교양과 감성을 드러내는 수단이 되었다.

❷ [1]추사 김정희가 25세 되던 해에 그린 ㉠〈석란(石蘭)〉은 당시 청나라에서도 유행하던 전형적인 양식을 따른 묵란화이다. [2]화면에 공간감과 입체감을 부여하는 잎새들은 가지런하면서도 •완만한 곡선을 따라 늘어져 있으며, 꽃은 소담하고 정갈하게 피어 있다. [3]도톰한 잎과 마른 잎, 둔중한 바위와 부드러운 잎의 대비가 돋보인다. [4]난 잎의 조심스러운 선들에서는 단아한 품격을, 잎들 사이로 핀 꽃에서는 고상한 품위를, 묵직한 바위에서는 •돈후한 인품을 느낄 수 있으며 당시 문인들의 공통적 이상이 드러난다.

❸ [1]평탄했던 젊은 시절과 달리 김정희의 예술 세계는 49세부터 장기간의 유배 생활을 거치면서 큰 변화를 보인다. [2]글씨는 맑고 단아한 •서풍에서 추사체로 알려진 자유분방한 서체로 바뀌었고, 그림도 부드럽고 우아한 •화풍에서 쓸쓸하고 처연한 느낌을 주는 화풍으로 바뀌어 갔다.

❹ [1]생을 마감하기 일 년 전인 69세 때 그렸다고 추정되는 ㉡〈부작란도(不作蘭圖)〉는 이러한 변화를 잘 보여 준다. [2]담묵의 거친 •갈필로 화면 오른쪽 아래에서 시작된 몇 가닥의 잎은 왼쪽에서 불어오는 바람을 맞아, 오른쪽으로 뒤틀리듯 구부러져 있다. [3]그중 유독 하나만 위로 솟구쳐 올라 허공을 가르지만, 그 잎 역시 부는 바람에 속절없이 꺾여 있다. [4]그 잎과 평행한 꽃대 하나, 바람에 맞서며 한 송이 꽃을 피웠다. [5]바람에 꺾이고, 맞서는 난초 꽃대와 꽃송이에서 •세파에 시달려 쓸쓸하고 황량해진 그의 처지와 그것에 맞서는 강한 의지를 느낄 수 있다.

• **완만하다** 경사가 급하지 않다.
• **돈후하다** 인정이 두텁고 후하다.
• **서풍** 붓으로 글씨를 쓰는 방식이나 양식.
• **화풍** 그림을 그리는 방식이나 양식.
• **갈필** 붓에 먹물을 슬쩍 스친 듯이 묻혀서 쓰거나 그리는 기법.
• **세파** 모질고 거센 세상의 어려움.

01

윗글의 내용으로 적절하면 ○에, 적절하지 않으면 ×에 표시하시오.

(1) 문인들은 사군자화를 통해 군자의 덕목을 드러내려 했다. (○ | ×)

(2) 유배 생활은 김정희의 서체와 화풍의 변화에 영향을 주었다. (○ | ×)

(3) 김정희는 말년에 서예의 필법을 쓰지 않고 그리는 묵란화를 •창안했다. (○ | ×)

• **창안하다** 어떤 방안, 물건 등을 처음으로 생각하여 내다.

02

㉠, ㉡에 대한 이해로 적절하지 않은 것은?

① ㉠에서 완만하고 가지런한 잎새는 김정희가 삶이 순탄하던 시절에 추구하던 단아한 품격을 표현한 것이다.

② ㉠에서 소담하고 정갈한 꽃을 피워 내는 모습은 고상한 품위를 지키려는 김정희의 이상을 표상한 것이다.

③ ㉡에서 바람을 맞아 뒤틀리듯 구부러진 잎은 세상의 풍파에 시달린 김정희의 처지를 형상화한 것이다.

④ ㉡에서 홀로 위로 솟구쳤다 꺾인 잎은 지식을 추구했던 과거의 삶과 단절하겠다는 김정희 자신의 의지가 표현된 것이다.

⑤ ㉠과 ㉡에 그려진 난초는 김정희가 자신의 인문적 교양과 감성을 표현하기 위해 선택한 소재이다.

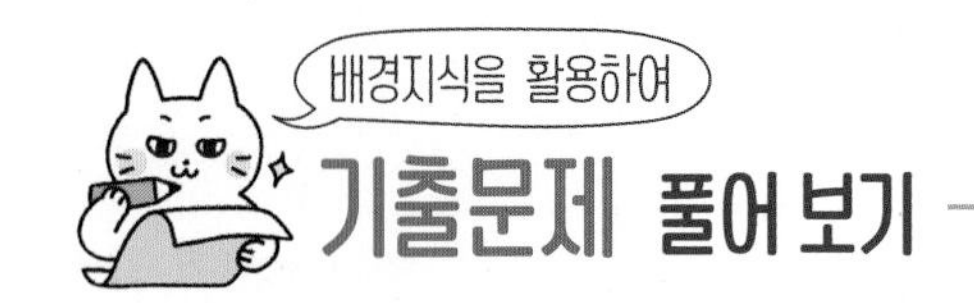

[03~05] 다음 글을 읽고 물음에 답하시오.

❶ [1]사진이 등장하면서 회화는 대상을 사실적으로 재현(再現)하는 역할을 사진에 넘겨주게 되었고, 그에 따라 화가들은 회화의 의미에 대해 고민하게 되었다. [2]19세기 말 등장한 인상주의와 후기 인상주의는 전통적인 회화에서 중시되었던 사실주의적 회화 기법을 거부하고 회화의 새로운 경향을 추구하였다.

❷ [1]인상주의 화가들은 색이 빛에 의해 시시각각 변화하기 때문에 대상의 고유한 색은 존재하지 않는다고 생각하였다. [2]인상주의 화가 모네는 대상을 사실적으로 재현하는 회화적 전통에서 벗어나기 위해 빛에 따라 달라지는 사물의 색채와 그에 따른 순간적 인상을 표현하고자 하였다.

❸ [1]모네는 대상의 세부적인 모습보다는 전체적인 느낌과 분위기, 빛의 효과에 주목했다. [2]그 결과 빛에 의한 대상의 순간적 인상을 포착하여 대상을 빠른 속도로 그려 내었다. [3]그에 따라 그림에 거친 붓 자국과 물감을 덩어리로 찍어 바른 듯한 흔적이 남아 있는 경우가 많았다. [4]이로 인해 대상의 윤곽이 뚜렷하지 않아 색채 효과가 형태 묘사를 •압도하는 듯한 느낌을 준다. [5]이와 같은 기법은 그가 사실적 묘사에 더 이상 치중하지 않았음을 보여 주는 것이었다. [6]그러나 모네 역시 대상을 '눈에 보이는 대로' 표현하려 했다는 점에서 이전 회화에서 추구했던 사실적 표현에서 완전히 벗어나지는 못했다는 평가를 받았다.

❹ [1]후기 인상주의 화가들은 재현 위주의 사실적 회화에서 근본적으로 벗어나는 새로운 방식을 추구하였다. [2]후기 인상주의 화가 세잔은 "회화에는 눈과 두뇌가 필요하다. 이 둘은 서로 도와야 하는데, 모네가 가진 것은 눈뿐이다."라고 말하면서 사물의 눈에 보이지 않는 형태까지 찾아 표현하고자 하였다. [3]이러한 시도는 회화란 •지각되는 세계를 재현하는 것이 아니라 대상의 본질을 구현해야 한다는 생각에서 비롯되었다.

❺ [1]세잔은 하나의 눈이 아니라 두 개의 눈으로 보는 세계가 진실이라고 믿었고, 두 눈으로 보는 세계를 평면에 그리려고 했다. [2]그는 대상을 전통적 •원근법에 억지로 맞추지 않고 이중 시점을 적용하여 대상을 다른 각도에서 바라보려 하였고, 이를 한 폭의 그림 안에 표현하였다. [3]또한 질서 있는 화면 구성을 위해 대상의 선택과 배치가 자유로운 정물화를 선호하였다.

❻ [1]세잔은 사물의 본질을 표현하기 위해서는 '보이는 것'을 그리는 것이 아니라 '아는 것'을 그려야 한다고 주장하였다. [2]그 결과 자연을 관찰하고 분석하여 사물은 본질적으로 구, 원통, 원뿔의 단순한 형태로 이루어졌다는 결론에 도달하였다. [3]이를 회화에서 구현하기 위해 그는 이중 시점에서 더 나아가 형태를 단순화하여 대상의 본질을 표현하려 하였고, 윤곽선을 강조하여 대상의 존재감을 부각하려 하였다. [4]회화의 정체성에 대한 고민에서 비롯된 ㉠그의 이러한 화풍은 입체파 화가들에게 직접적인 영향을 미치게 되었다.

- **압도하다** 보다 뛰어난 힘이나 재주로 상대방을 눌러 꼼짝 못 하게 하다.
- **지각되다** 알게 되어 깨달아지다. 또는 감각 기관을 통하여 대상이 인식되다.
- **원근법** 일정한 시점에서 본 물체와 공간을 눈으로 보는 것과 같이 멀고 가까움을 느낄 수 있도록 평면 위에 표현하는 방법.

03

윗글의 내용과 일치하지 않는 것은?

① 사진은 화가들이 회화의 의미를 고민하는 계기가 되었다.
② 전통 회화는 대상을 사실적으로 묘사하는 것을 중시했다.
③ 모네의 작품은 색채 효과가 형태 묘사를 압도하는 듯한 느낌을 주었다.
④ 모네는 대상의 고유한 색 표현을 위해서 전통적인 원근법을 거부하였다.
⑤ 세잔은 사물이 본질적으로 구, 원통, 원뿔의 형태로 구성되어 있다고 보았다.

04 윗글을 바탕으로 할 때, 〈보기〉의 선생님의 질문에 대한 대답으로 적절하지 않은 것은?

보기

선생님: (가)는 모네의 〈사과와 포도가 있는 정물〉이고, (나)는 세잔의 〈바구니가 있는 정물〉 입니다. 이 두 작품은 각각 모네와 세잔의 작품 경향이 잘 반영되어 있는 작품으로 평가받고 있습니다. 두 화가의 작품 경향을 바탕으로 (가)와 (나)를 감상해 볼까요?

(가)

(나)

① (가)에서 포도의 형태를 뚜렷하지 않게 그린 것은 빛에 의한 순간적인 인상을 표현한 것이라고 볼 수 있겠군요.
② (나)에서는 질서 있게 화면을 구성하기 위해 의도적으로 대상이 선택되고 배치된 것으로 볼 수 있겠군요.
③ (가)와 달리 (나)에 있는 정물들의 뚜렷한 윤곽선은 대상의 존재감을 부각하기 위해 사용한 것으로 볼 수 있겠군요.
④ (나)와 달리 (가)의 식탁보의 거친 붓 자국은 대상에서 느껴지는 인상을 빠른 속도로 그려 낸 결과라고 볼 수 있겠군요.
⑤ (가)와 (나) 모두 사물을 단순화해서 표현한 것을 통해 사실적인 재현에서 완전히 벗어났다는 평가를 받을 수 있겠군요.

05 〈보기〉를 바탕으로 할 때, 세잔의 화풍을 ㉠과 같이 평가한 이유로 가장 적절한 것은?

보기

입체파 화가들은 사물의 본질을 표현하고자 대상을 입체적 공간으로 나누어 단순화한 후, 여러 각도에서 바라보는 관점으로 사물을 해체하였다가 화폭 위에 재구성하는 방식을 취하였다. 이러한 기법을 통해 관찰자의 위치와 각도에 따라 각기 다르게 보이는 대상의 다양한 모습을 한 화폭에 담아내려 하였다.

① 대상의 본질을 드러내기 위해 다양한 각도에서 바라보아야 한다는 관점을 제공했기 때문에
② 대상을 복잡한 형태로 추상화하여 대상의 전체적인 느낌을 부각하는 방법을 시도했기 때문에
③ 사물을 최대한 정확하게 묘사하기 위해 전통적 원근법을 독창적인 방법으로 변용시켰기 때문에
④ 시시각각 달라지는 자연을 관찰하고 분석하여 대상의 인상을 그려 내는 화풍을 정립했기 때문에
⑤ 지각되는 세계를 있는 그대로 표현하기 위해 사물을 해체하여 재구성하는 기법을 창안했기 때문에

예술

음악

기출 속 배경지식 키워드 | #음계 #음정 #옥타브 #화음 #기악 #서양 음악의 흐름

교과 연계
고등학교 음악 감상과 비평

배경지식 DNA 점검

◎ 다음 빈칸에 들어갈 알맞은 말을 보기 에서 찾아 적어 봅시다.

보기

화성 음계 관현악 우연성 정체성

1 [　　　]는 음악에 쓰이는 음을 높이의 차례대로 배열한 음의 층계이다.

2 [　　　]은 관악기, 타악기, 현악기 등으로 함께 연주하는 음악을 말한다.

3 화음은 높이가 다른 둘 이상의 음이 함께 울릴 때 어울리는 소리로, 이러한 화음의 연결을 [　　　]이라고 한다.

4 민족주의 음악은 민족의 [　　　]을 중시했다.

5 전위 음악은 새로운 양식을 대상으로 하는 음악으로, 우연적 요소를 도입한 [　　　] 음악이 이에 해당한다.

답 1 음계 2 관현악 3 화성 4 정체성 5 우연성

미술 영역과 같이 음악 영역 또한 시대의 흐름에 따라 그 형식이나 특징이 달라졌어. 이번에는 음악 영역의 지문에 자주 나오는 용어와 서양 음악의 흐름을 살펴보자.

시험에 자주 나오는 음악 용어

음계

음계란 음악에 쓰이는 음을 높이의 차례대로 배열한 음의 층계로, 시대나 민족에 따라 다양한 종류가 있지만 우리가 제일 잘 알고 있는 음계는 '도, 레, 미, 파, 솔, 라, 시'로 된 7음 (1) ㅇㄱ야. •음표로 표시하면 아래와 같아.

•**음표** 악보에서, 음의 장단과 고저를 나타내는 기호.

음정과 옥타브

음정이란 높이가 다른 두 음 사이의 간격으로, 단위는 **도(度)**야. 동일한 음 간의 간격을 1도, 바로 인접한 음과의 (2) ㄱㄱ을 2도라고 하지. 이 인접한 음이 하나씩 높아질 때마다 음정도 1도씩 올라가. 또 8도는 어떤 음에서 완전 8도의 거리에 있는 음 또는 그 거리를 나타내는 말인 **옥타브**라고 해.

아래 악보를 참고하면 쉽게 이해할 수 있을 거야. 아래 악보에서 기준으로 삼은 음은 '도'야.

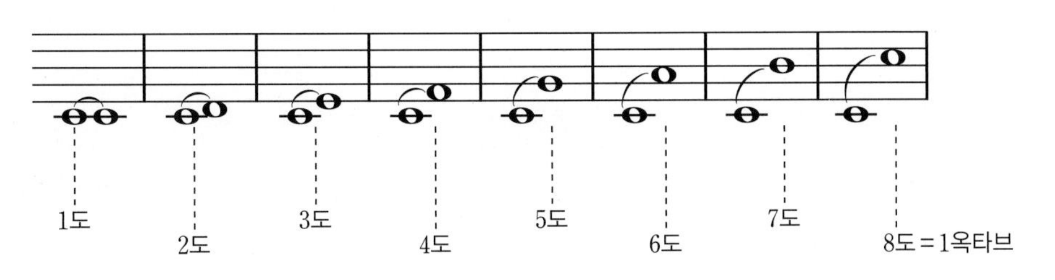

잠깐 체크

❶ 음계는 높이가 다른 두 음 사이의 간격이다. (○, ×)

❷ 8도는 1옥타브이다. (○, ×)

답 ❶ × ❷ ○

단성 음악과 다성 음악

단성 음악은 하나의 •성부(聲部)로만 이루어진 음악 또는 그런 형식으로, 쉽게 말하면 〈떴다 떴다 비행기〉처럼 하나의 선율로만 이루어진 음악이라고 생각하면 돼. 반면 **다성 음악**은 독립된 선율을 가진 둘 이상의 성부로 이루어진 음악 또는 그런 형식인데, 합창처럼 소프라노와 알토 등으로 나뉘어 있는 음악을 떠올리면 돼.

● **성부** 다성 음악을 구성하는 각 부분. 소프라노·알토·테너·베이스 또는 고음부와 저음부, 주성부와 부차 성부 등으로 나뉜다.

화음과 화성 음악

사람도 각자 자기와 잘 맞는 친구가 있듯이, 음에서도 같이 연주하면 잘 어울리는 소리들이 있어. **화음**은 높이가 다른 둘 이상의 음이 함께 울릴 때 어울리는 소리로, 둘 이상의 음이 같이 울릴 때 잘 어울려서 듣기 좋은 음을 **어울림음**, 서로 어울리지 않아서 불안정한 느낌을 주는 음을 (3) ㅇㅇㅇㄹㅇ 이라고 해.

▲ 어울림음 ▲ 안어울림음

이때 둘 이상의 음이 동시에 울리면서 생기는 화음의 연결을 **화성**이라고 하는데, **화성 음악**은 어떤 한 성부가 주선율을 담당하고 다른 성부는 그것을 화성적으로 반주하는 음악 또는 그런 형식을 말해.

기악

음악에서 악기가 빠질 수는 없겠지? 악기를 사용하여 연주하는 음악을 **기악**이라고 하는데, 기악은 연주자의 수에 따라 다음과 같이 분류할 수 있어.

독주	한 사람이 악기를 연주하는 것
합주	• 여러 사람이 성부를 나누어 여러 가지 악기를 연주하는 것 • 작은 규모의 기악 합주를 '중주'라고 함.

● **현** 현악기에서 소리를 내는 가늘고 긴 물건.
● **교향곡** 관현악을 위하여 작곡한, 소나타 형식의 규모가 큰 곡.

또 악기는 소리를 내는 방식에 따라 다음과 같이 나뉘지.

관악기	입으로 불어서 관 안의 공기를 진동시켜 소리를 내는 악기. 단소, 플루트, 클라리넷 등
현악기	•현을 켜거나 타서 소리를 내는 악기. 가야금, 바이올린, 첼로 등
타악기	두드려서 소리를 내는 악기를 통틀어 이르는 말. 실로폰, 북, 심벌즈 등

참고로 관악기, 타악기, 현악기 등으로 함께 연주하는 음악을 **관현악**이라고 하고, •교향곡 등 관현악을 위하여 만든 음악을 통틀어서 **교향악**이라고 한단다.

잠깐 체크

❶ 단성 음악과 다성 음악은 성부의 수가 동일하다. (○, ×)
❷ 화음은 어울림음과 안어울림음으로 구분할 수 있다. (○, ×)
❸ 교향악은 관악기, 타악기, 현악기 등으로 함께 연주하는 음악을 고려해서 만든 음악이다. (○, ×)

답 ❶× ❷○ ❸○

서양 음악의 흐름

15~16세기

르네상스 음악 르네상스 시대에는 종교적인 성격을 지닌 교회 음악과 함께 •세속 음악이 유행했고, 다성 음악이 발달했어. 또 악기의 발달로 (4) ㄱㅇ 음악이 발달하기 시작했지. 인쇄술의 발달로 악보가 대량 공급된 것도 르네상스 시기의 특징이야.

• **세속 음악** 중세 유럽에서, 도시의 성장에 따라 발달한 비종교 음악을 종교 음악에 상대하여 이르던 말.

17세기

바로크 음악 바로크 시대에는 교황권이 쇠퇴하고 절대 군주제가 강화되면서 음악의 중심이 교회에서 궁정이나 귀족 사회로 옮겨 갔어. 기악 음악이 엄청나게 진보하고, 다성 음악이 절정을 이룬 시기이기도 해. 또 화성 음악이 발생하고 •오페라나 •협주곡 등의 갈래가 생겨나기도 했지. 대표적인 작곡가에는 헨델과 바흐 등이 있어.

▲ 헨델(1685~1759)

• **오페라** 음악을 중심으로 한 종합 무대 예술. 대사는 독창, 중창, 합창 등으로 부르며, 서곡이나 간주곡 등의 기악곡도 덧붙인다.
• **협주곡** 독주 악기와 관현악이 합주하면서 독주 악기의 기교를 충분히 발휘하도록 작곡한 소나타 형식의 악곡.

18세기~19세기

고전주의 18세기 이후 **계몽주의**가 •대두되면서 음악에서도 단순한 화성 음악이 강조되기 시작했어. 이러한 시대적 상황 속에서 고전주의는 조화, 질서의 균형과 일정한 형식적인 틀을 중시했어. 또 이 시기에는 •소나타, 교향곡, 협주곡 등이 발전하기도 했지. 대표적인 작곡가로는 모차르트와 베토벤 등이 있어.

▲ 베토벤(1770~1827)

✚ 계몽주의
16~18세기에 유럽 전역에 일어난 혁신적 사상. 교회의 권위에 바탕을 둔 구시대의 정신적 권위와 사상적 특권과 제도에 반대하여 인간적이고 합리적인 사유(思惟)를 제창하고, 이성의 계몽을 통하여 인간 생활의 진보와 개선을 꾀하려 했다.

• **대두되다** 어떤 세력이나 현상이 새롭게 나타나게 되다.
• **소나타** 기악을 위한 독주곡 또는 실내악으로 순수 예술적 감상 내지는 오락을 목적으로 하며, 비교적 대규모 구성인 몇 개의 악장으로 이루어진다.

낭만주의 산업 혁명 이후 낭만주의는 인간의 내면과 감정에 집중하고 이를 표현하기 위해 자유로운 형식을 중시했어. 화성이 확장되고 관현악의 색채가 화려해졌으며 오페라가 발달하기도 했지. 대표적인 작곡가로는 슈베르트, 쇼팽, 차이콥스키 등이 있어.

▲ 쇼팽(1810~1849)

민족주의 19세기 전반, 다양한 사회적 변화를 거친 유럽에서 자유주의 사상이 떠오르고 민족이나 국가 의식이 고조되기 시작했어. 민족주의 음악은 자국의 민요 선율을 활용하거나, 역사나 전설, 자연 등을 소재로 해서 (5) ㅁㅈ 의 정체성을 강조했지. 대표적인 작곡가로는 러시아 국민 음악의 창시자인 보로딘 등이 있어.

▲ 보로딘(1833~1887)

20세기 이후

인상주의 인상주의 음악은 (6) ㅇㅅㅈㅇ 미술의 영향을 받은 양식으로, 직접적인 표현보다는 악기의 색채, 모호함과 여운을 중시하는 음악이야. 대표적인 작곡가로는 드뷔시가 있어.

표현주의 표현주의 음악은 냉정하고 객관적인 태도로 외부적 세계를 받아들이는 인상주의와는 달리, 극도의 내적 흥분이나 긴장 등 주관적 감정을 드러내는 음악이야. 대표적 작곡가로는 쇤베르크가 있어.

우연성 음악 우연성 음악은 작곡가가 음악을 통제하지 않는, 불확정적이고 (7) ㅇㅇ 적 요소를 도입한 •전위 음악이야. 케이지의 〈4분 33초〉가 가장 유명한 작품인데, 연주자는 4분 33초 동안 피아노 앞에 앉아 어떤 연주도 없이 침묵하고, 이러한 상황 아래 객석에서 우연히 발생하는 소리가 곡을 구성하게 함으로써 음악계에 큰 파장을 불러일으켰어.

● **전위 음악** 제2차 세계 대전 이후에 대두된, 새로운 양식을 대상으로 하는 음악.

잠깐 체크

1. 고전주의 음악은 조화와 질서가 잘 갖추어진 형식을 중시한다. (○, ×)
2. 낭만주의 음악은 (인간의 감정 / 민족의 정체성)을 중시한다.
3. 작곡가의 음악 통제가 없는, 불확정적이고 우연적 요소를 도입한 전위 음악을 가리키는 말은?

답 ❶ ○ ❷ 인간의 감정 ❸ 우연성 음악

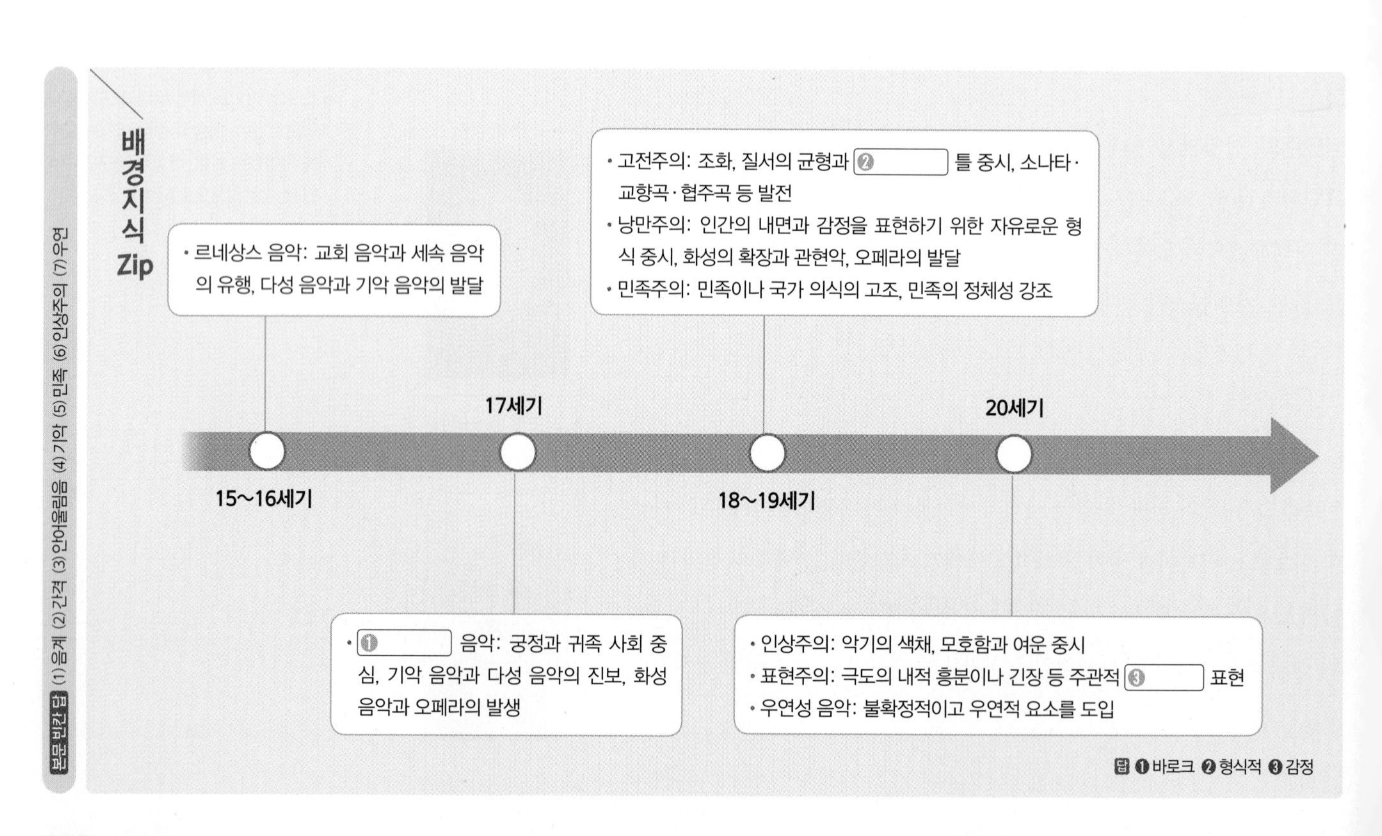

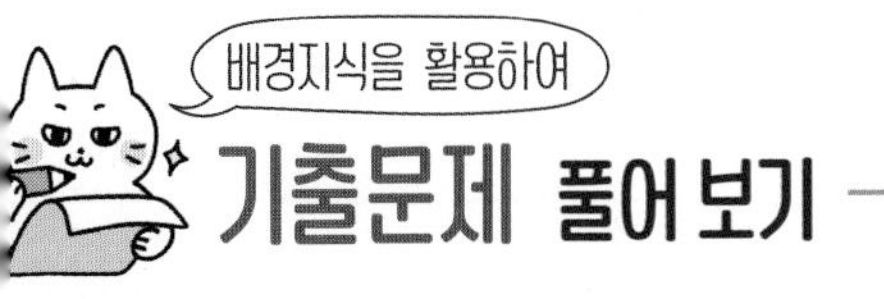

정답과 해설 39쪽

[01~02] 다음 글을 읽고 물음에 답하시오.

❶ [1]'우연성 음악(Aleatoric)'이란 주사위를 뜻하는 라틴어 '알레아(Alea)'에서 유래된 용어로, 서양 음악의 전통적 •통념에서 벗어나 작곡이나 연주 과정에 우연성을 도입함으로써 불확정성을 추구하는 음악을 일컫는다. [2]우연성 음악은 현대 음악이 지나치게 추상화되거나 정밀하게 구성된 음만을 추구한다는 비판에서 출발하였는데, 대표적인 음악가로 케이지와 슈톡하우젠이 있다.

❷ [1]케이지는 인간의 의도가 배제된 무작위(無作爲)의 상태가 가장 자연스러운 상태라고 주장하는 동양의 주역 사상을 접한 후, 작곡에 있어 •인위적인 요소들을 제거하면 소리가 자연스럽게 구성될 수 있다고 생각하였다. [2]그래서 케이지는 작품을 창작하는 과정에 우연의 요소를 도입하여, 음의 높이나 강약 또는 악기나 음악 형식을 작곡가의 의도에 따라 결정하지 않고 ㉠동전이나 주사위를 던져 결정하는 방법을 사용하였다.

❸ [1]우연적 방법을 사용한 케이지의 대표적 작품으로는 1951년 작곡된 〈피아노를 위한 변화의 음악〉이 있다. [2]케이지는 이 곡을 작곡할 때 작품 전체의 형식 구조만을 정해 놓고 세 개의 동전을 던져 음의 고저와 장단, 음가 등을 결정하였다. [3]다시 말해서 곡의 전체 구조는 합리적 사고에 의해, 세부적인 요소는 비합리적인 우연성에 의해 선택된 것이다.

❹ [1]케이지의 영향을 받은 슈톡하우젠은 음악의 우연성이 통계적 사고를 하는 과정에서 발생한다고 보고, 음악적 요소들의 관계에서 •가변성이 형성될 때 다양한 음악적 표현이 가능하다고 생각했다. [2]기존의 음악처럼 고정된 악보를 제시하여 정해진 연주 방법과 진행 순서로 연주하는 것이 아니라, 단편적인 여러 •악구만 제시하고 연주자가 이를 임의로 조합하는 우연성에 의해 연주해도 얼마든지 음악적 표현이 가능하다고 본 것이다.

❺ [1]이러한 우연성 음악은 하나의 작품이 작곡되고 연주되는 과정이 고정된 것이 아니라, 작곡가의 창작 과정과 이를 실현하는 연주자에 의해 다양하게 나타날 수 있다는 것을 보여 주었다. [2]때문에 음악을 바라보는 고정관념에서 벗어나 음악의 •지평을 넓혔다는 평가를 받고 있다.

- **통념** 일반적으로 널리 통하는 개념.
- **가변성** 일정한 조건에서 변할 수 있는 성질.
- **지평** 사물의 전망이나 가능성 등을 비유적으로 이르는 말.
- **인위적** 자연의 힘이 아닌 사람의 힘으로 이루어지는 것.
- **악구** 음악 주제가 비교적 완성된 두 소절에서 네 소절 정도까지의 구분.

01

'우연성 음악'에 대한 이해로 적절하면 ○에, 적절하지 않으면 ×에 표시하시오.

(1) 작곡가와 연주자의 지위가 동등하다는 것을 강조했다. ○ ×

(2) 연주로 구현되는 주제의 추상화와 정밀하게 구성된 음을 중시했다. ○ ×

(3) 음악의 창작과 실현에 관한 발상의 전환을 통해 불확정성이 음악의 중요한 요소가 될 수 있음을 보여 주었다. ○ ×

02

'케이지'가 ㉠을 선택한 이유로 가장 적절한 것은?

① 작품의 창작 과정에서 자연의 소리를 활용하기 위해
② 작품 전체 형식 구조의 합리성과 조화를 이루기 위해
③ 작품의 음악적 요소들을 동일한 횟수로 반복하기 위해
④ 작품의 의미가 주역 사상과 일치될 수 있도록 하기 위해
⑤ 작품 진행 과정에서 작곡가의 의도를 최대한 배제하기 위해

예술

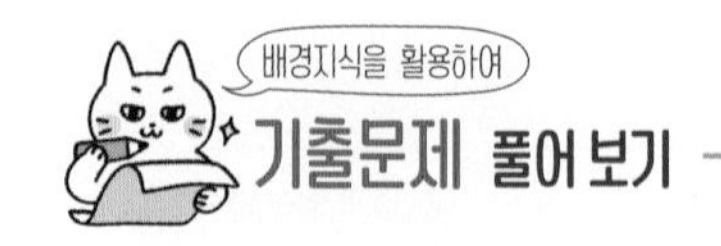

[03~05] 다음 글을 읽고 물음에 답하시오.

❶ [1]베토벤의 교향곡은 서양 음악사에 한 획을 그은 걸작으로 평가된다. [2]그 까닭은 음악 소재를 개발하고 그것을 다채롭게 처리하는 창작 기법의 탁월함으로 설명될 수 있다. [3]연주 시간이 한 시간 가까이 되는 제3번 교향곡 〈영웅〉에서 베토벤은 으뜸 화음을 펼친 하나의 평범한 소재를 •모티브로 취하여 다양한 변주와 변형 기법을 통해 통일성을 유지하면서도 가락을 다채롭게 들리게 했다. [4]이처럼 단순한 소재에서 착상하여 이를 다양한 방식으로 가공함으로써 성취해 낸 복잡성은 후대 작곡가들이 본받을 창작 방식의 전형이 되었으며, 유례없이 늘어난 교향곡의 길이는 그들이 넘어서야 할 산이었다.

❷ [1]그렇다면 오로지 작품의 내적인 원리만이 베토벤의 교향곡을 19세기의 중심 •레퍼토리로 자리매김하게 했을까? [2]베토벤의 신화를 이해하기 위해서는 19세기 초 음악사의 중심에 서고자 했던 독일 민족의 암묵적 염원을 들여다볼 필요가 있다. [3]그것은 1800년을 전후하여 뚜렷하게 달라진 빈(Wien)의 청중의 음악관, 음악에 대한 독일 비평가들의 새로운 관점, 그리고 당시 유행한 천재성 •담론에 반영되었다.

❸ [1]빈의 ㉠ 새로운 청중의 귀는 유럽의 다른 지역 청중과는 달리 순수 기악을 향해 열려 있었다. [2]순수 기악이란 악기에서 나오는 소리 외에는 다른 어떤 것과도 연합되지 않는 음악을 뜻한다. [3]당시 청중은 언어가 순수 기악이 주는 의미를 담기에 부족하다고 생각했기 때문에 제목이나 가사 등의 음악 외적 단서를 원치 않았다. [4]그들이 원했던 것은 말로 •형용할 수 없는, 무한을 향해 열려 있는 '음악 그 자체'였다.

❹ [1]또한 당시 음악 비평가들은 음악을 앎의 방식으로 이해하기를 원했다. [2]이는 음악을 정서의 촉발자로 본 이전 시대와 달리 음악을 감상자가 능동적으로 이해해야 할 대상으로 인식하기 시작했음을 뜻한다. [3]슐레겔은 모든 순수 기악이 철학적이라고 보았으며, 호프만은 베토벤의 교향곡이 '보편적 진리를 향한 문'이라고 주장하였다. [4]요컨대 당시의 빈의 청중과 독일의 음악 비평가들은 베토벤의 교향곡이 음악의 독립적 가치를 극대화한 음악이자 독일 민족의 보편적 가치를 실현해 주는 순수 기악의 •정수라 여겼다.

❺ [1]더욱이 당시 독일 지역에서 유행한 천재성 담론도 베토벤의 교향곡이 특별한 지위를 얻는 데 한몫했다. [2]그 시대가 요구하는 천재상은 타고난 재능으로 기존의 관습에서 벗어나 새로운 전통을 창조하는 자였다. [3]베토벤은 이전의 교향곡의 전통을 수용하면서도 자신만의 독창적인 색채를 더하여 교향곡의 새로운 지평을 열었다고 여겨졌다. [4]베토벤이야말로 이러한 천재라는 인식이 널리 받아들여지면서 그의 교향곡은 더욱 주목받았다.

- **모티브** 회화, 조각, 소설 등의 예술 작품을 표현하는 동기가 된 작가의 중심 사상.
- **레퍼토리** 음악가나 극단 등이 무대 위에서 공연할 수 있도록 준비한 곡목이나 연극 제목의 목록.
- **담론** 어떤 주제에 대해 체계적으로 논의를 함. 또는 그렇게 쓴 체계적인 말이나 글.
- **형용하다** 말이나 글, 몸짓 등으로 사물이나 사람의 모양을 나타내다.
- **정수** 사물의 중심이 되는 골자 또는 요점.

03 윗글의 내용과 일치하지 않는 것은?

① 베토벤 신화 형성 과정에는 독일 민족의 음악적 이상이 반영되었다.
② 베토벤 교향곡의 확대된 길이는 후대 작곡가들이 극복해야 할 과제였다.
③ 베토벤 교향곡에서 복잡성은 단순한 모티브를 다양하게 가공하는 창작 방식에 •기인한다.
④ 베토벤 교향곡 '영웅'의 변주와 변형 기법은 통일성 속에서도 다양성을 구현하게 해 주었다.
⑤ 베토벤의 천재성은 기존의 음악적 관습을 부정하고 교향곡이라는 새로운 장르를 •창시한 데에서 비롯된다.

• **기인하다** 어떠한 것에 원인을 두다.

• **창시하다** 어떤 사상이나 학설 등을 처음으로 시작하거나 내세우다.

04 ㉠의 관점에 가장 가까운 것은?

① 음악은 소리를 다양하게 변형하여 그것을 듣는 인간의 정서를 순화한다.
② 음악은 인간의 구체적인 감정을 전달하는 수단이라는 점에서 그 자체가 언어이다.
③ 가사는 가락을 통해 전달되는 메시지라는 점에서 언어는 음악의 본질적 요소이다.
④ 음악은 언어가 표현할 수 없는 것을 보여 준다는 점에서 언어를 초월하는 예술이다.
⑤ 창작 당시의 시대상이 음악에 반영된다는 점에서 음악 외적 상황은 음악 이해에 중요한 단서가 된다.

05 〈보기〉와 윗글을 이해한 내용으로 가장 적절한 것은?

보기

로시니는 베토벤과 동시대인으로 당대 최고의 인기를 누리던 오페라 작곡가였다. 당시 순수 기악이 우세했던 빈과는 달리 이탈리아와 프랑스에서는 오페라가 여전히 음악의 중심에 있었다. 당대의 소설가이자 음악 비평가인 스탕달은 로시니가 빈의 •현학적인 음악가들과는 달리 유려한 가락에 능하다는 이유를 들어 그를 최고의 작곡가로 평가하였다.

① 슐레겔은 로시니를 '순수 기악의 정수'를 보여 준 베토벤만큼 높이 평가하지 않았겠군.
② 호프만은 당시의 이탈리아와 프랑스에서 유행하는 음악이 '새로운 전통'을 창조했다고 보았겠군.
③ 음악을 '앎의 방식'으로 보는 관점을 가진 사람들에게 오페라는 교향곡보다 우월한 장르로 평가받았겠군.
④ 스탕달에 따르면, 로시니의 음악은 베토벤이 세운 '창작 방식의 전형'을 따름으로써 빈의 현학적인 음악가들을 뛰어넘은 것이겠군.
⑤ 당시 오페라가 여전히 인기를 얻을 수 있었던 것은 음악을 '정서의 촉발자'가 아닌 '능동적 이해의 대상'으로 보려는 청중의 견해 때문이었겠군.

• **현학적** 학식이 있음을 자랑하는 것.

예술

사진과 영화

기출 속 배경지식 키워드 | #피사체 #프레임 #미장센 #몽타주

교과 연계
고등학교 미술 감상과 비평
고등학교 음악 감상과 비평

배경지식 DNA 점검

○ **다음 내용이 맞으면 '예', 틀리면 '아니요'에 표시해 봅시다.**

강아지 사진의 피사체는 강아지이다.	□ 예	□ 아니요
1초당 프레임의 수가 적을수록 영상의 움직임이 자연스럽다.	□ 예	□ 아니요
프레임은 화면 밖과 화면 안을 구분하는 경계를 무너뜨린다.	□ 예	□ 아니요
미장센은 영화의 주제를 강조하는 역할을 한다.	□ 예	□ 아니요
몽타주는 따로 촬영한 장면들을 모아 하나의 내용을 만드는 작업이다.	□ 예	□ 아니요

답 예, 아니요, 아니요, 예, 예

사진과 영화는 우리가 일상에서 자주 접하는 예술 작품이야. 둘 다 카메라로 촬영한다는 공통점이 있기 때문에 각 분야에서 사용하는 용어가 서로 겹치기도 해. 지금부터 사진과 영화 분야에서 자주 쓰이는 용어를 알아보자.

피사체 • 사진이나 영화 등을 찍을 때 그 대상이 되는 물체

피사체란 사진이나 영화 등을 찍을 때 그 대상이 되는 물체를 말해. 예를 들어 길을 걷다가 만난 길고양이가 귀여워서 사진을 찍는다면, 이때 (1) ㅍㅅㅊ 는 고양이야.

프레임 • ① 움직이는 영상을 구성하는 정지된 이미지 중 한 장 ② 카메라 뷰파인더나 스크린에 나타나는 영상의 경계

프레임(frame)은 본래 틀이나 뼈대를 뜻하는 단어로 다양한 영역에서 쓰이지만, 예술 영역에서는 주로 다음 두 가지 의미로 쓰여. 첫째는 움직이는 영상을 구성하는 정지된 이미지들 중 한 장이라는 뜻이야. 우리는 잘 의식하지 못하지만, 사실 영상은 정지된 이미지가 연속해서 이어지는 형태로 되어 있어. 연속적인 동작을 그린 그림을 이어서 보면 우리 눈에 •잔상이 남아서 그림이 움직이는 것처럼 보이거든.

1초 동안 보여 주는 (2) ㅍㄹㅇ 의 수가 많을수록 움직임이 더 자연스럽게 느껴져. 예를 들어 걸어가는 모습을 나타낼 때, 초당 네 장의 프레임을 보여 주는 영상보다 스물네 장의 프레임을 보여 주는 영상에서 동작이 더 부드럽게 느껴지지.

▲ 걸어가는 동작을 보여 주는 프레임 4장

둘째로 프레임은 카메라 •뷰파인더 또는 스크린에 나타나는 영상의 경계를 의미해. '틀'이라는 본래 의미를 떠올리면 이해하기 쉬울 거야. 이때의 프레임은 화면 밖의 영역과 화면 영역을 구분하는 경계로서의 틀을 가리키지. 사진을 찍을 때 비율을 1:1이나 3:4로 바꾸는 건 사실 프레임의 크기를 바꾸는 작업이란다.

• **잔상** 눈에 보이던 사물이 없어진 뒤에도 잠시 희미하게 눈에 보이는 모습.

• **뷰파인더** 사진기에서, 촬영 범위나 구도, 초점 조정의 상태 등을 보기 위하여 눈으로 들여다보는 부분.

잠깐 체크

❶ 피사체는 사진을 찍는 카메라를 뜻한다. (○, ×)

❷ 움직이는 영상을 구성하는 정지된 이미지 중 한 장을 (잔상 / 프레임) 이라고 한다.

답 ❶ × ❷ 프레임

미장센 • 무대 위의 시각적 요소들을 배열하는 작업

미장센(mise-en-scène)은 프랑스어로 “장면에 놓다.”라는 뜻인데, 연극과 영화 등에서 연출가가 무대 위에 시각적 요소들을 배열하는 작업을 가리켜. 여기서 [(3) ㅅㄱㅈ] 요소란 인물, 의상, 배경, 소품, 조명, 카메라의 움직임 등 눈에 보이는 모든 것을 가리키지. 연출가는 미장센을 통해서 장면의 의미나 주제를 더 돋보이게 만들어.

실제 영화 장면을 예로 들어 볼까? 봉준호 감독의 영화 〈기생충〉에서 등장인물 기택이 면접을 보기 위해 대기하는 장면을 보면, 기택과 사장의 사이를 유리벽이 가로막고 있어. 그리고 두 인물 사이에 유리가 이어지는 부분의 선이 보이지. 굳이 그곳에 선이 위치하도록 장면을 촬영한 이유가 뭘까? 두 인물 사이에 넘지 말아야 할 선이 있음을 미장센을 활용해서 강조하려는 거야.

몽타주 • 따로 촬영한 화면들을 떼어 붙여서 하나의 내용으로 만드는 일

몽타주(montage)는 따로따로 촬영한 화면을 적절하게 떼어 붙여서 하나의 긴밀하고도 새로운 장면이나 내용을 만드는 일을 말해. 미장센이 단일한 •**숏**을 찍는 동안 화면 속에 담기는 이미지를 만들어 내는 작업이라면, 몽타주는 숏과 숏을 [(4) ㄱㅎ]하는 작업이라고 볼 수 있어.

• **숏(shot)** 컷(cut). 촬영의 기본 단위로, 한 번의 연속 촬영으로 찍은 장면을 이르는 말.

잠깐 체크

❶ 영화의 연출가는 한 화면 안에 담기는 시각적 요소들을 의도적으로 배치한다. (○, ×)

❷ 여러 개의 숏을 이어서 새로운 내용을 만드는 작업을 가리키는 말은?

답 ❶ ○ ❷ 몽타주

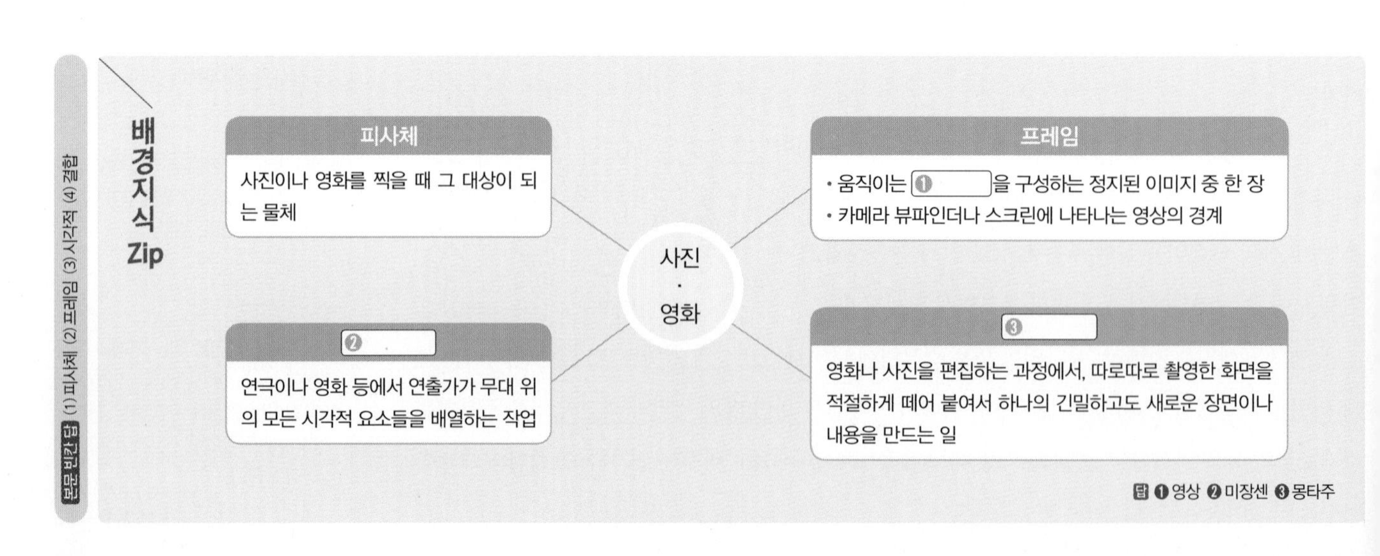

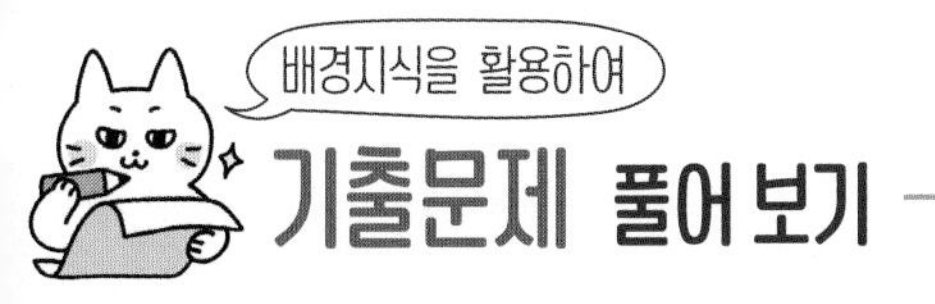

정답과 해설 40쪽

[01~04] 다음 글을 읽고 물음에 답하시오.

❶ [1]사진은 19세기 초까지만 해도 근대 문명이 만들어 낸 기술적 도구이자 현실 재현의 수단으로 인식되었다. [2]하지만 점차 여러 사진작가가 사진을 연출된 형태로 찍거나 제작함으로써 자기의 주관을 표현하고자 하는 시도를 하였다. [3]이들은 빛의 처리, *원판의 합성 등의 기법으로 회화적 표현을 모방하여 예술성 있는 사진을 추구하였다. [4]이러한 흐름 속에서 만들어진 사진 작품들을 회화주의 사진이라고 부른다.

❷ [1]스타이컨의 ㉠〈빅토르 위고와 생각하는 사람과 함께 있는 로댕〉(1902년)은 회화주의 사진을 대표하는 것으로 평가된다. [2]이 작품에서 피사체들은 조각가 '로댕'과 그의 작품인 〈빅토르 위고〉와 〈생각하는 사람〉이다. [3]스타이컨은 로댕을 대리석상 〈빅토르 위고〉 앞에 두고 찍은 사진과, 청동상 〈생각하는 사람〉을 찍은 사진을 합성하여 하나의 사진 작품으로 만들었다. [4]이렇게 제작된 사진의 구도에서 어둡게 나타난 근경에는 로댕이 〈생각하는 사람〉과 서로 마주 보며 비슷한 자세로 앉아 있고, 반면 환하게 보이는 원경에는 〈빅토르 위고〉가 이들을 내려다보는 모습으로 배치되어 있다. [5]단순히 근경과 원경을 합성한 것이 아니라, 두 사진의 피사체들이 작가가 의도한 바에 따라 하나의 프레임 속에서 자리 잡을 수 있도록 당시로서는 고난도인 합성 사진 기법을 동원한 것이다. [6]또한 인화 과정에서는 피사체의 질감이 억제되는 감광액을 사용하였다.

❸ [1]스타이컨은 1901년부터 거의 매주 로댕과 예술적 교류를 하며 그의 작품들을 촬영했다. [2]로댕은 사물의 외형만을 재현하려는 당시 예술계의 경향에서 벗어나 생명력과 표현성을 강조하는 조각을 하고 있었는데, 스타이컨은 이를 높이 평가하고 깊이 공감하였다. [3]스타이컨은 사진이나 조각이 작가의 주관과 감정을 표현할 수 있으며 문학 작품처럼 해석의 대상도 될 수 있다고 생각했는데, 로댕 또한 이에 동감하여 기꺼이 사진 작품의 모델이 되어 주기도 하였다.

❹ [1]이 사진에서는 피사체들의 질감이 뚜렷이 ㉡살지 않게 처리하여 모든 피사체가 사람인 듯한 느낌을 주고자 하였다. [2]*대문호 〈빅토르 위고〉가 내려다보고 있는 가운데 로댕은 〈생각하는 사람〉과 마주하여 자신도 〈생각하는 사람〉이 된 양, 같은 자세로 *묵상하는 모습을 취하고 있다. [3]원경에서 희고 밝게 빛나는 〈빅토르 위고〉는 근경에 있는 로댕과 〈생각하는 사람〉의 어두운 모습에 대비되어 창조의 *영감을 발산하는 모습으로 나타난다. [4]이러한 구도는 로댕의 작품도 문학 작품과 마찬가지로 창작의 고뇌 속에서 이루어진 것이라는 메시지를 주고 있다.

❺ [1]이처럼 스타이컨은 명암 대비가 뚜렷이 드러나도록 촬영하고, 원판을 합성하여 구도를 만들고, 특수한 감광액으로 질감에 변화를 주는 등의 방식으로 사진이 회화와 같은 방식으로 창작되고 표현될 수 있는 예술임을 보여 주고자 하였다.

- **원판** 사진에서, 카메라로 직접 촬영한 필름.
- **대문호** 세상에 널리 알려진 매우 뛰어난 작가.
- **묵상하다** 눈을 감고 말없이 마음속으로 생각하다.
- **영감** 창조적인 일의 계기가 되는 기발한 착상이나 자극.

01 윗글에 대한 이해로 가장 적절한 것은?

① 로댕은 사진 작품, 조각 작품, 문학 작품 모두 해석의 대상이 된다고 여겼다.
② 빅토르 위고는 사진과 조각을 모두 해석의 대상이라고 생각하여 그것들을 내려다보고 있었다.
③ 스타이컨의 사진은 대상을 그대로 보여 준다는 점에서 회화주의 사진의 대표적 작품으로 평가된다.
④ 로댕과 스타이컨은 조각의 역할이 사물의 형상을 충실히 재현하는 것으로 한정되어야 한다고 보았다.
⑤ 스타이컨의 작품에서 명암 효과는 합성 사진 기법으로 구현되었고 질감 변화는 피사체의 대립적인 구도로 실현되었다.

02 ㉠과 관련하여 추론할 수 있는 스타이컨의 의도로 적절하지 않은 것은?

① 고난도의 합성 사진 기법을 쓴 것은 촬영한 대상들을 하나의 프레임에 담기 위해서였다.
② 원경이 밝게 보이도록 한 것은 〈빅토르 위고〉와 로댕 간의 명암 대비 효과를 내기 위해서였다.
③ 로댕이 〈생각하는 사람〉과 마주 보며 같은 자세로 있게 한 것은 고뇌하는 모습을 보여 주기 위해서였다.
④ 원경의 대상을 따로 촬영한 것은 인물과 청동상을 함께 찍은 근경의 사진과 합칠 때 대비 효과를 얻기 위해서였다.
⑤ 대상들의 질감이 잘 살지 않도록 인화한 것은 대리석상과 청동상이 사람처럼 보이게 하는 효과를 얻기 위해서였다.

03 다음은 학생이 쓴 감상문의 일부이다. 윗글을 바탕으로 할 때, ⓐ~ⓔ 중 적절하지 않은 것은?

보기

[학습 활동] 스타이컨의 작품을 감상하고 글을 써 보자.

예전에 나는, 사진은 사물을 있는 그대로 재현하는 도구에 지나지 않는다고 생각했고, 사진이 예술 작품이 된다고 생각해 본 적이 없었다. 그런데 스타이컨의 〈빅토르 위고와 생각하는 사람과 함께 있는 로댕〉을 보고, ⓐ사진도 예술 작품으로서 작가의 생각을 표현하는 창작 활동이라는 스타이컨의 생각에 동감하게 되었다. 특히 ⓑ회화적 표현을 사진에서 실현하려 했던 스타이컨의 노력은 그 예술사적 가치를 인정받아야 할 것이다. 하지만 아쉬운 점도 없지 않다. 당시의 상황에서는 ⓒ스타이컨이 빅토르 위고와 같은 위대한 문학가를 창작의 영감을 주는 존재로 표현할 수밖에 없었을 것이다. 그래도 ⓓ스타이컨이 로댕의 조각 예술이 문학에 •종속되는 것으로 표현할 것까지는 없었다고 생각한다. 그렇더라도 ⓔ기술적 도구로 여겨졌던 사진을 예술 행위의 수단으로 활용한 스타이컨의 창작열은 참으로 본받을 만하다.

① ⓐ　② ⓑ　③ ⓒ　④ ⓓ　⑤ ⓔ

• **종속되다** 스스로 일을 처리할 수 있는 능력이나 성질이 없이 주(主)가 되는 것에 딸려 붙게 되다.

04 ㉡의 문맥적 의미와 가장 가까운 것은?

① 이 소설가는 개성이 살아 있는 문체로 유명하다.
② 아궁이에 불씨가 살아 있으니 장작을 더 넣어라.
③ 어제까지도 살아 있던 손목시계가 그만 멈춰 버렸다.
④ 흰긴수염고래는 지구에 살고 있는 동물 중 가장 크다.
⑤ 부부가 행복하게 살려면 서로를 존중하고 사랑해야 한다.

1

기출 배경지식

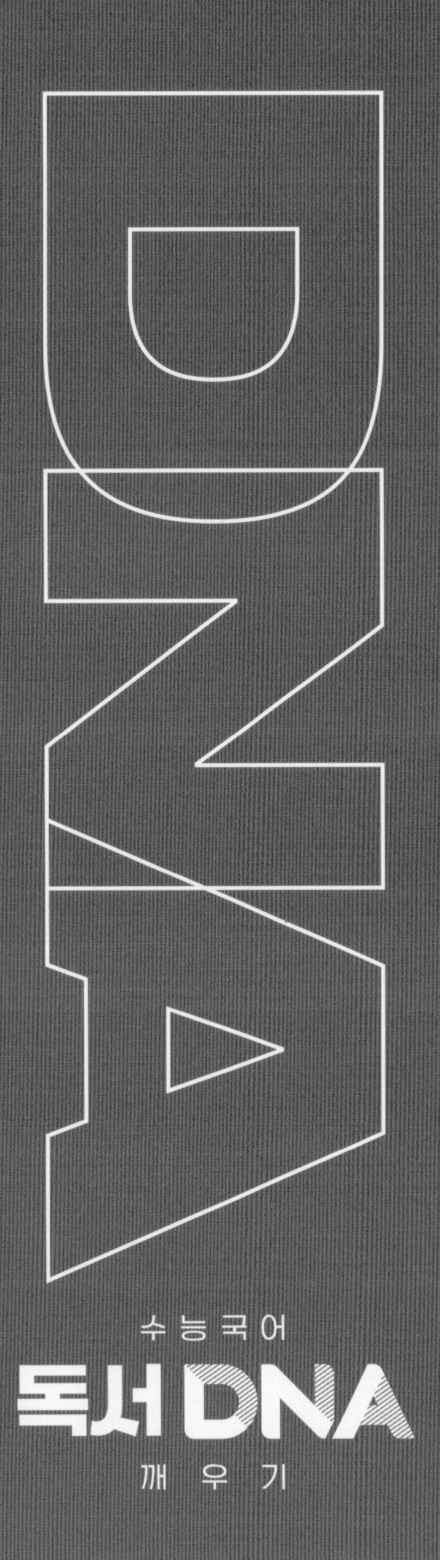

수능국어

독서 DNA

깨우기

정답과 해설

천재교육

'기출문제 풀어 보기'의
정답과 해설을 확인해 보세요.

수능 국어 독서 DNA 깨우기

❶ 기출 배경지식

정답과 해설

I. 인문

1 윤리 사상

01 유교 사상 16~19쪽

01 (1) × (2) ○ (3) ○ 02 ④ 03 (1) × (2) ○ (3) ○
04 ④ 05 ④ 06 ① 07 ②

01~02

주제 도덕적 수양을 실천하는 군자에 의한 정치
해제 이 글은 공자가 제안한 예에 기반을 둔 정치 제도를 '예', '정명', '군자' 등의 개념을 중심으로 설명하고 있다.

01 (1) ❹-4에서 공자가 소인도 군자가 될 수 있다고 강조했음을 알 수 있다.
(2) ❶-1에서 확인할 수 있다.
(3) ❷-2에서 확인할 수 있다.

02 ❷-1~3에 따르면 예에 기반을 둔 정치는 사회 구성원이 각자의 지위에 부합하는 도리를 행하는 정명에서 시작된다. 이를 통해 예는 신분 제도를 인정하는 가운데 군주, 신하, 백성 등이 자신의 지위에 맞는 역할을 수행하는 것을 전제함을 알 수 있다.

오답 피하기 ① ❶-4에서 확인할 수 있다.
② ❶-2에서 확인할 수 있다.
③ ❶-3에서 확인할 수 있다.
⑤ ❷-3에서 예는 군주뿐만 아니라 신하, 부모 자식 등 모든 계층에게 도덕성을 요구하는 규범임을 확인할 수 있다.

03~04

주제 맹자와 순자의 인성론
해제 이 글은 고자의 인성론을 비판한 맹자의 인성론과, 이를 낙관적이며 현실 감각이 떨어진다고 생각한 순자의 인성론을 비교하여 설명하고 있다.

03 (1) ❶-5에서 맹자는 인간이 스스로의 노력을 통해 선한 본성을 실현할 수 있다고 보았다고 했다.
(2) ❶-4에서 확인할 수 있다.
(3) ❷-1에서 확인할 수 있다.

04 ❸-2에서 순자는 외적 공권력과 사회 규범이 없다면, 인간은 한정된 재화를 차지하기 위해 전쟁 상태에 빠져 사회가 무질서 상태로 전락할 것이라고 보았다.

05~07

주제 맹자의 의 사상의 형성 배경과 내용
해제 이 글은 전국 시대의 혼란한 상황을 안정시키기 위해 제시된 공자의 '의' 사상을 설명하고 있다. 도덕 내재주의를 바탕으로 '의'의 실천을 강조한 맹자의 생각을 확인할 수 있다.

05 ❸-1에서 맹자는 '인'의 확산의 필요성을 강조하면서 '의'를 '인'과 대등한 지위로 격상했다고 했다. 따라서 맹자가 '의'의 의미 확장보다 '인'의 확산이 더 필요하다고 보았다는 진술은 적절하지 않다.

오답 피하기 ① ❸, ❻-2에서 일상생활에서 '의'를 실천하는 것이 중요하다고 여긴 맹자의 생각을 확인할 수 있다.
② ❻-3에서 확인할 수 있다.
③, ⑤ ❸-1~2에서 확인할 수 있다.

06 ㉠(도덕 내재주의)은 인간이라면 누구나 도덕 행위를 할 수 있는 선한 마음과 옳고 그름을 판단할 수 있는 능력이 선천적으로 내면에 갖춰져 있다는 주장이다. 이러한 ㉠의 내용에 해당하는 것은 ①이다.

07 <보기>에 따르면 묵적은 '의'를 개인과 사회 전체의 이익을 충족하는 것으로 보고 있으므로 '의'와 이익이 밀접하게 관련되어 있음을 주장한다고 볼 수 있다. 한편 ❹에 따르면, 맹자는 '의'가 이익의 추구와 구분되어야 한다고 주장하며 사회 안정을 위해 사적인 욕망과 결부된 이익의 추구는 '의'에서 배제되어야 한다고 했으므로, '의'와 이익을 명확히 구분되는 것으로 보았음을 알 수 있다.

오답 피하기 ③ 맹자는 사적인 욕망으로부터 비롯된 이익의 추구가 사회적으로 혼란을 야기한다고 생각했다(❹-2). 한편 묵적은 개인과 사회 전체의 이익을 충족하는 '의'를 통해 사회 혼란을 해결할 수 있다고 했다.
④ ❺-3에 따르면 맹자는 자기의 행동이 옳지 못함을 부끄러워하는 마음이 의롭지 못한 행위를 막아 주는 동기로 작용한다고 보았다. <보기>의 묵적은 '의'의 실현이 만물을 주재하는 하늘의 뜻이라고 했다.
⑤ ❸-4에서 맹자는 '의'를 개인과 사회의 조화를 위해 필수적인 행위 규범으로 설정했다고 했다. <보기>의 묵적은 '의'를 개인과 사회 전체의 이익을 충족하는 것으로 보았다.

1 윤리 사상

02 성리학과 실학

23~25쪽

01 (1) × (2) ○ (3) ○ 02 ③ 03 ④ 04 ① 05 ③

01~02

주제 지행(知行)과 관련된 조선 성리학자들과 실학자들의 생각

해제 이 글은 지행(知行)과 관련하여 도덕적 수양을 강조한 조선 시대 성리학자들과, 경험과 실천을 중시한 실학자들의 생각을 비교하여 설명하고 있다.

01 (1) ❸-2에서 최한기가 '행'이 아닌 '지'를 경험을 통해 얻어지는 객관적인 지식으로 규정했음을 알 수 있다.
(2) ❹-2에서 확인할 수 있다.
(3) ❶-3에서 확인할 수 있다.

02 ❷에서 홍대용은 '지'와 '행'의 병진을 전제하면서 '행'을 도덕적 수양뿐만 아니라 사회적 실천의 측면에서도 바라보았음을 알 수 있다. 이때 '지'는 도덕 법칙만이 아닌 실용적인 지식을 포함하는 것으로, 이로 미루어 보아 그가 '지'의 대상을 실용적 측면까지 확대했음을 알 수 있다.

오답 피하기 ① 홍대용과 최한기는 행을 지보다 더 중요하게 여겼다(❷-4, ❸-3).
②, ⑤ ❶-4에서 만물의 이치가 마음에 갖추어져 있다고 여기며, 도덕적 수양을 통해 그 이치를 찾고자한 이들은 성리학자임을 확인할 수 있다.
④ ❸-3에 따르면, 최한기는 선천적인 지식이 따로 없고 모든 지식이 경험을 통해 산출된다고 보았다.

03~05

주제 도덕성을 실현하는 방법과 관련된 성리학과 실학의 견해

해제 이 글은 성리학과 실학에서의 인성론을 바탕으로 하여, 성리학과 실학에서 제시한 도덕성 실현 방법과 도덕적 삶을 살아가는 방법을 비교하여 설명하고 있다.

03 ❷-6에서 성리학에서는 기가 악으로 흐를 가능성이 있다고 보았음을 알 수 있다.

오답 피하기 ① ❺에서 성리학은 형이상학적 세계관을 바탕으로 하고 있음을 알 수 있다.
② ❷-4에서 성리학에서는 모든 인간에게 보편적인 이치로서의 선한 본성이 선천적으로 내재되어 있다고 여겼음을 확인할 수 있다.
③ ❹-2에서 최한기는 모든 존재의 본성인 기 자체에 선악이 존재하지 않는다고 보았음을 알 수 있다.
⑤ ❷-5~6에서 성리학에서는 개개인의 도덕성에 차이가 생기는 이유가 기에 있다고 보았음을 알 수 있다.

04 ㉠은 정약용이 제시한 인성론으로, 인간의 본성은 선악을 구분하여 선을 좋아하고 악을 미워할 줄 아는 분별 능력을 갖춘 윤리적인 욕구라는 관점이다. 이에 따르면 도덕성은 선에 대한 주체적인 선택과 지속적인 실천을 통해 갖출 수 있는 결과물이다. 〈보기〉 역시 선과 의로움을 지속적으로 실천하면 도덕성을 갖추게 된다는 내용으로, 윗글에 나타난 정약용의 인성론과 부합한다.

오답 피하기 ③, ④ 성리학의 관점(❷-2, 8)과 관련된 설명이다.
⑤ 최한기의 관점(❹-5~7)과 관련된 설명이다.

05 〈보기〉는 조선 후기 사회의 도덕적 혼란과 백성의 고통을 보여 준다. 최한기는 기 자체에 선악이 존재하지 않으며(❹-2) 인간이 추측을 바르게 하지 못해 외부 세계와 소통이 제대로 되지 않았을 때 악이 생긴다고 보았으므로(❹-7), ③은 적절하지 않다.

오답 피하기 ① 정약용은 선에 대한 주체적인 선택과 지속적인 실천이 이루어질 때 선에 대한 욕구가 충족된다고 보았으므로(❸-3~4), 부정한 관리들이 사리사욕을 채웠다고 하더라도 선에 대한 욕구가 충족되었다고 여기지는 않았을 것이다.
② 정약용은 나와 타인과의 관계에서 선의 실천이 이루어져야 한다고 보았으므로(❸-5), 관리들이 백성과의 관계 속에서 선을 실천해야 한다고 생각했을 것이다.
④ ❹-4에서 최한기는 인간의 윤리가 기의 운동과 변화에 합치되지 않으면 악이 된다고 했으므로, 최한기는 본분을 망각한 관리들의 모습을 기의 운동과 변화에 합치되지 않는 것으로 여겼을 것이다.
⑤ 최한기는 인간이 올바른 추측을 통해 외부 세계와 소통할 때 선이 된다고 생각했으므로(❹-7), 나라의 위기를 극복하기 위해서는 관리들이 당대 현실에 대한 올바른 추측과 소통을 통해 선을 실천해야 한다고 여겼을 것이다.

1 윤리 사상

03 고대 그리스 사상

30~31쪽

01 (1) ○ (2) × (3) ○ **02** ② **03** ③ **04** ②

01~02

주제 이데아와 관련된 플라톤의 견해

해제 이 글은 플라톤이 규정한 이데아와 현상의 개념과 두 개념의 관계를 설명하고 있다.

01 (1) ❷-2에서 확인할 수 있다.

(2) ❷-3에서 현상은 이데아를 모방했음에도 불구하고 이데아와 달리 끊임없이 변화하는 존재임을 알 수 있다.

(3) ❷-8에서 관여나 임재의 정도가 높을수록 현상이 이데아의 본질에 더 가깝다는 것을 알 수 있다.

02 ❷-5에 따르면 관여는 현상이 이데아의 본질과 유사한 정도를 의미하는 것으로, 이데아가 관여에 의해 생겨난 결과물이라는 설명은 적절하지 않다.

오답 피하기 ①, ⑤ ❷-1~2에서 확인할 수 있다.

③, ④ ❶-1에서 확인할 수 있다.

03~04

주제 아리스토텔레스의 목적론에 담긴 핵심적 사고와 그 의의

해제 이 글은 모든 자연물이 목적을 추구하는 본성과 이를 실현할 능력을 타고난다는 아리스토텔레스의 목적론과 그 의의를 설명하고 있다.

03 ❶-4~5에 따르면 아리스토텔레스는 모든 자연물이 목적을 추구하는 내재된 본성에 따라 운동하며, 목적을 실현할 능력 또한 타고난다고 여겼다.

오답 피하기 ①, ⑤ 아리스토텔레스는 모든 자연물이 목적을 추구하는 본성을 지니고 있다고 했으므로(❶-4), 낙엽과 우박 같은 무생물이 목적을 지니고 있지 않다는 진술은 적절하지 않다. 이때 자연물의 본성적 운동은 외적 원인이 아닌 내재적 본성에 따른 것이다.

② 아리스토텔레스는 본성적 목적의 실현이 운동 주체에 항상 바람직한 결과를 가져온다고 믿었다(❶-5).

04 ❷-2에서 갈릴레이가 목적론적 설명이 과학적 설명으로 사용될 수 없다고 주장했음을 알 수 있다. 즉, 갈릴레이는 목적론적 설명이 과학적 설명이 아니라는 데 동의할 것이다.

오답 피하기 ① ❷-1에 따르면 아리스토텔레스의 목적론은 모든 사물이 생명력을 갖지 않는 일종의 기계라는 견해가 강조되면서 비판을 받기 시작했다. 이러한 상황을 고려할 때 갈릴레이가 생명력 경시를 이유로 목적론을 비판했다고 보기는 어렵다.

③ ❷-2에서 베이컨이 목적에 대한 탐구가 과학에 무익하다고 평가했음을 알 수 있다. 따라서 베이컨은 목적론적 설명이 과학의 발전을 가져왔다고 보지 않을 것이다.

④, ⑤ ❷-2~3에서 스피노자는 목적론이 자연에 대한 이해를 왜곡하며, 목적론이 인간 이외의 자연물도 이성을 갖는 것으로 의인화한다고 생각했기 때문에 이를 비판했음을 알 수 있다. 따라서 스피노자가 목적론이 자연에 대한 이해를 확장한다고 주장하거나, 사물을 의인화한다는 이유를 들어 이가 믿음직스럽다고 주장한다는 진술은 적절하지 않다.

1 윤리 사상

04 이성주의와 경험주의

35~37쪽

01 (1) × (2) ○ (3) ○ **02** ④ **03** ② **04** ① **05** ④

01~02

주제 데카르트의 회의론

해제 이 글은 의심이 전혀 불가능한 확실한 지식을 찾기 위해 체계적으로 의심하는 방법을 만들고 이를 거쳐 의심하고 생각하는 자신만이 절대적으로 확실한 존재라는 결론에 도달한 데카르트의 회의론을 설명하고 있다.

01 (1) ❸에 따르면, 데카르트는 감각에 의존하지 않는 수학의 지식조차 의심이 가능하다고 했다.

(2) ❶-1에서 확인할 수 있다.

(3) ❶-2에서 확인할 수 있다.

02 ❸에 따르면 데카르트는 수학의 지식마저도 악마가 존재하여 우리를 속일 수 있기 때문에 의심이 가능하며, 그런 악마가 존재하지 않더라도 상상하여 의심하는 데는 아무런 제약이 없다고 했다. 데카르트는 더는 의심할 수 없는 확실한 지식을 찾기 위해 모든 것을 의심한 것이므로 ④의 진술에 동의할 수 있을 것이다.

오답 피하기 ① ❷에 따르면 데카르트는 감각에 의해 생긴 지식을 믿을 수 없다고 했다.
③ ❹에 따르면, 데카르트는 무엇인가를 의심하고 있다면 그것을 의심하는 사람은 틀림없이 존재하므로, 의심하는 사람의 존재에 관한 의심이 불가능하다고 했다.
⑤ ❷-4에 따르면 데카르트는 꿈속에서도 깨어 있을 때와 똑같은 종류의 감각을 경험한다고 지적했다.

03~05

주제 동정심을 바탕으로 한 도덕적 감정의 보편성
해제 이 글은 흄이 제시한 동정심을 바탕으로 하여, 인간이 보편적 고통과 보편적 쾌락의 감수성을 지닐 수 있는 이유를 설명하고 이를 도덕성과 관련지어 소개하고 있다.

03 ❷-1에 따르면 인간은 보편적 고통과 쾌락의 감수성을 지닌 존재이다. 또한 ❸에서 인간의 감각 능력은 보편적인 것이라 다른 사람의 고통을 보고 비슷한 고통을 느낄 수 있다고 했으므로, 인간이 보편적 감수성을 가질 수 없다는 ②의 진술은 적절하지 않다.

오답 피하기 ① ❹-1~2에서 확인할 수 있다.
③ ❶-7~8에 따르면 지나치게 예민한 감수성은 사람을 자기 중심적이고 이기적으로 만들 수 있다.
④ ❸에 따르면 다른 사람의 표정이나 몸짓 혹은 소리 같은 외적 징표는 간접적인 상상과 짐작을 통해 우리 마음에 비슷한 고통을 불러일으킨다. 또한 ❹-4에 따르면, 타인의 고통이 내 마음에 불러일으키는 고통의 감수성이 곧 동정심이다. 따라서 표정이나 소리 같은 외적 징표가 동정심을 불러일으킨다고 설명할 수 있다.
⑤ ❷-1~2에 따르면 흄은 인간이 동정심 때문에 보편적 고통과 보편적 쾌락의 감수성을 지닌다고 보았다. 따라서 동정심은 고통과 슬픔뿐 아니라 쾌락이나 기쁨과도 관련된 개념임을 알 수 있다.

04 밤에 잠을 자지 못하는 증상 때문에 느끼는 피로감은 ㉠(나의 육체에서 발생하는 감각)에 해당한다.

05 〈보기〉의 화자는 인간은 다른 사람의 아픔을 보고 자신이 그보다 더 행복한 존재라는 점을 확인하여 즐거움을 느끼는 존재라고 이야기하고 있다. 이와 달리 이 글의 글쓴이는 인간은 본성적으로 다른 사람과 고통과 쾌락을 공유할 수 있는 동정심을 갖춘 존재로 바라본다. 따라서 이 글의 글쓴이는 〈보기〉의 화자에게 ④와 같이 대답할 것이다.

❶ 윤리 사상

05 의무론과 결과론

41~43쪽

01 (1) × (2) ○ (3) ○ 02 ④ 03 ② 04 ③ 05 ⑤ 06 ⑤

01~02

주제 최선의 결과를 무엇으로 보느냐에 따른 공리주의 이론
해제 이 글은 최선의 결과를 무엇으로 바라보느냐에 따라 나누어지는 쾌락주의적 공리주의, 선호 공리주의, 이상 공리주의를 설명하고 있다.

01 (1) ❷-3에 따르면, 쾌락주의적 공리주의에서는 자신뿐 아니라 그 행위가 영향을 미치는 모든 인간의 쾌락을 고려한다.
(2) ❸-5에 따르면, 선호 공리주의는 쾌락뿐 아니라 쾌락이 아닌 다른 것을 추구하는 인간의 행위가 개인의 선호를 반영한 것이라고 보았다.
(3) ❷-4에서 확인할 수 있다.

02 ❹-5에 따르면, ㉠(이상 공리주의)은 이상이 인간의 선호와 무관하게 실현되어야 할 본래적 가치라고 본다.

오답 피하기 ① ❹-4에서 확인할 수 있다.
② ❹-2에서 확인할 수 있다.
③ ❹-1에서 확인할 수 있다.
⑤ ❹-9에서 확인할 수 있다.

03~06

주제 전통적(고전적) 공리주의에 대한 비판과 규칙 공리주의
해제 이 글은 공평주의를 특징으로 하는 전통적 공리주의가 정의의 개념을 배제하는 결과를 불러올 수 있다는 반공리주의자의 비판을 제시한 뒤, 정의의 개념을 포함한 규칙 공리주의를 소개하고 있다.

03 전통적 공리주의는 최대 다수의 최대 행복을 산출하는 것이 가장 선한 행동이며, 개개인의 행복을 모두 동일하게 중요한 것으로 간주하는 전형적인 공평주의이다. 전통적 공리주의자는 아픈 친구를 간호하는 대신 다친 운전자를 도운 '갑'의 행동이 결과적으로 전체 행복의 양을 증가시켰는지에 초점을 맞추어 평가할 것이다. 이때 개개인의 행복을 모두 동일하게 중요한 것으로 여기는 전통적 공리주의자의 관점에서, 갑이 자신만의 행복을 고려하여 다친 운전자를 도왔으므로 그의 행동이 선하다고 평가한다는 진술은 적절하지 않다.

오답 피하기 ⑤ ❶-2에 따르면 전통적 공리주의는 행동의 결과에 의존하는 결과주의이다.

04 전통적 공리주의자인 민우는 최대 다수의 최대 행복을 추구하므로, 증언을 하지 않거나 진실을 증언하는 대신 집단 B의 무고한 한 사람을 지목하여 거짓 증언을 함으로써 집단 간의 충돌을 막을 것이다. 즉 한 사람의 희생을 통해 가장 많은 행복의 양을 산출하려 한다는 것이다. 그렇지만 거짓 증언으로 무고한 사람에게 죄를 뒤집어씌우는 것은 정의에 어긋나는 행동이다. 이에 반공리주의자는 때때로 정의의 개념을 배제하는 결과를 불러오는 전통적 공리주의를 비판했다.

오답 피하기 ② ❷-5에서 묵비권을 행사할 때 생기는 불확실성은 더 위험하다고 했으므로, 적절하지 않다.

05 〈보기〉의 의무론자는 결과와 상관없이 거짓말을 하지 않는 것은 반드시 지켜야 하는 절대적인 규칙이므로 거짓말을 하지 않아야 한다고 주장한다. 이와 달리 ❸의 규칙 공리주의자는 진실을 증언하는 사회가 장기적으로 더 많은 행복을 산출한다는 결론을 바탕으로 하여 진실을 증언해야 한다는 규칙을 만들고 그에 따라 개인의 행동을 제약한다. 따라서 의무론자는 결과와 무관하게, 규칙 공리주의자는 결과에 의존하여 정의를 강조했다고 설명할 수 있다.

오답 피하기 ③ 규칙 공리주의자에게만 해당하는 설명이다.
④ ❸-1에 따르면 규칙 공리주의는 공리주의 또한 정의의 개념을 포함할 수 있다고 보았다.

06 ⓐ의 '따르면'은 '어떤 경우, 사실이나 기준 등에 의거하다.'의 의미이다. ⑤ 역시 이와 같은 의미로 사용되었다.

오답 피하기 ① '관례, 유행이나 명령, 의견 등을 그대로 실행하다.'의 의미로 쓰였다.
② '좋아하거나 존경하여 가까이 좇다.'의 의미로 쓰였다.
③ '남이 하는 대로 같이 하다.'의 의미로 쓰였다.
④ '앞선 것을 좇아 같은 수준에 이르다.'의 의미로 쓰였다.

❶ 윤리 사상

06 실존주의와 실용주의

47~49쪽

01 (1) × (2) ○ (3) ○ **02** ② **03** ④ **04** ① **05** ⑤

01~02

주제 근대 철학을 비판한 환경론자들의 철학적 기초가 된 하이데거의 사상

해제 이 글은 인간 중심주의와 이성 중심주의에 바탕을 둔 근대 철학을 비판하는 환경론자들의 주장을 제시한 뒤, 그러한 주장의 철학적 기초로 작용한 하이데거의 사상을 설명하고 있다.

01 (1) ❶-2에 따르면, 근대 철학은 인간을 모든 것의 중심에 두었다.
(2) ❹-1에서 확인할 수 있다.
(3) ❷-1~2에서 확인할 수 있다.

02 ❹-2~3에 따르면 계산적 사유(㉠)는 모든 것을 인간에 의해 인식되고 파악되고 지배될 수 있는 대상으로 만드는 사고방식으로, 인간 중심주의와 이성 중심주의의 근거가 되었다. 따라서 ㉠이 인간을 대상화하면서 생성되었다는 진술은 적절하지 않다.

오답 피하기 ④ ❹-4에 따르면, 하이데거는 ㉠이 모든 ㉡을 인간의 지배 대상으로 전락시켜 ㉡의 본원적인 존재 의미가 사라지게 되었다고 주장했다. 따라서 하이데거는 ㉡의 본원적 의미를 회복하기 위해서는 ㉠을 극복해야 한다고 생각했을 것이다.
⑤ ❺-2에 따르면, 하이데거는 ㉡이 전체 연관성 속에서 그 어떤 것으로도 대체될 수 없는 유일성을 갖는다고 주장했다.

03~05

주제 사르트르 실존주의의 특성과 의의

해제 이 글은 실존이 본질에 앞선다고 여긴 사르트르 실존주의의 특성과 의의를 즉자존재(사물 존재)와 대자존재(인간 존재), 대타존재를 중심으로 설명하고 있다.

03 윗글은 ❷~❸에서는 인간과 사물의 차이를 중심으로, ❹~❺에서는 자신과 타자의 관계를 중심으로 사르트르 실존주의의 특성을 설명하고 있다. 또한 ❻에서는 사르트르 실존주의의 의의를 제시하고 있다.

04 ❷-3에 따르면 연필의 존재는 본질로부터 나온다. 즉, 사르트르는 사물의 존재가 본질에서 나온다고 여긴 것이므로 사물의 본질이 존재에서 나온다는 ①의 진술은 사르트르의 관점과 거리가 멀다.

오답 피하기 ② ❸-7에 따르면, 사르트르는 진실한 인간은 선택에 따른 책임감 때문에 번민하고, 번민의 원인이 되는 자유로부터 도피하고 싶어 하는 욕망을 갖는다고 보았다.
③ ❸-1에서 사르트르는 의식의 유무를 기준으로 사물 존재와 인간 존재를 구분했다고 했다.
④ 사르트르는 인간을 자기의식을 가진 대자존재이자(❸-2~4) 타인의 시선으로 규정되는 대타존재(❹-3)로 보았다.
⑤ ❺-3에서 확인할 수 있다.

05 ❻-1에 따르면 사르트르는 개인이 사회적 관습에 의해 제약을 받는다는 사실을 간과했다는 점에서 비판받고 있다. 따라서 사르트르가 윤리 규범과 같은 사회적 관습을 지키는 것을 중요하게 여겼다고 보기는 어렵다.

오답 피하기 ① 무신론자인 사르트르(❷-1)는 신에 의존하지 않는 삶을 추구했을 것이다. 이와 달리 유신론자인 키르케고르는 참된 자아를 찾기 위해서는 신의 명령에 따라 살아가는 종교적 실존의 단계를 스스로 선택해야 한다고 주장했다.
② 사르트르는 참된 자아를 찾기 위해서 타자의 시선을 극복하고 계속 자신의 행위를 선택하며 살아가야 한다고 했을 뿐, 자아실현의 단계를 구분하지는 않았다(❺-6). 이와 달리 키르케고르는 자아실현의 과정을 3단계로 나누어 설명했다.
③ 실존주의는 인간의 주체성을 강조하는 철학 사조이다(❶-1). 사르트르는 실존주의자로, 모든 것이 인간의 선택으로 결정되며 선택에 따른 책임 역시 인간 스스로 져야 한다고 보았다(❸-6). 〈보기〉의 키르케고르 역시 실존주의자로, 인간은 스스로의 결단을 통해 자신의 삶을 결정할 수 있다고 보았다.
④ 사르트르는 타자의 시선을(❺-6), 키르케고르는 1, 2단계에서 느끼는 절망을 극복해야 참된 자아를 찾을 수 있다고 보았다.

2 논리학

07 논증의 개념

54~57쪽

01 (1) ○ (2) ○ (3) × **02** ① **03** (1) ○ (2) × (3) ○
04 ③ **05** ② **06** ④ **07** ⑤

01~02

주제 정합설에서의 '정합적이다'의 의미
해제 이 글은 진리에 대한 여러 관점 중 하나인 정합설에서 '정합적이다'의 의미를 명제들 간의 관계를 중심으로 설명하고 있다.

01 (1) ❶-3~5에서 정합설에 따르면 어떤 명제가 참인 것은 다른 명제와 정합적이기 때문이고, 정합적이라는 것은 명제들 간의 특별한 관계라고 했다. 이는 다른 명제와의 관계가 정합적인지 아닌지에 따라 참과 거짓을 판단할 수 있음을 의미한다.
(2) ❷-1에 따르면 '정합적이다'를 모순 없음으로 정의하면 참이 아닌 명제는 모순이 있는 명제를 말한다. ❸-3에서 '함축'은 'A가 참일 때 B가 반드시 참'이라는 의미라고 했으므로, 모순이 있는 명제는 함축으로 이해했을 때도 참이 아니다.
(3) ❹-8에 따르면 함축 관계를 이루는 명제들은 설명적 연관이 있다. 그런데 ❷-2에서 모순이 있다는 것은 동시에 참이 될 수 없고, 동시에 거짓이 될 수 없는 것이라고 했다. ❸-3에서 함축 관계는 'A가 참일 때 B가 반드시 참'으로 정의되는 관계라고 했으므로, 함축 관계에서는 모순이 존재할 수 없다. 따라서 함축 관계에 있는 명제들이 '모순 없는 명제들일 수는 없다'는 진술은 적절하지 않다.

02 ㉠은 모순 관계를 말한다. ①에서 민수가 은주보다 키가 크다는 것이 참이라면 민수가 은주보다 키가 크지 않다는 것은 참이 될 수 없다. 만약 민수가 은주보다 키가 크다는 것이 거짓(민수가 은주보다 키가 작거나 같은 경우)이라면 민수가 은주보다 키가 크지 않다는 것이 거짓이 될 수 없으므로 ①은 모순 관계가 된다.

오답 피하기 ② 민수가 농구와 축구를 모두 좋아하는데, 축구를 더 좋아하는 경우라면 두 명제는 동시에 참이 될 수 있다.
③ 두 명제는 동시에 참이 될 수는 없지만, 만약 그것이 민수에게 이익도 손해도 아닌 경우라면 동시에 거짓이 될 수 있다.
④ 오늘이 화요일도 아니고 수요일도 아니라면, 예를 들어 월요일이라면 두 명제는 동시에 참이 될 수 있다.
⑤ 두 명제는 동시에 참이 될 수도 있고 동시에 거짓이 될 수도 있다.

03~04

주제 조건화 원리에 따른 믿음의 정도 변화 양상

해제 이 글은 임의의 명제에 대한 세 가지 믿음의 태도 중 하나만을 가질 수 있다고 본 전통적 인식론자의 입장과 달리, 믿음의 정도를 믿음의 태도에 포함한 베이즈주의자의 입장을 설명하고 있다.

03 (1) ❶에 따르면, 을이 ㉠이라면 을은 임의의 명제에 대해 세 가지 믿음의 태도 중 하나만 가질 수 있다고 보는 것이다. 따라서 이 경우의 을은 믿음을 정도의 문제로 보는 ㉡일 수 없다.
(2) ❶에 따르면 임의의 명제에 대한 믿음을 정도의 문제라고 보는 이들은 ㉡이다.
(3) ❶에 따르면 ㉡은 믿음을 정도의 문제라고 보았다. 따라서 ㉡은 을이 ⓐ가 참이라고 믿는 정도와 거짓이라고 믿는 정도가 동일할 수 있다고 본다.

04 ❸~❹에 따르면 베이즈주의자는 특별한 이유가 없는 한 기존의 믿음의 정도를 유지하는 것이 합리적이라고 보았다.

오답 피하기 ① ❹-1에서 확인할 수 있다.
② ❷-3~5에서 인식 주체가 임의의 명제 A가 참 또는 거짓이라는 것만을 새롭게 알게 됐을 때 다른 임의의 명제 B에 대한 인식 주체의 기존 믿음의 정도의 변화는 조건화 원리의 적용을 받아 변한다고 했다. 또 ❸-2~4에서 어떤 명제의 참 거짓 여부를 알게 되더라도 그 명제와 관련 없는 명제에 대한 믿음의 정도는 유지되어야 한다고 했다.
④ ❷-3~6에서 확인할 수 있다.
⑤ ❶-1~2에서 전통적 인식론자가 생각하는 임의의 명제에 대한 세 가지 믿음의 태도를, ❶-3~4에서 베이즈주의자가 생각하는 임의의 명제에 대한 믿음의 태도를 확인할 수 있다.

05~07

주제 지식의 구분에 대한 논리실증주의자와 포퍼, 콰인의 주장

해제 이 글은 지식의 구분에 대한 '논리실증주의자와 포퍼'의 주장과 이와는 상반된 '콰인'의 주장에 관해 설명하고 있다.

05 ❶-3에 따르면 논리실증주의자와 포퍼(㉠)는 가설로부터 도출된 예측을 경험을 통해 맞는지 틀리는지 판단함으로써 가설을 시험한다고 했으므로 ②의 질문에 '아니요'라고 답변할 것이다. 콰인(㉡)은 ❷-6에서 가설을 포함한 전체 지식이 경험을 통한 시험의 대상이 된다고 했으므로 ②의 질문에 '아니요'라고 답변할 것이다.

오답 피하기 ① ❶-4를 고려할 때 ㉠은 '예'라고 답변할 것이며, ❹-8을 고려할 때 ㉡은 '아니요'라고 답변할 것이다.
③ ❶-1을 고려할 때 ㉠은 '예'라고 답변할 것이며, ❹-4를 고려할 때 ㉡은 '아니요'라고 답변할 것이다.
④ ❶-3을 고려할 때 ㉠은 '예'라고 답변할 것이며, ❷-1을 고려할 때 ㉡은 '아니요'라고 답변할 것이다.
⑤ ❶-1을 고려할 때 ㉠은 '예'라고 답변할 것이며, ❸~❹에서 콰인이 수학적 지식과 같은 분석 명제와 과학적 지식과 같은 종합 명제의 구분을 부정하면서, 수학적 지식이 속하는 중심부 지식과 과학적 지식이 속하는 주변부 지식을 다른 종류라고 하지 않았음(❹-3)을 고려할 때 ㉡은 '아니요'라고 답변할 것이다.

06 ❸에서 콰인은 "총각은 총각이다."와 "총각은 미혼의 성인 남성이다."라는 명제를 통해 분석 명제와 종합 명제의 구분을 부정한다. 논리실증주의자와 포퍼가 후자를 분석 명제라고 본 까닭은 '총각'과 '미혼의 성인 남성'이 동의적 표현이기 때문인데, 이는 곧 분석 명제가 동의적 표현이 무엇인지에 의존함을 의미한다. 이러한 상황에서 콰인은 동의적 표현은 언제나 반드시 대체 가능해야 한다는 필연성 개념에 의존하게 되며, 필연성 개념은 다시 '경험과 무관하게 참으로 판단되는 명제'라는 분석 명제 개념에 의존하는 순환론에 빠지게 된다고 했다.

오답 피하기 ① ❶-4에서 포퍼는 예측이 틀리지 않는 한 그 예측을 도출한 가설이 지식으로 추가된다고 주장했다.
② 논리실증주의자는 "총각은 미혼의 성인 남성이다."가 분석 명제라고 했으며(❸-3), ❸-1에서 분석 명제는 경험과 무관하게 참으로 판별된다고 했으므로 총각을 한 명 한 명 조사한 것과 "총각은 미혼의 성인 남성이다."가 분석 명제인 것은 관련이 없다.
③ ❹-1~3에서 콰인은 경험과 직접 충돌하지 않는 중심부 지식과 경험과 직접 충돌할 수 있는 주변부 지식의 경계를 명확히 나눌 수 없기 때문에 두 지식을 다른 종류라고 하지 않는다고 했다.
⑤ ❸-5~7에서 콰인은 서로 대체하더라도 명제의 참 또는 거짓이 바뀌지 않는 표현을 동의적 표현이라고 했으며, 이러한 동의적 표현은 필연성 개념에 의존하여 동어 반복 명제로 환원 가능하다고 했다. 이에 따르면 ⑤에 제시된, 의미가 다를 뿐만 아니라 서로 대체할 경우 그 명제의 참 거짓이 바뀌는 표현을 사용할 수 있는 명제는 '동어 반복 명제'와 거리가 멀다.

07 ❹-1~3에 따르면 콰인은 주변부 지식과 중심부 지식을 다른 종류로 구분하지 않는다고 했다. 그런데 ❺-2에서 콰인이 제안한 총체주의는 논리학의 법칙처럼 아무도 의심하지 않는 지식은 분석 명제로 분류해야 하는 것이 아니냐는 비판에 답해야 하는 어려움이 있다고 했다. 이로 볼 때, 중심부 지식 중 '아무도 의심하지 않는 지식'처럼 주변부 지식과 종류가 다른 지식이 존재한다는 입장에서 총체주의를 비판할 수 있다.

2 논리학

08 연역 논증

62~65쪽

01 (1) × (2) × (3) ○　02 ①　03 (1) × (2) × (3) ○
04 ②　05 ⑤　06 ①　07 ④　08 ④

01~02

주제 전제와 결론의 참·거짓 여부로 살펴본 추론의 유형과 개념
해제 이 글은 이미 제시된 명제를 전제로 다른 새로운 명제를 도출하는 사고 과정인 추론의 유형을 구체적인 사례를 들어 설명하고 있다.

01 (1) ❶-2에 따르면 어떤 추론의 전제가 참일 때 결론이 거짓일 가능성이 없으면 그 추론은 '타당하다'고 말한다.
(2) ❷-8에 따르면 추론이 타당하면서(전제가 참일 때 결론이 거짓일 가능성이 없으면서) 전제가 모두 실제로 참이기까지 하면 그 추론은 '건전하다'고 말한다.
(3) ❷-5~6에 따르면 타당하지 않으면서(전제가 참일 때 결론이 거짓일 가능성이 있으면서) 결론이 참일 가능성이 꽤 높은 추론은 '개연성이 높다'고 말한다.

02 〈보기〉에서 A는 "우유를 많이 마시면 키가 큰다."를 전제로 하여 "농구 선수들은 다들 키가 크다. 따라서 농구 선수들은 우유를 많이 마셨을 것이다."라는 결론을 이끌어 내고 있다. 그런데 B는 "우유를 안 마시고도 키 큰 사람이 훨씬 더 많다."라고 하면서 A가 한 추론의 결론이 거짓일 수도 있음을 지적하고 있다. 따라서 A의 추론은 타당한 추론이 아니며, 그렇기 때문에 건전한 추론이라고도 할 수 없다.

03~04

주제 과학적 지식의 검증 방법
해제 이 글은 귀납 논증의 장점과 한계를 밝히고, 귀납 논증에 기초한 과학적 지식이 정당화될 수 있는 조건에 대한 포퍼의 주장을 제시하고 있다.

03 (1) ❶-2에 따르면, 연역 논증은 지식을 확장하는 것이 아니라 전제에 이미 포함된 결론을 다른 방식으로 확인하는 것이다.
(2) ❶-3~5에 따르면 새로운 지식은 귀납 논증을 통해 도출된다.
(3) ❶-3에서 귀납 논증은 전제들이 모두 참이라고 해도 결론이 확실히 참이 되는 것은 아니라고 했으며, ❷-2~3에서 아직 관찰되지 않은 사례, 즉 새로운 지식의 출현 가능성 때문에 귀납에 논리적인 문제가 생긴다고 했다.

04 ❸-2에서 과학은 반증에 의해 발전한다고 했으며, ❺에 지금 우리가 받아들이는 과학적 지식들은 반증의 시도로부터 잘 견뎌 온 것들이라는 포퍼의 생각이 드러나 있다. 이를 통해 성공적인 과학적 지식으로 인정받기 위해서는 적극적으로 가설을 세우고 이가 거짓임을 증명하는 반증의 과정을 극복해야 한다는 포퍼의 견해를 엿볼 수 있다.

05~08

주제 헴펠과 샐먼이 제시한 설명 이론의 의의와 한계
해제 이 글은 과학철학에서 사용되는 헴펠과 샐먼의 설명 이론을 소개하고, 해당 이론들의 의의와 한계를 설명하고 있다.

05 ❹-3에서 샐먼의 인과적 설명 이론이 원인과 결과 사이의 관계가 분명하지 않다는 철학적 문제를 해결하지 못했음을 밝히며, ❹-8에서 현대 철학자들은 현대 과학의 성과를 반영하는 철학적 탐구를 통해 새로운 설명 이론을 제시하기 위한 고민을 계속하고 있다고 했다. 샐먼의 설명 이론이 현대 과학의 성과를 받아들인 결과는 글에 나타나지 않는다.

06 ❷에서 헴펠은 설명이 세 가지 조건을 모두 충족하는 논증이어야 한다고 했다. 이때 세 번째 조건은 '피설명항은 설명항으로부터 건전한 논증을 통해 도출'되어야 한다는 것인데, 어떤 것이 건전한 논증이어서 헴펠의 세 번째 조건을 충족한다고 하더라도 나머지 두 조건이 충족되지 않으면 이를 설명이라고 보기 어렵다.

오답 피하기 ② ❸-2에서 일상적 직관에 따르면 설명이지만 헴펠에 따르면 설명이 아니라고 판단해야 하는 경우가 있다고 했다.
③ ❷-7~8에 제시된 헴펠의 설명이 되기 위한 세 번째 조건에 따르면 피설명항인 결론은 설명항인 전제로부터 건전한 논증을 통해 도출되어야 한다. 이때 건전한 논증은 '논증의 전제가 모두 참'이라는 조건과 '논증의 전제가 모두 참이라면 결론도 반드시 참'이라는 조건을 만족하는 논증이므로, 어떤 것이 설명이라면 설명항인 전제에 포함되는 명제들은 반드시 참이다.
④ ❷-9에서 확인할 수 있다.
⑤ ❷-1~3에서 설명은 몇 가지 요건을 충족하는 논증이어야 하며, 논증은 전제(설명항)로부터 결론(피설명항)이 논리적으로 도출되는 형식을 띤다고 했다.

07 ❹-3~4에서는 어떤 설명 이론이라도 인과 개념을 도입하는 순간 ㉠을 해결해야 함을 언급하며, 그 이유를 '결과를 일으키는 원인은 무수히 많고 연쇄적으로 서로 얽혀 있기 때문'이라고 밝혔다. 즉, ㉠은 결과를 야기한 정확한 원인을 확정하기 어렵다는 문제를 의미한다.

08 ❷-3에서 헴펠은 설명을 하는 부분인 설명항이 전제에, 설명되어야 하는 부분인 피설명항이 결론에 해당한다고 했다. [물음]에 근거할 때 〈보기〉의 명제들 중 피설명항에 놓여야 할 것은 ㄷ이다. ❷-5에서 헴펠은 설명의 조건으로 '보편 법칙 또는 보편 법칙의 역할을 하는 명제가 하나 이상 있어야 한다'고 언급했는데, 이에 해당하는 명제는 ㄹ이다. 또한 헴펠은 ❷-6에서 '보편 법칙이 구체적으로 적용되는 맥락을 나타내는 선행 조건이 설명항에 하나 이상 있어야 한다'고 했는데, 'A는 광선을 잘 반사하는 평면거울'이며 '평면거울 A에 대한 광선 B의 입사각이 30°'일 때 보편 법칙에 근거하여 ㄷ이 도출될 수 있으므로 선행 조건에 해당하는 것은 ㄱ, ㄴ이다.

❷ 논리학

09 귀납 논증

69~71쪽

01 (1) × (2) ○ (3) ○ **02** ② **03** ⑤ **04** ① **05** ⑤
06 ⑤

01~02

주제 동물 실험의 유효성 논란을 통한 유비 논증의 이해
해제 이 글은 동물 실험의 유효성에 대한 찬반 논쟁을 통해 유비 논증의 개념과 유용성을 설명하고 있다.

01 (1) ❸-2에서 유비 논증의 개연성은 비교 대상 간의 유사성이 클수록 높다는 것을 알 수 있다.
(2) ❶-2에서 확인할 수 있다.
(3) ❹-5에서 인간은 유비 논증으로 동물이 고통을 느낀다는 것을 알 수 있는데도 이러한 기능적 유사성에는 주목하지 않음을 비판하고 있다.

02 ❷를 바탕으로 할 때, ㉠은 인간을 대신하는 '실험 대상', ㉡은 인간과 실험 대상의 '유사성', ㉢은 실험 대상으로 얻은 '반응 결과'이다. 이를 〈보기〉에 적용해 보면 ㉠은 실험 대상으로서 '어떤 개(ⓐ)'에, ㉡은 유사성으로서 '비슷하게 생긴(ⓒ)'에, ㉢은 실험 대상에서 얻은 반응 결과로서 '몹시 사납고 물려는 버릇(ⓑ)'에 대응된다. 〈보기〉의 '다른 개(ⓓ)'는 실험 대상으로부터 얻은 반응 결과를 적용하는 대상으로서 '인간'에 대응된다.

03~06

주제 귀납에 내재된 논리적 한계와 이를 해소하려는 노력
해제 이 글은 귀납 자체의 논리적 한계와 그 해소 방안을 검토하며 귀납이 여전히 과학의 방법으로서 그 지위가 인정되는 이유를 설명하고 있다.

03 이 글은 ❷에서 귀납의 정당화 문제를 언급한 뒤 ❸에서 이를 현실적 차원에서 해소하려는 라이헨바흐의 논증을 소개하고 있다. 또한 ❹에서 귀납의 미결정성의 문제를 언급한 뒤 ❺에서 개연성이라는 귀납의 특성을 강조하여 귀납이 과학적 방법으로서의 지위를 지킬 만하다고 설명하고 있다. 따라서 이 글은 귀납에 내재된 논리적 한계와 그에 대한 해소 방안을 검토하고 있다고 볼 수 있다.

04 ❷에서 귀납은 다른 지식을 전제로 하는데 그 지식은 다시 귀납에 의해 정당화되어야 하는 경험적 지식이므로 결국 귀납의 정당화는 순환 논리에 빠져 버린다고 했다. 이를 바탕으로 할 때, 많은 관찰 증거를 확보하더라도 귀납의 정당화에서 나타나는 순환 논리 문제는 해소되기 어렵다는 것을 알 수 있다.

05 ❸에서 라이헨바흐는 자연이 일양적일 수도 있고 그렇지 않을 수도 있음을 전제하며, 자연이 일양적인지 그렇지 않은지 알 수 없는 상황에서는 귀납이 옳은 선택임을 제시했다. 라이헨바흐가 자연의 일양성이 선험적 지식임을 증명한 것은 아니다.

오답 피하기 ③, ④ ❸-3~4에 따르면 라이벤바흐는 자연이 일양적일 경우에는 '경험'을 통해 귀납이 다른 방법보다 성공적인 방법이라고 판단하며, 그렇지 않을 경우에는 '논리적 판단'을 통해 귀납이 최소한 다른 방법보다 나쁘지 않은 추론이라고 확언한다.

06 〈보기〉에 따르면 B는 귀납의 미결정성의 문제를 어떤 방법으로도 해결할 수 없다는 입장을 취했다. ❹에서는 미결정성의 문제에 대해 아무리 많은 관찰 증거를 추가하더라도 하나의 예측이 다른 예측보다 더 낫다고 결정하는 것이 불가능하다고 했다. 따라서 B는 그 천체의 표면 온도가 100℃이기 1년 전에 60℃였다는 정보를 추가로 얻더라도 (ㄴ)을 (ㄱ)보다 더 나은 예측으로 채택하지는 않을 것이다.

오답 피하기 ② 〈보기〉에 따르면 A는 귀납의 미결정성의 문제를 확률 논리에 따라 해결할 수 있다는 입장을 취했다. 따라서 A는 확률을 근거로 (ㄱ)과 (ㄴ) 중 하나를 더 나은 예측이라고 결정할 수 있다고 할 것이다.
③ A가 그 천체의 표면 온도가 100℃이기 1년 전에 90℃였다는 정보를 추가로 얻으면, "어떤 천체의 표면 온도는 해마다 10℃씩 올라간다."라는 예측이 옳을 확률이 높아진다고 볼 것이다. 즉, A는 (ㄱ)이 옳을 개연성이 더 높아진다고 판단할 것이다.

II. 사회

1 경제

01 시장의 수요와 공급 78~81쪽

01 (1) × (2) ○ (3) ○ **02** ④ **03** (1) ○ (2) × (3) ○
04 ④ **05** ① **06** ② **07** ⑤

01~02

주제 수요의 변화 요인과 그에 따른 재화의 종류
해제 이 글은 정상재와 열등재의 개념을 설명하고 이들과 수요의 소득탄력성과의 관계를 제시하면서, 수요의 변화가 발생하는 여러 요인을 설명하고 있다.

01 (1) ❸-3에서 수요의 소득탄력성이 양수인 재화는 정상재라고 했다.
(2) ❸-5~6에서 확인할 수 있다.
(3) ❷-1에서 확인할 수 있다.

02 갑이 한 달 용돈이 20,000원에서 40,000원으로 올랐을 때 지하철을 타는 횟수를 20번에서 40번으로 늘렸고, 이번 달의 용돈은 20,000원이지만 지하철 요금이 절반으로 내려서 40번을 탈 수 있게 되었다고 했으므로 지하철 요금의 인하는 갑의 소득(용돈)이 증가했을 때와 같은 효과를 유발한다고 볼 수 있다.

오답 피하기 ① 열등재는 소득이 증가하면 수요량이 감소하는 재화이다(❷-6). 갑은 한 달 용돈이 올랐을 때 이에 비례하여 지하철을 타는 횟수를 늘렸으므로 적절하지 않다.
③ 갑의 지하철 이용 횟수가 증가한 것은 용돈의 인상이나 지하철 요금의 인하 때문이다.
⑤ 갑은 소득(용돈) 수준의 변화에 따라 지하철 탑승 횟수(수요량)를 달리하고 있다.

03~04

주제 소비 형태의 변화와 분석
해제 이 글은 생산·유통·소비 혁명이 일어나는 과정에서 나타난 소비 형태의 변화를 설명한 글로, 이전의 소비 형태와 다른 소비 현상을 분석한 베블런과 라이벤스타인의 이론을 소개하고 있다.

03 (1) ❷~❸에서 사람들이 모방 심리에 따라 과시적 소비를 한다고 했다.
(2) ❷-3에서 과시적 소비가 일어나면 가격과 수요가 비례한다는 내용을 확인할 수 있다. 재화의 가격과 수요가 비례해서 과시적 소비가 일어나는 것은 아니다.
(3) ❸-2에서 '밴드왜건 효과'는 일부 상류층과 신흥 부유층을 중심으로 일어나는 과시적 소비가 사회 전체로 퍼져나가는 현상을 말한다고 했다.

04 ❹에 따르면 '스놉 효과'는 과시적 소비가 차별 효용을 상실했을 때, 일부 사람들의 수요가 기존 상품에서 새로운 상품으로 옮겨 가는 현상이다. 따라서 '스놉 효과'를 노린 광고 문구는 다른 사람들과의 차별성을 강조한 ④가 가장 적절하다.

05~07

주제 관세가 국내 경기와 국제 교역에 미치는 영향
해제 이 글은 최근 과도한 관세 부과 때문에 발생한 국제 무역 분쟁을 바탕으로 관세 정책이 국내 경기 및 국제 교역에 미치는 영향을 설명하고 있다.

05 ❷-3에 따르면 소비자의 지불 용의 가격은 그래프에서의 가격을 의미한다. 재화의 가격은 수요 곡선과 공급 곡선이 만나서 균형 가격을 형성하는 P_0보다 높을 때도 있고 낮을 때도 있으므로 소비자의 지불 용의 가격이 균형 가격보다 항상 높다는 진술은 적절하지 않다.

오답 피하기 ③ ❻-3의 밀가루와 밀가루를 원료로 하는 제품들의 사례로 미루어 보아 적절하다.

06 ❺에서 관세를 부과하면 생산자 잉여는 증가하고 소비자 잉여는 감소하는데, 증가한 생산자 잉여가 감소한 소비자 잉여보다 작기 때문에(감소한 소비자 잉여가 증가한 생산자 잉여보다 크기 때문에) 사회적 잉여가 관세 부과 전에 비해 작아진다고 했다.

07 ❹-4를 고려할 때, 재화의 수입량은 국내 수요량에서 국내 공급량을 뺀 나머지 부분에 해당한다. 관세를 부과하기 전에 수입되는 바나나의 수량은 P국의 국내 수요량인 250톤에서 P국의 국내 공급량인 50톤을 뺀 200톤이다. 관세를 부과한 후 수입되는 바나나의 수량은 P국의 국내 수요량 200톤에서 P국의 국내 공급량 100톤을 뺀 100톤이므로, 관세를 부과한 결과 수입되는 바나나의 수량은 이전보다 100톤이 줄어든다.

오답 피하기 ③ 관세를 부과하기 전 P국의 바나나 국내 가격이 톤당 500만 원이고, 관세를 부과한 후 P국의 바나나 국내 가격이 톤당 700만 원임을 고려할 때, P국에서 부과한 관세는 톤당 200만 원이다.

1 경제

02 합리적 선택과 시장의 한계

85~87쪽

01 (1) ○ (2) × (3) ○ 02 ③ 03 ③ 04 ② 05 ④
06 ③

01~02

주제 이윤을 파악하는 다양한 방법

해제 이 글은 회계학적 이윤과 경제학적 이윤, 손익 분기점과 같은 경제학적 개념을 철수의 제과점 창업 사례를 통해 설명하고 있다.

01 (1) ❹-5에서 손익 분기점에는 암묵적 비용이 반영되지 않는다고 했다.

(2) ❸-4에서 확인할 수 있다.

(3) 〈표〉와 ❹-3에서 확인할 수 있다.

02 ❸-1에서 정확한 이윤을 알기 위해서는 회계학적 이윤(㉠)보다는 경제학적 이윤(㉡)을 따져 보아야 한다고 했다.

오답 피하기 ② ㉠에 반영되지 않은 암묵적 비용이 ㉡에 반영되기 때문에 ㉠에서 이윤이 발생하더라도 ㉡에는 이윤이 발생하지 않을 수 있지만, ㉡에 이익이 발생한다면 ㉠에도 항상 이익이 발생한다.

④ ㉠은 총수입에서 명시적 비용을 뺀 것이다(❷-3, ❸-1). 따라서 총수입의 변화가 없을 때 명시적 비용이 줄면 ㉠은 늘어날 것이다.

⑤ '제과점 운영을 위해 직접 소비한 비용'은 명시적 비용이다(❷-2). 명시적 비용은 ㉠, ㉡ 모두에 반영된다(❸-1~2).

03~06

주제 위치적 외부성의 개념과 이 때문에 초래되는 사회 현상

해제 이 글은 위치적 외부성에 대한 이해를 바탕으로 위치적 군비 경쟁을 설명하면서, 이가 가져오는 경제적 비효율성을 줄일 수 있는 방안을 언급하고 있다.

03 ❸-2~4에 따르면 개인의 유인과 사회 전체의 유인이 다를 때 위치적 군비 경쟁과 같은 비효율성이 야기되지만, 개인의 유인과 사회 전체의 유인 차이가 클수록 위치적 보상이 증가한다는 내용은 찾을 수 없다.

04 ❶-6~7을 고려할 때, 위치적 외부성(㉠)은 서로 비슷한 목표를 가진 사람들이 서로 경쟁할 때 나타난다. ②의 사례는 유명 가수의 공연이 선수들의 이익에 영향을 주었으므로 외부성이 작용하는 사례라고 할 수 있지만, 가수와 선수들이 서로 경쟁 관계에 놓인 것은 아니기 때문에 위치적 외부성이 개입된 사례라고 보기는 어렵다.

오답 피하기 ③ 좋은 좌석의 수는 한정되어 있고 다른 사람이 좋은 좌석을 차지하면 그렇지 못한 사람은 좋지 않은 좌석에 앉아야 한다. 따라서 사람들은 좋은 자리에 앉기 위해 경쟁하게 된다.

④ 초등학교 취학 대상 아동이 다른 학생들보다 한 해 늦게 입학하면, 정상적인 나이에 입학한 학생은 자신보다 나이가 많은 학생과 경쟁해야 하는 불이익을 감수해야 한다.

⑤ 밀폐된 공간에서 각자가 자신의 말을 정확히 전달하고자 하는 목표를 지니고 있을 때 한 사람이 더 큰 소리로 이야기하게 된다면 이런 행위는 다른 사람들에게도 영향을 미쳐 모든 사람들이 더 크게 이야기하는 상황이 된다.

05 ❸-1~3에 따르면 위치적 군비 경쟁(㉡)은 위치적 외부성이 개입된 상태에서 경쟁자의 위치에 따른 이익이 한정되어 있어(ㄴ) 별다른 효과가 없는 소모적 투자 형태를 말한다. 즉 위치적 외부성이 존재하는 상황에서 경쟁자들은 위치적 보상이 성과 향상을 위한 지출보다 클 것이라고 생각하여(ㄹ) 투자를 늘리지만, 별다른 효과를 얻지 못한다.

06 '경쟁자 간(ⓐ)'의 '간'은 '대상들 사이의 관계'를 뜻한다. b의 '내외간(부부 사이)'의 '간' 또한 동일한 의미로 쓰였다. '다소간(ⓑ)'의 '간'은 '선택의 무차별성'을 뜻한다. c의 '가부간'의 '간' 또한 동일한 의미로 쓰였다.

1 경제

03 경기 변동과 안정화 정책

92~95쪽

01 (1) ○ (2) × (3) × 02 ④ 03 (1) ○ (2) × (3) ×
04 ④ 05 ④ 06 ③ 07 ①

01~02

주제 물가지수의 개념과 종류, 용도

해제 이 글은 물가지수의 개념을 바탕으로 물가지수 계산 방법, 용도, 종류 등을 소개하고 있다.

01 (1) ❸-3에서 물가가 지속적으로 상승하면 화폐의 구매력이 떨어진다고 했다.
(2) ❶-3을 고려할 때, 어느 특정 시점의 물가지수가 140이면 이는 기준 시점보다 물가 수준이 40% 높다는 것을 의미한다.
(3) ❷-8에서 거래 비중이 큰 품목의 가격 변동이 물가지수에 더 많이 영향을 미치도록 계산한 것은 가중물가지수라고 했다.

02 윗글에 물가지수의 개념이 어떻게 변화했는지는 나타나 있지 않다.

03~04

주제 경기 침체를 해결하기 위한 케인스의 유효수요이론
해제 이 글은 경기 침체의 해결 방안에 대한 고전파 경제학자들과 케인스의 상반된 이론을 중점으로 저축과 소비, 투자에 대한 케인스의 생각을 소개하고 있다.

03 (1) ❶-6에서 '유효수요이론'은 정부가 조세를 감면하고 지출을 늘려 국민 소득과 투자를 증가시키는 정책을 써야 함을 주장한다고 했다. 따라서 '유효수요이론'에서는 정부가 경기 회복에 중요한 역할을 한다고 볼 것이다.
(2) 정부가 조세를 감면하면 소비와 투자가 활성화된다. 케인스는 세금을 올리면 투자가 감소한다고 보았을 것이다.
(3) ❶-2~3에서 고전파 경제학자들이 인위적인 시장 개입에 부정적 입장이었음을 알 수 있다. 따라서 고전파 경제학자들은 수요팽창정책을 지지하지 않았을 것이다.

04 ❸-1에 저축의 크기보다 투자의 크기가 작은 상황이 지속되면 경기가 만성 침체에 빠지게 된다는 케인스의 생각이 제시되어 있다. 케인스는 이러한 상황에서 정부가 조세를 감면하고 지출을 늘려 소득과 소비, 투자를 증가시켜야 한다고 주장했다. 이를 미루어 볼 때, 케인스는 투자의 크기가 클수록 경기 침체에서 빨리 벗어날 수 있다고 생각했을 것이다.

오답 피하기 ⑤ ❸에서 케인스가, 사람들이 저축을 늘리고 소비를 줄이는 상황이 만성적 경기 침체로 이어지는 것을 경계하고 있음을 알 수 있다. 케인스는 이에 대한 해결 방안으로 정부가 조세를 감면하고 지출을 늘리는 유효수요이론을 주장했다.

05~07

주제 글로벌 금융 위기 이후 경제 정책의 변화
해제 이 글은 글로벌 금융 위기 전후 금융감독 정책의 변화와 통화 정책에 관한 관점을 설명하고 있다.

05 ❸-3에서, 글로벌 금융 위기 이후 중앙은행의 저금리 정책이 경제 안정을 훼손할 수 있다는 공감대가 형성되었다는 내용을 확인할 수 있다.

오답 피하기 ① ❷-2의 '금융이 ~ 단기적일 때와는 달리 장기적으로는 경제 성장에 영향을 미치지 못한다는 인식'을 통해 글로벌 금융 위기 전에는 금융이 단기적으로 경제 성장에 영향을 미칠 수 있다고 보았음을 확인할 수 있다.
③ ❸-1에서 글로벌 금융 위기 전 전통적인 경제학에서는 금융감독 정책으로 금융 안정을, 통화 정책으로 물가 안정을 도모하는 이원적인 접근 방식이 지배적 견해였다고 했다. 즉 이 시기에는 경기 부양을 위해 금융감독 정책을 활용하지 않았다.

06 ❷-3에서 '미시 건전성 정책(㉠)'이 개별 금융 회사의 건전성에 대한 예방적 규제 성격을 가진 정책 수단을 활용한다고 했으며, ❹-3에서 '거시 건전성 정책(㉡)'은 금융 시스템 위험 요인에 대한 예방적 규제를 통해 금융 시스템의 건전성을 추구한다고 했다.

오답 피하기 ⑤ ❷-3에서 ㉠이 금융 회사의 최저 자기자본 규제를 통해, ❺-4~6에서 ㉡이 경기 대응 완충자본 제도를 통해 금융 안정을 달성하려고 한다는 내용을 확인할 수 있다.

07 ❺-6에서 경기 침체기에 거시 건전성 정책(A)은 적립된 완충자본을 대출 재원으로 쓰도록 함으로써(B) 신용을 충분히 공급되도록 한다고 했다. 또 ❷-3에서 미시 건전성 정책(C)은 향후 손실에 대비하여 금융 회사의 자기자본 하한을 설정하는 최저 자기자본 규제를 활용한다고 했다.

1 경제

04 저축과 투자

102~105쪽

01 (1) ○ (2) × (3) × **02** ② **03** (1) ○ (2) ○ (3) ○
04 ② **05** ② **06** ④ **07** ② **08** ①

01~02

주제 금리의 흐름을 예측하는 방법
해제 이 글은 금리(이자율)의 흐름을 예측하는 방법을 피셔의 방정식을 통해 제시하고 있다.

01 (1) ❻-6에서 확인할 수 있다.
(2) ❷-2에서 자금 공급이 수요보다 많으면(자금 수요가 자금 공급보다 적으면) 금리가 내려간다고 했다.
(3) ❺-3에서 물가가 떨어질 때가 아니라 물가 상승률이 높아질 때 명목 금리를 올려 이를 보상받으려는 경향이 있다고 했다.

02 〈보기〉의 춘향이가 예금에 가입할 당시 고정 금리가 3%였으므로 명목 금리는 3%이다(❹-1). 또 춘향이가 가입 시점 1년 후 물가 상승률을 2%로 예상했을 때, 예금의 실질 금리는 명목 금리(3%)에서 물가 상승률(2%)을 뺀 1%이다. 그런데 1년 후 춘향이가 돈을 찾았을 때 물가 상승률은 4%였으므로, 실제 돈을 찾는 시점에서 예금의 실질 금리는 명목 금리(3%)에서 물가 상승률(4%)을 뺀 −1%이다.

03~04

주제 금전소비대차 계약에서 유의해야 할 점
해제 이 글은 돈을 빌려주는 것을 내용으로 하는 금전소비대차 계약에 관한 법률적 내용을 설명하고 있다.

03 (1) ❶-1에서 확인할 수 있다.
(2) ❸-1에서 금전소비대차는 채무자가 빌린 돈을 갚으면 계약이 만료된다고 했다. 즉, 채무자가 빌린 돈을 갚는다는 채무 내용을 이행하면 금전소비대차 계약이 끝난다.
(3) ❷-8~10에서, 채무자의 돈이나 유가 증권 등을 공탁소에 맡기는 공탁을 통해 채무자는 채권자에게 상환을 한 것과 같은 효과를 얻을 수 있다고 했다.

04 ❸-2에서 금전소비대차 계약을 맺은 채무자와 채권자 관계에서는, 채무자가 만기일까지 돈을 갚지 않으면 채권자는 채무 내용에 대한 강제 집행을 할 수 있다고 했다.

오답 피하기 ③ ❷-6에서 물적 담보가 채무자의 소유가 아닌 경우 소유자로부터 처분에 대한 약속을 받아야 한다고 했다. 즉 A의 소유가 아닌 물건이라도 처분에 대한 약속을 받으면 이를 물적 담보로 설정할 수 있다.
④ 〈보기〉의 A와 B는 이자 지급에 합의를 했으나 이자율은 정하지 않았다. ❷-3에 따르면 이런 경우 이자율은 연 5%이다.
⑤ ❷-8에서 채권자와 채무자의 사전 합의 없이 공탁 제도를 활용할 수 있다고 했다.

05~08

주제 채권의 신용 위험을 보장하는 CDS 거래와 CDS 프리미엄에 영향을 주는 요인
해제 이 글은 채권 시장에서 투자자들이 투자 손실을 피하려는 목적으로 활용하는 파생 금융 상품인 CDS와 이와 관련된 경제 지표인 CDS 프리미엄을 소개하고 있다.

05 ❷-4에서 채권 투자에서의 신용 위험이란 발행자의 지급 능력 부족 등의 사유로 이자와 원금이 지급되지 않을 가능성이라고 했다. 따라서 채권 발행자의 지급 능력이 커지면 신용 위험은 작아질 것이다.

오답 피하기 ① ❷-1에서 확인할 수 있다.
③ ❷-5에서 확인할 수 있다.
④ ❸-6에서 다른 조건이 일정한 가운데 신용 위험이 커지면(어떤 채권의 신용 등급이 낮아지면) 채권 시장에서 해당 채권의 가격이 떨어진다고 했다.
⑤ ❷-2, 4에서 확인할 수 있다.

06 ❹를 통해 ㉠은 채권 투자자이자 보장 매입자, ㉡은 채권 발행자, ㉢은 보장 매입자가 보유한 채권에서 부도가 나면 이에 따른 손실을 보상하는 보장 매도자임을 알 수 있다.

오답 피하기 ① ㉠과 ㉢이 CDS 계약을 체결할 때의 기초 자산은 ㉡이 발행한 채권으로, ㉠은 ㉡이 발행한 채권을 보유한 상태로 CDS 프리미엄을 통해 채권의 신용 위험을 ㉢에게 이전한 것이다.
⑤ ㉢은 기초 자산에 부도가 나면 이에 따른 손실을 ㉠에게 보상해야 하므로 손해를 본다.

07 ❻-3과 ❻-6에서 다른 요인이 동일한 경우, 기초 자산의 신용 위험이 클수록(기초 자산의 신용 등급이 낮을수록), 보장 매도자가 발행한 채권의 신용 등급이 높을수록 CDS 프리미엄이 크다는 사실을 확인할 수 있다. ❸-3~4에서 채권의 신용 위험을 세분하는 기준을 확인할 수 있는데, 이러한 내용에 따르면 기초 자산의 신용 등급이 BB+로 다른 거래에 비해 낮으면서 보장 매도자 발행 채권의 신용 등급이 AAA로 가장 높은 ㉮가 CDS 프리미엄이 가장 크다. 또 기초 자산의 신용 등급이 BB+로 다른 거래에 비해 낮으면서 보장 매도자 발행 채권의 신용 등급이 AA−로 ㉰, ㉲보다 높은 ㉯의 CDS 프리미엄이 두 번째로 크다.

08 ⓐ(떨어진다)는 '값, 기온, 수준, 형세 등이 낮아지거나 내려가다.'라는 의미로 쓰였다. ①의 '떨어졌다' 역시 이러한 의미로 쓰였다.

오답 피하기 ② '이익이 남다.'라는 의미로 쓰였다.

③ '입맛이 없어지다.'라는 의미로 쓰였다.

④ '옷이나 신발 등이 해어져서 못 쓰게 되다.'라는 의미로 쓰였다.

⑤ '명령이나 허락 등이 내려지다.'라는 의미로 쓰였다.

❶ 경제

05 외환 시장과 환율

109~111쪽

01 (1) × (2) × (3) ○ **02** ③ **03** ② **04** ①

01~02

주제 환율의 변동과 경상 수지의 관계

해제 이 글은 환율의 상승이 경상 수지를 개선한다는 통념이 항상 성립하는 것이 아님을 지적하면서, 'J커브 현상'을 중심으로 이러한 현상이 일어나는 이유를 설명하고 있다.

01 (1) ❷-4~5의 내용을 고려할 때, 소비자가 상품의 가격 변화를 인지하기까지 어느 정도 시간이 걸릴 수 있음을 알 수 있다.

(2) ❸-2~3에서 국내외 상품 수요 구조에 따라 경상 수지가 개선되지 않거나 악화될 수도 있다고 했다.

(3) ❶-1, ❶-4, ❷-1, ❸-1 등에서 확인할 수 있다.

02 ❸-2에서 국내외의 상품 수요가 가격 조정에 어떻게 반응하는가에 따라 경상 수지가 개선되지 못하기도 한다고 했다. 즉, 환율이 올라 상품의 가격이 변동하더라도 국내외 상품 수요가 가격에 민감하게 반응하지 않아 경상 수지를 개선하지 못하거나 오히려 악화시킬 수도 있다.

03~04

주제 환율의 오버슈팅을 사례로 본 정부의 정책 수단

해제 이 글은 환율이 단기적으로 지나치게 상승하거나 하락하는 경제 현상인 오버슈팅을 중심으로 정부의 정책 수단을 설명하고 있다.

03 ❷-7~8에서 국내 통화량이 증가하여 유지될 경우 실질 통화량에는 변화가 없지만 장기의 환율은 상승한다고 했다.

오답 피하기 ① ❶-6~7에서 환율이나 주가 등 경제 변수가 단기에 지나치게 상승 또는 하락하는 오버슈팅은 물가 경직성에 의해 나타나는 현상임을 알 수 있다. 또한 ❸-1~2에서 국내 통화량이 증가하여 유지될 경우 물가의 경직성 때문에 실질 통화량이 증가하고 시장 금리가 하락한다고 했다. 따라서 물가가 신축적인 경우가 경직적인 경우에 비해 국내 통화량 증가에 따른 국내 시장 금리 하락 폭이 작을 것임을 추론할 수 있다.

③ ❷-3~5에서 단기에는 조정이 경직적인 물가와, 단기에서도 신축적인 조정이 가능한 환율의 조정 속도 차이가 오버슈팅을 초래한다고 했다.

④ ❸-3~6에서 시장 금리 하락은 투자의 기대 수익률 하락으로 이어져 결국 자국 통화의 가치가 하락하고 환율이 상승하게 된다고 했다. 이때 외국인 투자 자금이 국내 시장 금리에 민감하게 반응해서 투자 자금의 해외 유출이 많아질수록 환율도 더 많이 상승하기 때문에 오버슈팅의 정도는 커질 것이다.

⑤ ❸-6에서 오버슈팅의 정도 및 지속성은 물가 경직성이 클수록 더 크게 나타난다고 했다. ❸-7에서 이렇게 변동된 환율은 시간이 경과함에 따라 장기에는 구매력 평가설에 기초한 환율로 수렴된다고 했는데, 물가 경직성과 비례하는 오버슈팅의 정도가 클수록 이에 걸리는 시간은 더 길어질 것이다.

04 ❸-3을 고려할 때, B국의 시장 금리가 하락하면 투자의 기대 수익률이 하락하여 단기성 외국인 투자 자금이 다시 해외로 빠져나갈 것이다. 이 과정에서 A국에서 유출되었던 단기성 외국인 자금의 일부가 A국에 대한 수요로 돌아오면서, A국의 환율 급등에 따른 오버슈팅의 정도가 다소 진정될 것이다.

오답 피하기 ② 〈보기〉에서 A국의 오버슈팅은 금융 시장 불안의 여파 때문이라고 밝혔다.

③ ❷-6, ❸-7을 고려할 때 적절한 진술이다.

④ 〈보기〉에서 A국의 환율 상승은 한편으로 수출이 증대되는 효과도 있기 때문에 정부는 시장 개입을 가능한 한 자제해야 한다고 했으므로 적절한 진술이다.

⑤ 〈보기〉에서 A국의 환율 상승은 수입품의 가격 상승 등에 따른 부작용을 초래한다고 했다. 이때 ❹-3을 고려하면, 수입품의 가격이 상승하면 A국의 내수가 위축되는 결과가 초래될 수 있음을 추론할 수 있다.

❷ 법

06 법과 계약

115~117쪽

01 (1) × (2) × (3) ○ **02** ③ **03** ① **04** ③ **05** ⑤ **06** ②

01~02

주제 법의 기본 원칙과 민법·형법

해제 이 글은 사회 유지를 위해 구성원들의 동의를 바탕으로 만들어진, 강제성을 지닌 규칙인 법의 일반적인 내용을 설명하고 있다.

01 (1) ❸-3에서 새롭게 생긴 법을 소급 적용할 수 없다고 했다.
(2) ❶-4에서 법의 강제성은 사회 구성원들이 동의할 때만 발휘된다고 했다.
(3) ❶-2에서 확인할 수 있다.

02 ❷-5에서 다른 사람에게 끼친 손해는 그 행위가 위법인 동시에 고의나 과실에 의한 경우에 책임을 진다고 했다. 즉 위법한 행위가 발생했을 때 의도적인 잘못은 물론 의도하지 않은 잘못을 한 경우에도 책임을 물을 수 있다.

오답 피하기 ①, ④ ❷-6~7에서 경제적 강자로부터 경제적 약자를 보호하기 위해 개인의 사유 재산에 대한 지배는 공공복리에 적합하도록 행사해야 한다는 제한을 새롭게 두었음을 알 수 있다.
② ❷-2에서 확인할 수 있다.
⑤ ❷-3~4에서 확인할 수 있다.

03~06

주제 예약의 법적 성질과 급부의 미이행에 대한 손해 배상 책임

해제 이 글은 예약의 다양한 법적 성질과, 급부가 이행되지 않았을 때 채무자가 어떤 손해 배상 책임을 져야 하는지 설명하고 있다.

03 ❺-1~2에서 불법행위 책임이 성립하면 예약상 권리자는 타인에게도 책임을 물을 수 있다고 했다.

오답 피하기 ② ❶-3에서 확인할 수 있다.
③ ❸-2~3에서 채권을 발생시키는 예약은 예약상 권리자가 본계약 성립 요구를 하고 상대방이 승낙하면 예약이 성립한다고 했고, ❸-6~7에서 예약 완결권을 발생시키는 예약은 예약상 권리자가 본계약을 성립시키겠다는 의사를 표시하면 본계약이 성립한다고 했다. 두 가지 유형 모두 예약상 권리자가 본계약 성립에 대한 의사를 표시하지 않으면 본계약이 성립되지 않으므로, 예약상 권리자는 본계약상 권리의 발생 여부를 결정할 수 있음을 알 수 있다.
④ ❶-4에서 확인할 수 있다.
⑤ ❷-2에서 계약이 성립하면 합의 내용대로 권리 발생 등의 효력이 인정되는 것이 원칙이라고 했다. 즉 다른 사람에게 특정 행위를 요구할 수 있는 권리(❶-1)인 채권은 계약이 성립하면 추가 합의 없이 발생한다.

04 ❷-6에서 ㉠은 예약이 아닌 계약이라고 했다. 즉 ㉠은 당사자의 합의에 의해 기차에 탑승하는 권리 행사의 시점을 미래로 정한 계약이라고 볼 수 있다.

오답 피하기 ① 기차 탑승을 요구할 수 있는 권리가 채권이고, 기차 탑승 서비스를 제공하는 것이 급부이다.
② 기차에 탑승하지 않는 것은 채권을 행사하지 않은 것이지 채권에 대응하는 의무를 포기한 것이 아니다.
⑤ ❷-7을 고려할 때 '미래에 필요한 기차 탑승 서비스 이용이라는 계약을 성립시킬 수 있는 권리를 확보'하는 것은 예약에 해당한다. ㉠은 계약이므로 적절하지 않은 설명이다.

05 을이 ㉮가 자신의 고의나 과실에서 비롯된 것이 아님을 증명하지 못하면 을은 채무 불이행 책임을 지므로 손해 배상 채무를 지게 된다(❹-2~3). 또 병 또한 갑에게 손해 배상 채무를 지게 되지만, 병은 갑과 계약을 맺은 당사자가 아니기 때문에 채무 불이행의 책임을 지지는 않는다(❺-1~2).

오답 피하기 ② 을에게 고의나 과실이 없음이 증명된다면 을은 채무 불이행의 책임에서 벗어나게 된다(❹-2). 그렇지만 병은 갑의 예약 시간에 고의로 끼어들어 위법성이 있는 행위를 했으므로 갑의 손해를 금전으로 배상할 채무를 진다(❺-1~2).
③ ㉮가 발생하는 과정에서 을의 고의가 있는 경우 을과 병은 모두 갑에게 손해 배상 채무를 지지만, ❺-3에 따라 을이 갑에게 배상을 하면 갑에 대한 병의 채무가 사라지게 됨을 알 수 있다.
④ ❺-4를 고려할 때 을과 병의 급부 내용은 서로 같다.

06 ⓑ(받기)와 ②의 '받았다' 모두 '다른 사람이 주거나 보내오는 물건 등을 가지다.'라는 의미로 쓰였다.

2 법

07 소송과 재판

122~125쪽

01 (1) ○ (2) ○ (3) ○ **02** ④ **03** (1) ○ (2) × (3) ○

04 ⑤ **05** ① **06** ③ **07** ⑤ **08** ②

01~02

주제 다수의 피해자를 위한 소송 제도의 종류와 특징

해제 이 글은 다수의 피해자가 발생한 사안에 활용될 수 있는 소송 제도의 종류와 특성을 설명하고 있다.

01 (1) ❷-3~5에서 확인할 수 있다.

(2) ❺-1에서 확인할 수 있다.

(3) ❹-3에서 확인할 수 있다.

02 ❶에서 A회사가 가입자의 개인 정보를 허술하게 관리하여 개인 정보의 유출을 막지 못했음을 알 수 있다. 그렇지만 A회사가 가입자의 개인 정보를 판매한 것은 아니다.

오답 피하기 ⑤ ❷-2에서 공동 소송은 경제적이고 효율적이라는 장점이 있다고 했다.

03~04

주제 불법 행위에 따른 손해 배상 책임의 성립 요건에 대한 입증 책임

해제 이 글은 불법 행위에 따른 손해 배상의 성립 요건에 대한 입증 책임을 설명하면서, 예외적으로 이러한 입증 책임을 완화해 주는 공해 소송의 예시를 소개하고 있다.

03 (1) ❶-2~4에서 확인할 수 있다.

(2) ❺-1에서 공해 소송에서도 입증 책임은 원고에 있다고 했다.

(3) ❸-3에서 확인할 수 있다.

04 입증 책임은 소송에서 불이익을 받게 될 당사자가 부담하고 (❷-3~4), 입증 책임 당사자는 자신이 주장하는 문제되는 사실이 실제로 존재함을 증명해야 한다(❸-3~4). 따라서 문제되는 사실이 실제로 일어났는지 밝히지 못하면 입증 책임자가 소송에서 불이익을 받게 될 것이다.

오답 피하기 ③ ❶-2에 따르면 민법 제750조에서는 불법 행위에 따른 손해 배상 책임과 그 성립 요건을 규정하고 있다. 이때 이 성립 요건들이 충족되었다는 사실을 입증할 책임은 원고가 진다 (❸-4).

④ ❶에서 불법 행위에 따른 손해 배상 책임이 발생하려면 '고의나 과실'을 포함한 모든 요건들이 충족되어야 한다고 했다. 따라서 고의와 과실이 없다는 사실을 입증하면 손해 배상 책임이 성립하지 않는다.

05~08

주제 계약에서 덧붙이는 '기한'과 '조건'이 갖는 법률적 효력

해제 이 글은 수강료 지불과 관련된 계약을 두고 벌인 프로타고라스(P)와 에우아틀로스(E)의 분쟁을 예로 들어 '기한'과 '조건'의 법률적 효력을 설명하고 있다.

05 ❷-5~6에서 효과의 발생이나 소멸이 장래에 확실히 발생할 사실에 의존하도록 하는 것을 '기한', 효과의 발생이나 소멸이 장래에 일어날 수도 있는 사실에 의존하도록 하는 것은 '조건'이라고 했다. 이때 승소는 장래에 확실히 발생하는 사실이 아닌 일어날 수도 있는 사실이므로, 수강료 지급 의무에 대한 '조건'이다.

오답 피하기 ④ ❸-1~3에서 확인할 수 있다.

⑤ ❸-6을 고려할 때 적절하다.

06 P는 E에게 수강료를 받기 위해 소송을 하고 있다. 따라서 P는 첫 번째 소송과 두 번째 소송 모두 수강료를 지불하라는 청구를 할 것이다.

오답 피하기 ① 계약이 유효하다고 주장하면, P는 'E의 승소'라는 조건이 실현되지 않은 첫 번째 소송에서 E에게 수강료를 내라고 요구할 수 없다. 따라서 P는 첫 번째 소송에서 계약이 유효하다는 주장을 하지 않을 것이며, E는 'E의 승소'를 조건으로 수강료를 지불하는 것을 내용으로 하는 계약이 유효하다고 주장할 것이다.

07 갑이 계약서를 발견하더라도 이는 법률상의 새로운 사정이 아니기 때문에(❹-3), 갑은 같은 해 11월 30일이 되기 전에 그것을 근거로 금전을 갚아 달라는 소송을 할 수 없다.

오답 피하기 ① ❸-1~4에서 확정되어 기판력이 생긴 판결에 대해서는 더 이상 같은 사안으로 소송에서 다툴 수 없다고 했다.

④ (나)의 경우 2015년 11월 30일이 지나면 법률상의 새로운 사정이 생기는 것이므로 이전 판결의 기판력이 미치지 않는다 (❹-1~2). 따라서 갑은 을을 상대로 금전을 갚아 달라는 소송을 다시 제기할 수 있다.

08 '부가하다'는 '주된 것에 덧붙이다.'라는 의미이므로 ⓑ(덧붙이는)와 바꾸어 쓸 수 있다.

3 사회 · 문화

08 계층과 불평등

130~133쪽

01 (1) ○ (2) × (3) ○ **02** ③ **03** (1) ○ (2) × (3) ○
04 ② **05** ③ **06** ① **07** ⑤ **08** ①

01~02

주제 자본주의의 흐름과 중간층의 변화 양상

해제 이 글은 중간층의 사회적 역할, 중간층 귀속 의식과 사회 안정에 관해 설명한 후, 자본주의의 흐름 속에서 중간층이 겪었던 변화를 통시적으로 살피고 있다.

01 (1) ❷-3~4에서 확인할 수 있다.
(2) 19세기 중반 이후의 양극화 현상(❷-3)은 20세기 초반에 어느 정도 완화되고(❸), 20세기 후반에 다시 나타났다(❹-2).
(3) ❹-1~2에서 확인할 수 있다.

02 ❶-2~3에서 사회 안정과 발전에 중간층의 역할과 중간층 귀속 의식의 확산이 중요하다고 했으므로, ③의 주장이 가장 적절하다.

03~04

주제 최저소득보장제와 기본소득제의 개념과 특징

해제 이 글은 공공 부조의 일종인 최저소득보장제의 개념과 특징을 설명하고, 대안으로 제시된 기본소득제의 개념과 특징, 이에 따른 우려를 소개하고 있다.

03 (1) ❶-1의 최저소득보장제의 정의를 고려할 때 최저소득보장제는 공공 부조로, 사회 복지 제도에 해당한다.
(2) ❷-1에서 기본소득제는 모든 구성원에게 정기적으로 현금을 지급한다고 했다.
(3) ❷-4에서 확인할 수 있다.

04 ❶-3~4에 따르면 총소득이 면세점을 넘는 경우 총소득 전체에 대해 세금이 부과되어 순소득이 총소득보다 줄어들게 된다. ㉯의 총소득은 80만 원으로 면세점인 100만 원보다 적다. 즉, ㉯는 총소득 80만 원에 국가로부터 20만 원을 지원받아 순소득이 100만 원이 된 것이므로 세금 부과 대상 가구가 아니다.

오답 피하기 ③ ㉰의 총소득과 순소득은 50만 원으로 동일하다. 즉 최저생계비를 50만 원 더 지원받을 수 있음에도 불구하고 국가로부터 지원을 받지 못한 것이다.
④ ㉱의 총소득은 110만 원으로, 면세점 이상의 소득에 해당하기 때문에 세금이 부과되어 순소득이 최저생계비 이하인 88만 원이 되었다. 따라서 ㉱는 일부러 일을 하지 않고 소득을 100만 원 이하로 줄여 최저생계비를 보장받는 것이 유리하다고 판단할 수 있다.
⑤ ㉲의 총소득 200만 원은 면세점 이상의 소득에 해당되어 세율(20%)에 따라 세금으로 40만 원을 냈기 때문에 순소득이 총소득보다 줄어들었다.

05~08

주제 공적 연금 제도의 실시 목적과 운영 방식의 쟁점

해제 이 글은 국가가 공적 연금 제도를 실시하는 이유와 그 운영 방식과 관련하여, 사회적 연대를 중시하는 입장과 경제적 성과를 중시하는 입장의 의견을 대조하고 있다.

05 ❶에서 국가는 공공 부조와 공적 연금 제도를 함께 실시한다고 했다. 공적 연금 제도를 시행한 다음 공공 부조를 폐지해야 한다는 내용은 찾을 수 없다.

오답 피하기 ① ❶-1에 연금 제도의 목적이 제시되어 있으며, ❹에 연금 제도의 목적을 달성할 수 있는 다양한 수단이 제시되어 있다.
④ ❷-5~6에서 공공 부조는 도덕적 해이를 야기할 수 있다고 했다. 많은 사람들이 도덕적 해이에 빠져 공공 부조에만 의존한다면, 세금으로 운영하는 공공 부조의 재원이 부족해져 국민의 납세 부담이 가중될 것이다.

06 ❹-3에서 ㉠(사회적 연대를 중시하는 입장)은 연금 기금을 국민 전체가 사회 발전을 위해 조성한 투자 자금으로 본다고 했다.

오답 피하기 ② ㉡에 대한 설명이다(❹-2).
③ ㉠은 관련 법률을 개정하여 연금 기금의 법적 성격을 바꾸는 데 찬성한다(❹-4).
④, ⑤ ㉠에 대한 설명이다(❸-2, ❹-4).

07 (가)는 불가피하게 연금 보험료를 내지 못하는 경우이고, (나)는 고의로 보험료를 미납하는 경우이다. ❷-7에서 공적 연금 제도는 역선택 현상과 도덕적 해이의 부작용에 대응하기 위해 소득이 있는 국민들을 강제 가입시킨다고 했다. 따라서 소득이 있는 국민들을 공적 연금에 강제 가입시키는 제도를 완화해야 한다는 진술은 적절하지 않다.

08 '도모'는 '어떤 일을 이루기 위하여 대책과 방법을 세움.'이라는 의미이다. '어떤 시기나 기회가 닥쳐옴.'은 '도래(到來)'의 의미이다.

III. 과학

❶ 물리학

01 힘과 운동

141~143쪽

01 (1) × (2) × (3) ○ 02 ⑤ 03 ② 04 ① 05 ④

01~02

주제 각운동량의 보존 법칙

해제 이 글은 회전하는 물체의 운동량을 결정하는 요소들을 언급하고 피겨 선수의 움직임을 예로 들어 회전하는 물체의 운동량인 각운동량을 설명하고 있다.

01 (1) ❷-6에 따르면 회전 관성은 회전 운동에서 각속도를 변화시키기 어려운 정도를 나타내는 개념이다. 정지해 있는 물체는 회전 관성과 관련이 없다. 또 ❷-7에서 회전 관성이 클수록 회전체의 속도를 변화시키기 어렵다고 했다.

(2) ❶-1에서 회전 운동을 하는 물체는 외부로부터 돌림힘이 작용하지 않는다면 일정한 빠르기로 회전 운동을 유지한다고 했으므로 적절하지 않다.

(3) ❸-1에 따르면 회전 관성은 질량 요소가 회전축에서 떨어져 있는 거리가 멀수록 커진다. 플라스틱 공은 속이 차 있으므로, 질량 요소들이 회전축과 가까이 있는 것부터 멀리 있는 것까지 배열되어 있다. 한편 속이 빈 쇠공은 질량 요소들이 모두 회전축으로부터 가장 멀리 배열되어 있다. 즉 쇠공을 이루는 질량 요소들이 회전축에서 떨어져 있는 거리가 플라스틱 공을 이루는 질량 요소들이 회전축에서 떨어져 있는 거리보다 크기 때문에, 쇠공의 회전 관성이 더 크다.

02 각운동량은 (각속도)×(회전 관성)으로 나타내는데 〈보기〉의 상황에서 돌림힘이 작용하지 않는다고 간주했기 때문에, 각운동량에는 변화가 없다. 따라서 회전 관성을 고려하면 A~E 단계의 각속도를 비교할 수 있다. 그림으로 볼 때, B 단계에서 질량 요소들이 회전축에 가장 가까우므로 회전 관성이 가장 작고 각속도가 가장 크다. 따라서 다이빙 선수가 B 단계의 자세를 유지하면서 입수하면 1.5바퀴보다 더 많이 회전할 수 있을 것이다. 이는 ❹에서 피겨 선수가 회전할 때 팔을 몸에 바짝 붙여 회전 관성을 줄이는 것과 연결하여 이해할 수 있다.

오답 피하기 ① 돌림힘이 작용하지 않는다고 간주했으므로 A와 B의 각운동량은 같다.

② A~E는 같은 다이빙 선수가 다이빙을 할 때의 각 단계를 나타낸 것이므로 질량 요소들의 합은 다 같다.

③, ④ B 단계에서 각속도가 가장 크다. 팔과 다리가 펼쳐질수록 각속도는 작아지고 회전 관성은 커진다.

03~05

주제 속력, 속도, 가속도의 개념과 특성

해제 이 글은 속력과 속도, 가속도의 개념과 특성을 구체적인 상황을 통해 설명하고 있다.

03 ❸-5~6에서 단위 시간당 속도의 변화를 가속도라고 하며, 속도의 변화는 나중 속도에서 처음 속도를 뺀 것이라고 했다.

오답 피하기 ① ❶-2에서 단위 시간당 이동한 거리로 나타내는 개념은 속도가 아닌 속력임을 확인할 수 있다.

③ ❶-5를 고려할 때 평균 속력을 구하려면 이동 거리와 걸린 시간을 알아야 한다.

④ ❺-1~2에서 속도는 상대적인 개념이므로 관찰자의 위치에 따라 달라질 수 있다고 했다.

⑤ ❸-1을 고려할 때 등속력으로 운동하는 물체는 속력이 일정하게 유지된다.

04 ❸-4에서 속력 또는 운동 방향이 변하면 속도가 변한다고 했다. 반원 모양의 회전 구간을 주행하는 자동차는 운동 방향이 계속 변하므로 속도도 계속 변한다.

오답 피하기 ② ❶-5의 평균 속력 측정 방식으로 볼 때 적절한 진술이다.

③ ❷-2~3을 참고할 때 적절하다.

④ ❺-5를 참고할 때 적절하다.

⑤ ❶의 평균 속력과 순간 속력에 관한 설명으로 볼 때 적절한 진술이다.

05 토끼의 경우 0초에서 1초까지 속력은 4cm/s, 1초에서 2초까지 속력은 8cm/s, 2초에서 3초까지 속력은 10cm/s, 3초에서 4초까지 속력은 13cm/s, 4초에서 5초까지 속력은 15cm/s이다. 따라서 토끼의 속력은 4cm/s, 8cm/s, 10cm/s, 13cm/s, 15cm/s로 증가한다.

오답 피하기 ① 거북이는 초당 10cm/s의 일정한 속력으로 운동하고 있다.

② 0초에서 1초까지 토끼의 속력은 4cm/s이고 거북이의 속력은 10cm/s이므로 거북이가 토끼보다 빠르다.

③ 토끼와 거북이 둘 다 5초 동안 50cm를 이동했으므로 이동 거리를 걸린 시간으로 나눈 값인 평균 속력은 서로 같다.

⑤ 토끼의 속력은 0초에서 5초까지 1초 단위로 변하므로 토끼는 가속도 운동을 한 것이다. 거북이는 직선인 운동 방향과 속력이 모두 일정하게 유지되었으므로 등속도 운동을 한 것이다.

1 물리학

02 열과 에너지

149~151쪽

01 (1) ○ (2) ○ (3) × **02** ③ **03** ⑤ **04** ② **05** ⑤ **06** ④

01~02

주제 계, 주위, 경계의 개념과 특성

해제 이 글은 과학에서 계, 주위, 경계의 개념을 제시하고, 열역학적 변수들과 관련한 계의 상태 변화를 설명하고 있다.

01 (1) ❸-1에서 확인할 수 있다.

(2) ❷-1에서 확인할 수 있다.

(3) ❶-2에 따르면 열린계에서는 주위와 물질 및 에너지 교환이 모두 일어난다.

02 ❹-1에 따르면 A는 T_1, P_1인 초기 상태에서 T_2, P_1인 최종 상태가 되었고 B는 T_1, P_1인 초기 상태에서 T_2, P_2인 상태를 거쳐 T_2, P_1인 최종 상태가 되었다. ❹-2에서 같은 상태에 있으면 기체의 내부 에너지도 같다고 했으므로, 최종 상태가 T_2, P_1로 같은 상태에 있는 A와 B는 실린더 속 기체의 내부 에너지가 서로 같을 것이다.

오답 피하기 ① ❹-1에 따라 ❸-3은 A, ❸-4는 B이다. A와 B 모두 실린더 속 기체의 부피는 증가하게 된다고 했다.

② ❹를 참고할 때 초기 상태가 T_1, P_1로 같은 A와 B는 기체의 내부 에너지도 서로 같다.

④ ❺-3에서 어떤 계의 변화가 일어나는 경로는 무한히 많다고 했다.

⑤ ❷-2에서 계의 에너지가 감소할 때 주위의 에너지는 증가하며, 계의 에너지가 증가할 때 주위의 에너지는 감소하게 된다고 했다. 즉 계와 주위 사이에 에너지 교환이 일어날 때 계의 에너지와 주위의 에너지는 반비례한다.

03~06

주제 열역학에 관한 과학자들의 탐구

해제 이 글은 열과 일의 과학적 관계를 연구해 온 과정을 소개하는 글이다. 과학자들은 열과 일의 상호 전환과 열의 방향성, 열과 일의 상호 전환 방향에 관한 비대칭성 등을 밝혀냈음을 알 수 있다.

03 ❹-2~4에서 톰슨이 지적한 칼로릭 이론의 오류를 확인할 수 있다. 그렇지만 ❹-5~6에서 열효율에 관한 카르노의 이론은 칼로릭 이론의 오류가 밝혀진 다음에도 클라우지우스의 증명을 통해 유지될 수 있었다고 했다.

오답 피하기 ① ❷-1에서 열기관은 높은 온도의 열원에서 열을 흡수하고 낮은 온도의 열기관 외부에 열을 방출하며 일을 하는 기관이라고 했다. 따라서 열기관을 외부로부터 받은 일을 열로 변환하는 기관으로 볼 수 없다.

② ❷-3에서 수력 기관에서 물의 양과 한 일의 양의 비는 물의 높이 차이에만 좌우된다고 했다.

③, ④ 칼로릭은 온도가 높은 쪽에서 낮은 쪽으로 흐르는 성질을 갖고 있는, 질량이 없는 입자들의 모임이다(❶-1). 따라서 차가운 쇠구슬이 뜨거워지더라도 쇠구슬의 질량에는 변화가 없을 것이다.

04 ⓐ의 뒷부분인 ❹-3~4에 따르면, 카르노의 이론은 줄이 입증한 열과 일의 등가성과 에너지 보존 법칙에 어긋난다는 톰슨의 지적에 따라 열의 실체가 칼로릭이라는 생각은 더 이상 유지될 수 없었다고 했다. 이는 열의 실체를 칼로릭으로 보면 열기관이 한 일을 설명할 수 없다는 뜻이다.

05 ❸에 줄이 행한 열의 일당량 실험(일 → 열)이 제시되어 있다. 줄은 이 실험을 통해 일과 열이 서로 전환 가능하며 등가성을 갖는다는 사실을 입증했다. 그런데 ❺-2에 따르면 일이 열로 전환될 때와 달리 열기관(열 → 일)에서는 열 전부를 일로 전환할 수 없다. 따라서 열기관이 흡수한 열의 양(A)보다 열기관으로부터 얻어진 일의 양(B)이 항상 더 작으므로, $\frac{B}{A}$는 줄이 구한 열의 일당량보다 작을 것임을 알 수 있다.

06 ㉣은 '기대에 맞지 아니하거나 일정한 기준에서 벗어나다.'의 뜻으로 쓰였다. ④의 '어긋나는' 또한 같은 뜻으로 쓰였다.

오답 피하기 ① ㉠은 '무엇이라고 가리켜 말하거나 이름을 붙이다.'의 뜻으로 쓰였지만 밑줄 친 부분은 '어떤 행동이나 말이 관련된 다른 일이나 상황을 초래하다.'의 뜻으로 쓰였다.

② ㉡은 '어떤 것을 소재나 대상으로 삼다'의 뜻으로 쓰였지만 밑줄 친 부분은 '기계나 기구 등을 사용하다.'의 뜻으로 쓰였다.

③ ㉢은 '액체 등이 낮은 곳으로 내려가거나 넘쳐서 떨어지다.'의 뜻으로 쓰였지만 밑줄 친 부분은 '어떤 한 방향으로 치우쳐 쏠리다.'의 뜻으로 쓰였다.

⑤ ㉤은 '어떤 일이 일어나다.'의 뜻으로 쓰였지만 밑줄 친 부분은 '일의 상태가 부정적인 어떤 지경에 이르게 되다.'의 뜻으로 쓰였다.

1 물리학

03 특수 상대성 이론 156~159쪽

01 (1) × (2) ○ (3) × 02 ② 03 (1) ○ (2) ○ (3) ○
04 ③ 05 ③ 06 ① 07 ⑤

01~02

주제 아인슈타인이 발견한 시간의 상대성

해제 이 글은 시간이 절대적인 것이라고 생각한 뉴턴 역학의 관점을 거부한 아인슈타인의 상대성 이론을 설명하고 있다.

01 (1) ❶-2에 따르면 뉴턴에게 시간은 독립적이고 절대적인 것이었다.
(2) ❸-1에서 확인할 수 있다.
(3) 아인슈타인은 시간 팽창과 시간 지연을 언급했을 뿐(❷~❸) 시간의 역행 가능성은 언급하지 않았다.

02 ❷-3에서 빠르게 움직이는 물체에서는 시간이 느리게 간다고 했다. '초고속 우주선'을 탈 경우 일상에 비해 빛의 속도에 가까워지기 때문에 시간 팽창 현상이 일어나고 시간이 그만큼 천천히 흐른다. 따라서 초고속 우주선을 타고 있는 사람의 노화도 서서히 진행될 것이라고 추론할 수 있다.

오답 피하기 ① ❷-3에서 빠르게 움직이는 물체에서는 시간이 느리게 간다고 했으며, ❷-6에서 v(물체의 속도)가 c(광속)에 비하여 아주 작을 경우에는 시간 팽창 현상이 거의 감지되지 않는다고 했으므로 '움직이는 사람'의 시계 바늘이 '빨리' 움직인다는 진술은 적절하지 않다.
⑤ 빛이 이동하여 지구의 관측자에게 도달하기까지의 시간 차이 때문에 나타나는 현상이다.

03~04

주제 태양 에너지가 안정적으로 생성되는 원리

해제 이 글은 태양의 에너지원에 대한 가설과 태양이 막대한 에너지를 방출하는 원리를 설명하고 있다.

03 (1) ❷-1~3에서 확인할 수 있다.
(2) ❸에서 확인할 수 있다.
(3) ❹-5에서 확인할 수 있다.

04 ❹-2, ❺-2를 참고하면 태양은 중력으로 수소를 끌어당겨서 중심부의 밀도와 온도를 높인다. 이에 천만 도 이상의 온도를 유지하는 중심부에서 핵융합이 일어나고, 늘어난 핵융합 에너지는 수소를 밖으로 밀어내 중심부의 밀도와 온도를 낮춘다. 이후 온도와 압력이 낮아지면 중력에 의해 수소가 중심부로 들어와 밀도와 온도를 다시 높이고 이전의 과정을 반복한다. 따라서 태양의 핵융합 과정에서 중요한 힘은 수소를 중심으로 끌어당기는 중력이라고 할 수 있으므로, 〈보기〉의 '핵융합 장치' 또한 초고온 상태를 유지하여 핵융합 반응을 일으키기 위해 태양 중력과 유사한 기능을 하는 힘이 필요할 것이라고 짐작할 수 있다.

오답 피하기 ① ❹-3~4에서 핵융합은 천만 도 이상의 온도를 유지하는 중심부에서만 일어나는데 그 이유는 높은 온도에서만 원자핵들이 높은 운동 에너지를 가지기 때문이라고 했다. 따라서 밀도가 높더라도 온도가 낮으면 핵융합은 일어나지 않는다.
④ ❸에서 핵분열 에너지는 태양의 에너지원이 아니라고 했다. 따라서 엄청난 양의 수소를 핵분열시키더라도 태양 표면과 같은 환경을 마련할 수 없다.
⑤ ❺-3에서 태양이 오랫동안 안정적으로 빛을 낼 수 있는 이유는 태양 내부에서 중력과 핵융합 반응의 평형 상태가 유지되기 때문이라고 했다. 따라서 지속적으로 에너지를 얻기 위해 중력과 핵융합 반응의 평형 상태를 깨뜨려야 한다는 진술은 적절하지 않다.

05~07

주제 에너지와 질량의 관계에 관한 아인슈타인의 생각

해제 이 글은 아인슈타인이 정리한 공식을 통해 에너지와 질량의 관계를 밝히고, 가상의 사고 실험을 통해 에너지와 질량이 전환 가능한 물리량임을 보여 주고 있다.

05 ❷-1에 따르면 아인슈타인은 '광속 일정의 원리', 즉 빛의 속도는 늘 일정하다는 원리를 바탕으로 이론을 정리했다.

오답 피하기 ① ❹-2에 진공 중에서 광속(c), 즉 빛의 속도가 대략 초속 30만km임이 제시되어 있다.
② ❸-2에서 에너지(E)와 질량(m)이 광속(c)을 환산인자로 하여 서로 환산될 수 있는 물리량이 되었다고 했다. 즉 아인슈타인의 공식($E=mc^2$)에서 광속(c)은 환산인자 역할을 한다.

06 〈보기〉에서 에너지 보존 법칙에 따라 에너지가 다른 에너지로 전환될 때 전환 전후의 에너지 총합은 항상 일정하게 보존된다고 했다. 아인슈타인은 에너지와 질량이 전환 가능하다고 생각했지만, 에너지의 전환이 곧 에너지의 총합의 증가라고 생각했다고 보기는 어렵다.

오답 피하기 ② 아인슈타인은 에너지와 질량이 서로 전환될 수 있다고 보았기 때문에, 에너지 보존 법칙이 엄밀하게 적용되려면 에너지와 질량이 함께 고려되어야 한다.

③ ❹-1에서 아인슈타인은 물체의 질량이 물체가 가진 잠재적인 에너지에 대한 척도라고 했다. 따라서 반응물의 질량보다 생성물의 질량이 크다면 반응 결과에 따른 생성물에 잠재된 에너지가 증가했다고 볼 수 있다.

④ 에너지와 질량은 서로 전환 가능하므로 에너지의 유입이나 유출로 질량이 변화할 수도 있다.

⑤ ❹에 따르면 물체가 에너지를 방출하면 그 질량은 E/c^2만큼 작아진다. 여기서 분모(c^2)는 광속을 제곱한 값으로 매우 크기 때문에 질량 손실(E/c^2)은 매우 작은 값이다. 따라서 화학 반응에서 발열 등으로 인한 질량 손실은 감지하기 어려울 정도로 적은 양이라고 볼 수 있다.

07 ❷-5에서 A가 보는 ⓐ의 발광기는 빛을 a1, a2와 같이 서로 정반대의 방향으로 동시에 발사했기 때문에 그로 인한 반동이 완전히 상쇄되어 상자에 대해 정지 상태를 유지한다고 했으며, ❸에서 감속과 가속이 균형을 이룬다고 보는 ⓑ에 따르면 A와 B가 보는 상황이 다르지 않다고 했다. 따라서 ⓑ의 관점에서는 발광기에서 발사한 두 방향의 빛이 결과적으로 발광기의 운동을 변화시켰다고 생각하지 않을 것이다.

오답 피하기 ① ❷-5에서 두 빛을 서로 정반대 방향으로 쏘면 반동이 상쇄된다고 했다. 따라서 빛의 방출에는 반동이 수반된다고 볼 수 있다.

② A의 입장에서는 빛이 a1, a2 방향으로 발사된 것으로 보이지만, B의 입장에서는 빛이 b1, b2 방향으로 비스듬히 퍼지는 것으로 보인다.

③ ❸-1에서 빛의 발사라는 에너지의 방출이 질량의 손실을 의미한다고 했다. 그리고 질량을 잃은 것에 따른 가속이 생긴다고 했다.

❶ 물리학

04 전기와 자기

164~167쪽

01 (1) ○ (2) ○ (3) × **02** ① **03** (1) ○ (2) ○ (3) ○
04 ② **05** ⑤ **06** ③ **07** ②

01~02

주제 염분차 발전의 원리

해제 이 글은 염분 농도 차이를 활용해서 전기 에너지를 생산하는 역전기투석 발전기의 원리를 단계별로 설명하고 있다.

01 (1) ❹-2~3에 따르면 전극 사이에 셀을 여러 장 배열할수록 높은 전압을 얻게 되고 두 전극 사이에 높은 전위차가 발생한다.

(2) ❷-1에 따르면 나트륨 이온(Na^+)은 양전하를 띠고, 염화 이온(Cl^-)은 음전하를 띤다. ❷-3에서 음전하를 지닌 작용기를 설치하면 나트륨 이온(Na^+)만을 끌어들이고 양전하를 지닌 작용기를 설치하면 염화 이온(Cl^-)만을 끌어들인다고 했으므로, 양이온 교환막의 기공에 양전하를 지닌 작용기를 설치한다면 막을 통과하는 이온은 나트륨 이온(Na^+)이 아닌 염화 이온(Cl^-)일 것이다.

(3) ❷-1~2에 따르면 이온의 확산은 담수와 해수의 농도 차에 의해 발생한다. 작용기를 따로 설치하는 이유는 특정 이온만을 통과시켜 교환막을 중심으로 하여 전위차를 발생시키기 위함으로, 작용기가 없다고 해서 이온의 확산이 불가능한 것은 아니다.

02 ❷-3에 따르면 양이온 교환막의 기공에는 음전하를 지닌 작용기를 여러 개 설치하여 나트륨 이온(Na^+)만을 교환막으로 끌어들인다. 따라서 나트륨 이온은 양전하를 지닌 작용기가 아닌 음전하를 지닌 작용기와 결합함을 알 수 있다.

오답 피하기 ② ❹-3에서 확인할 수 있다.

③ ❶-1~2에서 확인할 수 있다.

④ ❹-1에서 확인할 수 있다.

⑤ ❷에 따르면 나트륨 이온(Na^+)과 염화 이온(Cl^-)은 교환막의 기공을 통해 담수 쪽으로 확산되는데, 기공의 작용기 때문에 양이온은 양이온 교환막만 통과하고 음이온은 음이온 교환막만 통과한다. ❸에서는 이러한 과정을 거쳐 음이온 교환막과 양이온 교환막을 경계로 하는 전기적 불균형 상태가 생긴다고 했으므로, 두 교환막에 기공이 없다면 전기적 불균형 상태는 발생하지 않게 될 것이다.

03~04

주제 흔들림에 의한 영향을 최소화하는 광학 영상 안정화 기술(OIS)

해제 이 글은 디지털 카메라로 영상을 촬영할 때 카메라의 흔들림이 영상에 미치는 영향을 최소화하는 기술인 영상 안정화 기술의 원리를 설명하고 있다.

03 (1) ❷-4의 '일반적으로 카메라는 렌즈를 통해 들어온 빛이 이미지 센서에 닿아'를 고려할 때, 광학 영상 안정화 기술을 사용하지 않는 일반적인 카메라에도 이미지 센서가 필요함을 알 수 있다.

(2) ❷-4에서 확인할 수 있다.

(3) ❶-1의 '손의 미세한 떨림으로 인해 영상이 번져 흐려지고'와 ❷-5를 통해 카메라가 흔들릴 때 이미지 센서 각각의 화소에 닿는 빛의 세기가 변하기 때문에 영상이 번져 흐려짐을 확인할 수 있다. 보정 기능은 이러한 현상을 최소화하기 위한 기술이다.

04 ❷-6에서 자이로 센서는 카메라의 움직임을 감지하여 방향과 속도를 제어 장치에 전달한다고 했다. 이미지 센서에 맺히는 영상을 제어 장치로 전달하는 것은 아니다.

오답 피하기 ① ❸-2에서 확인할 수 있다.

③ ❸-2~4에서 보이스코일 모터를 포함한 카메라 모듈은 렌즈 주위에 코일과 자석이 배치되어 있고, 카메라가 흔들리면 코일에 전류가 흘러서 전류의 크기에 비례하는 힘이 발생하고 이 힘이 렌즈를 이동시킨다고 했다.

④ ❸-6에서 OIS 기술은 렌즈의 이동 범위에 한계가 있다고 했다.

⑤ ❸-4~6에 렌즈를 이동시켜서 흔들림을 보정하는 방법과 이미지 센서를 움직여 흔들림을 보정하는 방법이 제시되어 있다.

05~07

주제 전기레인지의 종류 및 인덕션 레인지의 원리

해제 이 글은 하이라이트 레인지의 직접 가열 방식과 인덕션 레인지의 유도 가열 방식을 소개한 후, 인덕션 레인지에서 열이 발생하는 원리를 구체적으로 설명하고 있다.

05 ㉠은 하이라이트 레인지의 가열 방식이고 ㉡은 인덕션 레인지의 가열 방식이다. ❷-3에 따르면 하이라이트 레인지는 비교적 다양한 소재의 용기를 쓸 수 있다. 한편 ❺-1에 따르면 인덕션 레인지는 저항이 크면서 강자성체인 소재의 용기를 사용해야 한다는 제약이 있다. 따라서 ⑤의 설명은 적절하다.

오답 피하기 ① ❸-2~3에 따르면 유도 전류를 이용하여 용기를 가열하는 것은 인덕션 레인지의 가열 방식(㉡)이다.

② ❶-2에서 상판 자체를 가열해서 열을 발생시키는 방식은 하이라이트 레인지의 가열 방식(㉠)임을 확인할 수 있다.

③ ❷-3에서 ㉠은 상판의 잔열로 인한 화상의 우려가 있다고 했으며, ❺-4에서 ㉡은 화상의 피해로부터 비교적 안전하다는 장점이 있다고 했다.

④ ❺-3에 따르면 ㉡(유도 가열 방식)이 ㉠(직접 가열 방식)보다 에너지 효율이 높아 상대적으로 빠르게 음식을 조리할 수 있다고 했다.

06 〈보기〉의 전기레인지는 인덕션 레인지이다. ❸에 따르면, 인덕션 레인지에 전원이 켜지면 코일(ⓐ)에 고주파 전류가 흐르면서 그 주변으로 교류 자기장(ⓑ)이 만들어진다. 이때 그 위에 도체인 냄비(ⓒ)를 놓으면 냄비(ⓒ) 바닥에 생겨난 폐회로 속에 유도 전류인 맴돌이전류(ⓓ)가 발생하게 되고, 맴돌이전류(ⓓ)가 냄비(ⓒ) 소재의 저항에 부딪혀 냄비에 열이 발생하게 된다. 그렇지만 냄비(ⓒ) 소재의 저항에 따라 교류 자기장(ⓑ)의 세기가 변하는 것은 아니다.

오답 피하기 ① ❸-2에서 확인할 수 있다.

④ ❸-3에서 맴돌이전류(ⓓ)의 세기는 나선형 코일(ⓐ)에 흐르는 전류의 세기에 비례한다고 했다.

07 물체에 가한 자기장의 세기와 자화의 세기의 관계는 ❹에서 확인할 수 있다. 자성체의 자화 세기는 자기장의 세기에 비례하여 커지다가 일정값 이상으로는 더 이상 커지지 않는데, 이를 자기 포화 상태라 한다(❹-3). 또한 처음에 가한 외부 자기장의 역방향으로 자기장을 가하면 자화의 세기가 0이 되었다가 반대쪽으로 커져 다시 자기 포화 상태가 된다(❹-6). 이 과정에서 자기에너지는 열에너지로 전환되고 이 열에너지는 자기 이력 곡선의 내부 면적에 비례한다(❹-8). 이로 볼 때 자화의 세기는 자기 포화 상태에 이르면 더 이상 커지지 않기 때문에, 자기에너지가 전환된 열에너지의 크기가 계속 증가할 수는 없다. 자기 이력 곡선의 내부 면적이 일정 크기 이상으로 커지지 않는다는 점에서도 이를 알 수 있다.

오답 피하기 ① A와 B는 모두 자기 이력 현상이 나타나는 강자성체이므로 인덕션 레인지 용기의 소재로 적합하다.

③ 〈보기〉의 자기 이력 곡선에서 자기장의 세기가 0인 지점에서 자성체에 남아 있는 자화의 세기(잔류 자기)를 비교하면 A가 B보다 크다.

④ 처음에 가한 자기장의 역방향으로 자기장을 가하면 자화의 세기가 줄어든다. 따라서 자화의 세기(잔류 자기)가 더 큰 A 소재의 용기에 B 소재의 용기에 가하는 것보다 더 큰 세기의 자기장을 가해야 한다.

⑤ 열에너지는 자기 이력 곡선의 내부 면적에 비례하는데, 〈보기〉의 자기 이력 곡선에서 B의 내부 면적이 A의 내부 면적보다 작으므로 적절하다.

❶ 물리학

05 파동과 물질의 성질

174~177쪽

01 (1) × (2) ○ (3) ○ **02** ③ **03** (1) ○ (2) × (3) ○
04 ④ **05** ⑤ **06** ① **07** ⑤ **08** ⑤

01~02

주제 파동의 개념과 매질에 따른 특성
해제 이 글은 파동의 개념과 특성을 제시한 후, 매질에 따라 달라지는 파동의 반사와 투과 현상 및 파동 에너지를 설명하고 있다.

01 (1) ❸-1에서 파동의 속도가 일정하면 주파수가 높을수록 파장이 짧다고 했다.
(2) ❷-2에서 확인할 수 있다.
(3) ❶-1에서 확인할 수 있다.

02 ❸-3에서 진행하는 역학적 파동이 다른 매질을 만나면 파동의 일부는 반사(㉠)되고 일부는 투과(㉡)한다고 했다. ㉠은 매질이 급격하게 변하는 경계에서 파동이 반대 방향으로 되돌려지는 현상이며, ㉡은 밀도가 다른 매질의 경계에서 일부는 반사되고 일부가 밀도가 높은 줄로 진행하는 현상이다. 따라서 가장 적절한 것은 ③이다.

03~04

주제 상호 배타적인 상태가 공존하는 양자 역학
해제 이 글은 배타적인 두 개의 상태가 공존할 수 없다고 보는 고전 역학과 달리 미시 세계에서 상호 배타적인 상태들이 공존할 수 있다고 본 양자 역학의 논리를 제시하고 있다.

03 (1) ❶-1에서 확인할 수 있다.
(2) ❷-4~7을 고려하면, 미시 세계에서 관찰은 상호 배타적인 상태 중 하나를 결정하는 행위이다. 관찰 이전에는 상호 배타적인 상태가 공존하며, 그중 하나의 상태로 결정되지 않는다.
(3) ❸-1~2에서 확인할 수 있다.

04 ❷-9에서 아인슈타인은 배타적인 상태의 공존과 관찰 자체가 물체의 상태를 결정한다는 개념을 받아들이기 힘들었다고 했다. 즉 ㉠은 관찰(달을 보는 일)이 물체(달)의 존재 상태를 결정한다는 점을 부정하는 내용으로 이해해야 한다. 따라서 ④가 가장 적절한 추론이다.

오답 피하기 ② 양자 역학에서 말하는 상호 배타적인 상태의 공존은 미시 세계에 국한한 설명이다. 거시 세계에서도 관찰을 통해 상태가 결정된다고 주장한 것은 아니다. 따라서 ②는 양자 역학의 미시 세계에 대한 해석에 회의적 태도를 드러낸 것이라고 보기 어렵다.

05~08

주제 양자 역학의 불확정성 원리
해제 이 글은 입자의 운동량의 불확실성과 위치의 불확실성이 반비례 관계에 있음을 밝혀낸 양자 역학의 불확정성 원리를 설명하고 있다.

05 ❺-2, 5를 고려할 때 전자의 운동량을 정확하게 측정하려면 운동량이 작은 광양자를 충돌시켜야 함을 알 수 있다. 운동량이 큰 광양자를 사용하면 운동량 측정의 부정확성이 커진다.

오답 피하기 ① ❺-2를 고려할 때 적절하다.
③ ❹-3에서 입자의 운동량은 물체의 질량과 속도의 곱으로 정의된다고 했으므로, 질량이 변하지 않을 때 전자의 운동량은 속도에 비례한다.
④ ❷-3~4의 야구공에 플래시를 터뜨리면 야구공에 광양자가 충돌하지만 그 교란은 미미하다는 내용을 고려할 때 적절하다.

06 ❶-3에서 무엇을 '본다'는 것은 대상에서 방출되거나 튕겨 나오는 광양자를 지각하는 것이라고 했다. 즉 책을 보는 것(㉡)은 책에 반사되어 튕겨 나오는 광양자를 지각하는 것인데, 이때 광양자가 가하는 충돌과 교란은 무시할 만한 정도라고 했다. 반면 전자를 보는 것(㉠)은 빛을 쏘아 전자와 충돌시킨 후 튕겨 나오는 광양자를 관측하는 것인데, 광양자가 전자와 충돌하면 전자의 운동량을 교란시키고 이 효과는 전자의 운동량과 위치 측정의 정확성에 영향을 미치기 때문에 무시할 수 없다.

오답 피하기 ③ 전자의 크기가 작기는 하지만, 광양자를 이용하면 감지할 수 있다.

07 ❺-3에서 파장이 긴 빛은 전자 위치의 측정을 부정확하게 만든다고 했다. 따라서 더 긴 파장의 빛을 사용하면 전자 위치의 측정 오차 범위는 ⓒ보다 커질 것이다.

오답 피하기 ④ ❺-5에서 광양자의 운동량이 더 큰 빛을 쓰면 운동량 측정의 부정확성이 더 커진다고 했으므로 적절하다.

08 '측정(㉮)'은 '일정한 양을 기준으로 하여 같은 종류의 다른 양의 크기를 재거나, 기계나 장치를 사용하여 잰다'는 뜻이다. ⑤의 '잡다'는 '어떤 수나 가치 등을 기준으로 세우다.'라는 의미로 쓰였으므로 ㉮의 의미를 포함한다고 보기 어렵다.

2 화학

06 물질의 구성

182~185쪽

01 (1) ○ (2) × (3) ○ 02 ① 03 (1) × (2) × (3) ○
04 ③ 05 ⑤ 06 ③ 07 ④

01~02

주제 원자 모형에 대한 탐구
해제 이 글은 전자, 양성자, 중성자로 이루어진 원자의 구조에 관해 과학자들이 밝혀낸 사실들을 시간의 흐름에 따라 설명하고 있다.

01 (1) ❷-1에 따르면 양성자는 전자보다 대략 2,000배 무겁다. 한편 ❸-6에서는 중성자와 양성자의 질량이 비슷하다는 사실을 알 수 있다.
(2) 이 글에서는 원자를 구성하는 입자로 전자, 양성자, 중성자가 있음을 알 수 있을 뿐(❶-1), 이 입자들의 내부 구조에 대해서는 알 수 없다.
(3) ❶-2에서 전자가 음전기를 띤다는 것을, ❷-1에서 양성자가 양전기를 띤다는 것을, ❸-5~6에서 중성자가 전기를 띠지 않는다는 것을 알 수 있다.

02 ❷-2에서 마리 퀴리가 천연 광물에서 라듐을 발견했다고 했다. 이후 러더퍼드가 라듐을 이용한 새로운 실험을 통해 원자핵을 발견한 과정이 ❷-3~6에 제시되어 있다.

03~04

주제 입자들이 질량을 갖게 하는 힉스 입자
해제 이 글은 현실 세계에서 입자들이 실제로 질량을 가지고 있음을 설명할 수 없는 표준모형 개념의 이론적 모순 아래 제안된 힉스 입자의 존재를 설명하고 있다.

03 (1) ❶-4에 따르면 전자는 기본 입자이다.
(2) ❷-6~7에 따르면 힉스 장의 요소 중 다른 입자에 흡수되지 않고 남은 것이 힉스 입자가 되고 곧 사라진다. 따라서 힉스 입자가 기존 입자에 흡수된 후 사라진다고 보기 어렵다.
(3) ❷-3~4에서 매개 입자와 기본 입자가 힉스 장과의 상호 작용을 통해 질량을 갖게 된다는 것을 알 수 있다.

04 ❶에 따르면 '표준모형'은 양성자와 중성자의 상호 작용을 설명하기 위한 것이 아니라, 양성자나 중성자보다 더 작은 입자들의 상호 작용을 설명하기 위해 고안되었다.

오답 피하기 ④, ⑤ ❶-6에서 표준모형 개념은 현실 세계에서 입자들이 실제로 질량을 가지고 있다는 점을 설명할 수 없는 모순에 빠졌다고 했다. 이러한 모순은 힉스 교수가 제시한 힉스 입자의 존재를 통해 보완되었으며, 힉스 입자로 여겨지는 새로운 입자를 발견한 입자 가속기 실험을 통해 표준모형의 이론적 완성을 기대하게 되었다고 했다(❸~❹).

05~07

주제 분광 분석법의 창안과 과학적 성과
해제 이 글은 분젠과 키르히호프가 창안한 분광 분석법의 원리와 발전 과정을 소개하고, 이러한 분광 분석법이 과학사에 남긴 업적을 설명하고 있다.

05 ❶-4에서 ㉠(키르히호프)이 분젠과의 협력으로 분광 분석법을 창안했다고 했으며, ❹에 분광 분석법의 의의가 드러나 있다. 키르히호프의 업적은 천체에 가지 않고도 천체의 대기에 존재하는 원소에 관한 정보를 얻을 수 있는 길을 연 것이다.

06 ❷-4에서 금속 스펙트럼의 밝은 선의 위치는 불꽃의 온도와 상관없이 항상 같다고 했다.
오답 피하기 ⑤ ❶-3에서 분젠이 불꽃의 색을 제거한 버너를 고안한 이후에도 두 종류 이상의 금속이 섞인 물질의 불꽃은 색깔이 겹쳐서 분간이 어려웠다고 했다.

07 〈보기〉에서 항성 β의 검은 선들은 나트륨 스펙트럼의 밝은 선들과 겹쳐졌다고 했다. ❸-3에서 태양빛 스펙트럼의 검은 선들 중 D선은 나트륨 스펙트럼의 밝은 선들과 나타나는 위치가 동일하다고 했으므로, 항성 β의 별빛 스펙트럼에는 D선과 일치하는 검은 선들이 있을 것이다.
오답 피하기 ① ❸-3에 따르면 태양 대기에는 나트륨이 존재한다. 〈보기〉에서 나트륨 스펙트럼의 밝은 선들은 항성 α의 검은 선과 겹쳐지지 않았다고 했으므로 항성 α에는 나트륨이 존재하지 않는다. 따라서 항성 α는 태양이 아니다.
② 〈보기〉에서 리튬 스펙트럼의 밝은 선들이 항성 α의 검은 선들과 겹쳐졌다고 했으므로 항성 α의 별빛 스펙트럼에는 항성 α의 대기 속에 있는 리튬이 빛을 흡수하여 생긴 검은 선들이 존재할 것이다.
⑤ ❸-5에서 태양빛의 스펙트럼에는 D선 외에도 태양 대기 중의 특정 원소에 의해 흡수된 빛의 파장 위치에 검은 선들이 나타난다고 했다. 이와 같은 원리로 항성 β의 별빛 스펙트럼에도 특정한 파장의 빛이 흡수되어 생긴 검은 선들이 있을 것이다.

❷ 화학

07 물질의 특성

190~193쪽

01 (1) ○ (2) ○ (3) ○ **02** ② **03** (1) × (2) ○ (3) ×
04 ④ **05** ④ **06** ⑤

01~02

주제 물의 화학적 성질
해제 이 글은 극성을 띠는 물 분자 구조의 특징과 여러 가지 물질을 잘 녹이는 물의 특성, 물이 우리 몸에서 담당하는 기능 등을 설명하고 있다.

01 (1) ❷-3에서 확인할 수 있다.
(2) ❸-2~3에서 확인할 수 있다.
(3) ❸-5에서 비열은 물질의 고유한 특성이라고 했다.

02 ❷-2~4에 따르면 물 분자의 산소 원자와 수소 원자는 전자를 1개씩 내어서 전자쌍을 만들고 이를 공유하며, 이로 인해 산소는 약한 음전하(−)를, 수소는 약한 양전하(+)를 띠게 된다. ❷-5에서 서로 다른 물 분자의 수소(H)와 산소(O) 사이에 전기적 인력이 작용한다고 했으므로, ②가 가장 적절하다.

03~04

주제 체지방의 개념과 체지방 측정법
해제 이 글은 우리 몸에서 체지방이 어떤 기능을 하는지 설명한 후 체지방을 측정하는 다양한 방법을 소개하고 있다.

03 (1) ❷-4에서 BMI가 25 이상이면 경도 비만, 30 이상이면 고도 비만으로 판정한다고 했다.
(2) ❷-4에 따르면 BMI는 체중을 신장의 제곱으로 나누어 구하므로, 체중이 같을 때 신장이 작은 사람의 BMI가 더 높다.
(3) ❹-2에서 체중은 체지방과 제지방의 합이라고 했다. 그러므로 체중이 같을 때, 체지방량이 더 많은 사람의 제지방량은 상대보다 더 적다.

04 ❸-3에서 피부두겹법은 내장지방을 측정할 수 없는 한계가 있다고 했다.

오답 피하기 ① ❶-2에서 확인할 수 있다.
② ❶-4에서 확인할 수 있다.
③ ❶-3~5에서 확인할수 있다.
⑤ ❹-1~5에서 수중체중법은 체지방과 제지방의 밀도 차이를 활용하여 수중 체중과 물 밖 체중을 비교하는 방식으로 체지방량을 계산하는 방법이라는 것을 알 수 있다.

05~06

주제 유체 속에서 운동하는 물체에 작용하는 힘과 종단 속도
해제 이 글은 유체 속에서 물체가 자유 낙하할 때 작용하는 힘인 중력, 부력, 항력을 설명한 다음, 물체의 가속도가 0으로 일정해지는 종단 속도의 개념을 설명하고 있다.

05 어떤 물체가 유체 속에서 낙하할 때 작용하는 부력은, ❶-3에 따르면 물체의 부피와 유체의 무게에 따라 달라진다. 따라서 균일한 밀도의 액체 속에서 낙하하는 동전에 작용하는 부력은 항력의 크기와 상관없이 일정하다.

오답 피하기 ① ❸-3에서 스카이다이버와 같이 큰 물체가 빠른 속도로 떨어질 때에는 압력 항력이 매우 커서 마찰 항력은 무시할 만하다고 했다.
② '물체가 유체 속에서 운동할 때 물체 전후방에 생기는 압력 차'는 압력 항력을 유발한다(❷-5). 항력은 물체의 운동 방향과 반대로 작용하므로(❷-1) 물체의 속도를 증가시킨다고 보기 어렵다.
③ ❹-2에 따르면 종단 속도는 물체의 가속도가 0이 되었을 때의 속도이다. 종단 속도일 때의 가속도가 중력 가속도와 같다는 내용은 언급되지 않았다.
⑤ ❶-3의 부력의 정의를 참고하면 균일한 밀도의 액체 속에 잠긴 쇠 막대의 부력은 서 있는 상태와 누워 있는 상태가 서로 같다.

06 <보기>의 A와 B가 상승할 때, 항력은 운동 방향과 반대인 아래쪽으로 작용한다. 따라서 '부력 = 중력 + 항력'일 때 종단 속도에 도달한다. '공기보다 밀도가 더 큰 기체 내'의 경우, 유체의 밀도가 커지므로 B에 작용하는 '부력' 또한 커진다. 이때 B의 질량은 일정하므로 B에 작용하는 '중력'은 변하지 않는다. 따라서 공기보다 밀도가 더 큰 기체 내에서 종단 속도에 도달했을 때의 '항력'은 공기 중에서의 그것보다 클 것이다.

오답 피하기 ① 항력은 물체의 운동에 저항하는 힘이므로(❷-1), A와 B가 고정되어 있을 때 두 물체에는 항력이 작용하지 않는다.
② <보기>에서 A와 B의 크기와 모양이 같다고 했으므로 두 물체에 작용하는 부력은 같다. 단, 물체 B의 밀도가 물체 A보다 더 크므로 질량과 이에 비례한 중력(❶-2) 또한 물체 B가 물체 A보다 더 크다. 두 물체는 종단 속도에 이르러 '부력 = 중력 + 항력'인 상황이므로, 이를 고려할 때 A에 작용하는 항력이 B에 작용하는 항력보다 더 크다고 볼 수 있다.
③ 물체에 작용하는 중력은 일정하고, 부력은 물체의 부피와 유체의 무게에 영향을 받는다. 물체의 운동과 관련 있는 것은 항력이다. 따라서 A의 속도가 증가하고 있을 때와 A가 고정되어 있을 때, 부력과 중력의 크기 차이는 서로 같다.
④ ❹-1에서 항력은 물체의 속도에 비례해서 커진다고 했다. 따라서 A와 B의 속도가 증가할 때 항력 또한 커진다.

2 화학

08 물리 변화와 화학 변화

198~201쪽

01 (1) ○ (2) × (3) × **02** ⑤ **03** (1) ○ (2) × (3) ×
04 ⑤ **05** ① **06** ④ **07** ④ **08** ①

01~02

주제 상변화를 활용하는 지역난방의 열 수송 방법

해제 이 글은 지역난방에서 열로 데워진 물을 수송할 때, 상변화 물질을 활용하여 열 수송의 효율성을 높이는 방법을 설명하고 있다.

01 (1) ❶-1, ❸-2에서 확인할 수 있다.
(2) ❸-9에 따르면 캡슐 속 상변화 물질은 액체에서 고체로 상변화할 때 잠열을 방출한다.
(3) ❸-6~7에 따르면 액체가 된 상변화 물질이 섞인 물의 온도는 상변화 물질의 녹는점 이상으로 유지되어야 한다.

02 ㉠(잠열)은 상변화에 사용된 열로 이는 물질의 온도 변화로 나타나지 않는다(❷-5~6). 한편 현열은 온도 변화로 나타나는 열이다(❷-9). 따라서 잠열이 현열을 증가시키는 역할을 한다는 설명은 적절하지 않다.

오답 피하기 ④ 잠열은 상변화 과정에서 흡수되기도 하고 방출되기도 한다(❷-7).

03~04

주제 산화물 반도체 물질을 이용한 저항형 센서

해제 이 글은 산화물 반도체 물질을 이용한 저항형 센서의 작동 원리와 이 센서의 성능을 평가하는 주요 요소인 응답 감도, 응답 시간, 회복 시간을 설명하고 있다.

03 (1) ❸-3~4에서 확인할 수 있다.
(2) ❹-4~5에서 센서는 산화물 반도체 물질에 흡착돼 있는 가스를 가능한 빠른 시간 내에 탈착시켜야 하기 때문에 회복 시간이 가스 센서의 성능을 평가하는 요소로 꼽힌다고 했다. 따라서 회복 시간이 짧을수록 저항형 가스 센서의 성능이 높다고 평가될 것이다.
(3) ❸-3~5에서 저항형 가스 센서는 가스의 탈착으로 변화한 저항값이 아니라 가스가 흡착되어 변화된 저항값으로부터 가스를 감지한다고 했다.

04 ㉠은 '시간이 지남에 따라 반복 측정하여도 동일 조건 하에서는 센서의 출력이 거의 일정하다'는 뜻이다. 이에 해당하는 예로 가장 적절한 것은 ⑤이다. '매일 아침 운동장을 열 바퀴 걸은 직후 맥박을 재어 보니'는 동일 조건 하에 시간이 지남에 따라 반복 측정한 것에 대응되며, '항상 분당 128~130회'였다는 것은 출력이 거의 일정하다는 것에 대응된다.

05~08

주제 물리 변화와 화학 변화

해제 이 글은 일반적인 통념과 달리, 어떤 현상이 물리 변화인지 화학 변화인지 판단하는 기준은 절대적이지 않다는 것을 사례와 함께 설명하고 있다.

05 ❸-3~4에 따르면 이산화탄소는 물과 결합해 탄산수가 되는데, 탄산수는 이산화탄소, 물과 전혀 다른 성질을 가진다.

오답 피하기 ② ❹-3에서 확인할 수 있다.
③ ❺-4에서 확인할 수 있다.
④ ❺~❻에서 소금이 물에 녹는 현상은 물리 변화나 화학 변화 중 하나로 단정하기 어렵다고 했다.
⑤ ❸-2에서 확인할 수 있다.

06 ①~⑤ 중 물질이 원래의 성질과는 전혀 다른 새로운 물질로 변하는 것은 ④이다.

07 ⓓ에서 소금이 나트륨 이온(Na^+)과 염화 이온(Cl^-)으로 분리되는 것을 물리 변화로 보기 어렵다고 했으므로 이는 화학 변화에 해당한다. 화학 변화는 물질의 성질이 변하는 것이므로, 소금이 나트륨 이온(Na^+)과 염화 이온(Cl^-)의 성질을 모두 나타낸다는 진술은 적절하지 않다.

오답 피하기 ① ⓐ에서 설탕의 용해 현상은 물리 변화에 해당한다고 했다. ❷-2와 ❸-2의 내용을 종합하면 설탕은 물에 용해되어도 분자 구조가 변하지 않는다.

08 ❺에 따르면 소금이 물에 녹아 소금물이 될 때 소금의 이온 결합이 끊어져서 나트륨 이온과 염화 이온으로 분리된다. 이를 나타낸 시각 자료로 적절한 것은 ①이다.

3 생명 과학

09 에너지와 물질대사

207~209쪽

01 (1) × (2) ○ (3) ×   02 ③   03 ③   04 ①   05 ③   06 ②

01~02

주제 수분 퍼텐셜에 따른 식물 줄기에서의 물의 이동 원리
해제 이 글은 식물이 토양에서 흡수한 물이 줄기를 통해 잎으로 전달되는 과정과 원리를 수분 퍼텐셜을 중심으로 설명하고 있다.

01 (1) ❸-7에 따르면 '토양 – 뿌리 – 줄기 – 잎 – 대기' 순으로 수분 퍼텐셜이 낮아진다. 따라서 뿌리의 수분 퍼텐셜이 토양의 수분 퍼텐셜보다 낮다.
(2) 수분 퍼텐셜은 식물체가 포함하고 있는 물의 양을 에너지 개념으로 바꾼 것으로(❸-2), 줄기의 물이 잎으로 이동하면 줄기의 수분 퍼텐셜이 낮아진다.
(3) ❷-1에 따르면 대기 중의 수분 농도가 잎의 수분 농도보다 낮다. 즉 식물이 광합성을 하기 위해 기공을 열었을 때 물이 손실되는 이유는 잎의 수분 퍼텐셜이 대기의 수분 퍼텐셜보다 높기 때문이다.

02 ❹-3~4에 따르면 식물이 기공을 여는 것은 이산화 탄소를 흡수하기 위해서이다. 그런데 기공이 열리면 잎의 표피에 있는 물이 기공을 통하여 대기 중으로 확산된다. 즉 기공이 열리면 식물은 이산화 탄소를 얻고, 물이 손실된다.

03~06

주제 단백질의 분해 과정과 단백질의 합성에 필요한 필수아미노산
해제 이 글은 우리 몸에서 일어나는 단백질의 분해와 합성 과정을 필수아미노산과 제한아미노산을 중심으로 설명하고 있다.

03 ❷-4에서 아미노산이 분해될 때는 아미노기가 아미노산으로부터 분리되어 암모니아로 바뀐 다음, 요소로 합성되어 체외로 배출된다고 했다. 즉 아미노산에서 분리되어 요소로 합성되는 것은 아미노기이다.

오답 피하기 ① ❶-5에서 확인할 수 있다.
② ❷-2에서 확인할 수 있다.
④ ❶-3에서 확인할 수 있다.
⑤ ❸-7에서 성장기 어린이의 경우 체내에서 합성할 수 있으나 그 양이 적어 음식물로 보충해야 하는 아미노산도 필수아미노산에 포함된다고 했다.

04 ❺-1에서 제한아미노산은 단백질 합성에 필요한 각각의 필수아미노산의 양에 비해 공급된 어떤 식품에 포함된 해당 필수아미노산의 양의 비율이 가장 낮은 필수아미노산을 말한다고 했다. 즉, 제한아미노산은 필수아미노산이므로 ①의 진술은 적절하지 않다.

오답 피하기 ② ❸-5에서 확인할 수 있다.
③ ❸-2~3에서 확인할 수 있다.
④ ❹~❺를 고려할 때 제한아미노산이 있는 식품은 특정 아미노산의 양이 부족하여 공급된 필수아미노산이 모두 단백질 합성에 이용되지 못하는 식품이다. 따라서 제한아미노산이 없는 식품은 단백질 합성에 필요한 필수아미노산이 균형 있게 함유되어 있다고 볼 수 있다.
⑤ ❸-1에서 단백질이 지속적으로 분해됨에도 불구하고 체내 단백질 총량이 유지되거나 증가하는 것은 세포 내에서의 단백질 합성 때문이라고 했다. 그런데 체내에서 합성할 수 없는 필수아미노산의 부족한 양이 외부로부터 공급되지 않으면, 체내 단백질 합성량이 줄어들어(❸-5) 체내 단백질 총량이 감소할 것이다.

05 (나)는 B의 양이 부족하기 때문에 단백질 Q를 1몰만 합성할 수 있다. 이때 (나)의 제한아미노산은 B이며 A 4몰, C 2몰이 남는다. (다) 또한 B의 양이 부족하기 때문에 단백질 Q를 1몰만 합성할 수 있다. 이때 (다)의 제한아미노산은 B이며 A 2몰, C 2몰이 남는다. 따라서 (나)에서 합성된 단백질의 양이 (다)보다 많다는 진술은 적절하지 않다.

오답 피하기 ① ❺의 내용을 고려할 때 '단백질 합성을 제한하는 필수아미노산'은 제한아미노산을 뜻한다. (가)는 A, B, C를 모두 사용하여 단백질 Q를 2몰 합성할 수 있으므로 (가)에는 제한아미노산이 없다.
② (가)는 단백질 Q를 2몰 합성할 수 있으며 이를 위해 12몰의 필수아미노산을 사용한다. (다)는 단백질 Q를 1몰 합성할 수 있으며 이를 위해 6몰의 필수아미노산을 사용한다. 따라서 (가)에서 단백질 합성에 이용된 필수아미노산의 총량이 (다)보다 많다.

06 ㉠(높다)은 '값이나 비율 등이 보통보다 위에 있다.'라는 의미로 사용되었다. 이와 의미가 가장 가까운 것은 ②의 '높다'이다.

오답 피하기 ① '아래에서부터 위까지 벌어진 사이가 크다.'라는 의미로 사용되었다.
③ '이름이나 명성 등이 널리 알려진 상태에 있다.'라는 의미로 사용되었다.
④ '아래에서 위까지의 길이가 길다.'라는 의미로 사용되었다.
⑤ '어떤 의견이 다른 의견보다 많고 우세하다.'라는 의미로 사용되었다.

❸ 생명 과학

10 생장과 생식

214~217쪽

01 (1) ○ (2) × (3) × **02** ④ **03** (1) × (2) ○ (3) ○
04 ③ **05** ① **06** ② **07** ④

01~02

주제 DNA의 양을 증폭시키는 PCR

해제 이 글은 PCR을 통해 DNA를 증폭시키는 과정을 세 가지 단계로 나누어 설명하고 있다. PCR을 거치면 DNA 가닥의 수는 매 주기마다 두 배씩 증폭된다.

01 (1) ❷에서 확인할 수 있다.

(2) 둘째 단계에서 프라이머 가닥은 원본 DNA 가닥의 끝부분에 가서 붙게 된다고 했다(❸-2).

(3) ❺-2에서 DNA 가닥의 수는 매 주기마다 두 배씩 증폭된다고 했으므로 3번의 주기가 반복되면 DNA 가닥의 수는 8배로 증폭된다.

02 ⓒ는 PCR 증폭의 셋째 단계이다. 이 단계에서는 DNA 중합 효소와 뉴클레오타이드 용액을 첨가하고 온도를 섭씨 74도 정도로 올린다. ④에서는 어떤 물질도 첨가하지 않는다고 했으므로 잘못된 설명이다.

오답 피하기 ① ❷-1에서 확인할 수 있다.
②, ③ ❸에서 확인할 수 있다.
⑤ ❺-1에서 확인할 수 있다.

03~04

주제 개체성의 조건

해제 이 글은 서로 다른 대상들을 동일한 개체의 부분들 혹은 동일한 개체로 판단할 수 있는 조건인 개체성의 조건을 제시한 후, 진핵세포의 세포 소기관인 미토콘드리아를 예로 들어 설명하고 있다.

03 (1) ❶-3~4에 따르면 유사성이 아무리 강하더라도 유사성은 개체성의 조건이 될 수 없다. 일란성 쌍둥이는 DNA 염기 서열과 외모도 같지만 동일한 개체는 아니다.

(2) ❶-1, ❶-5~6을 통해 추론할 수 있다.

(3) ❸-6, ❸-8에서 확인할 수 있다.

04 이 글은 먼저 어떤 부분들이 모여 이룬 하나의 대상을 하나의 개체로 판단할 수 있는 조건으로 '부분들의 강한 유기적 상호작용'을 제시하고, 상이한 시기에 존재하는 두 대상을 동일한 개체로 판단할 수 있는 조건으로 '두 대상 사이의 강한 인과성'을 제시했다. 그 후 미토콘드리아를 하나의 개체가 아닌 진핵세포의 세포 소기관으로 보는 이유를 미토콘드리아와 진핵세포 사이의 '강한 유기적 상호작용'을 근거로 들어 설명하고 있다.

오답 피하기 ② ❶~❷에서 어떤 대상을 개체라고 부를 수 있는 조건인 개체성의 조건을 제시하고 있으나, 개체에 대한 정의가 확립되는 과정을 서술한다고 보기는 어렵다.
⑤ 개체와 관련된 개념으로 개체성의 조건을 설명했으나, 세포가 하나의 개체로 변화하는 과정을 서술한 부분은 확인할 수 없다.

05~07

주제 각종 진단에 광범위하게 사용되는 전통적 PCR와 실시간 PCR의 원리

해제 이 글은 유전자 복제, 감염병 진단 등에서 광범위하게 활용되는 PCR의 개념과 원리를 전통적 PCR와 실시간 PCR로 나누어 설명하고 있다.

05 ❶-4~5에 따르면 주형 DNA에서 증폭하고자 하는 부위가 표적 DNA이며 프라이머는 이 표적 DNA의 일부분과 '동일한' 염기 서열로 이루어져 있다. 따라서 주형 DNA에는 프라이머와 염기 서열이 정확하게 일치하는 부위가 있다.

오답 피하기 ② ❷-3에 따르면 한 사이클은 일정한 시간 동안 진행되며, 사이클마다 표적 DNA의 양은 2배씩 증가한다. 그러므로 처음의 양에서 2배가 되는 시간과 4배에서 8배가 되는 시간은 같다.
③ ❷에 따르면 전통적인 PCR는 PCR의 '최종 산물'에 형광 물질을 결합시켜 표적 DNA 증폭 여부를 확인하므로, PCR 과정 중에는 표적 DNA 농도가 얼마나 증가했는지(표적 DNA가 얼마나 증폭되었는지) 알 수 없다.
④, ⑤ ❸-2에 따르면 전통적 PCR와 실시간 PCR의 PCR 과정은 같다. 두 방법 모두 열을 가해 이중 가닥의 DNA를 2개의 단일 가닥으로 분리하고, 프라이머를 단일 가닥 DNA에 결합시킨 다음, DNA 중합 효소를 활용하여 복제하는 방식으로 표적 DNA를 증폭시킨다. 두 방법의 차이점은 표적 DNA 증폭 과정이 아니라 표적 DNA 증폭 여부를 확인하는 방식에 있다.

06 ㉠은 새로 생성된 이중 가닥 표적 DNA에 결합하여 발색한다(❸-4). 그러나 ㉡은 표적 DNA와의 결합이 끊어져 분해된 후 비로소 발색 반응이 나타난다(❹-3~4).

오답 피하기 ① ❸-5에 따르면 이중 가닥의 이합체를 형성하는 것은 2개의 프라이머이다. ㉠은 프라이머가 형성한 이합체에 결합하여 발색을 하기도 한다.
④ ㉠, ㉡ 모두 한 사이클의 시작 지점에 발색 반응이 일어나지 않는다.
⑤ ㉠은 이중 가닥 표적 DNA에 결합하지만(❸-4) ㉡은 이중 가닥 DNA가 단일 가닥이 되면 표적 DNA에 결합한다(❹-2).

07 전통적 PCR와 실시간 PCR 모두 PCR 과정에는 프라이머가 필요하다. ❶-5에 따르면 프라이머는 표적 DNA의 일부분과 동일한 염기 서열로 이루어진 단일 가닥 DNA이므로, 표적 DNA의 염기 서열이 알려져 있지 않으면 프라이머를 만들 수 없다. 따라서 표적 DNA의 염기 서열을 알아야 프라이머를 활용하여 실시간 PCR로 진단 검사를 해서 감염 여부를 분석할 수 있을 것이다.

오답 피하기 ① PCR는 표적이 되는 DNA를 증폭시키는 방법이다. ❷-4에 따르면 전통적인 PCR로 진단 검사를 할 때는 DNA의 양이 더 이상 증폭되지 않을 정도로 충분히 사이클을 수행한다. 그러므로 시료에 포함된 바이러스의 양이 적은 감염 초기에도 감염 여부를 진단할 수 있을 것이다.
② ❷-5 따르면 전통적인 PCR로 진단 검사를 할 때는 최종 산물에 형광 물질을 결합시킨다. 따라서 발색 물질이 필요 없다는 반응은 적절하지 않다.
③ 전통적인 PCR로 진단 검사를 할 때는 충분히 사이클을 수행해야 하며 실시간으로 표적 DNA의 증폭 여부를 확인할 수 없다. 따라서 진단에 걸리는 시간을 줄일 수 있다는 반응은 적절하지 않다.
⑤ ❺에 따르면 실시간 PCR로 진단 검사를 할 때는 사이클마다 발색 반응이 일어나도록 하여 표적 DNA의 증폭을 실시간으로 확인할 수 있고, 일정 수준의 발색도에 도달하면 감염 여부를 확인할 수 있다. 그러므로 PCR가 끝난 후에야 감염 여부를 알 수 있다는 반응은 적절하지 않다.

❸ 생명 과학

11 항상성과 몸의 조절

224~227쪽

01 (1) × (2) × (3) ○ **02** ⑤ **03** (1) ○ (2) ○ (3) × **04** ④ **05** ⑤ **06** ① **07** ③ **08** ①

01~02

주제 식욕의 작용 원리
해제 이 글은 식욕 중추와 전두 연합 영역을 중심으로 식욕의 작용 원리를 설명하고 있다. 식욕을 조절하는 식욕 중추는 혈액 속 포도당, 인슐린, 지방산 등의 영향을 받는다.

01 (1) ❷-4에 따르면 혈관 속 포도당의 농도가 높아질 때 인슐린이 분비된다.
(2) ❶-2에 따르면 배가 고픈 느낌이 들게 하는 것은 섭식 중추이다. ❷-5에 따르면 포도당과 인슐린은 섭식 중추가 아닌 포만 중추의 작용을 촉진해서 배가 부른 기분이 들게 한다.
(3) ❷-3~4에 따르면 식사를 하면 혈중 포도당 농도가 높아지므로 공복 상태가 길어지면 혈관 속 포도당의 양이 줄어들 것이다. 한편 ❷-6~7에 따르면 공복 상태가 길어지면 중성 지방이 간에서 분해되면서 생긴 지방산이 혈액을 타고 시상 하부로 이동한다. 즉 공복 상태가 길어지면 혈관 속 지방산의 양이 늘어난다.

02 ❸-3~4에 따르면 음식에 관한 감각 정보를 정리하여 기억하는 곳은 전두 연합 영역이다.

03~04

주제 바이러스의 감염 과정과 감염의 종류
해제 이 글은 바이러스가 숙주 세포로 침투하여 증식하는 과정을 설명한 후, 바이러스 감염의 종류를 분류하여 비교하고 있다.

03 (1) ❶-5에서 확인할 수 있다.
(2) ❶-6에서 핵산은 DNA와 RNA 중 하나로만 구성된다고 했다.
(3) ❷-2~3에 따르면 피막이 있는 바이러스는 숙주 세포막의 효소가 아닌, 숙주 세포 수용체에 달라붙어 숙주 세포 내부로 침투한다. 숙주 세포의 효소는 침투 후 핵산을 복제할 때 이용한다.

04 ❸-4에 따르면 지속 감염은 급성 감염에 비해 상대적으로 오랜 기간 동안 바이러스가 체내에 잔류한다.

05~08

주제 장기 이식과 이상적인 이식편 개발을 위한 연구

해제 이 글은 손상된 신체의 세포, 조직, 장기를 대체하는 장기 이식의 종류를 제시하고 이상적인 이식편 개발을 위한 연구의 성과와 문제점을 설명하고 있다.

05 ❹-4~5에 따르면 레트로바이러스는 역전사 효소를 이미 갖고 있는 바이러스이다.

오답 피하기 ③ ❺-4에서 내인성 레트로바이러스는 다른 종의 세포 속에서 레트로바이러스로 변환되어 그 세포를 감염시키기도 한다고 했다. 따라서 이종 이식이 바이러스 감염의 원인이 될 수 있다.

④ ❹-3에서 내인성 레트로바이러스는 사람을 포함한 모든 포유류에 존재한다고 했으며, ❺-1~2에서 내인성 레트로 바이러스는 레트로바이러스에 감염되고도 살아남은 생식 세포로부터 유래된 자손의 모든 세포가 갖게 된 것이라고 했다.

06 ❷-3에서 언급된 전자 기기 인공 장기의 단점 중 하나는 정기적 부품 교체가 요구된다는 것이다. 따라서 이상적인 이식편은 정기 교체라는 단점을 갖지 않아야 한다.

07 ❺-4에서 내인성 레트로바이러스는 이종 이식을 할 때 다른 종의 세포를 감염시키는 문제가 있다고 했다. 그렇지만 동종 이식편은 내인성 레트로바이러스를 제거할 필요가 없으므로 ③의 진술은 적절하지 않다.

오답 피하기 ② ❶-4~7에 따르면 면역 억제제는 MHC 차이 때문에 일어나는 면역적 거부 반응을 막기 위해 사용된다. ㉮는 수혜자 자신의 줄기 세포만을 이용하기 때문에 개체 사이의 MHC 차이가 발생하지 않고, 따라서 면역 억제제를 사용할 필요가 없다.

④, ⑤ ㉮는 수혜자 자신의 줄기 세포를 이용하기 때문에, 내인성 레트로바이러스를 제거해야 하는 이종 이식편(❺-4~5)과 달리 유전자 조작 과정이 필요하지 않으며 이종 이식으로 인한 초급성 거부 반응(❸-3) 또한 일어나지 않는다.

08 ㉡은 RNA와 역전사 효소를 가진 바이러스이다. ❺-1~2에 따르면 ㉡에 감염되고도 살아남은 생식세포로부터 유래된 자손의 모든 세포가 갖게 된 것이 ㉠이다. 따라서 ①은 적절한 진술이다.

오답 피하기 ②, ④ ❹-4~5에서 ㉡은 역전사 과정을 통해 자신의 유전 정보가 담긴 RNA를 DNA로 바꾼다고 했다. 따라서 생명체의 DNA의 일부분으로 자신이 속해 있는 생명체의 유전 정보를 가진 ㉠(❹-2)과 달리 ㉡은 자신이 속해 있는 생명체의 유전 정보를 가졌다고 보기 어렵다.

❹ 지구 과학

12 태양계

232~235쪽

01 (1) ○ (2) ○ (3) × **02** ④ **03** (1) × (2) ○ (3) ○
04 ③ **05** ② **06** ④ **07** ② **08** ③

01~02

주제 서양 우주론의 발전

해제 이 글은 지구 중심설에서 태양 중심설로 이행된 서양 우주론의 발전 과정과 이를 통한 천문학 분야의 개혁을 소개하고 있다.

01 (1) ❶-1에서 확인할 수 있다.
(2) ❶-4~6에서 확인할 수 있다.
(3) ❷-2~4에 따르면 케플러에만 해당하는 설명이다.

02 ❷-1에서 브라헤가 코페르니쿠스 천문학의 장점을 인정하면서도 아리스토텔레스 형이상학과의 상충을 피하고자 했음을 알 수 있다. 즉 브라헤의 우주론은 아리스토텔레스의 형이상학에서 자유롭지 못했다.

오답 피하기 ① 아리스토텔레스가 지상계와 천상계를 대립시키는 이분법적 구도를 내세운 것은 맞으나(❶-7), ❶-3에서 아리스토텔레스는 항성 천구가 회전한다고 주장했음을 알 수 있다.

② ❶-4~5에서 행성이 태양에서 멀수록 공전 주기가 길어진다는 점에서 단순성을 충족하는 것은 코페르니쿠스의 우주론임을 알 수 있다.

③ ❶-4~7에서 코페르니쿠스의 우주론이 아리스토텔레스의 이분법적 구도를 무너뜨리는 것으로 여겨졌음을 알 수 있다.

⑤ ❷-2~3에서 신플라톤주의에 매료된 케플러가 브라헤의 천체 관측치를 활용하여 태양 주위를 공전하는 행성의 운동 법칙들을 수립했음을 알 수 있다. 그렇지만 신플라톤주의는 형이상학이기 때문에, 신플라톤주의에서 경험주의적 근거를 찾았다고 보기는 어렵다.

03~04

주제 지구 상에서 운동하는 물체의 운동 방향이 편향되는 이유와 그 양상

해제 이 글은 지구 상에서 운동하는 물체의 운동 방향이 편향되는 현상의 원인인 전향력과 전향력이 물체에 작용하는 원리를 구체적인 사례로 설명하고 있다.

03 (1) ❶-1에서 지구는 시계 반대 방향으로 자전한다고 했으므로 서에서 동으로 회전함을 알 수 있다. 한편, ❸-6의 목표 지점이 동쪽으로 움직이고 있다는 설명에서도 이를 알 수 있다.
(2) ❷-1에서 전향력은 지구가 자전하기 때문에 나타난다고 했으며, ❸~❹에서 위도 간 자전 속력의 차이가 물체의 운동 방향이 편향되게 만드는 원리를 설명하고 있다.
(3) ❺-2에서 확인할 수 있다.

04 ❷-3에서 자전하는 속력은 적도에서 가장 빠르고 고위도로 갈수록 느려진다고 했다. 따라서 남위 50도 지점의 자전 속력이 남위 40도 지점의 자전 속력보다 더 느리다.
오답 피하기 ① ❷-3에서 확인할 수 있다.
② ❺-2에서 확인할 수 있다.
④ ❺-3에서 전향력은 남반구에서 물체의 진행 방향이 왼쪽으로 편향되게 한다고 했다. 남반구에서 남쪽으로 발사했을 때의 왼쪽은 동쪽이므로 적절하다.
⑤ ❹-5에서 전향력으로 인한 편향 현상은 운동하는 모든 물체에 나타난다고 했으므로 적절하다.

05~08

주제 탐사선이 일정 속도 이상에 도달하기 위해 활용하는 스윙바이의 원리
해제 이 글은 탐사선이 행성에 다가갔다가 멀어지는 방식으로 속도를 올리는 스윙바이의 원리를 행성의 공전과 관련 지어 설명하고 있다.

05 행성의 중력 변화는 언급되지 않았다.

06 〈보기〉는 스윙바이를 하는 탐사선의 속도 변화를 나타낸 그래프이다. ❷-4~5를 고려할 때 ⓐ는 탐사선이 중력장에 진입하기 전, ⓑ는 탐사선이 중력장에 진입할 때, ⓒ는 행성의 공전 방향에 가까워질 때이며, ❸-4를 고려할 때 ⓓ는 행성 중력의 영향권에서 벗어난 때이다. 탐사선이 중력장에 진입할 때 속도 증가는 크지 않고 행전의 공전 방향에 가까워지면 속도 증가가 커진다고 했으므로, ⓒ에서의 속도 크기 변화가 ⓑ에서의 속도 크기 변화보다 크다.
오답 피하기 ⑤ ❷-5에서 탐사선이 방향을 바꾸어 행성의 공전 방향에 가까워지면 속도가 크게 증가된다고 했다. ⓑ~ⓒ에서 속도가 크게 증가했으므로 적절한 진술이다.

07 탐사선은 행성의 공전을 이용하여 속도를 얻는다. 〈보기〉의 사례에서 화살은 달리는 말에 의해 더 빠른 속도를 얻었으므로, 공전하는 행성과 가장 유사한 것은 '달리는 말'이다.

08 ❹-1~3에서 운동량 보존 법칙에 따라 탐사선과 행성이 주고받은 운동량이 같으므로 탐사선의 속도가 빨라진 만큼 행성의 속도가 느려진다고 했다. 따라서 같은 것은 '운동량'이다.

❹ 지구 과학

13 복사 에너지와 온실 효과

239~241쪽

01 (1) ○ (2) × (3) ○ **02** ④ **03** ① **04** ③ **05** ②

01~02

주제 이글루의 건축 과정과 난방 원리
해제 이 글은 이글루의 건축 과정과 난방 원리를 설명하고 있다. 이글루 안이 밖보다 높은 온도를 유지하는 이유로 온실 효과와 물의 융해·응고 과정을 들고 있다.

01 (1) ❸-1~2에서 알 수 있다.
(2) ❸-2에서 이글루는 단위 면적당 태양 에너지를 지면보다 더 많이 받는다는 점을 알 수 있다.
(3) ❸-6, 9에서 지구의 대기가 복사파인 장파를 흡수하여 온실 효과를 일으키듯이, 이글루 내부에서도 얼음이 외부로 나가는 복사파를 차단하여 이글루 안을 따뜻하게 유지한다는 점을 알 수 있다.

02 ❷에 눈 벽돌로 이글루를 만든 뒤 불을 피워서 눈을 녹여 벽돌의 빈틈을 메워 주고, 어느 정도 눈이 녹은 뒤 출입구를 열어 물이 얼도록 하는 과정을 반복하여 얼음집을 만드는 과정이 나타나 있다. 이때 접착제의 역할을 하는 것은 ④이다.

03~05

주제 엘니뇨와 라니냐의 발생 원인과 영향
해제 이 글은 이상 기후의 원인인 엘니뇨와 라니냐가 적도 부근 동태평양과 서태평양 부근의 해양과 기후에 미치는 영향을 설명하고 있다.

03 이 글은 적도 부근 태평양에 나타나는 현상을 평상시, 엘니뇨 시기, 라니냐 시기로 나누어 제시하면서 각각 해양과 기후에 미치는 영향을 설명하고 있다.

오답 피하기 ③ 엘니뇨와 라니냐와 같은 이상 기후가 발생하는 원인을 설명하고 있는 것은 맞지만, 해결책을 제시하고 있지는 않다.

04 ❷-3과 ❸-1에서 동태평양 페루 연안에서 서쪽으로 쓸려가는 표층수의 자리를 메우기 위해 차가운 심층 해수가 아래로부터 올라오는 용승이 일어나면, 동태평양 페루 연안의 해수면 온도가 같은 위도의 다른 해역보다 낮아진다는 사실을 확인할 수 있다.

오답 피하기 ①, ④ ❸-1~2에서 적도 부근 서태평양의 표층 해수 온도가 높아지면 해수가 증발하여 공기 중에 수증기의 양이 많아지고, 따뜻한 해수가 공기를 데워 상승 기류가 발생한다는 점을 알 수 있다. 또한 ❸-3에서 이러한 상승 기류 때문에 저기압이 발달하면 적도 부근 서태평양에 위치한 동남아시아와 오스트레일리아에는 강수량이 많아진다는 점을 알 수 있다.
②, ⑤ ❷-1~2에서 평상시 무역풍은 적도 부근의 동태평양에서 서쪽으로 불며, 이에 따라 동쪽에 있는 따뜻한 표층수를 서쪽 방향으로 운반하기 때문에 따뜻한 해수층이 동태평양 쪽에서는 얇아지고 서태평양 쪽에서는 두꺼워진다는 점을 알 수 있다.

05 ㉡(라니냐)일 때, B 해역(적도 부근 동태평양)의 따뜻한 표층수가 평상시보다 더 많이 A 해역(적도 부근 서태평양)으로 이동하므로 B 해역의 따뜻한 해수층이 ㉠(엘니뇨)일 때보다 얇아진다는 것을 알 수 있다(❺-1).

오답 피하기 ① A 해역은 적도 부근 서태평양이다. ❹에서 ㉠(엘니뇨)일 때에는 평상시보다 무역풍이 약해져 따뜻한 표층수가 동쪽에 머무르면서 B 해역의 해수면 온도는 높아지고 A 해역의 해수면 온도는 낮아진다는 점을 알 수 있다. 반면 ❺에서 ㉡(라니냐)일 때에는 평상시보다 무역풍이 강해지면서 적도 부근 동태평양의 해수면 온도는 낮아지고 적도 부근 서태평양의 해수면 온도는 높아진다는 점을 확인할 수 있다.
③ ❹-4에서 알 수 있다.
④ ❹-5에서 ㉠(엘니뇨)이 발생하면 서태평양에 위치한 인도네시아, 오스트레일리아 등에서 가뭄과 산불 등의 피해가 발생한다는 점을 알 수 있다.
⑤ ❺-4에서 알 수 있다.

IV. 기술

01 컴퓨팅 시스템

247~249쪽

01 (1) ○ (2) ○ (3) × **02** ⑤ **03** ② **04** ② **05** ③

01~02

주제 3D 합성 영상의 생성, 출력을 위한 모델링과 렌더링의 방법

해제 이 글은 3D 합성 영상을 생성하고 출력하기 위한 모델링과 렌더링 과정을 언급하고 그 과정에서 활용되는 CPU와 GPU의 데이터 처리 방법을 설명하고 있다.

01 (1) ❹-3에서 확인할 수 있다.
(2) ❹-4에서 확인할 수 있다. 미처 연산되지 못한 데이터가 생긴 것은 연산할 데이터 양이 처리 능력을 초과했기 때문이다.
(3) ❷에 따르면 물체 고유의 표면 특성은 모델링에서 지정된다. ❸에서 이 데이터를 활용하여 2차원의 화면을 생성하는 것이 렌더링이며, 이때 화솟값이 결정된다는 것을 알 수 있다. 따라서 화솟값에 의해 물체 고유의 표면 특성이 결정된다는 진술은 적절하지 않다.

02 ❹-6에서 GPU의 각 코어는 그래픽 연산에 특화된 연산만 할 수 있고, CPU의 코어에 비해 저속으로 연산한다고 했다. 따라서 GPU와 CPU가 각각 1개의 코어로 1개의 동일한 연산을 할 경우, CPU의 연산 시간이 더 짧을 것이다.

오답 피하기 ① ❹-4에서 CPU는 데이터 연산을 하나씩 순서대로 수행한다고 했다.
② ❹-4~5에 따르면 GPU는 과도한 양의 데이터가 집중되면 병목 현상이 생겨 프레임 생성 시간이 오래 걸리는 CPU의 그래픽 처리 능력을 보완하기 위해 개발되었다.
③ ❹-6~7에서 GPU의 각 코어는 CPU의 코어에 비해 저속으로 연산하지만, 동일한 연산을 여러 번 수행해야 하는 경우 고속으로 출력 영상을 생성할 수 있다고 했다.
④ ❹-8에서 GPU는 전체 코어에 하나의 연산 명령어를 전달하여 각 코어가 모든 데이터를 동시에 연산할 수 있다고 했다.

03~05

주제 HDD의 속도 한계와 SSD의 장점

해제 이 글은 컴퓨터의 보조 기억 장치인 HDD의 한계를 제시한 뒤, 그것을 대체할 수 있는 SSD의 장점을 설명하고 있다.

03 이 글에서는 HDD의 동작 속도가 느린 이유를 설명하고 있을 뿐, HDD의 발전 과정은 드러나지 않는다.

오답 피하기 ① ❹-1에서 SSD의 구성 요소를 확인할 수 있다. SSD는 인터페이스, 메모리, 컨트롤러, 버퍼 메모리로 이루어져 있다.

③ ❶에서 컴퓨터를 구성하는 요소 중 중앙 처리 장치(CPU), 주기억 장치, 보조 기억 장치의 성능이 컴퓨터의 전반적인 속도를 좌우함을 알 수 있다.

④ ❷-1~2에 따르면 CPU나 램은 전자의 움직임만으로 데이터를 처리하고, HDD는 원형의 자기 디스크를 물리적으로 회전시키며 데이터를 처리한다.

⑤ ❸-4~5에서 SSD는 작동 소음이 작고 전력 소모가 적은 특성 때문에 휴대용 컴퓨터에 SSD를 사용하면 전지 유지 시간을 늘릴 수 있는 이점이 있다고 했다.

04 ❷-2~4에서 HDD는 자기 디스크를 물리적으로 회전시키는 방식으로 작동하기 때문에 CPU와 램에 비해 데이터 처리 속도가 향상되기 어려웠음을 알 수 있다.

오답 피하기 ① ❸-2에 SSD는 HDD와 용도, 외관, 설치 방법 등이 유사하다는 내용이 언급되어 있다.

③ ❸-4에 따르면 SSD는 물리적으로 움직이는 부품이 없기 때문에 작동 소음이 작다. 자기 디스크를 회전시키는 방식으로 데이터를 읽거나 저장해서 소음이 큰 것은 HDD이다.

④ ❻-3에서 플래시 메모리 기반 SSD를 장착한 컴퓨터는 HDD를 장착한 동급 사양의 컴퓨터보다 최소 2~3배 이상 빠른 속도를 기대할 수 있음을 알 수 있다. 따라서 운영 체제를 빠르게 쓰고 싶다면 HDD보다 SSD를 쓰는 것이 낫다.

⑤ ❷-2~3에서 자기 디스크를 통해 데이터를 읽는 HDD는 전력 소모량이 높아지는 단점이 있다고 했으며, ❸-3~4에서 반도체를 이용해 데이터를 저장하는 SSD는 전력 소모가 적다고 했다. 이때 ❷-1에 따르면 반도체 재질은 전자의 움직임만으로 데이터를 처리한다. 따라서 전자를 움직여 데이터를 읽는 것보다 자기 디스크를 움직여 데이터를 읽는 것이 전력을 적게 쓴다는 ⑤의 이해는 적절하지 않다.

05 〈보기〉의 SSD는 전지가 장착되어 있으므로 램 기반 SSD이다. ❺-2~3에서 램 기반 SSD는 전용 전지가 반드시 필요하다는 단점 때문에 많이 쓰이지 않는다고 했다.

02 정보 통신 기술

256~259쪽

01 (1) × (2) × (3) ○ **02** ⑤ **03** (1) ○ (2) ○ (3) × **04** ③ **05** ③ **06** ① **07** ③

01~02

주제 스마트폰에서 활용되는 다양한 위치 측정 기술

해제 이 글은 스마트폰에서 활용되는 다양한 위치 측정 기술인 GPS, IMU, 블루투스 기반의 비콘을 활용하는 기술을 설명하고 있다.

01 (1) ❶-3을 고려할 때 '기준이 되는 위치가 어디냐에 따라 달라지는 위치'는 상대 위치를 의미한다. ❷-2에서 GPS는 위성으로부터 오는 신호를 이용하여 절대 위치를 측정한다고 했다.

(2) ❸-3에서 비콘들은 동일한 세기의 신호를 사방으로 보낸다고 했다.

(3) ❷-5에서 IMU는 단말기가 초기 위치로부터 얼마나 떨어져 있는지를 계산하여 단말기의 상대 위치를 구한다는 것을 알 수 있다.

02 ❷-5~6에서 IMU는 내장된 센서로 가속도와 속도를 측정하여 위치 변화를 계산하고 초기 위치를 기준으로 하는 상대 위치를 구하는데, 이 방법은 측정한 값, 즉 가속도와 속도의 오차가 누적되어 시간이 지날수록 위치 오차가 커진다고 했다.

03~04

주제 인공 신경망의 학습과 판정 원리

해제 이 글은 인공 신경망의 개념을 소개하고, 인공 신경망의 과학적 원리를 학습 단계와 판정 단계로 나누어 설명하고 있다.

03 (1) ❷-1에서 확인할 수 있다.

(2) ❶-2에서 확인할 수 있다.

(3) ❹-4에 따르면 '오차 값의 일부가 출력층의 출력 단자에서 입력층의 입력 단자 방향으로 되돌아가면서 …… 모든 가중치들에 더해지는 방식'으로 가중치의 갱신이 이루어진다고 했다.

04 ❷-2에 따르면 ㉤은 고정된 값이다. 따라서 ㉣이 변하면 ㉤은 따라서 변한다는 설명은 적절하지 않다.

오답 피하기 ⑤ ❹-2~4에 따르면 ㉠의 학습 단계는 데이터를 입력층의 ㉢에 넣고 출력층의 ㉥을 구한 다음 ㉥과 정답에 해당하는 값의 차이가 줄어들도록 가중치를 갱신하는 과정이다. 이때 정답에 해당하는 값에서 ㉥을 뺀 오차 값을 구한 뒤, 이 오차 값의 일부가 입력 단자에 할당된 모든 ㉣에 더해지는 방식으로 ㉣이 갱신된다. 따라서 ㉥이 ㉣의 변화에 영향을 미친다는 설명은 적절하다.

05~07

주제 온라인에서의 보안 문제를 해결할 수 있는 해시 함수의 특성과 이용의 실제

해제 이 글은 온라인상에서 생길 수 있는 보안 문제를 해결하기 위한 기술인 해시 함수를 소개하고, 해시 함수의 특성과 활용을 설명하고 있다.

05 ❶-3에서 해시 함수는 입력 데이터 x에 대응하는 하나의 결과 값을 일정한 길이의 문자열로 표시하는 수학적 함수라고 했다. 이 정의에 따르면 입력 데이터가 같고, 함수가 같다면 동일한 해시값을 얻을 수 있다. 그렇지만 입력 데이터가 같더라도 함수가 달라지면 해시값도 달라지기 때문에 해시값이 언제나 동일하다는 것은 적절하지 않다.

06 ❸-2에서 ㉠은 주어진 해시값에 대응하는 입력 데이터의 복원이 불가능하다는 것을 말한다고 했다. 그러므로 일방향성을 지닌 해시 함수를 통해 도출한 해시값으로부터 원래의 입력 데이터인 x, y를 복원하는 것은 불가능하다.

07 ❹-3에서 운영자는 해시값 게시 기간이 지난 후 입찰 참여자가 보내 준 입찰가와 논스를 통해 최고 입찰가를 제출한 사람을 알 수 있다고 했다.

오답 피하기 ① A는 논스의 해시값인 r과 입찰가에 논스를 더한 것의 해시값인 m을 운영자에게 전송해야 하지만, 입찰가 a는 해시값 게시 기한이 지난 다음에 전송한다.

② 해시값 m과 n이 같다는 것은 입찰가와 논스의 합이 같다는 것이다. 그런데 r과 s가 다르다면 이는 A와 B의 논스가 다르다는 것을 의미하기 때문에, 두 사람의 입찰가는 같지 않다.

④ 논스는 입찰가를 추측할 수 없게 하기 위해 입찰가에 더해지는 임의의 숫자이다. r과 s만으로는 입찰가를 비교할 수 없다.

⑤ B가 게시판에서 해시값인 m과 r을 확인한다고 하더라도, 해시 함수의 특성상 이를 통해 입력 데이터인 입찰가를 알아낼 수는 없다.

03 반도체 기술

264~267쪽

01 (1) × (2) ○ (3) ○ **02** ⑤ **03** (1) × (2) ○ (3) ○
04 ③ **05** ① **06** ④ **07** ④

01~02

주제 조명 기구의 구조와 발광 원리에 따른 발광 효율과 수명

해제 이 글은 전기 에너지를 사용하는 조명 기구의 구조와 발광 원리를 제시하고, 이에 따라 달라지는 발광 효율과 수명을 설명하고 있다.

01 (1) ❷-2~3에 따르면 백열전구의 필라멘트에서 방출되는 전자기파의 파장은 연속 스펙트럼을 갖는데, 이 중 빛은 10% 정도이고 나머지는 열의 형태인 적외선이라고 했다.

(2) ❷-1, 4에서 백열전구가 단순한 구조이며 수명도 짧음을 확인할 수 있다. ❸-1에서 형광등이 '원통형 유리관 내에 …… 양 끝에 필라멘트가 붙어 있는 구조'로 백열전구보다 구조가 복잡하며, ❸-6에서 백열전구에 비해 수명이 5~6배 정도 길다는 것을 확인할 수 있다.

(3) ❹에 따르면 발광 다이오드에서 전자는 p형 반도체와 n형 반도체 사이의 전압 차만큼의 에너지를 빛으로 방출하며, 이 에너지의 크기에 따라 방출되는 빛의 파장이 정해지면서 빛이 하나의 색을 띠게 된다고 했다.

02 발광 효율(㉠)이란 소비 전력이 빛으로 변환되는 비율을 말한다(❶-2). ❺-3에서 발광 다이오드는 필라멘트와 같은 가열체가 없어 형광등에 비해 에너지의 손실이 작다고 했으므로, 발광 다이오드가 형광등보다 발광 효율이 높다는 것을 알 수 있다.

오답 피하기 ② ❷-5에서 '전구에 가해지는 전압을 높여 필라멘트의 온도를 높이면 빛의 비율은 높아'진다고 했다. 따라서 이와 반대로 수명을 늘리기 위해 필라멘트의 가열 온도를 낮춘다면 빛의 비율이 낮아져서 발광 효율은 낮아질 것임을 추론할 수 있다.

03~04

주제 플래시 메모리의 구조와 작동 원리

해제 이 글은 플래시 메모리의 구조와 플래시 메모리가 데이터를 쓰고 지우는 작동 원리를 설명하고 있다.

03 (1) ❷에 따르면 D에 3V의 전압을 가하는 이유는 플로팅 게이트의 전자의 흐름 여부를 확인하여 데이터를 읽기 위해서이다. 그렇지만 3V의 전압을 가했다고 해서 플로팅 게이트의 전자가 사라지는 것은 아니다.

(2) ❷-5에서 확인할 수 있다.

(3) ❸-7에서 터널 절연체는 전류 흐름을 항상 차단하는 일반 절연체와는 다르게 일정 이상의 전압이 가해졌을 때는 전자를 통과시킨다고 했다. ❸~❹를 고려할 때 데이터를 쓰고 지우려면 전자가 터널 절연체를 넘는 과정이 필요하므로 일반 절연체를 사용하면 데이터를 반복해서 지우고 쓸 수 없음을 알 수 있다.

04 ❸~❹를 고려하면 데이터 〈10〉을 〈01〉로 수정하기 위해서는 1단계에서 데이터를 지우고, 2단계에서 데이터를 쓰는 과정이 필요함을 알 수 있다. ❸-4에서 데이터를 지우려면 블록에 포함된 모든 셀마다 P형 반도체에 약 20V의 전압을 가한다고 했으므로, 1단계에서 전압이 가해지는 위치는 ㉠과 ㉡이다. ❹-2에서 데이터를 저장하려면 1을 쓰려는 셀의 G에 약 20V의 전압을 가한다고 했으므로, 2단계에서 전압이 가해지는 위치는 1을 쓰려는 셀의 G인 ㉣이다.

05~07

주제 진공관과 트랜지스터의 구조 및 원리

해제 이 글은 2극 진공관과 3극 진공관의 구조와 원리를 제시하고, 진공관의 문제점을 극복한 트랜지스터의 구조와 원리를 설명하고 있다.

05 ❹-3~4에 따르면 트랜지스터는 n형 반도체나 p형 반도체를 3개 접합해서 만든 소자로, 그리드 대신 반도체가 증폭 기능을 한다.

오답 피하기 ② ❷-1에서 확인할 수 있다.

③ ❶-7을 고려할 때 적절하다.

④ ❶-5~6에서 2극 진공관이 정류 기능을 함을 알 수 있다. ❹-1에서 pn 접합 소자는 정류 기능을 할 수 있다고 했으므로 적절하다.

⑤ ❶-4에서 확인할 수 있다.

06 ❷~❸에 따르면 (가)는 잉여 전자가 존재하는 n형 반도체, (나)는 양공이 존재하는 p형 반도체이다. ❹-3~4를 고려하면 (가), (나), (가)를 차례로 접합해서 npn 접합 소자인 트랜지스터를 만들 수 있는데, 이때 트랜지스터는 증폭 기능을 한다고 했다.

오답 피하기 ① ❷-5에서 잉여 전자는 원자 간 결합에 참여하지 않는다고 했다.

② ❷-3과 ❸-1~2를 고려할 때 순수한 규소보다 (나)에 전류가 더 잘 흐른다.

③ ❷-5~6에서 (가)는 최외각 전자가 5개인 비소를 규소에 소량 첨가해서 만든 n형 반도체라고 했다.

⑤ ❹-2에서 p형에 (+)전압을, n형에 (−)전압을 걸어 주면 전류가 흐른다고 했다.

07 ❹-5에서 반도체 소자는 진공을 만들거나 필라멘트를 가열하지 않고도 진공관의 기능을 대체했을 뿐 아니라 소형화도 이룰 수 있었다고 했다. 따라서 반도체 소자를 활용한 보청기 내부를 진공으로 만들었다고 보기 어렵다.

오답 피하기 ⑤ 저마늄(Ge)과 규소(Si)에 불순물을 첨가해야 전류가 잘 흐르는 반도체를 만들 수 있다(❷-3).

V. 예술

01 미학과 비평

273~275쪽

01 (1) × (2) ○ (3) ○ 02 ④ 03 ① 04 ① 05 ③

01~02

주제 작가주의의 개념과 작가주의가 영화 비평에 끼친 영향

해제 이 글은 1950년대 프랑스의 영화 비평계에서 새롭게 등장한 작가주의 비평과 작가주의적 비평이 영화 비평계에 끼친 영향을 설명하고 있다.

01 (1) ❸-3~4에서 흥행의 불안정성을 해소하기 위해 제작자가 관여하면서 감독은 제작자의 생각을 구현하는 역할에 머물게 되었음을 알 수 있다.

(2) ❶-4에서 확인할 수 있다.

(3) ❸-2에서 확인할 수 있다.

02 ❹-1에서 ㉡(작가주의적 비평가들)이 할리우드에서 생산된 영화에서도 감독 고유의 표지, 즉 개성을 찾아낼 수 있다고 생각했음을 확인할 수 있다.

오답 피하기 ① ❸-4에 관객의 변덕스런 기호가 ㉠의 흥행의 불안정성을 초래하는 변수로 제시되어 있다.

② ❸-3에서 제작자가 감독의 작업 과정에 관여하면서 감독은 제작자의 생각을 구현하는 역할에 머물렀다고 했으므로, ㉠의 감독이 창의성을 마음껏 발휘했다고 보기 어렵다.

③ ❷-1에서 작가주의는 상투적인 영화가 아닌 감독의 개성을 일관되게 투영하는 작품들을 옹호한다고 했다. 따라서 ㉡이 상투적인 영화를 옹호하고자 했다고 보기 어렵다.

⑤ ❹에서 ㉡이 ㉠을 재평가한 결과 B급 영화와 그 감독들마저 수혜자가 되기도 했다고 언급했으므로 B급 영화가 평가 대상에서 제외되었다고 보기 어렵다.

03~05

주제 모방론 이후 예술을 정의하고자 한 다양한 미학 이론

해제 이 글은 예술이 자연에 대한 모방이라는 아리스토텔레스의 말에서 비롯된 모방론에서 출발한 예술의 정의에 대한 문제를 통시적으로 다루고 있다.

03 ❷-4에서 형식론은 비평가들만이 직관적으로 식별 가능한 '의미 있는 형식'을 통해 미적 정서를 유발하는 작품을 예술 작품으로 보았다고 했다. 따라서 형식론은 미적 정서를 유발할 수 있는 어떤 성질(의미 있는 형식)을 근거로 예술 작품의 여부를 판단한다고 볼 수 있다.

오답 피하기 ② ❷-4에서 형식론은 예술 감각이 있는 비평가들만이 직관적으로 식별할 수 있는 의미 있는 형식을 통해 미적 정서를 유발하는 작품을 예술 작품으로 본다고 했다.

③, ④ 표현론의 관점이다.

⑤ 제도론의 관점이다.

04 ❶-2에서 모방론은 대상과 그 대상의 재현이 닮은 꼴이어야 한다는 재현의 투명성 이론을 전제한다는 내용을 확인할 수 있다. 뒤샹의 〈샘〉은 대상과 그 대상의 재현이 닮은꼴이 아니라 대상인 변기가 예술 작품 그 자체이므로, 모방론자의 입장에서 〈샘〉이 예술 작품이 되기 위한 필요충분조건을 갖추고 있다는 평가를 한다고 보기 어렵다.

오답 피하기 ⑤ ❸-3에서 예술 정의 불가론은 예술의 정의에 대한 이론들을 참과 거짓을 판단할 수 없는 사이비 명제로 여긴다고 했다. 따라서 예술 정의 불가론자는 표현론자가 제시하는 예술 작품의 조건으로 규정하기 위해 사용하는 명제를 사이비 명제로 판단하고 이를 받아들이지 않을 것이다.

05 아리스토텔레스의 모방론은 대상과 그 대상의 재현이 닮은 꼴이어야 한다는 재현의 투명성 이론을 전제하고 있으므로, 이 관점을 적용하면 화가 A의 그림이 아버지의 낡은 신발과 닮았다는 이유로 이 그림을 예술 작품이라고 평가할 수 있다(㉠). 또 콜링우드는 감정과 같은 예술가의 마음을 예술의 조건으로 규정하는 표현론을 제시했으므로, 이 관점을 적용하면 작품의 소재가 아버지의 낡은 신발이며 작품의 제목이 〈그리움〉이라는 점에서 아버지에 대한 화가 A의 그리움이 작품에 담겨 있다고 판단할 수 있다(㉡).

오답 피하기 ㉢ 디키의 제도론에 따르면 예술 작품이 되기 위해서는 일정한 절차와 관례를 거쳐야만 한다. 그런데 평범한 신발이 특별한 이유가 신발의 원래 주인이 화가였다는 사실에 있음에 주목하는 것은 어떤 인공물이 감상의 후보 자격을 수여받는 과정에 해당하지 않으므로, 디키의 관점을 적용한 입장이라고 보기 어렵다.

02 미술

281~283쪽

01 (1) ○ (2) ○ (3) × 02 ④ 03 ④ 04 ⑤ 05 ①

01~02

주제 묵란화에 나타난 추사의 작품 세계

해제 이 글은 사군자의 하나인 난초를 먹으로 그린 '묵란화'를 중심으로 추사 김정희의 예술 세계와 서풍·화풍의 변화를 설명하고 있다.

01 (1) ❶에서 확인할 수 있다.

(2) ❸에서 확인할 수 있다.

(3) 윗글에 김정희가 말년에 그린 묵란화에 서예의 필법이 사용되었는지에 관한 내용은 언급되지 않았다.

02 ❹-3~5에서 ㉡(〈부작란도〉)의 홀로 위로 솟구쳤다 꺾인 잎은 세파에 시달린 김정희의 처지를 드러낸다고 했다. 지식을 추구했던 과거의 삶과 단절하겠다는 의지를 읽어 내기는 어렵다.

오답 피하기 ①, ② ❷-2~4, ❸-1에서 확인할 수 있다.

⑤ ❶-5에서 묵란화는 문인들이 인문적 교양과 감성을 드러내는 수단이라고 했다. 김정희는 난초를 소재로 삼은 그림인 ㉠, ㉡을 통해 자신의 인문적 교양과 감성을 표현하였다.

03~05

주제 회화의 의미를 찾기 위한 모네와 세잔의 시도

해제 이 글은 재현이라는 회화적 전통이 무의미해진 시대에서 회화의 의미를 찾기 위한 화가들의 시도를, 모네와 세잔의 화풍을 중심으로 설명하고 있다.

03 ❷-1에 대상의 고유한 색은 존재하지 않는다는 인상주의 화가들의 생각이 드러나 있다. 모네는 인상주의 화가이므로 모네가 대상의 고유한 색을 표현하려 했다는 진술은 적절하지 않다.

오답 피하기 ① ❶-1에서 확인할 수 있다.

② ❶-2에서 전통적인 회화는 사실주의적 회화 기법을 중시했다고 했으므로 적절하다.

③ ❸-4에서 확인할 수 있다.

⑤ ❻-2에서 확인할 수 있다.

04 ❸-6에 따르면 모네는 사실적 표현에서 완전히 벗어나지는 못했다는 평가를 받았다. 따라서 (가)에 해당하지 않는 진술이다.

오답 피하기 ① ❸-2~4에서 모네는 빛에 의한 대상의 순간적 인상을 포착하여 이를 빠른 속도로 그려 냈기 때문에 대상의 윤곽이 뚜렷하지 않다고 했다.

② ❺-3에서 세잔은 질서 있는 화면 구성을 위해 대상의 선택과 배치가 자유로운 정물화를 선호했다고 했다. (나)는 세잔의 정물화로, 그림의 대상은 세잔의 의도에 따라 선택되고 배치되었을 것이라고 추론할 수 있다.

③ ❸-4에서 모네의 그림은 대상의 윤곽이 뚜렷하지 않아 색채가 형태 묘사를 압도하는 느낌을 준다는 것을 확인할 수 있다. 반면 ❻-3에서 세잔은 윤곽선을 강조하여 대상의 존재감을 부각하려 했다고 했다.

④ ❸-2~3에서 모네의 그림의 거친 붓 자국은 빛에 의한 대상의 순간적 인상을 포착하여 매우 빠른 속도로 그려 내다가 생긴 것이라고 했다.

05 〈보기〉는 대상을 단순화하고, 여러 각도에서 바라보는 관점으로 사물을 해체하고, 이를 다시 재구성함으로써 사물의 본질을 표현하고자 한 입체파 화가들의 화풍을 설명하고 있다. 세잔이 이중 시점을 적용하여 대상을 다른 각도에서 바라보려 했으며 이를 한 폭의 그림 안에 표현했음을 고려할 때(❺-2), 이러한 세잔의 화풍은 입체파 화가들에게 대상의 본질을 드러내기 위해 다양한 각도에서 바라보아야 한다는 관점을 제공했으리라고 추론할 수 있다.

03 음악

289~291쪽

01 (1) × (2) × (3) ○ **02** ⑤ **03** ⑤ **04** ④ **05** ①

01~02

주제 불확정성을 추구함으로써 음악의 지평을 넓힌 우연성 음악

해제 이 글은 음악을 바라보는 고정관념에서 벗어나 우연성을 도입하여 음악의 지평을 넓힌 우연성 음악을 소개하고 있다.

01 (1) ❹~❺에서 우연성 음악이 연주자의 자율성을 존중한다는 것을 알 수 있지만, 작곡가와 연주자의 지위가 동등함을 강조했다고 보기는 어렵다.

(2) ❶-2에서 우연성 음악은 지나치게 추상화되거나 정밀하게 구성된 음만을 추구하는 현대 음악에 대한 비판에서 출발했음을 알 수 있다.

(3) ❺에서 확인할 수 있다.

02 ❷에서 동양의 주역 사상에 영향을 받은 케이지가 작품 창작 과정에 우연의 요소를 도입하여, 작곡가의 의도를 배제하기 위해 ㉠의 방법을 썼다고 했다.

오답 피하기 ④ 케이지가 주역 사상에 영향을 받은 것은 맞지만, 작품의 의미를 주역 사상과 일치시키려고 노력했다는 내용은 찾아볼 수 없다.

03~05

주제 베토벤 교향곡을 통해 바라본 베토벤 신화

해제 이 글은 베토벤 교향곡이 서양 음악사에 한 획을 그은 걸작으로 평가되는 이유를 당대 독일의 사회적 상황과 연결하여 설명하고 있다.

03 ❺-3~4에서 베토벤이 천재라고 불린 이유는 이전의 교향곡의 전통을 수용하면서도 자신만의 독창적인 색채를 더해 교향곡의 새로운 지평을 열었기 때문임을 확인할 수 있다. 따라서 베토벤이 기존의 음악적 관습을 부정하고 교향곡이라는 새로운 장르를 창시했다는 진술은 적절하지 않다.

오답 피하기 ① ❷-2, ❹-4에서 베토벤의 신화와 독일 민족의 음악적 이상의 연관 관계를 밝히고 있다.

②, ③, ④ ❶-3~4에서 확인할 수 있다.

04 ❸에 따르면 빈의 ㉠(새로운 청중)은 순수 기악을 추구했던 이들로, ㉠은 언어가 순수 기악이 주는 의미를 담을 수 없다고 생각했기 때문에 말로 형용할 수 없는 '음악 그 자체'를 지향했다. 따라서 ㉠의 관점에 가장 가까운 것은 ④이다.

오답 피하기 ② ㉠은 음악은 말로 형용할 수 없으며 무한을 향해 열려 있는 것이라고 생각했다. 따라서 음악을 인간의 구체적인 감정을 전달하는 수단이라고 한정했다고 보기 어렵다.

③ 가사는 가락을 통해 전달되는 메시지이지만, ㉠은 제목이나 가사 등의 음악 외적 단서를 원하지 않았다. 따라서 언어를 음악의 본질적 요소라고 생각했다고 보기 어렵다.

⑤ 창작 당시의 시대상이 음악에 반영되기도 하지만, ㉠은 악기에서 나오는 소리 외에는 다른 어떤 것과도 연합되지 않는 음악을 지향했으므로 음악 외적 상황을 중요시했다고 보기 어렵다.

05 ❹-3~4에서 슐레겔이 모든 순수 기악을 철학적이라고 생각했으며 베토벤의 교향곡이 순수 기악의 정수라고 생각했음을 알 수 있다. 따라서 슐레겔은 오페라 작곡가인 로시니를 베토벤만큼 높이 평가하지는 않았을 것이다.

오답 피하기 ② ❹-3에서 호프만이 베토벤의 교향곡을 '보편적 진리를 향한 문'이라고 평가했음을 알 수 있다. 이러한 입장의 호프만이 당시 이탈리아와 프랑스에서 유행하는 오페라를 새로운 전통을 창조한 것으로 보았다는 진술은 적절하지 않다.

③ ❹-1~2에서 '음악을 앎의 방식'으로 이해하기를 원한 사람들은 음악을 감상자가 능동적으로 이해해야 할 대상으로 인식했음을 알 수 있다. 이들은 순수 기악을 지향했던 이들로, 오페라를 순수 기악인 교향곡보다 우월한 장르라고 평가하지 않았을 것이다.

④ 〈보기〉의 스탕달은 로시니를 극찬하면서 순수 기악을 중시했던 '빈의 현학적인 음악가들'에 대한 부정적인 인식을 드러내고 있다. 즉, 스탕달은 로시니의 음악이 빈에서 유행했던 순수 기악과 달랐기 때문에 그를 최고의 작곡가로 평가한 것이다.

⑤ ❹-1~2에서 음악을 능동적 이해의 대상으로 인식한 것은 빈의 청중과 음악 비평가들임을 알 수 있다. 오페라는 독일의 빈이 아니라 이탈리아와 프랑스에서 최고의 인기를 누렸다.

04 사진과 영화 295~296쪽

01 ① 02 ④ 03 ④ 04 ①

01~04

주제 회화주의 사진을 추구했던 스타이컨의 노력

해제 이 글은 단순히 현실 재현의 수단으로 여겨지던 사진의 위상을 회화와 같은 예술성을 갖춘 위치로 끌어올리려 했던 스타이컨의 노력과 그의 회화주의 사진을 구체적인 작품을 중심으로 소개하고 있다.

01 ❸-3에서 사진이나 조각도 문학 작품처럼 해석의 대상이 될 수 있다는 스타이컨의 생각에 로댕 또한 동감했다고 했다.

오답 피하기 ② 〈빅토르 위고〉는 로댕의 작품으로, 스타이컨이 〈빅토르 위고〉가 서로 마주 보고 있는 로댕과 〈생각하는 사람〉을 내려다보게 배치한 것은 맞으나 빅토르 위고가 사진과 조각을 모두 해석의 대상이라고 생각하여 그것들을 내려다보고 있었다는 내용은 없다.

③ ❶-2~4에서 회화주의 사진작가들은 사진을 연출된 형태로 찍거나 제작함으로써 주관을 표현하였다고 했다. 따라서 스타이컨의 사진이 대상을 그대로 보여 준다고 보기 어렵다.

④ ❸-2에서 로댕은 사물의 외형만을 재현하는 당시 예술계의 경향에 벗어나 생명력과 표현성을 강조하는 조각을 했고, 스타이컨은 이를 높이 평가했다고 했다. 즉 로댕과 스타이컨은 조각의 역할이 사물의 형상을 충실히 재현하는 것에 한정되어 있다고 여기지 않았을 것이다.

⑤ ❷-6, ❺-1에서 스타이컨이 인화 과정에서 감광액을 사용하여 작품의 질감 변화를 꾀했음을 확인할 수 있다.

02 ❷-3에서 스타이컨은 로댕을 대리석상 〈빅토르 위고〉 앞에 두고 찍은 사진과, 청동상 〈생각하는 사람〉을 찍은 사진을 합성했다고 했다. 따라서 합성 사진의 원경에 배치된 〈빅토르 위고〉는 따로 촬영된 것이 아니며, 인물인 로댕과 청동상 〈생각하는 사람〉 또한 함께 촬영된 사진이 아니다.

오답 피하기 ① ❷-5에서 확인할 수 있다.

② ❹-3에서, 원경에서 밝게 빛나는 〈빅토르 위고〉는 근경에 있는 로댕과 〈생각하는 사람〉의 어두운 모습에 대비된다고 했다.

③ ❹-2, ❹-4에서 로댕이 〈생각하는 사람〉과 같은 자세로 마주 보고 있는 것은 로댕의 작품도 창작의 고뇌 속에서 이루어진 것이라는 메시지를 주기 위함이라고 했다.

⑤ ❹-1에서 확인할 수 있다.

03 스타이컨은 사진이나 조각 또한 문학 작품처럼 해석의 대상이 될 수 있다고 생각했으며(❸-3) 〈빅토르 위고와 생각하는 사람과 함께 있는 로댕〉을 통해 로댕의 작품 또한 창작의 고뇌 속에서 이루어진 것이라는 메시지를 전달하려고 했다(❹-4). 따라서 스타이컨이 로댕의 조각 예술이 문학에 종속된다고 표현했다는 ⓓ의 진술은 적절하지 않다.

오답 피하기 ① ❸-3에서 스타이컨은 사진이나 조각 또한 작가의 주관과 감정을 표현할 수 있는 대상이라고 생각했다고 했다.

② ❺에 회화의 창작과 표현 방식을 사진에서 구현하려고 한 스타이컨의 노력이 드러나 있다.

③ ❹-3에서 대문호 〈빅토르 위고〉는 창조의 영감을 발산하는 모습으로 나타난다고 했다.

⑤ ❶에서 회화주의 사진은, 사진이 기술적 도구이자 현실 재현의 수단이라는 인식에서 벗어나 회화적 표현을 모방하여 예술성이 있는 사진을 추구하는 흐름 속에서 만들어진 사진 작품들을 의미한다고 했다. 스타이컨은 회화주의 사진을 대표하는 사진작가이다.

04 ㉡(살지)는 '본래 가지고 있던 색깔이나 특징 등이 그대로 있거나 뚜렷이 나타나다.'라는 의미로 사용되었다. ㉡의 문맥적 의미와 가장 가까운 것은 ①이다.

오답 피하기 ② '불 등이 타거나 비치고 있는 상태에 있다.'라는 의미로 사용되었다.

③ '움직이던 물체가 멈추지 않고 제 기능을 하다.'라는 의미로 사용되었다.

④ '어느 곳에 거주하거나 거처하다.'라는 의미로 사용되었다.

⑤ '어떤 사람과 결혼하여 함께 생활하다.'라는 의미로 사용되었다.

그림·사진 자료 출처

본책 188쪽 금으로 만든 팔찌_ⓒUkki studio/Shutterstock
본책 231쪽 일식_게티이미지뱅크
본책 231쪽 월식_게티이미지뱅크

정답은
이안에
있어 !